L'ADAPTATION HUMAINE

Monique Tremblay

L'ADAPTATION HUMAINE

Un processus biopsychosocial à découvrir

Ouvrage réalisé sous la responsabilité
du collège de la région de l'amiante

Données de catalogage avant publication (Canada)

Tremblay, Monique, 1944-

L'adaptation humaine: un processus biopsychosocial à découvrir

Publ. en collaboration avec: Collège de la région de l'amiante et la Direction générale de l'enseignement collégial.

Comprend des réf. bibliogr. et un index.

ISBN 2-89035-189-0

1. Adaptation (Psychologie). 2. Adaptation sociale. 3. Marginalité. 4. Ajustement (Psychologie). I. Collège de la région de l'amiante. II. Québec (Province). Direction générale de l'enseignement collégial. III. Titre.

BF335.T73 1992 155.2'4 C92-096893-7

La Direction générale de l'enseignement collégial du ministère de l'Enseignement supérieur et de la Science a apporté un soutien pédagogique et financier à la réalisation de cet ouvrage.

Éditeur:
Richard Vézina

Éditeur délégué:
François Lambert

Responsabilité du projet pour la DGEC:
Charles Gravel

Coordination du projet pour le Collège:
Régis Allaire

Révision linguistique:
Hélène Larue

Révision scientifique:
Docteur Michel Lemay

Révision pédagogique:
Sabine de Vleeschauwer

Réalisation graphique de la page couverture:
François Joly

Infographie:
Les Ateliers C.M. Inc.

Dépôt légal: Bibliothèque nationale du Québec, 3e trimestre 1992.

Imprimé au Canada.

2e réimpression : 3e trimestre 1996

Notre catalogue vous sera expédié sur demande:
Les Éditions Saint-Martin
5000, rue Iberville, bureau 203
Montréal (Québec) H2H 2S6
(514) 529-0920

TABLE DES MATIÈRES

CHAPITRE 2

La genèse des difficultés d'adaptation (Les facteurs d'inadaptation)

CHAPITRE 3

La période d'inadaptation (Description des difficultés)

CHAPITRE 4

La période d'adaptation (De l'inadaptation à l'adaptation)

CHAPITRE 5
L'intervention biopsychosociale

LISTE DES TABLEAUX ET DES FIGURES

Liste des tableaux

Liste des figures

Tableau 1.1
Historique du concept d'adaptation

Perspective	Adaptation / inadaptation
Perspective évolutionniste *l'ensemble des êtres vivants*	Survie / Extinction *de l'individu ou de l'espèce*
Perspective statistique *normalité quantitative*	Majorité / Minorité *par rapport à une ou plusieurs caractéristiques*
Perspective socioculturelle *normalité qualitative*	Conformisme / Non-conformisme *en rapport avec les conduites idéales*
Perspective systémique *analyse des composantes*	Équilibre / Déséquilibre ind./env. ind./env. *résultat des interactions*

La perspective évolutionniste

La perspective évolutionniste, inspirée des travaux de Darwin au XIXe siècle, accorde une place importante au concept d'adaptation et considère l'être humain parmi les espèces les mieux adaptées. L'arbre de la vie, tel que l'illustre la figure 1.1, nous montre l'évolution des différentes espèces. L'être humain, l'*homo sapiens*, représente l'espèce zoologique la plus développée et la plus tardivement venue au cours de la longue évolution des vertébrés. Sur la planète Terre, cinq milliards d'êtres humains sont actuellement répartis sur tous les continents et forment de multiples collectivités dont l'interdépendance se renforce de plus en plus. Le développement de ses capacités intellectuelles et la culture qui a accompagné ce développement ont aidé l'être humain à affronter les contraintes environnementales par des réponses efficaces et mieux adaptées.

> «Son intelligence lui a même permis de réaliser des performances qui dépassent les possibilités de l'adaptation biologique[1].»

Figure 1.1 Arbre de la vie

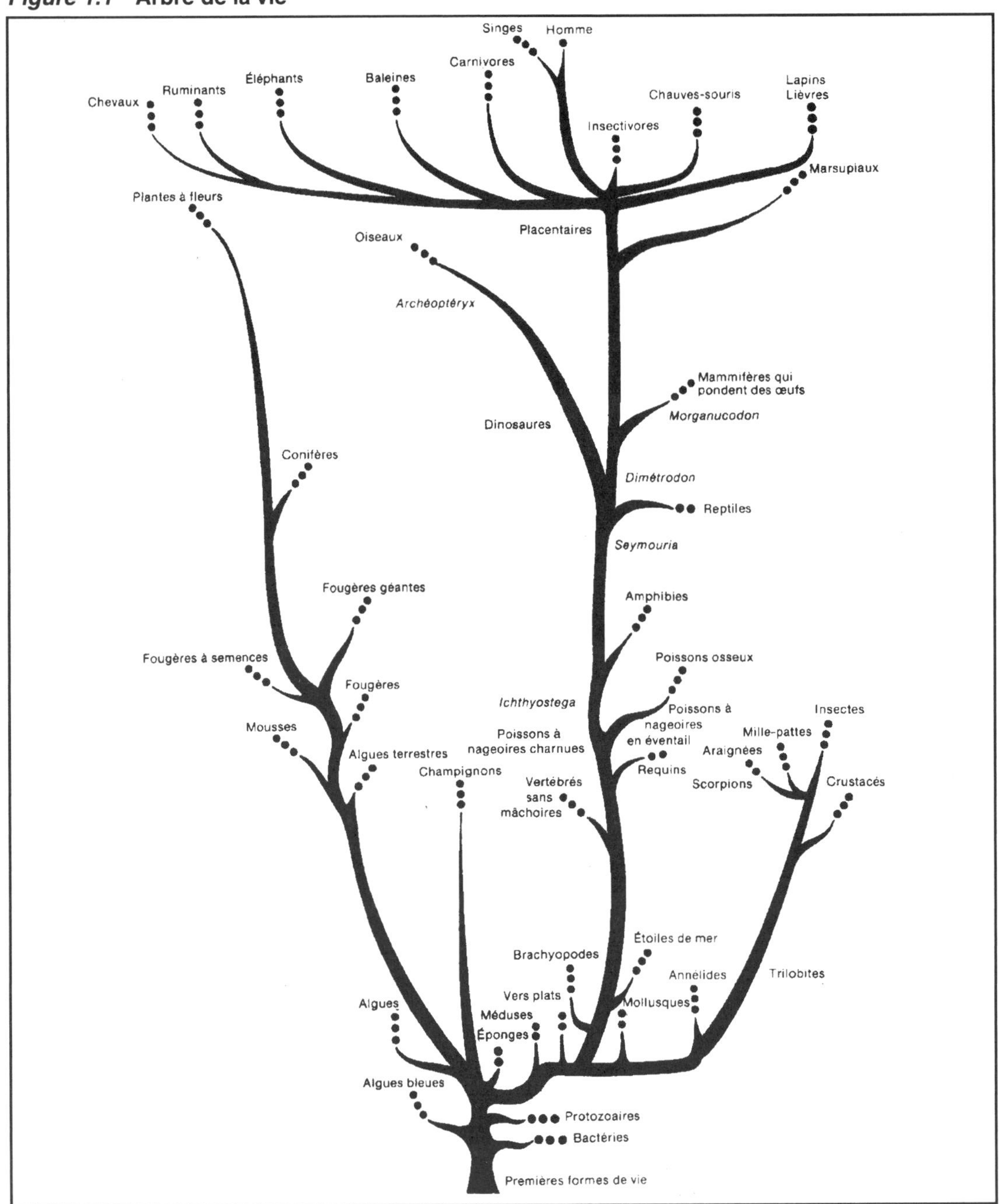

Source: Marie-Louise BOZZI, *L'histoire de la vie,* Montréal, Éditions Paulines, 1984, page non numérotée.

Dans cette perspective, l'être humain apparaît comme un cas, parmi bien d'autres, d'évolution d'une espèce. Le concept d'adaptation prend une signification précise, celle de la conservation de la vie. On montre comment l'être vivant, par surcroît l'être humain, réussit à survivre dans son environnement et comment, à partir d'un certain seuil, il n'y a plus adaptation puisque c'est la disparition de l'individu ou de l'espèce. La lutte pour la vie opère une sélection naturelle qui assure la survie des plus aptes, c'est-à-dire des mieux adaptés. Les individus et les espèces qui survivent sont considérés comme adaptés alors que les individus et les espèces qui meurent sont considérés comme inadaptés.

La perspective évolutionniste met l'accent sur un aspect important de l'adaptation pour l'ensemble des êtres vivants, mais elle ne rend pas compte de la complexité de l'adaptation humaine. En effet, si elle explique l'adaptation de l'être humain à son milieu, elle laisse dans l'ombre d'autres champs comme la mémoire collective, la liberté individuelle, l'adaptation interhumaine dans une culture donnée, l'adaptation individuelle dans un groupe déterminé, ce que mettent en évidence les autres perspectives.

La perspective statistique

La perspective statistique se rapporte aux normes quantitatives et délimite l'adaptation par une moyenne de fréquence de caractéristiques. Le normal signifie la moyenne ou la « norme » à partir de formules statistiques qui servent à porter un jugement. La majorité est la valeur retenue comme critère d'adaptation et la minorité est la valeur retenue comme critère d'inadaptation. Le degré de l'inadaptation se mesure en fonction de l'écart avec la majorité. Ainsi, est considérée adaptée une personne faisant partie de la majorité par rapport à un ou plusieurs aspects ; par contre, est considérée inadaptée une personne faisant partie de la minorité par rapport à un ou plusieurs aspects.

Dans cette perspective, on décrit le comportement normal comme la capacité qu'a l'individu de s'adapter aux conditions ordinaires de son milieu. Si l'individu éprouve plus de difficultés à s'adapter aux conditions ordinaires de son environnement que le groupe en général, son comportement sera jugé comme anormal ou inadapté.

Par exemple, les gauchers constituent une minorité sur le plan statistique puisqu'ils comptent pour environ 14 % de la population générale.

Jusqu'à une époque encore récente, cette caractéristique était considérée comme anormale et l'on obligeait les gauchers à écrire de la main droite de même qu'à utiliser des outils, des instruments et des appareils conçus pour les droitiers. Les gauchers devaient affronter un univers où les droitiers avaient tous les privilèges. Tout ce qui était «droit» était considéré comme honnête, équitable, sincère, loyal et franc. Ce qui était «gauche» était synonyme de disgracieux, malhabile, maladroit et «se lever du pied gauche» signifie, encore aujourd'hui, se lever de travers.

Les personnes qui font partie de la majorité sont-elles automatiquement adaptées? Les personnes qui appartiennent à une minorité sont-elles automatiquement inadaptées? La perspective statistique est théoriquement valide, adéquate, utile quand on veut esquisser à grands traits le portrait d'une collectivité, car elle permet de rendre compte de certains phénomènes distinctifs, de donner un éclairage valable sur certaines réalités sociales.

Cependant, cette normalité statistique n'est qu'un des nombreux aspects à considérer dans l'adaptation humaine, car elle dit peu sur les autres caractéristiques de chacune des personnes faisant partie d'un ensemble ou d'un sous-ensemble. Cette perspective paraît insuffisante pour définir la complexité de l'adaptation humaine parce qu'elle ne se base que sur une ou quelques-unes des caractéristiques d'une personne pour la définir comme «inadaptée» ou «adaptée».

La perspective socioculturelle

La perspective socioculturelle se rapporte aux normes qualitatives, c'est-à-dire aux modèles idéaux, aux valeurs dominantes, aux attentes sociales, aux stéréotypes, aux règles de conduite. C'est à partir d'un cadre de référence culturel qu'on donne la définition de la normalité et de l'adaptation. Chaque société valorise les comportements dont elle a besoin et qu'elle accepte. Par contre, elle tend à dévaloriser les comportements dont elle n'a plus besoin, qui la dérangent et qu'elle rejette. Ces normes qualitatives sont définies par les différents groupes et personnes qui exercent un pouvoir dans une société donnée.

On se réfère à ces normes pour déterminer l'adaptation (le normal) et l'inadaptation (l'anormal). La conformité aux normes socioculturelles est la valeur retenue comme critère de l'adaptation alors que la non-conformité est la valeur retenue comme critère de l'inadaptation. La notion d'adaptation rejoint ici celle de conformité sociale aux valeurs dominantes. Ainsi, est considérée comme adaptée une personne qui se conforme aux modèles idéaux de conduite soit parce qu'elle détient le pouvoir de les définir, soit parce qu'elle obéit aux règles. Une personne est considérée comme inadaptée, c'est-à-dire déviante, marginale ou «mal ajustée», quand elle ne se conforme pas à ces règles.

Quelle est la validité de la perspective socioculturelle pour définir l'adaptation humaine? Les personnes qui ne se conforment pas aux normes socioculturelles sont-elles inadaptées? La perspective socioculturelle est valide sur le plan théorique parce que toute société, grande ou petite, a des attentes par rapport à ses membres afin d'assurer la cohésion sociale. Cependant, dans la réalité de tous les jours, cette perspective est, elle aussi, insatisfaisante pour déterminer qui est «adapté» et qui est «inadapté», et l'usage qu'on en fait la rend moins valide sur le plan de l'adaptation individuelle.

En effet, les attentes d'une société donnée ne peuvent pas être érigées en valeurs définitives parce que les normes de comportement peuvent varier énormément d'une société à une autre. Un relativisme culturel tempère ici une normalité trop rigide. Ainsi, par exemple, le comportement du mystique qui expérimente des états de transe pourrait être considéré comme un comportement anormal ou inadapté dans notre culture. Dans d'autres cultures, au contraire, les personnes qui font l'expérience de ces phénomènes de transe acquièrent du prestige, du respect, une appréciation culturelle et des privilèges.

De plus, les valeurs peuvent varier d'une époque à une autre à l'intérieur d'une même société. Dans notre culture occidentale, à une époque encore récente, le suicide était généralement considéré comme anormal et inadapté au point qu'il existait des lois tant religieuses que sociales pour le condamner. Toute tentative de suicide méritait même un châtiment au titre de crime contre la société. Aujourd'hui, on tend à mieux comprendre ce phénomène en l'identifiant, par exemple, à un symptôme de malaises individuels ou sociaux plus profonds, ce qui conduit à éliminer le châtiment du geste suicidaire.

Ainsi, le fait d'être conforme aux normes socioculturelles dans un environnement social déterminé ne peut être considéré comme un critère suffisant de l'adaptation humaine. En effet, sur le plan de l'évolution de l'humanité, comme sur le plan de l'évolution personnelle, certaines formes d'anticonformisme présentent, à long terme, davantage d'éléments adaptatifs que le conformisme. À titre d'exemple, prenons Copernic qui, au XVIe siècle, découvrait le double mouvement des planètes sur elles-mêmes et autour du Soleil. De son vivant, ses idées furent condamnées, mais les découvertes scientifiques ultérieures lui donnèrent raison.

La perspective systémique

Les perspectives évolutionniste, statistique et socioculturelle permettent de dégager certains aspects que l'on doit considérer comme des indicateurs potentiels d'une adaptation ou d'une inadaptation mais non comme des absolus. Ces perspectives sont présentes dans les mentalités et pratiques actuelles mais, depuis les années 60, la perspective systémique se développe de plus en plus.

Un système est un ensemble de sous-systèmes, de sous-ensembles, de parties ou de composantes coordonnés de telle sorte qu'ils forment une unité. Un système est un tout qui fonctionne de manière unifiée grâce à l'interdépendance de ses parties. Puisqu'un système est un ensemble de composantes en interaction constante, celles-ci s'influencent sans cesse les unes les autres. Dès qu'une composante agit, les autres composantes réagissent, chacune à sa manière. Une perspective systémique met l'accent sur les interactions des composantes plutôt que de se concentrer isolément sur chaque composante. Cette façon de procéder a pour but de comprendre un système dans sa totalité, sa complexité et sa dynamique propre.

Dans cette perspective, l'être humain est défini comme un sous-système d'un système plus grand qui est l'écosystème. L'adaptation humaine est considérée comme la résultante d'un système, car elle est un tout ouvert à des composantes tant internes qu'externes par rapport à l'être humain. Prise séparément, aucune des composantes ne peut expliquer adéquatement la complexité de l'adaptation humaine. Seule l'interaction de plusieurs des composantes peut en rendre compte.

La notion de système permet donc un éclairage nouveau. La perspective systémique considère l'adaptation humaine davantage sous l'angle de l'interaction de différentes composantes, et le concept d'adaptation se rapproche de celui d'ajustement. Une personne s'ajuste à son environnement et l'environnement s'ajuste à la personne. Cela permet de mieux cerner la complexité de la problématique de l'adaptation humaine puisqu'il n'y a pas d'adaptation idéale, en soi. L'adaptation individuelle met en action des situations concrètes, historiques, politiques et sociales, dans des interactions dynamiques dont il est essentiel de tenir compte.

C'est dans cette perspective systémique que nous définirons le concept d'adaptation en proposant un cadre de référence qui aide à organiser les connaissances dans leurs rapports interactifs et qui vise à expliquer l'équilibre entre l'épanouissement individuel et l'épanouissement social. Ce bref historique du concept d'adaptation nous amène à nous pencher sur l'identification et la définition des différentes composantes de l'adaptation humaine de même que sur les interactions des composantes.

LES COMPOSANTES DE L'ADAPTATION HUMAINE

Les propriétés et le comportement d'un système complexe sont déterminés par son organisation interne et par ses relations avec son environnement. Dans ce sens, nous identifions six composantes de l'adaptation humaine (*voir la figure 1.2*), qui peuvent schématiquement se répartir en deux groupes: celles reliées à l'individu (hérédité, histoire personnelle, marge de liberté) et celles reliées à l'environnement (conditions naturelles, conditions macrosociales, conditions microsociales).

Figure 1.2 **Composantes de l'adaptation humaine**

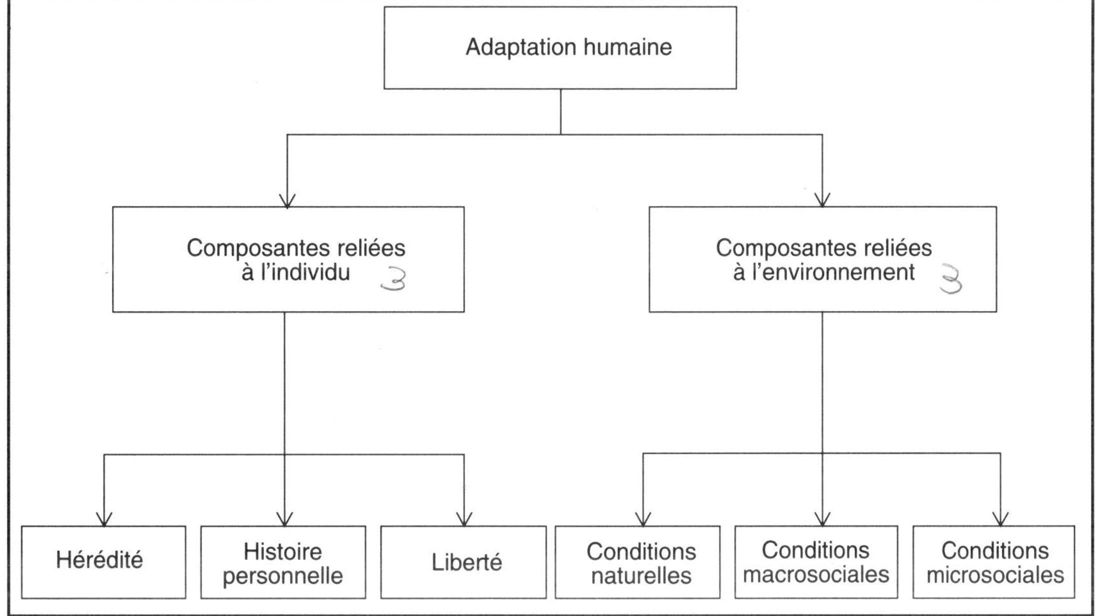

Les composantes reliées à l'individu

Quand on cherche à comprendre les éléments qui, enracinés dans son individualité, interviennent potentiellement dans les actions de l'être humain, dans ses réactions, dans son développement, on retrouve trois composantes essentielles : l'hérédité, qui détermine ; l'histoire personnelle, qui s'accumule ; et la marge de liberté, qui permet les choix.

L'hérédité

Une première composante individuelle de l'adaptation est l'hérédité, qui détermine un certain nombre de caractéristiques individuelles. L'hérédité est la transmission des caractères d'un être vivant à ses descendants. On dit que ces caractères sont innés parce que leur réalisation échappe généralement aux influences de l'environnement. Notons cependant que certaines manifestations liées aux gènes ne se révèlent que s'il y a rencontre des conditions génétiques et de certaines situations environnementales[2].

La génétique est la science qui étudie les lois de l'hérédité, tant les caractères héréditaires que les variations accidentelles. Même si la notion de transmission de certains caractères des parents à leur descendance est sans doute très ancienne, la génétique est une science récente puisque les lois de l'hérédité ne furent découvertes qu'au XIXe siècle par Johann Mendel.

On sait maintenant que les gènes, support matériel de l'hérédité, sont situés dans des formations spéciales du noyau cellulaire : les 46 chromosomes groupés en 23 paires. Chaque chromosome est composé de milliers de gènes, lesquels renferment les informations nécessaires au développement et à la production des caractères héréditaires. Ces gènes ou ces « facteurs », présents chez les parents, sont transmis à la descendance par l'intermédiaire des cellules sexuelles, ou « gamètes ». Pour un caractère donné, tout individu possède deux gènes : l'un venant du père, l'autre de la mère. L'être humain, tout comme les autres espèces animales et végétales, transmet à sa descendance des caractères spécifiques, raciaux et individuels. Une même réalité biologique affecte à la fois la morphologie, la physiologie et la psychologie.

L'être humain transmet d'abord à sa descendance les caractères spécifiques de l'espèce humaine. Ainsi, les êtres humains n'engendrent que des êtres humains, car le croisement de sujets appartenant à des espèces différentes est le plus souvent impossible ou stérile.

L'être humain transmet ensuite à sa descendance des caractères raciaux. Le croisement d'individus appartenant à des races différentes est possible. On dit que ces individus de races différentes sont « interféconds » et l'on parle alors de « métissage ». Les races noire, jaune et blanche se distinguent principalement par la couleur de la peau, le système pileux et la stature. Deux personnes de races différentes peuvent donner naissance à des enfants qui auront des gènes de l'une et de l'autre race, selon la loi de la transmission des caractères héréditaires.

L'être humain transmet enfin à sa descendance un certain nombre de caractères individuels, qui distinguent chaque individu des autres de son espèce et de sa race. C'est pourquoi les mêmes caractères individuels se rencontrent souvent dans une famille. C'est grâce à eux que les descendants d'un même couple ressemblent à leurs parents et se ressemblent entre eux bien davantage qu'ils ne ressemblent aux autres. Ils ont, dirons-nous, un air de famille.

L'histoire personnelle

Une deuxième composante individuelle de l'adaptation est l'histoire personnelle, qui s'accumule au fur et à mesure du déroulement de chaque vie, depuis la conception jusqu'au moment présent. C'est l'histoire des présents successifs et des antécédents d'une personne à telle étape de sa vie. Ce passé personnel se modifie et s'écrit sans interruption à chaque heure et à chaque jour, et ce, jusqu'à la mort.

Cette histoire est faite de toutes les décisions passées prises par les autres et par la personne elle-même, avantageuses ou désavantageuses, qui font, somme toute, partie d'elle-même. Notons ici que les décisions prises par les autres font partie des composantes reliées à l'environnement, mais ce que la personne en fait dans son propre développement appartient à son histoire personnelle.

Cette trame historique affecte chaque être humain et concerne les différents aspects de son développement biologique, intellectuel, psychologique et social. Ce développement fait référence aux événements prénatals, périnatals et postnatals, et concerne donc le processus de maturation, les mécanismes intrapsychiques et les influences socioculturelles.

La marge de liberté

Une troisième composante individuelle de l'adaptation est la « marge de liberté », qu'on ne peut définir sans avoir préalablement circonscrit le concept de liberté. Il y a, il faut en convenir, plus d'un sens s'appliquant au concept de liberté. Sans entrer dans toutes les difficultés que soulève cette question de la liberté, il est nécessaire d'en définir le sens comme composante de l'adaptation humaine.

La notion de liberté prend un sens différent selon l'angle d'analyse. Au sens biologique, elle comprend les possibilités physiologiques et psychiques de se développer adéquatement. Au sens politique, elle fait référence aux conditions économiques, sociales et légales à partir desquelles sont précisés les «droits individuels» et les «droits collectifs» pour une société donnée. Au sens psychologique, elle signifie le pouvoir de faire des choix conscients en fonction de l'atteinte des objectifs personnels. Au sens philosophique, elle concerne la conscience réfléchie et la capacité d'être plus adulte en répondant au besoin fondamental de se réaliser, d'être maître de soi, d'être plus autonome.

Le concept de liberté s'inscrit davantage dans les sens psychologique et philosophique, et fait référence à la liberté intérieure. La liberté se rapporte alors aux actes libres, aux choix conscients, aux actes volontaires. Être libre, c'est avoir une certaine maîtrise de sa conduite, malgré les déterminismes et les prédispositions héréditaires, les événements perturbateurs et les contraintes de l'environnement. C'est pouvoir s'élever au-dessus de ces différentes limites pour les juger. C'est également pouvoir choisir entre des conduites existantes ou, au contraire, inventer une conduite nouvelle qui nous paraît plus convenable ou qui nous plaît plus. La liberté permet d'exercer un choix dans les situations présentes et futures. La liberté humaine est donc liée à cette émergence de la personne au-dessus de l'action. Cette conscience n'existe, pleinement développée, que chez l'être humain, qui possède un pouvoir réflexif grâce à la complexité et aux potentialités de son cerveau.

La notion de «marge de liberté» tient compte également, en plus des sens psychologique et philosophique, des sens biologique et politique. Elle fait référence tant à la liberté intérieure qu'à la liberté extérieure. C'est la liberté liée à un contexte pratique d'action, de décision. Ainsi, la marge de liberté renvoie aux actes libres et aux actes moins libres, aux choix conscients et aux choix non conscients, aux actes volontaires et aux actes non volontaires. C'est la liberté en situation, *in situ*; c'est la marge de manœuvre que chaque être humain possède dans le présent en fonction d'un futur. Cette marge de liberté dans le présent comprend l'intervalle d'espace et de temps ainsi que la latitude dont dispose une personne entre certaines limites biologiques, politiques, psychologiques, philosophiques.

La marge de liberté concerne donc davantage les possibilités d'action entre une limite pratique et une limite idéale, absolue. Dans ce sens, l'usage de la liberté implique des contraintes qui peuvent être extérieures, comme les limites environnementales qui nous sont imposées, ou intérieures, comme les valeurs intériorisées de la morale collective façonnée par la société. Il implique également des risques parce qu'une personne aura à assumer les conséquences de ses choix et de ses non-choix, lesquels feront ensuite partie de son histoire personnelle (*voir la figure 1.3*).

Figure 1.3 **Sens possibles de la marge de liberté**

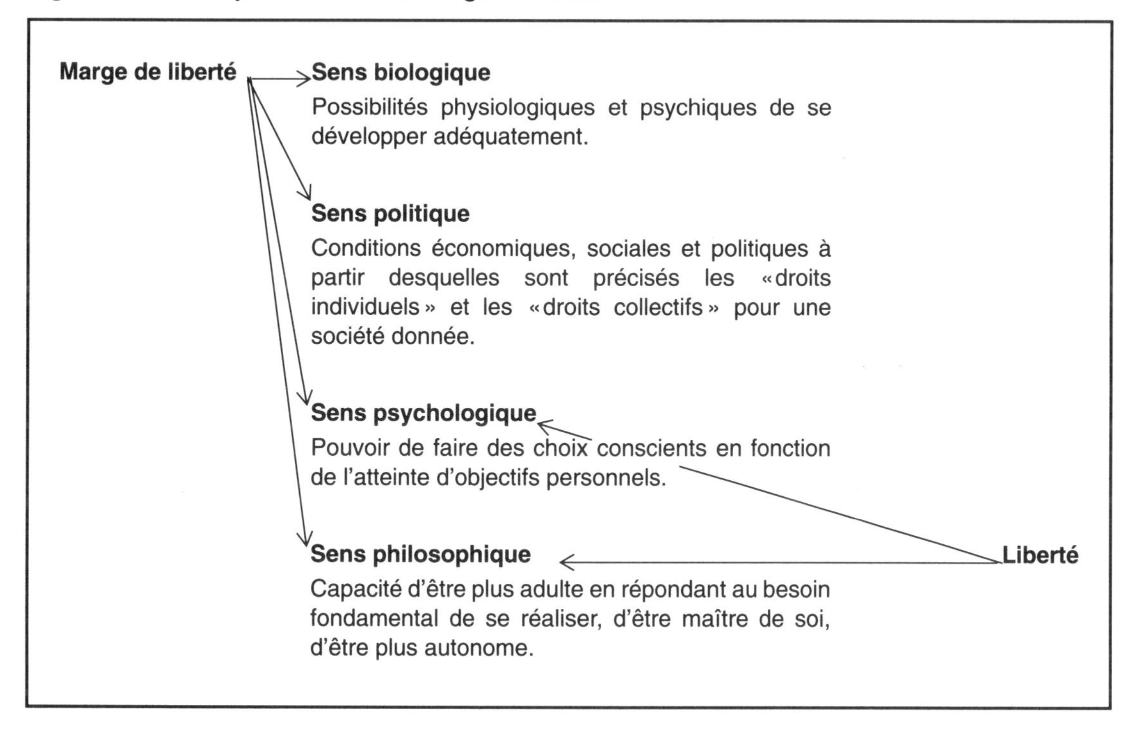

Les composantes reliées à l'environnement

Des composantes extérieures, externes, extrinsèques, environnementales influencent le développement de chaque être humain. Le terme « environnement » est pris ici dans un sens large. Il comprend l'ensemble des circonstances, situations et influences susceptibles d'affecter le développement et de modifier les comportements spécifiques d'un individu ou d'une société. On peut diviser l'environnement en trois composantes :

les conditions naturelles et physiques, les conditions macrosociales et les conditions microsociales.

Les conditions naturelles et physiques

Nous appellerons «conditions naturelles et physiques» tout ce qui, dans l'environnement, existe en dehors de l'être humain : l'univers matériel, la vie végétale et animale de même que les éléments naturels modifiés par l'action humaine. Si nous observons la planète sur laquelle nous vivons, nous sommes d'abord frappés par le fait que tout s'inscrit dans une matière, le monde de la physique et des lois de l'univers. Nous constatons ensuite que la vie humaine a généralement tout envahi, que rien ou presque ne lui résiste, qu'elle s'accroche à toutes les places disponibles, les plus hospitalières comme les plus ingrates. La réalité naturelle varie d'un continent à l'autre, d'une région à l'autre, d'une époque à l'autre. Cette nature, vaste et variée, définit donc une constellation de matières organisées.

Les conditions naturelles comprennent le monde inanimé, la matière inerte et les phénomènes cosmiques : l'air, la lumière, l'eau, la température, les vents, les sols, l'humidité, le bruit, les minéraux. Ce sont des catégories d'éléments ou de mécanismes obéissant à des lois particulières, la plupart du temps en dehors de la volonté humaine. À cela s'ajoutent les êtres vivants du règne végétal et du règne animal, pour lesquels la lutte pour la survie est presque toujours sans merci. Les innombrables espèces de plantes et d'animaux cohabitent avec l'être humain dans cet univers matériel.

Pour mieux se développer, l'être humain a graduellement modifié les éléments naturels et physiques, et il a, ce faisant, influencé la dynamique des autres êtres vivants. Ces transformations physiques, comme l'architecture et les réseaux routiers, sont des conséquences de l'industrialisation et de l'urbanisation. Outre ces grandes transformations, l'environnement physique comprend également tous les objets qui nous entourent et que nous pouvons voir, toucher, peser, et qui font partie de notre environnement physique quotidien.

Les conditions macrosociales

Les êtres humains se sont regroupés pour différentes raisons dont la survie, qui apparaît comme une motivation fondamentale. Dans tous les groupes humains, qu'il s'agisse de deux personnes ou de l'humanité tout entière, il existe des ressemblances et des différences dans la manière de vivre et dans le mode d'organisation.

Un des paliers des phénomènes sociaux est constitué par les conditions macrosociales, qui font référence aux modèles collectifs, aux institutions sociales, aux stéréotypes, aux valeurs dominantes, aux coutumes, aux modes de vie, aux traditions dans les ensembles sociaux. C'est le palier de la collectivité, de la société globale qui fournit les modèles communs dont les groupes et les individus s'inspirent dans l'orientation de leurs actions.

Tout ensemble social ou toute société globale possède ses propres conditions économiques, politiques et socioculturelles. Le plan macrosociologique des sociétés globales comprend des ensembles sociaux assez complets pour suffire à la majorité des besoins de leurs membres. Une société en équilibre se présente donc comme un système relativement stable, qui non seulement est adapté à son environnement physique, mais assure à ses membres le moyen de subsister et de participer aux tâches collectives qui ont fait l'objet, dans certains cas, d'un consensus général.

Toute société implique un système qui ordonne et régularise les relations sociales, et dont le fonctionnement est garanti par le contrôle social, c'est-à-dire par toutes les lois, écrites ou orales, qui régissent les rapports sociaux, les droits individuels et les droits collectifs. Ainsi, les valeurs, les principes et les normes de comportement reconnus dans une société et partagés par ses membres ont pour fonction de régler et de contrôler le comportement des groupes et des individus afin d'assurer la cohésion sociale.

Les conditions microsociales

Un autre palier des phénomènes sociaux est constitué par les conditions microsociales, qui se rapportent à l'action et à l'interaction des personnes dans des groupes primaires, restreints. Le plan microsociologique concerne donc l'entourage immédiat d'une personne, ses différents groupes d'appartenance : sa famille, son quartier, son école, son milieu de travail, ses amis.

Chacun de ces groupes possède ses structures spécifiques, ses lois, ses habitudes, ses conditions d'intégration. C'est le palier le plus restreint et le plus élémentaire des conditions sociales. C'est celui des petits groupes, où existent une proximité physique, un contact direct des membres les uns avec les autres.

Dans ces nombreux groupes restreints, on retrouve différents modes de liaisons sociales, divers types de rapports sociaux, différentes manières de penser et d'agir. Ces réalités concrètes font partie de l'expérience quotidienne parce qu'elles sont vécues, ressenties, observées chaque jour par chaque personne. La famille est le premier et l'un des principaux groupes

Figure 1.4 **Définition des composantes**

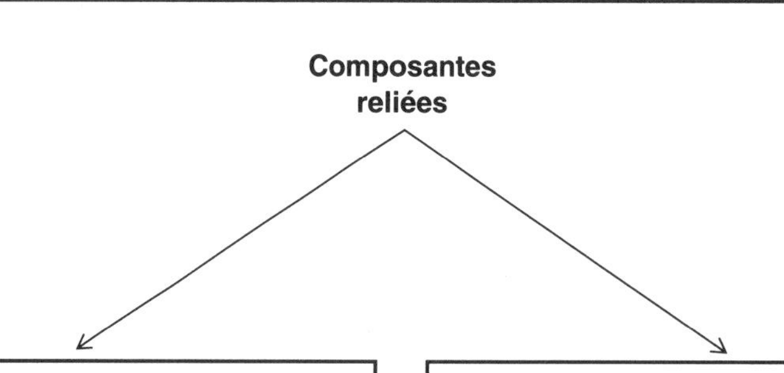

à l'individu

Hérédité
L'hérédité est la transmission des caractères spécifiques, raciaux et individuels d'un être vivant à ses descendants. La science qui étudie la réalisation de caractères héréditaires de même que les variations accidentelles chez l'individu et leur transmission de génération en génération s'appelle la «génétique».

Histoire personnelle
L'histoire personnelle est faite de toutes les décisions passées prises par les autres ou par la personne elle-même, avantageuses ou désavantageuses, qui font partie de cette personne et qui pèsent sur ses actions et ses décisions actuelles ou futures. Les décisions prises par les autres font partie des composantes environnementales, mais ce que la personne en fait dans son développement fait partie de son histoire personnelle.

Marge de liberté
La marge de liberté fait référence tant à la liberté intérieure qu'à la liberté extérieure. C'est la liberté liée à un contexte pratique d'action et de décision. Ainsi, la marge de liberté se rapporte aux actes libres et aux actes moins libres, aux choix conscients et aux choix non conscients, aux actes volontaires et aux actes non volontaires. C'est la liberté en situation, la marge de manœuvre d'une personne dans le présent en fonction d'un futur.

à l'environnement

Conditions naturelles
Les conditions naturelles englobent tout ce qui existe en dehors de l'être humain. Cela comprend d'abord le monde inanimé, la matière inerte et les phénomènes cosmiques. À cela s'ajoutent les êtres vivants du règne animal et du règne végétal de même que les éléments naturels modifiés par l'action humaine.

Conditions macrosociales
Les conditions macrosociales se rapportent aux phénomènes sociaux dans des ensembles plus larges. La société est un système qui ordonne et régularise les relations sociales. Les conditions macrosociales sont la culture, les valeurs, les principes, les droits, les institutions, les lois, les coutumes, les normes de comportement reconnus dans une société afin d'assurer la cohésion sociale.

Conditions microsociales
Les conditions microsociales se rapportent à l'interaction des personnes dans des groupes restreints. C'est l'entourage immédiat d'une personne à différentes étapes de sa vie, les groupes d'appartenance dans lesquels existent une proximité physique, un contact direct.

d'appartenance de chaque individu. Chaque famille a ses traditions, ses manières de faire, son rythme de vie, son «climat».

La figure 1.4 résume les définitions des composantes que nous venons de décrire. Chacune de ces composantes peut jouer favorablement aussi bien que défavorablement dans l'adaptation humaine.

LES INFLUENCES ET INTERACTIONS DES COMPOSANTES

Selon leurs angles d'analyse respectifs, des chercheurs se sont interrogés sur les interactions individu-environnement. D'une part, il existe une influence de l'environnement sur le comportement individuel parce que l'individu ne vit qu'en fonction d'un environnement sans lequel il n'aurait pu voir le jour ni se développer. D'autre part, il existe une influence du comportement individuel sur l'environnement parce que l'environnement social n'existe qu'en fonction de la présence d'individus qui modifient leurs rapports entre eux ainsi que leurs rapports avec les conditions naturelles.

Afin de mieux saisir les relations entre les diverses composantes de l'adaptation humaine, il convient de préciser lesquelles des composantes sont en relation d'influence et lesquelles sont en relation d'interaction. Nous parlerons d'influence quand la relation est à sens unique (→) ou (←), et d'interaction quand cette relation est réciproque (↔). La figure 1.5 présente les possibilités d'influence et d'interaction des diverses composantes.

Nous prendrons comme point de départ les influences et les interactions des trois composantes reliées à l'individu. Nous examinerons ensuite les interactions des trois composantes reliées à l'environnement. Nous regarderons enfin les influences et les interactions des composantes individuelles et des composantes environnementales.

Figure 1.5
Influences et interactions des composantes

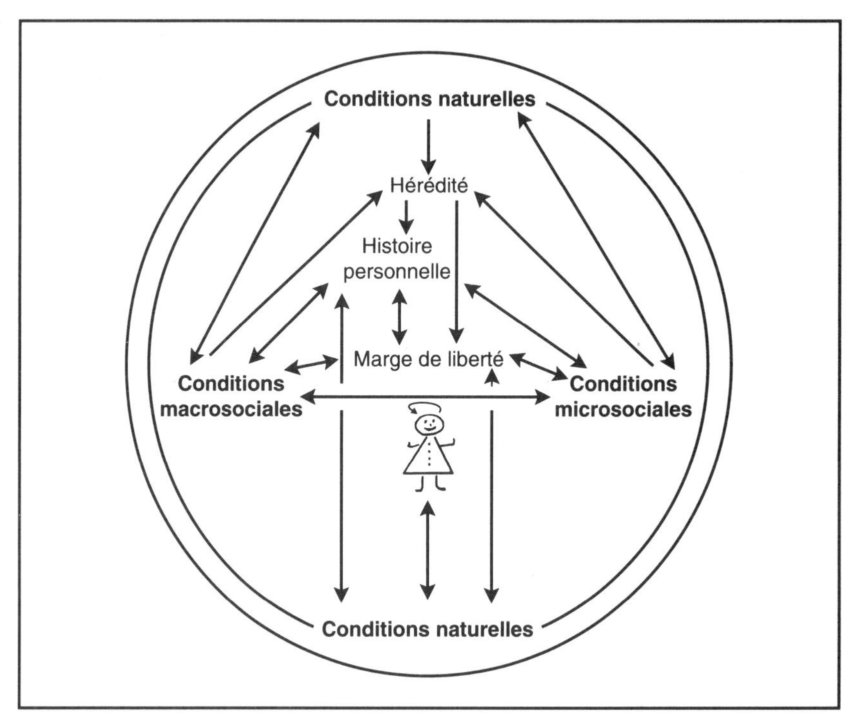

Les influences et interactions des composantes individuelles

L'influence de l'hérédité sur l'histoire personnelle

L'enfant présente, en germe, dès la conception, toutes les forces et toutes les limites propres aux êtres humains. Mais le comportement d'un adulte diffère sensiblement de celui d'un enfant. Chaque aspect du développement peut être décrit comme un enchaînement dynamique d'étapes mettant d'abord en jeu des activités élémentaires qui tendent graduellement à se coordonner pour devenir un ensemble de structures et de fonctions comportementales intégrées les unes aux autres.

Le développement humain est un processus complexe, irréversible et continu qui se manifeste d'une manière quantitative comme dans le cas du langage, ou d'une manière qualitative comme dans le cas de la sociabilité. Nous devons garder en tête que les aspects physique, intellectuel et psychologique sont indissociables chez une personne et que le développement se poursuit tout au long de la vie, sous l'influence constante des caractéristiques innées ou acquises. Précisons dès maintenant qu'il est difficile de séparer ce qui est inné (l'hérédité) et ce qui est acquis (l'environnement) parce que les deux facteurs contribuent au développement individuel et qu'ils sont en interaction constante.

> «On est toujours embarrassé quand on essaie de classer les caractères humains en deux catégories bien tranchées, celle due à l'hérédité et celle due à l'environnement. Une telle dichotomie est fausse et trompeuse. La plupart de nos particularités sont influencées et modifiées par l'hérédité tout comme par le milieu. [...]
>
> À son tour, et le plus souvent, l'hérédité ne représente ni une fatalité inexorable, ni le «coup de dés» de la destinée. [Elle représente] plutôt un conditionnement avec lequel tout nouvel individu fait son entrée dans le monde. Elle ne fait qu'établir les liens d'action entre l'organisme en développement et son milieu. Ce conditionnement n'est pas le même pour tous[3]. »

Pour l'ensemble des individus, les influences génétiques et les influences environnementales se combinent indissociablement plutôt que de s'ajouter. Cependant, malgré la controverse qui entoure la question, il n'est pas dénué de sens de se demander quelle est l'influence spécifique de la composante hérédité dans le développement des caractéristiques individuelles.

Quelle influence le bagage héréditaire transmis des parents aux enfants exerce-t-il sur les différentes étapes d'une histoire personnelle? Quelle influence les gènes ont-ils sur les caractéristiques physiques, intellectuelles et psychologiques d'un individu au cours de son développement?

Afin de mieux cerner le rôle de l'hérédité dans le développement d'une personne, plusieurs recherches ont comparé les corrélations qui peuvent exister entre des jumeaux monozygotes élevés ensemble ou élevés séparément, et entre des jumeaux dizygotes élevés ensemble ou élevés séparément. Les jumeaux monozygotes, appelés aussi «jumeaux univitellins», «jumeaux identiques» ou «vrais jumeaux», possèdent les mêmes caractéristiques génétiques; sans être totalement identiques, ils possèdent plusieurs similarités. C'est pour cette raison qu'on les utilise souvent dans les études sur l'influence des facteurs héréditaires sur le développement humain. Les jumeaux dizygotes, appelés aussi «jumeaux bivitellins», «jumeaux non identiques» ou «faux jumeaux», sont nés en même temps, mais ils sont aussi différents sur le plan génétique que des frères ou des sœurs d'âges différents.

N. L. Munn[4] fait état d'une étude qui a été réalisée auprès de 19 paires de jumeaux identiques élevés séparément. Les différences concernant leurs particularités physiques sont très faibles. Les différences relatives à leur performance aux tests de quotient intellectuel (Q.I.) sont un peu plus grandes. Les différences quant à leurs traits de personnalité sont encore plus grandes.

> «Sans aucun doute, l'influence de l'hérédité est plus grande lorsqu'il s'agit de facteurs physiques. Les extrêmes variations d'intelligence sont certainement héréditaires à leur origine. Des différences plus petites sont parfois attribuées à l'hérédité et parfois au milieu [...]. Quant à la personnalité, ce sont les deux facteurs, à savoir l'hérédité et le milieu, qui contribuent aux différences entre les traits de personnalité, mais les variations du milieu créent de plus grandes différences dans ce domaine que dans le domaine physique ou dans celui de l'intelligence[5].»

L'influence de l'hérédité sur un grand nombre de caractéristiques physiques est en général reconnue: taille, yeux, cheveux, peau, réflexes. On a également démontré qu'il y a transmission génétique dans le cas de plusieurs maladies physiques.

> «Certains bébés naissent avec des anomalies physiques ou psychiques qui dépendent presque entièrement de la mauvaise hérédité [...]
>
> Nous pouvons citer comme exemple de ces déficiences héréditaires des cas tels que celui d'un père et ses deux enfants ayant tous les trois des mains en pinces de homard ou celui d'un père et de six de ses douze enfants nés sans pieds ni mains[6].»

Les recherches rapportées par Jean Bernard[7] sur les jumeaux monozygotes vont parfois dans le sens d'une pesée très lourde de l'hérédité. Ainsi, dans le cas des leucémies, si l'un des jumeaux est leucémique, l'autre risque d'être atteint dans une proportion de 1/5, contre 1/20 000 dans la population générale. Les recherches menées par Rutter sur les enfants adoptés vont également dans le sens du poids de l'hérédité dans certains domaines médicaux et psychiatriques.

Quant à l'influence de l'hérédité sur le développement de l'intelligence (aptitudes verbales, aptitudes à résoudre des problèmes et aptitudes pratiques), deux approches nous fournissent des indications sur le rôle de l'hérédité.

L'approche quantitative, mise de l'avant par Alfred Binet et Théodore Simon pour prédire les résultats scolaires, mesure les capacités intellectuelles à l'aide de tests de Q.I. qui calculent l'écart entre l'âge mental et l'âge chronologique. Comme nous le montre le tableau 1.2, les différences individuelles dans le Q.I. sont partiellement déterminées par l'hérédité, mais ces résultats peuvent varier considérablement au cours de l'enfance selon les caractéristiques familiales et sociales.

Tableau 1.2
Corrélation entre les scores aux tests intellectuels

Corrélation	Valeur de la médiane
Personnes sans lien de parenté	
Enfants élevés séparément	−0,01
Enfants élevés ensemble	+0,20
Collatéraux*	
Cousins au 2e degré	+0,16
Cousins au 1er degré	+0,28
Oncle (ou tante), neveu (ou nièce)	+0,34
Fratrie élevée séparément	+0,46
Fratrie élevée ensemble	+0,52
Jumeaux bivitellins (sexes différents)	+0,49
Jumeaux bivitellins (même sexe)	+0,56
Jumeaux univitellins (sexes différents)	+0,75
Jumeaux univitellins (même sexe)	+0,87
Ligne directe	
Grand-parent et petit-enfant	+0,30
Parent (âge adulte) et enfant	+0,50
Parent (enfant) et enfant	+0,56
*Même souche génétique mais branches différentes	

Source: D'après les évaluations de John C. LOEHLIN, Gardner LINDSEY et J.N. SPUHLER, *Race Differences in Intelligence*, San Francisco, W.H. Freeman, 1975 ; et Arthur JENSEN, « How Much Can We Boost IQ and Scholastic Achievement? », *Harvard Educational Review*, 1969, vol. 39, p. 49.

L'approche qualitative, développée par Jean Piaget, apparente davantage l'intelligence à un processus biologique d'adaptation ; elle s'intéresse surtout aux structures cognitives et aux modes d'organisation de la connaissance. Le rôle de l'hérédité serait très important dans le processus d'apprentissage parce que l'enfant débuterait grâce à des stratégies innées qu'il continuera d'employer au cours des différents stades de son développement.

En ce qui concerne l'influence de l'hérédité sur les caractéristiques psychologiques de l'enfant, les diverses théories ne lui accordent pas la même importance. Les chercheurs qui accordent une importance réelle à l'hérédité pensent que la transmission des caractéristiques psychologiques constitue une base de départ à laquelle s'ajoute l'influence des autres composantes et qu'il serait absolument abusif de penser que l'on puisse faire autre chose que de modifier ce qui existe déjà dans le patrimoine héréditaire. On parle alors de «prédispositions génétiques». Selon cette optique, le comportement n'est ni inné ni acquis, car il résulte de l'interaction des gènes et de l'environnement.

Selon Michel Maziade[8], plusieurs facteurs héréditaires précisent notre individualité sur le plan psychologique, en particulier pour ce qui concerne le tempérament d'un individu. Cela expliquerait pourquoi les enfants d'une même famille sont, au départ de la vie, déjà fort différents les uns des autres. Dans ce sens, le tempérament serait intrinsèque et se composerait «[...] d'un matériau moins malléable que l'on croyait [dû] à l'influence des parents et de l'éducation. En effet, selon certaines études, l'enfant présenterait dès le début de la vie un tempérament qui lui est particulier et assez bien mesurable[9] ».

Le tempérament est défini comme la manière particulière qu'a chaque enfant, très tôt dans la vie, de réagir à son environnement. Il concerne surtout le «comment» du comportement et non pas le «pourquoi». Il repose sur certains traits «innés» qui sont davantage des «prédispositions» que des déterminismes ; ces traits de base demeurent soumis aux influences de l'environnement. On doit prendre en considération le fait qu'une sensibilité plus ou moins grande à telle ou telle influence de l'environnement peut être précisément un trait inné modifiable par l'environnement.

L'influence de l'hérédité sur la marge de liberté

L'hérédité peut exercer une influence sur la marge de liberté dès les premières étapes de la vie fœtale. Ce patrimoine d'informations génétiques permet à l'être humain de se développer, d'avoir la capacité de s'autostructurer et d'augmenter son pouvoir face à lui-même et face à son environnement. Quand le cerveau et les organes sont sains, plusieurs potentialités favorisent le développement ultérieur. Lorsque le patrimoine génétique, par certaines maladies héréditaires ou par des aberrations chromosomiques, réduit ces potentialités, la marge de liberté est restreinte et cela entrave le développement ultérieur.

Les interactions de l'histoire personnelle et de la marge de liberté

L'histoire personnelle et la marge de liberté sont deux composantes qui se chevauchent toujours parce qu'elles se situent dans une continuité. L'histoire personnelle et le présent sont sans cesse en mouvement et les deux composantes sont inextricablement liées. Le présent s'ajoute à une histoire personnelle au fur et à mesure du déroulement d'une vie. Comme l'indique la figure 1.6, notre passé de demain est notre présent d'aujourd'hui et ce qui était le futur devient le présent, lequel s'inscrit ensuite dans un passé.

Figure 1.6
Passé, présent, futur

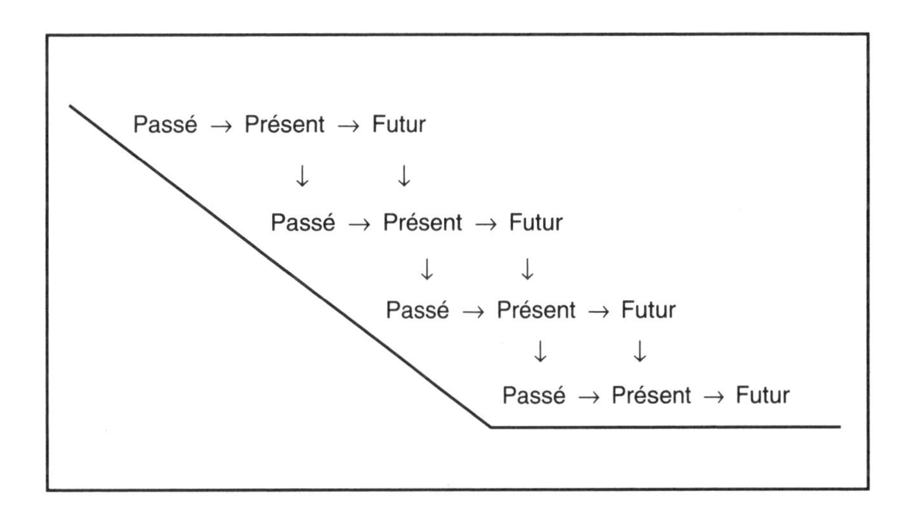

L'histoire personnelle se situe dans un passé plus ou moins récent alors que la marge de liberté s'exerce dans les situations présentes et futures. L'histoire personnelle est principalement derrière soi alors que la marge de liberté est devant soi. Mais si l'on s'arrête à une petite tranche d'une vie, on peut montrer l'interaction en examinant comment, dans un premier temps, l'histoire personnelle influence la marge de liberté et, dans un deuxième temps, quelle influence exerce la marge de liberté sur l'histoire personnelle.

Cette histoire personnelle diminue ou augmente la marge de liberté, car changer les données de notre existence ne relève pas de notre pouvoir. Les expériences heureuses ou malheureuses qui jalonnent l'histoire d'une vie exercent d'une certaine manière un conditionnement sur les perceptions, les interprétations, les possibilités d'adaptation éventuelles. La marge de liberté dépend fortement de la libération ou non des conflits intériorisés issus de notre histoire personnelle et entraînant des mécanismes répétitifs.

> «Néanmoins, l'expérience a montré, en psychologie, que le comportement humain avait un passé et des conséquences, et que le développement répondait à une certaine régulation interne[10]. »

La marge de liberté ne réside cependant pas dans cette capacité surhumaine d'agir magiquement sur l'histoire personnelle pour faire disparaître les maladies, les traumatismes ou les erreurs de parcours qui la jalonnent. Si la marge de liberté ne peut pas changer l'histoire personnelle, elle peut néanmoins permettre de mieux la comprendre et de changer ainsi la lecture de ce passé, d'en reconnaître les limites, mais également de voir les possibilités qu'offre le présent à l'intérieur des limites fixées par l'histoire personnelle.

Les interactions des composantes environnementales

Les interactions des conditions naturelles et des conditions microsociales

Les conditions naturelles et physiques ont des conséquences sur les états physiques et psychologiques des gens, et sur leurs relations les uns avec les autres au sein de microsociétés. Des études mentionnées par Gergen et Gergen[11] portent sur les effets de l'architecture, l'influence du bruit et les techniques pour établir des relations optimales entre les gens et leur environnement. Les maisons, les rues, les immeubles d'habitation, le bruit, l'espace, la couleur, tout cela constitue notre environnement physique, lequel fait partie des conditions naturelles. Cet environnement physique dans lequel nous baignons peut nous aider à nous sentir à l'aise, en sécurité ou, au contraire, mal à l'aise, anxieux. Par exemple, le degré de chaleur peut avoir un effet sur le comportement agressif.

Inversement, les activités humaines des groupes restreints influencent les conditions naturelles. Les aménagements paysagers dans les quartiers résidentiels ou sur le bord des cours d'eau en sont des exemples. Les gens tiennent souvent leur cadre de vie pour acquis alors que la plus grande partie de ce qu'ils voient, entendent, touchent et sentent a été créée de la main humaine et peut être modifiée ou supprimée.

Les interactions des conditions naturelles et des conditions macrosociales

Les conditions naturelles influencent les conditions macrosociales. Le climat, la végétation, le sol et le sous-sol ainsi que les ressources naturelles déterminent en partie l'alimentation, le mode de vie, les activités économiques, les activités sociales. Certaines conditions naturelles (une température clémente, par exemple) peuvent être avantageuses, dans le temps ou dans l'espace. Des ressources naturelles nombreuses facilitent les activités économiques d'une société donnée ou d'une région donnée. D'autres conditions naturelles (pluies torrentielles, sécheresse) peuvent se révéler désavantageuses, comme c'est le cas lorsque des ressources naturelles limitées nuisent à la qualité de vie d'une société. Cet environnement naturel et physique a des répercussions sur le climat social (sécurité, violence, rythme de vie) et sur les structures qu'une société se donne.

Les conditions macrosociales, à leur tour, influencent les conditions naturelles. De nombreux exemples viennent corroborer cette influence d'activités humaines comme l'irrigation, la canalisation, la mécanisation et les télécommunications, qui ont modifié les conditions naturelles. Des modifications à la nature ont permis l'amélioration des conditions de vie des êtres humains. Par contre, d'autres activités humaines comme l'industrialisation et l'urbanisation modifient les conditions naturelles en augmentant le degré de pollution de l'air et de l'eau. Plusieurs activités humaines, surtout à grande échelle, risquent d'avoir des conséquences nuisibles en ce qu'elles modifient profondément les conditions naturelles.

Les interactions des conditions microsociales et des conditions macrosociales

Un groupe restreint et une société globale sont deux ordres de réalité complètement différents et, du moins en apparence, totalement étrangers l'un à l'autre. Pourtant, l'un et l'autre sont des réalités sociales parce qu'ils constituent tous deux un environnement, un cadre, un milieu résultant d'une activité humaine collective.

Un individu ne peut à lui seul constituer une société, si petite soit-elle. La vie en société exige la présence d'au moins deux individus ; c'est le phénomène social concret le plus élémentaire. L'un devient l'environnement de l'autre et l'autre devient l'environnement de l'un. Bien qu'élémentaire, cette première entité sociale est déjà infiniment complexe par les mécanismes psychiques auxquels elle fait appel et par les composantes sociales qu'elle suppose. À la complexité des relations interpersonnelles, s'ajoute la complexité des structures mises en place. Les individus se sont multipliés et ont formé différentes microsociétés tout aussi complexes les unes que les autres.

Dans les groupes restreints, un réseau d'habitudes communes et d'attentes réciproques prend forme, s'organise, se structure, se cristallise.

Cela ne signifie pas pour autant que rien ne change. Même dans des relations interpersonnelles fondées sur une longue cohabitation, l'une et l'autre personne doit s'adapter sans cesse à des changements souvent imperceptibles dans les rapports réciproques, à de nouvelles situations, à un contexte mouvant. La structure des rapports interpersonnels n'est donc jamais définitive, arrêtée, close.

Un groupe ne ressemble pas à un autre et ce qui convient à un groupe ne convient pas nécessairement aux autres. Chaque groupe s'organise, se structure, s'articule et évolue à sa manière propre tout en étant en interaction avec les autres groupes de sa société et des autres sociétés.

Les conditions microsociales et les conditions macrosociales constituent deux paliers différents d'un même «phénomène social total», qu'on doit découper analytiquement si l'on veut en saisir les relations interactives. On ne peut étudier un groupe concret sans décrire son organisation propre et ses rapports avec la société en général. Il y a interpénétration et complémentarité de ces deux paliers de la réalité sociale.

La société n'est donc pas une somme d'individus liés ensemble par un contrat ou une entente quelconque. Il y a de multiples interactions parmi les personnes et les groupes qui composent le tissu fondamental et élémentaire de la société. Cette interaction n'obéit pas au hasard, elle se structure, elle s'organise en un système.

Afin de mieux comprendre la structure d'un groupe d'appartenance, on devra donc le situer dans son contexte le plus global. Ce n'est qu'après avoir considéré la société dans sa totalité et les principales parties qui la composent qu'on devrait normalement déboucher sur l'étude des conditions microsociales. Ainsi, les institutions macrosociales sont en lien de réciprocité entre elles et avec les groupes microsociaux. De même, les groupes microsociaux s'influencent les uns les autres et ils influencent les sociétés globales.

Illustrons les interactions de ces deux paliers à partir de l'exemple de la famille. MA famille, groupe microsocial, est en relation de réciprocité avec LA famille, institution macrosociale. D'une part, MA famille est influencée par les conditions culturelles véhiculées et par les changements qui touchent l'institution de LA famille. D'autre part, l'institution sociale qu'est LA famille est modifiée par les valeurs véhiculées et les changements qui touchent MA famille, ou plus exactement qui touchent un grand nombre de NOS familles.

À l'instar d'autres sociétés, la famille québécoise, tant comme groupe microsocial que comme institution macrosociale, a subi des modifications substantielles depuis une trentaine d'années. Plusieurs facteurs comme l'industrialisation, l'urbanisation, l'émancipation de la femme, la dénatalité et l'éclatement des familles expliquent ces changements que certains appellent la « crise de la famille ». En se modifiant, l'institution de LA famille a influencé, à des degrés variables, chacune des familles. MA famille n'est donc pas une structure autonome et close sur elle-même ; elle ne fonctionne efficacement qu'en relation de réciprocité avec l'environnement macrosocial. Sans doute est-elle la base de toute la structure sociale ; elle n'en porte pas moins l'empreinte de la culture à laquelle elle appartient.

Les influences et interactions des composantes environnementales et des composantes individuelles

L'influence des composantes environnementales sur l'hérédité

Quelques exemples serviront à illustrer l'influence des composantes environnementales sur l'hérédité. Commençons par celui de la consanguinité. Dans le cas d'unions consanguines, c'est-à-dire lorsque les partenaires parentaux ont un lien de parenté biologique, les enfants éventuels de ce couple seront plus susceptibles d'hériter d'une anomalie, d'une malformation ou d'un trouble fonctionnel si les deux parents portent sur leurs chromosomes des gènes à caractères nuisibles. Ainsi, des tares héréditaires peuvent apparaître dans la descendance dès la première génération.

Il peut arriver parfois que certains gènes soient modifiés de façon à ne plus posséder le même message. On parle alors de « modification des gènes » ou de « mutation génétique ». Une mutation génétique est donc une modification brusque et permanente des caractères héréditaires par un changement soit du nombre, soit de la qualité des gènes.

Certaines conditions naturelles peuvent également provoquer des mutations génétiques et affecter l'hérédité des générations futures en modifiant la transmission de certains caractères héréditaires. On donne le nom de « métagénèse » à la production de mutations dues à l'action d'agents physiques ou chimiques. Pour la première génération touchée, cette influence des conditions naturelles n'affecte pas encore l'hérédité puisqu'elle ne provient pas directement des gènes parentaux ; il faut alors la classer parmi les conditions naturelles affectant l'histoire personnelle d'un individu.

Si cette influence constitue une mutation génétique, elle peut se transmettre à la deuxième génération puisque l'individu ainsi touché pourra transmettre cette mutation à sa descendance. Certaines mutations génétiques sont provoquées par les radiations. D'autres facteurs, comme les produits chimiques dans la chaîne alimentaire et les pluies acides, sont actuellement considérés comme des hypothèses pour montrer l'influence potentielle des conditions naturelles sur l'hérédité des générations futures.

> «Et s'il explique ces faits autrement que Lamarche, Waddington n'en définit pas moins son "assimilation génétique" comme le processus par lequel un caractère qui, en un premier stade, dépend de l'environnement n'en dépend plus une fois fixé héréditairement[12]. »

L'eugénisme est un exemple de l'influence des conditions macrosociales sur l'hérédité. Cette science étudie et met en œuvre les méthodes susceptibles d'améliorer les caractères propres des populations humaines, essentiellement fondées sur les connaissances acquises en hérédité. L'eugénisme vise l'amélioration de la race et peut conduire à la stérilisation des personnes à risque de tares héréditaires, sous prétexte de protéger l'hérédité des générations futures.

Les interactions des composantes environnementales et de l'histoire personnelle

Les composantes environnementales offrent des possibilités, mais elles imposent aussi des limites au développement individuel. Ces composantes peuvent intervenir avant la naissance, lors du développement fœtal. Ainsi, toutes les structures ou réactions existant à la naissance ne sont pas héréditaires, car certaines peuvent dépendre de l'influence des composantes environnementales. L'environnement prénatal comprend le liquide amniotique enveloppant le fœtus, l'alimentation, l'oxygène, les autres substances transmises par la mère de même que certaines conditions physiques prénatales ou périnatales.

> «Bien des cas du développement anormal de la tête ou du cerveau sont également attribués aux mauvaises conditions prénatales, telles par exemple que [*sic*] des insuffisances chimiques du sang maternel. Des traumatismes de la tête reçus à la naissance, soit par pression, soit par forceps, contribuent souvent à la débilité, à l'épilepsie ou à d'autres déficiences. Toutes ces déficiences sont dues au milieu environnant, l'hérédité n'y étant pour rien[13]. »

Après la naissance, l'environnement s'élargit et présente une grande variété de contacts physiques et sociaux. La principale source d'influence postnatale sur la maturation consiste à accélérer ou à retarder le développement d'une personne à l'intérieur des déterminismes liés aux facteurs acquis tels que les lésions cérébrales.

Les facteurs socioculturels jouent un rôle très important dans le développement du comportement, mais la part de leur influence dans l'élaboration d'une conduite n'est pas toujours facile à évaluer. De plus, cette influence n'est pas la même chez toutes les personnes concernées. Le milieu culturel détermine cependant un certain nombre d'attitudes qui concernent la façon de se comporter avec autrui, de se vêtir, de penser et d'agir. L'école, la famille, le groupe de pairs et les médias de masse favorisent l'intégration sociale.

Les conditions sociales imposent une langue, des coutumes et d'autres aspects spécifiques d'un héritage culturel. L'expérience sociale, le milieu d'origine, la civilisation fournissent les éléments dont se compose le développement personnel. Parce qu'elle exige cette adaptation constante, à la fois dans ce qu'elle présente de stabilité et de changement, la relation interpersonnelle est source d'interinfluence, d'interaction. Jean Piaget exprime cette idée de la façon suivante:

> «Le rapport entre le sujet et l'objet matériel modifie le sujet et l'objet à la fois par assimilation de celui-là à celui-ci et accommodation de celui-là à celui-ci... Mais, si l'interaction entre le sujet et l'objet les modifie ainsi tous deux, il est *a fortiori* évident que chaque interaction entre sujets individuels modifiera ceux-ci l'un par rapport à l'autre. Chaque rapport social constitue par conséquent une totalité en elle-même, productive de caractères nouveaux et transformant l'individu en sa structure mentale[14]. »

Au point de vue microsocial, la famille exerce une influence importante sur les divers aspects du développement humain. La réussite d'une relation affective entre un jeune enfant et sa mère, ou un substitut maternel, est à l'avantage de l'enfant dans son activité exploratrice, dans ses rapports avec autrui, dans la recherche de son autonomie. La sécurité affective ainsi acquise favorise à son tour l'amélioration du langage et de la pensée par l'acquisition de données nouvelles. L'enfant prend graduellement conscience de sa valeur par ce développement de la pensée cognitive, ce qui peut exercer une influence positive sur son développement affectif.

Ainsi, l'aspect affectif de la personnalité exerce une influence sur les aspects physique et intellectuel du développement. Une carence affective dans la première enfance, par exemple, peut avoir des conséquences nuisibles sur le développement mental, psychologique, intellectuel et social de la personne. Nos émotions influencent notre personnalité qui, à son tour, influe sur notre comportement social. L'expression du potentiel héréditaire, qui se concrétise dans l'histoire personnelle, est soumise à l'action de l'environnement avec lequel l'individu interagit.

> « Nous avons de bonnes raisons de penser que certaines pathologies de l'enfance, en particulier les psychoses, n'apparaissent que si les conditions génétiques et socio-affectives se trouvent combinées[15]. »

Dans les théories traitant d'aspects importants du développement humain, on constate certains points communs mais aussi des divergences quant à l'influence des conditions environnementales sur les forces motrices du développement, sur la nature de l'évolution du comportement et sur la constance dans le comportement au cours d'une histoire personnelle. Helen L. Bee et Sandra K. Mitchell[16] présentent cinq groupes de théories du développement humain : les théories biologiques, les théories de l'apprentissage, les théories psychanalytiques, les théories du développement cognitif et les théories sociologiques.

Les théories biologiques accordent moins d'importance aux composantes environnementales qu'à la programmation génétique et aux traumatismes prénatals, périnatals et postnatals pour expliquer tant les modèles de développement individuel que ceux communs à toutes les personnes.

Les théories de l'apprentissage accordent une grande importance aux composantes environnementales. Elles expliquent, au cours d'une vie, l'acquisition de nouveaux comportements et la modification de comportements antérieurs par les principes d'apprentissage fondamentaux : le conditionnement classique, le conditionnement opérant et l'apprentissage par observation.

Les théories psychanalytiques insistent sur les instincts fondamentaux innés, lesquels façonnent le comportement de l'enfant et de l'adulte. À leur tour, ces instincts sont en interaction avec les composantes environnementales pour produire des modèles de développement particuliers à chaque personne.

Les théories du développement cognitif précisent que le rôle de l'environnement est nécessaire pour le développement personnel, mais que c'est surtout l'activité de l'enfant qui est importante pour franchir les stades du développement.

Les théories sociologiques mettent l'accent sur l'influence des variables sociales telles que la culture, le statut socio-économique, le groupe ethnique, la langue, la profession, la race, la religion, la notion de rôle comme facteurs importants du développement individuel. Ainsi, le comportement de l'enfant ou de l'adulte se façonne au cours du développement à l'intérieur du cadre microsocial et macrosocial dans lequel il est placé.

Les interactions des composantes environnementales et de la marge de liberté

La marge de liberté influence les conditions environnementales, car l'individu n'est plus perçu comme un récepteur passif des influences environnementales, mais comme un sujet actif et créateur qui peut agir sur l'environnement et le modifier. Il est capable d'utiliser, pour s'autostructurer, les perturbations aléatoires que lui inflige le monde extérieur et de rendre créateur ce qui pourrait être destructeur. Chaque individu exerce une influence sur les conditions environnementales soit par des actions concrètes, soit par des abstentions d'action, lesquelles donneront des résultats positifs ou négatifs, à court, à moyen et à long terme.

C'est ainsi que l'exercice de la liberté, intérieure ou extérieure, individuelle ou collective, modifie favorablement ou défavorablement les conditions environnementales actuelles ou futures. Ce sont ces conduites individuelles hétérogènes qui influencent l'environnement actuel et futur, car la vie ne va pas en arrière ni ne s'arrête avec hier. C'est avec sa personnalité totale et unique que chacun connaît l'autre et les autres, c'est-à-dire avec ses sens, ses émotions, ses impulsions, sa mémoire, son intelligence, ses interprétations, ses croyances, son engagement.

Les conditions environnementales influencent également la marge de liberté individuelle. Dans le présent, les personnes ne peuvent pas se soustraire à toutes les conditions environnementales, qu'elles perçoivent comme plus ou moins contraignantes les unes que les autres : traumatisme, accident, crise économique, décès d'un être cher, guerre, famine, cataclysme naturel, etc. Par contre, d'autres aspects de l'environnement augmentent notre marge de liberté : progrès technique, avancement de la médecine, entourage adéquat, etc. Cependant, aucune situation, aussi contraignante soit-elle, ne laisse l'individu sans solution de rechange.

L'ADAPTATION PSYCHOSOCIALE

Les bases d'une définition

Le terme générique d'«adaptation» cache, sous une apparente simplicité, une grande complexité. La mise en place d'une définition de l'adaptation psychosociale dans une perspective systémique nécessite la recherche des bases sur lesquelles cette définition doit reposer. Comme l'adaptation humaine ne se ramène pas à la seule conservation de la vie et qu'elle comporte de multiples facettes difficiles à circonscrire, nous devons nous définir un cadre de référence pour l'étude des principales difficultés d'adaptation.

C'est en cherchant à préciser les principes qui régissent la relation dynamique entre l'adaptation et l'inadaptation que nous pourrons jeter ces bases d'une définition plus précise de l'adaptation psychosociale. Cette relation dynamique est essentielle pour la compréhension de l'adaptation elle-même. C'est pourquoi parler d'adaptation oblige simultanément à parler d'inadaptation.

Le psychologique et le sociologique

Où se situe la ligne de démarcation du psychologique et du sociologique? En quoi les interactions sont-elles plus psychologiques que sociales? Comme la problématique de l'adaptation réside précisément dans les interactions de l'individu et de son environnement, il apparaît certain qu'une description adéquate des difficultés d'adaptation ne saurait couper la personne aux prises avec ces difficultés de l'environnement naturel, familial et social où elle a évolué et dans lequel elle évolue actuellement. Le développement personnel ne résulte pas seulement des gènes et de l'environnement, mais aussi des réflexions et des actions individuelles.

Dans tout contexte d'adaptation, il faut considérer deux dimensions. Il s'agit de ce que nous appellerons la «réalité interne» en faisant référence aux composantes individuelles, et la «réalité externe» en faisant référence aux composantes environnementales. Bien des exemples (perceptions, croyances, personnalité, etc.) montrent combien ce serait restreindre arbitrairement le sens d'une problématique que de la formuler exclusivement en termes «psychologiques» ou «sociologiques».

> «L'utilisation d'un même concept pour plusieurs sciences fait illusion sur l'identité des significations que ce concept recouvre.[...] nous ne voulons

que désigner, de la façon la plus large possible [...], l'ensemble des recherches ayant pour objet des individus sociables ou des sociétés d'individus[17]. »

La vie et ses frustrations

Le désir, phénomène complexe et apparemment contradictoire, est le principal ressort qui porte l'être humain à connaître par les sens, la mémoire et l'imagination. Il peut être considéré comme un état affectif fait à la fois de déplaisir et de plaisir, car on ne désire que ce dont on pense être privé et la privation est pénible. Dans certains cas, nos désirs peuvent être réalisés et le déplaisir est alors temporaire. Dans d'autres, leur réalisation est impossible, ce qui conduit à un déplaisir pouvant déboucher sur la souffrance ou sur la mise en jeu de mécanismes adaptatifs tels que la construction de fantasmes, de refuges dans l'imaginaire, etc.

La nécessité de l'adaptation humaine implique que l'individu n'obtienne pas la satisfaction intégrale de ses désirs. Il y a donc un coût à l'adaptation, et l'effort adaptatif est lié à des frustrations et à des conflits.

La frustration est un état résultant de la non-réalisation d'un désir ou de la non-satisfaction d'un besoin à cause de la présence d'un obstacle, réel ou imaginaire (*voir la figure 1.7*). Elle peut avoir des répercussions sur divers plans selon l'âge et le stade de développement d'une personne. Les mêmes événements peuvent être perçus comme des obstacles par les uns sans l'être nécessairement par les autres. En fait, le degré de maturité d'une personne et ses expériences antérieures se révèlent très importants et déterminent si telle situation est frustrante ou ne l'est pas pour elle. Les sources de la frustration sont internes ou externes.

Figure 1.7
Frustration : écart entre le désir et la réalité

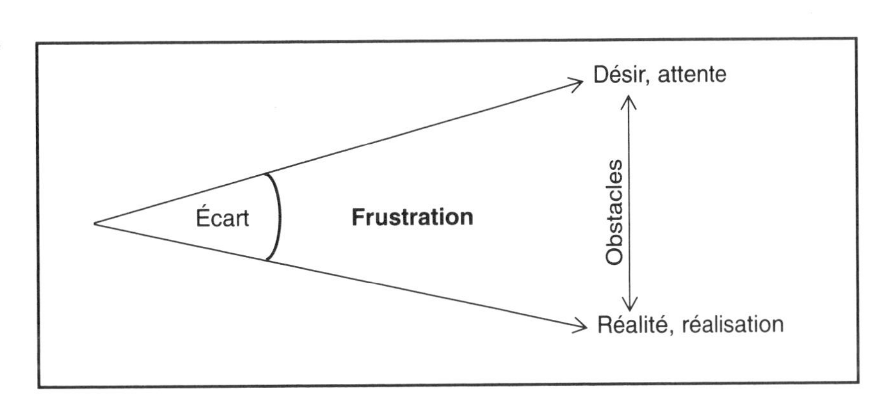

Dans les frustrations d'origine interne, les obstacles relèvent du sujet lui-même. Ils peuvent être d'abord d'origine physique (p. ex., une déficience de naissance, une maladie, une blessure) ou d'origine psychologique (p. ex., un conflit de motivation, de rôle, de statut). Les obstacles psychologiques s'enracinent souvent dans l'introjection, au cours de l'enfance, d'interdictions externes ainsi que de manières de penser et de réagir que la personne conserve dans sa vie adulte.

Les frustrations d'origine externe peuvent provenir de contraintes physiques (p. ex., une pluie torrentielle détruisant une récolte ou un accident de la route entraînant chez la victime une perte d'autonomie). Elles peuvent aussi provenir de contraintes microsociales ou macrosociales (p. ex., loi du silence, difficultés de dialogue dues aux préjugés sociaux, exigences du milieu scolaire ou du marché du travail).

Il existe bien des situations dans la vie quotidienne où il semble impossible d'échapper aux obstacles intérieurs ou extérieurs. Parfois, la tension est intense et la personne se sent prise au piège, en lutte avec elle-même ou avec les autres. Le terme «conflit» s'applique lorsque des situations frustrantes perdurent et augmentent la tension, entraînant une certaine détresse qui peut devenir aiguë dans certains cas. Il existe plusieurs types de conflit. Nous en présenterons quelques-uns en les illustrant par des exemples.

Dans un **conflit intrapsychique**, la personne est en lutte avec elle-même parce qu'elle rencontre des sentiments qui opposent plusieurs tendances de l'affectivité ou parce qu'il y a présence simultanée de motivations incompatibles. La personnalité est complexe. L'énergie qui constitue la personnalité et lui confère le pouvoir d'agir s'appelle l'«énergie psychique». Selon les théories psychodynamiques, elle jaillit de l'énergie vitale du corps qui se transforme en énergie psychique.

Le réservoir de l'énergie psychique est le «ça», qui emploie cette énergie à satisfaire les instincts fondamentaux de vie et de mort. Graduellement, l'énergie se déplace vers le «moi» et le «surmoi». Le moi et le surmoi emploient l'énergie dont ils disposent ou bien à des fins d'ordre général, ou bien à décharger la tension engendrée par les pulsions. Cette même énergie sert cependant aussi à empêcher la décharge de la tension et s'investit dans le processus de répression. Le but principal des répressions est de réduire l'anxiété et d'éviter la douleur.

Ce que l'être humain pense et fait est déterminé par l'interaction des forces de poussée et de résistance. En fin de compte, le dynamisme de la personnalité réside dans les échanges d'énergie psychique entre les trois systèmes de la personnalité. Par exemple, une tendance sexuelle peut être en contradiction avec la morale de la personne. Ou encore, des impulsions hostiles envers un parent peuvent être en contradiction avec le respect et l'amour dus à ce parent. Les conflits intrapsychiques sont présents dans beaucoup de névroses et de complexes.

Des **conflits interpersonnels** se produisent souvent au sein des groupes d'appartenance. Les conflits familiaux font partie de ce groupe. Les tensions et les conflits au sein de certaines familles ont des effets sur la personnalité de chaque membre et sur le groupe lui-même. Ils donnent souvent naissance à des comportements d'hostilité qui peuvent conduire à la rupture. Dans certains cas, les répercussions sur les membres sont excessivement intenses et les exposent à des conséquences désavantageuses.

Les **conflits sociaux** se présentent surtout dans les sociétés modernes, où des incertitudes, des oppositions et des valeurs souvent contradictoires pénètrent tous les domaines des relations sociales et affectent inévitablement les individus. Ils sont particulièrement éprouvants pour les personnes vulnérables, qui tentent de surmonter intérieurement ces conflits, mais qui, du fait de la complexité des facteurs en cause, ne parviennent que péniblement à une solution durable. La plus grande partie de la population échappe cependant aux conséquences extrêmes de tels conflits aussi longtemps que la désorganisation ne devient pas la règle générale de la vie sociale et que les facteurs de stabilisation maintiennent en vigueur un minimum de comportements adéquats.

Les **conflits interculturels** sont fréquents chez les immigrants, mais on a rencontré un phénomène similaire chez les personnes qui ont quitté la vie rurale pour la vie urbaine. Ce type de conflit est dû moins au relâchement des liens sociaux qu'au déchirement que provoque l'appartenance à deux cultures, surtout si elles sont très différentes. La personne s'est détachée de sa culture d'origine et ne participe plus aux anciennes institutions qui assuraient sa sécurité et son orientation. De plus, elle n'appartient pas encore à la nouvelle culture, à laquelle il lui faut au contraire s'adapter.

Les efforts d'adaptation

Les frustrations, et les conflits qui en résultent, représentent, dans plusieurs situations, l'aspect inévitable de la vie quotidienne. Certaines personnes les supportent relativement bien. Pour d'autres, les conflits ou leur mode de résolution ont davantage un caractère pathologique.

> «Les individus qui supportent un grand nombre de frustrations sans succomber sous leur pression, sont considérés comme ayant "une grande tolérance à la frustration" qui est définie comme la "capacité individuelle de supporter la frustration sans défaillance de l'adaptation psycho-biologique, c'est-à-dire sans recourir à des réactions inadéquates"[18].»

La conduite humaine est fonction à la fois de la personnalité et de son environnement. La structure de l'environnement, telle qu'elle est perçue, dépend des désirs, des besoins et des attitudes d'une personne. Le contenu de l'environnement met la personne dans un état d'esprit particulier. C'est ce rapport de réciprocité qui crée la situation dont la conduite est fonction (*voir la figure 1.8*).

Figure 1.8
Conduite humaine

Conduite humaine = Personnalité ⟷ Environnement

C = P + E

Toute conduite vise donc, consciemment ou inconsciemment, une adaptation puisque toute conduite a comme objectif de diminuer les frustrations et les conflits. Quand il y a des obstacles entre les désirs (ce que nous voudrions que les choses soient) et la réalité (ce que les choses sont), un écart se produit. L'être humain réagit, fait des gestes, adopte une conduite visant à diminuer cet écart.

Les situations concrètes d'adaptation

Sur le plan psychosocial, il n'y a pas d'adaptation en soi, dans l'abstrait. D'où l'importance de parler de «situations concrètes d'adaptation» plutôt que de «personnes adaptées» ou «inadaptées». L'adaptation n'est pas un état stable et statique, et elle ne peut se définir abstraitement. Au contraire, l'adaptation psychosociale s'incarne dans des situations concrètes de la vie quotidienne et dans des comportements observables du début jusqu'à la fin de la vie.

En effet, une personne est adaptée à elle-même, à quelque chose, à une situation, à un milieu interhumain en fonction de certains systèmes de référence, internes ou externes, qui définissent des critères d'adaptation et des seuils à partir desquels on considère que cesse l'adaptation dans un domaine spécifique de la vie individuelle et sociale.

L'adaptation interne et l'adaptation externe

La réalité sociale n'est ni exclusivement interne par rapport aux personnes qui la vivent, ni exclusivement externe. Elle est vécue en perspective, en situation, par les personnes concernées, auxquelles des contraintes et des limitations s'imposent en même temps de l'extérieur et de l'intérieur.

La conduite humaine vise à réduire les tensions physiologiques, psychologiques et sociales qui menacent l'intégrité et l'équilibre de l'être humain dans des situations données. Si cette conduite permet de dépasser certains conflits internes ou d'éliminer une frustration d'origine interne, nous dirons que la personne est adaptée à sa réalité interne, qu'elle est en relative harmonie avec elle-même et vit un certain bien-être.

Cette adaptation interne est facilitée par l'atteinte d'un degré de maturité affective permettant à la personne un dépassement de la répétition des expériences de l'enfance. C'est à cette condition seulement que sera rendue disponible une quantité d'énergie psychique qui, en accroissant les capacités de communication et de dialogue avec les autres, favorisera l'adaptation psychosociale.

Si la conduite en question permet d'éliminer une frustration d'origine externe, en favorisant la réalisation des attentes microsociales ou macrosociales, nous dirons qu'il y a adaptation à la réalité externe. Une personne qui éprouve un certain bien-être à satisfaire aux exigences externes, à respecter les normes de comportement et à ne pas enfreindre les lois implicites ou explicites, en un mot, une personne qui intériorise ces normes est adaptée à la réalité externe, elle vit un bien-être externe. Si elle est en relative harmonie parce qu'elle a surmonté des conflits microsociaux ou macrosociaux, nous dirons qu'elle est adaptée sur le plan externe.

L'environnement social dans lequel nous vivons nous impose directement ou indirectement un grand nombre d'exigences et de normes qui demandent un minimum de conformité et qui sont souvent nécessaires à toute vie en groupe ou en société. D'une certaine façon, les règles de conduite et les normes de comportement véhiculées limitent notre marge de liberté individuelle. D'une autre façon, elles peuvent augmenter notre marge de liberté individuelle par la reconnaissance de droits individuels et peuvent faciliter la cohésion sociale par la reconnaissance de droits collectifs. Les lois et règlements de la circulation dans un grand centre urbain illustrent cette assertion.

L'adaptation externe est facilitée par l'atteinte d'un degré de maturité sociale permettant à la personne une certaine acceptation des règles de vie en société. Encore une fois, il est important de répéter que cette adaptation externe n'est pas assimilable à un pur conformisme ni surtout à un hyperconformisme qui actualiserait, en fait, des tendances régressives. La maturité sociale n'est pas l'équivalent d'une conduite strictement normative. Comme tout n'est pas sain et juste dans le milieu familial ou social, l'individu peut ou devrait disposer de ressources psychologiques suffisantes pour tenter de modifier ce milieu.

L'interaction des réalités interne et externe de l'adaptation

Il y a interaction dynamique de la réalité interne et de la réalité externe de l'adaptation. Ainsi, l'adaptation externe suppose un certain degré d'adaptation à la réalité interne, à défaut duquel l'individu risque de rejeter sur son entourage les conséquences de son mal-être interne. C'est ce qui explique que l'adaptation externe soit difficile pour une personne ayant de graves troubles caractériels. Une personne véhiculant des idées et des valeurs marginales pourra, quant à elle, réaliser cette adaptation externe dans sa microsociété et non dans la société globale.

De même, l'adaptation interne suppose un certain degré d'adaptation à la réalité externe, à défaut duquel l'individu risque de vivre de nombreux conflits avec son entourage et de recevoir une désapprobation sociale pouvant à la longue compromettre son bien-être interne. De plus, les structures sociales elles-mêmes sont susceptibles de rendre plus ou moins aisée une adaptation de l'individu à sa réalité interne. Certains modèles de conduite, certaines normes, certaines crises sociales rendent plus difficile l'harmonie entre les attentes individuelles et les attentes sociales. Il y a donc un lien entre le bien-être interne et le bien-être externe.

Une définition de l'adaptation psychosociale

Si nous nous référons aux notions de réalité interne (aspect psychologique) et de réalité externe (aspect social), nous pouvons définir l'adaptation psychosociale comme l'équilibre, ou la recherche d'équilibre, entre le bien-être interne et le bien-être externe dans certaines situations données. L'adaptation psychosociale implique donc la présence simultanée de l'adaptation à la réalité interne et de l'adaptation à la réalité externe (*voir la figure 1.9*). Il s'agit d'une recherche d'équilibre entre les pulsions, les désirs, les exigences sociomorales et les attentes environnementales. Comme système, l'adaptation humaine est une réalité totale qui engage et influence la personnalité individuelle et le tissu social. C'est pourquoi nous utilisons le concept d'adaptation psychosociale, lequel met davantage l'accent sur les interactions.

Figure 1.9
Adaptation psychosociale

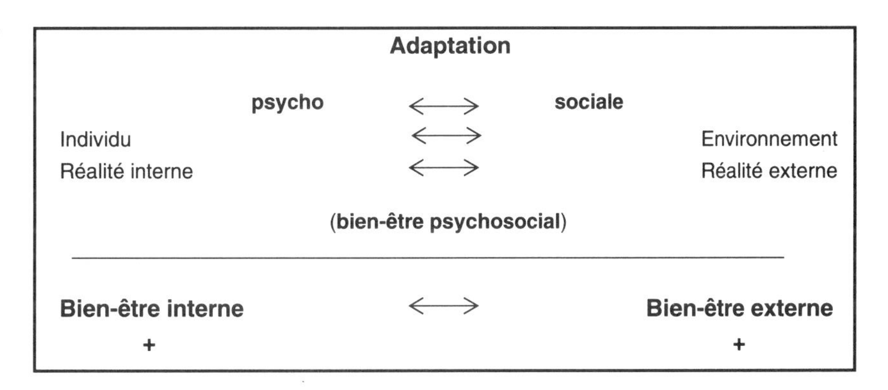

Cette définition tient compte autant de la responsabilité de l'individu que de la responsabilité de l'environnement social. Nous pouvons en dégager deux corollaires. D'une part, elle suppose une ouverture de l'individu sur lui-même et sur son environnement. Dans un sens plus dynamique, cela implique que par ses aptitudes, ses attitudes et ses habiletés, une personne est apte à surmonter ses problèmes et ceux de sa société.

> «Nous, les humains, pouvons obtenir tous les succès en consentant des efforts individuels conscients et ainsi réussir notre adaptation physique et sociale [...]. Ces effets créatifs des processus adaptatifs ont été tout à fait négligés[19]. »

D'autre part, cela suppose une ouverture de l'environnement social sur la nécessité d'une meilleure cohésion sociale, mais également sur la meilleure satisfaction possible des besoins individuels. La société, par ses lois et ses institutions, doit assumer des responsabilités et doit être relativement adéquate pour favoriser l'épanouissement et le développement de ses membres.

> « L'adaptation consiste moins à adapter l'homme à un milieu donné qu'à lui ouvrir celui où il s'épanouira et éventuellement à obtenir de la société elle-même qu'elle crée les "débouchés" propres à cet épanouissement. Comme cas typiques, on pense [à] la création d'emplois pour "inadaptés" et plus généralement à l'ouverture et à la multiplication de champs d'activités nouveaux, dans l'ordre culturel comme dans l'ordre professionnel, propres à offrir à tout ce qui est humain des occasions aussi diversifiées que possible de libre accomplissement.
>
> On est ici aux antipodes de l'adaptation du vivant à son milieu : c'est d'une adaptation du milieu au vivant qu'il s'agit bien plutôt[20]. »

Ainsi, dans la mesure du possible, l'individu s'adapte à son environnement en le modifiant, et l'environnement, à la suite des interventions des individus, s'adapte à eux. Selon la formule de la Direction des Affaires sociales des Nations unies, la tâche des intervenants sociaux est d'« aider l'adaptation réciproque des individus et de leur milieu social ».

> « L'adaptation apparaît alors beaucoup plus, en de telles perspectives, comme une suite de rééquilibrations actives, c'est-à-dire de réponses constamment contrôlées, que comme une simple soumission aux contraintes extérieures ou comme une série d'essais incoordonnés et divergents passés trop tard au crible d'une sélection trop mécanique[21]. »

Cette adaptation adéquate favorise à la fois le développement individuel et le développement collectif. La notion de crise bénéfique et l'idée d'une sorte d'équilibre atteint qui provoque non le bien-être mais la stagnation, d'où la nécessité de provoquer un autre déséquilibre, sont des idées clés où se rejoignent les points de vue piagétiens et bien des concepts psychodynamiques sur le conflit. C'est l'adhésion à une hiérarchie de valeurs développée consciemment, et subordonnée à l'idéal d'un bien-être individuel et d'un bien-être collectif. Le mouvement de l'énergie est donc celui de « donner et recevoir », ce que Hans Selye appelle un « altruisme égoïste ».

«Dans le fond, l'idée est très simple. Elle permet à chacun de développer ses talents et néanmoins de maintenir la sérénité et la paix dans l'âme. Il en est ainsi grâce à une sorte d'altruisme égoïste qui, sans provoquer le sentiment de culpabilité, donne une issue à l'égoïsme inhérent à l'être humain[22]. »

C'est dans cette réciprocité que nous pouvons avoir le dynamisme qui nous amène petit à petit à la conscience du changement.

«Le style de vie propre à chaque individu est constamment sujet à changement par suite des processus qui s'échelonnent tout au long de son évolution vers la maturité, des situations changeantes au sein de son entourage ou en raison de la conjonction des deux. Les périodes de grandes perturbations sur le plan social, physique et psychologique que traversent tous les êtres humains dans le processus normal de croissance comportent des crises en puissance. Ces changements peuvent survenir en même temps que les transitions biologiques et sociales à partir de la naissance en passant par la puberté, le début de l'âge adulte, le mariage ou la mort d'un membre de la famille, la ménopause et la vieillesse[23]. »

L'utopie de l'adaptation parfaite

Étant donné que la question de l'adaptation psychosociale implique l'interaction de la personne et de son environnement, nous pouvons dire que l'adaptation n'est jamais complète, définitive. En effet, nous ne sommes jamais adaptés une fois pour toutes, d'une manière définitive. La personne doit constamment refaire l'équilibre ; c'est le phénomène de la médiation entre l'individu et le social. Cette recherche d'équilibre est présente dans toutes les périodes de la vie. C'est pourquoi les changements chez les individus sont possibles, voire nécessaires, tout au long de leur vie pour atteindre un équilibre, même si ce dernier conserve toujours une relative précarité.

Dans ce sens, le rêve de l'adaptation individuelle parfaite, du bonheur individuel parfait est illusoire et constitue une utopie qui, à certains égards, présente plus d'inconvénients que d'avantages. Cela implique qu'il est important de distinguer les phénomènes reliés à l'angoisse, qui joue, dans certains cas, un rôle dynamisant et, dans d'autres cas, un rôle paralysant.

De même, il serait illusoire de penser à une société idéale. Une société n'est jamais parfaite, surtout si on la situe en contact avec d'autres sociétés. Là aussi, plusieurs conflits sont inévitables. On parle ici d'une adaptation psychosociale adéquate, d'un réalisme social, d'une ouverture de la société pour assumer sa survie et sa cohésion sociale en favorisant le plus possible de développement des potentialités individuelles. En un certain sens, cela signifie qu'il est essentiel, tant sur le plan individuel que sur le plan social, de garder un idéal sans idéaliser. Le domaine de la santé peut servir d'exemple.

> «Mais la notion de santé parfaite et positive est une utopie créée par l'esprit humain. Elle ne saurait être réalisée un jour, car l'homme ne sera jamais si parfaitement adapté à son milieu que sa vie ne comporte ni conflits, ni échecs, ni souffrances. Pourtant, l'utopie de la santé absolue possède un pouvoir dynamique du fait que, comme n'importe quel idéal, elle propose un but à atteindre et tend à diriger la recherche médicale vers ce but. L'espoir que la maladie puisse disparaître complètement ne devient un dangereux mirage que quand on oublie qu'il n'est pas réalisable. On peut alors le comparer à un feu follet qui attire les voyageurs vers les marécages de l'irréalité. Il encourage, en particulier, l'illusion que l'homme peut commander à ses réactions aux stimuli et s'adapter à des nouveaux genres de vie sans payer le prix de ces adaptations. La réalité est moins séduisante: dans un monde en constant changement, chaque période et chaque type de civilisation continuera d'être accompagné [*sic*] d'un ensemble de maladies créé par les inévitables cas de ceux qui n'auront pu s'adapter au nouveau milieu[24]. »

L'INADAPTATION PSYCHOSOCIALE

Si la frustration peut être perçue comme une occasion alimentant la dévalorisation personnelle, l'agressivité, la culpabilité et l'anxiété, elle peut être également considérée comme une occasion de dépassement. Tout au long de son développement psychosocial, l'être humain est constamment soumis à des frustrations et à des conflits ; c'est pourquoi il n'est jamais complètement adapté.

Le conflit lui-même est l'un des facteurs de maturation de la personnalité qui résulte d'une série de résolutions de conflits aboutissant à une élévation du seuil de tolérance aux frustrations et au remplacement des réactions inadéquates par des conduites plus en rapport avec les objectifs visés. Il suffit d'écouter certains enfants gravement malades pour être impressionné par cette maturité et cette sagesse. Le même phénomène existe sur le plan du changement social puisque certaines crises et remises en question favorisent de nouveaux consensus plus appropriés pour répondre aux nouveaux besoins et au progrès social.

Ces diverses situations d'inadaptation, loin d'être négatives, peuvent susciter, chez ceux et celles qui en ont la capacité, un développement de la personnalité qui leur permettra de faire face à leurs difficultés. Dans ce sens, l'inadaptation devient une force dynamique d'adaptation. Tous ces changements que la vie présente exigent des transformations constantes non seulement au point de vue physique mais aussi au point de vue de l'être intégral.

L'inadaptation provisoire : une tentative adéquate d'adaptation

Aucun être humain ne peut échapper ni ne peut se soustraire à certaines inadaptations sur le long parcours de la vie. En effet, tous les êtres humains ont eu, ont et auront à s'adapter à un très grand nombre de situations et à plusieurs milieux de vie. Certaines personnes auront plus de facilité que d'autres à retrouver un équilibre. Certains changements brusques peuvent provoquer, tant pour l'enfant que pour l'adulte, un ensemble de phénomènes pathologiques et déséquilibrer l'organisme pour un certain temps.

Ce caractère d'inévitabilité est donc inhérent à la vie et à la condition humaines. Une certaine inadaptation provisoire est la loi de la vie ; cette loi de la nature nous touche tous et toutes à chacune des étapes de notre vie. Un grand nombre des inadaptations provisoires sont même des moments de transition indispensables au progrès individuel et social. De ce point de vue, nous pourrions dire: « Heureusement qu'il y a des inadaptations ! » Les périodes d'inadaptation comportent plusieurs inconvénients, mais également de nombreux avantages. L'être humain possède des mécanismes d'adaptation comme les mécanismes de défense, la motricité volontaire, la symbolisation consciente, etc., pour retrouver des équilibres successifs nécessaires à son développement.

Si nous refusons ce caractère d'inévitabilité de l'inadaptation et de l'adaptation, nous refusons de nous développer et nous restons à un stade bien en deçà de notre potentiel d'épanouissement et de progression. Ainsi, refuser de faire certaines expériences nouvelles parce qu'elles nous feront vivre des inadaptations risquerait de nous faire régresser à des stades antérieurs et créerait ainsi d'autres inadaptations aussi difficiles et souvent pires que celles que nous voulions éviter.

Boris Vian et *L'Arrache-cœur*

Boris Vian, dans son roman *L'Arrache-cœur*, décrit bien ce cercle vicieux qui consiste à surprotéger les enfants pour leur éviter des inadaptations ; cette surprotection aboutit à un manque d'expérience des enfants, qui n'ont pas développé les habiletés requises pour faire face aux situations quotidiennes ou pour satisfaire leur curiosité.

Les craintes exagérées de la mère incitent celle-ci à restreindre encore davantage les stimuli environnementaux ; ultimement, elle n'a comme seul recours que de confiner les enfants à une vie aseptisée en les enfermant dans une cage de verre. Ils sont à l'abri, mais régressent à un niveau de sous-développement.

En acceptant qu'une certaine inadaptation provisoire soit la loi de la vie, tant sur le plan individuel que collectif, nous arriverons à mieux percevoir les avantages de certaines difficultés d'adaptation tout en étant conscients que ces périodes de transition sont des occasions porteuses de stress et d'anxiété. Ainsi, l'enfant qui franchit le seuil de l'école pour la première fois traverse une période d'inadaptation plus ou moins longue et plus ou moins intense qui fera bientôt place à une nouvelle adaptation et à un nouveau pas sur le chemin de l'autonomie et de la maturité.

> « Le déséquilibre provoqué par l'entrée à l'école va devenir positif si nous sommes en présence des éléments suivants. D'une part si l'enfant a les préalables cognitifs, moteurs, affectifs pour s'intégrer à une communauté ayant des règles et proposant des symboles nouveaux. D'autre part si l'école et la famille fournissent des conditions d'apprentissage adéquates et pensées en fonction des possibilités et du rythme de l'enfant[25]. »

Plus largement, à l'échelle d'une société, le même principe s'applique puisque certaines crises, tout en augmentant le taux d'insécurité affective et sociale, favorisent des remises en question et des réajustements que l'on peut considérer à juste titre comme des facteurs de développement social dans certains secteurs. Ainsi, la grande crise économique du début des années 30 a permis à l'État de mettre sur pied une série de mesures sociales pour venir en aide aux plus démunis. Là encore, on peut y voir le principe des avantages et des inconvénients, des profits et pertes, des progrès et des régressions.

L'inadaptation à une situation présente est souvent nécessaire à une adaptation à venir. C'est pourquoi il semble préférable d'envisager le développement du pouvoir d'adaptation (dynamique) plutôt que l'état d'adaptation (statique) tant sur le plan individuel que collectif. Ce pouvoir d'adaptation représente donc l'une des composantes de la santé. Comme l'affirme René Dubos:

> «[...] les états de santé ou de maladie correspondent aux réussites et aux échecs de l'organisme dans son effort pour réagir par une adaptation aux données impératives de son milieu[26]. »

L'inadaptation durable: une tentative inadéquate d'adaptation

Certaines difficultés ont un caractère plus définitif et certains conflits deviennent pathogènes parce qu'ils dépassent le plan individuel d'adaptation ou parce qu'ils sont vécus sans le soutien d'autrui. L'inadaptation est toujours une tentative d'adaptation, mais qui peut être inadéquate par rapport au bien-être de la personne (p. ex., dans le cas d'obsessions ou de peurs) ou par rapport aux normes sociales (p. ex., certaines manifestations d'hostilité).

S'il y a tentative inadéquate d'adaptation ou échec des efforts d'adaptation, on parlera d'«inadaptation durable» ou encore d'«inadaptation pathologique» surtout dans les situations où une manière d'être «adaptative» se structure, se rigidifie, se ritualise et devient une entrave à sa propre liberté intérieure et au dialogue avec l'autre.

Comment reconnaître, devant les manifestations déviantes, les crises passagères fécondes dans une évolution, des processus psychopathologiques qui s'installent? La marge qui sépare l'adaptation psychosociale novatrice de l'inadaptation psychosociale durable n'est souvent pas très grande, car les mêmes mécanismes psychosociaux peuvent être à l'origine de l'une et de l'autre. Dans certains cas, le conflit peut avoir en lui-même un caractère déstructurant, mais il n'a pas toujours un caractère «pathologique» même si parfois le mode de résolution risque de revêtir un tel caractère.

Ainsi, certaines conduites n'atteignent pas l'objectif visé et maintiennent l'écart plutôt que de le diminuer parce que la personne ne réussit pas à surmonter les obstacles. Dans une large mesure, les symptômes névrotiques et psychotiques sont eux-mêmes des tentatives d'adaptation qui n'ont cependant pas réussi complètement soit en fonction des objectifs visés, soit en fonction des attentes sociales.

Une définition de l'inadaptation psychosociale

L'inadaptation psychosociale peut donc se définir comme un déséquilibre, plus ou moins prolongé dans le temps, provoqué soit par un mal-être interne, soit par un mal-être externe, ou encore, par les deux. Il y a donc trois possibilités pour lesquelles nous pouvons parler d'inadaptation psychosociale (*voir la figure 1.10*).

Figure 1.10
Inadaptation psychosociale

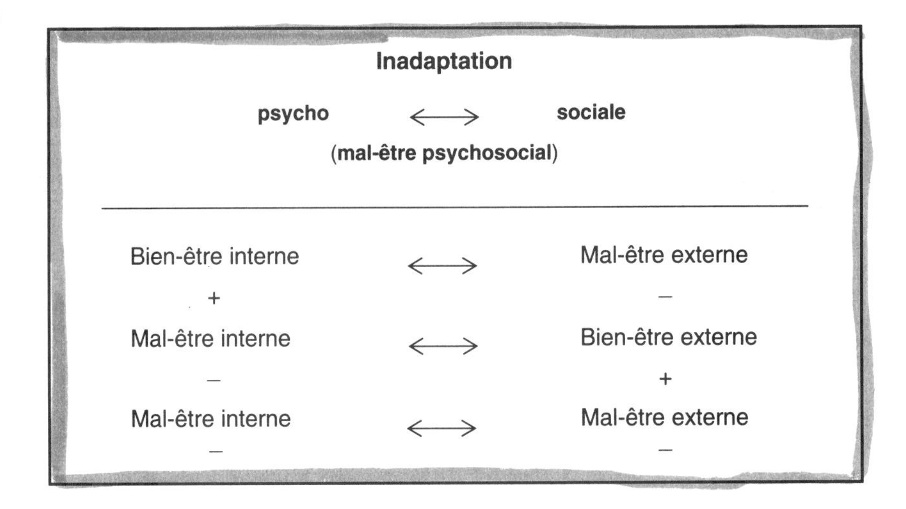

Il y a inadaptation interne lorsque le déséquilibre provient de conflits intrapsychiques, selon le modèle psychodynamique, ou encore de limitations fonctionnelles découlant de déficiences physiques, intellectuelles ou psychologiques. Dans ce cas-ci, on parle de mal-être interne. Il y a inadaptation externe lorsque le déséquilibre est causé par le fait que la personne ne répond pas aux attentes de l'entourage, ce qui occasionne des conflits interpersonnels, sociaux ou culturels. Si les frustrations et les conflits externes perdurent parce qu'une personne transgresse les lois, s'écarte des normes de comportement et menace l'équilibre microsocial ou macrosocial, nous dirons alors que cette personne vit une inadaptation à sa réalité externe, qu'elle vit un mal-être externe.

> «La situation qualifie seulement l'inadaptation, elle ne la définit pas. Sans doute, celle-ci naîtra de l'interaction de facteurs individuels et de facteurs mésologiques, mais en aucun cas la prédominance de tel ou tel d'entre eux, quelle que soit son importance dans la situation, ne suffira à définir l'inadaptation. Elle relève toujours des deux, mais elle se situe, se concrétise, se définit entre les deux[27]. »

Les corollaires découlant de cette définition

Plusieurs corollaires découlent de cette définition. Un premier enlève au mot «inadaptation» son sens péjoratif. En effet, on donne souvent une signification péjorative au terme «inadaptation» en percevant comme des points de non-retour, comme des crises sans issue, comme des situations dramatiques et irréversibles ces étapes difficiles de notre vie individuelle, familiale et sociale.

Un deuxième corollaire met en évidence le fait qu'il n'est pas toujours facile de distinguer les inadaptations provisoires des inadaptations plus durables, surtout dans les cas de troubles réactionnels. En effet, les crises sont souvent des étapes fécondes qui permettent la mise en place d'une nouvelle adaptation inconnue au début du processus. Il est important de distinguer les facteurs de risque qui sont prévisibles soit par leur caractère, soit par leur intensité, ou encore, par leur addition. Si cette définition admet que toutes les personnes ayant une déficience et toutes celles qui présentent des problèmes de santé mentale sont loin d'être «inadaptées», elle implique néanmoins que c'est parmi elles qu'on retrouve un plus grand nombre d'inadaptations durables.

Un troisième corollaire indique que plusieurs inadaptations s'inscrivent dans un contexte où les attentes sociales sont ou trop fortes (la productivité à tout prix), ce qui risque de ralentir le développement de plusieurs personnes, ou pas assez fortes (la loi du moindre effort), ce qui risque de priver la collectivité d'un apport important. On met ici l'accent sur la part de responsabilité sociale pour éviter l'aggravation des difficultés d'adaptation.

Quand on pense à plusieurs difficultés d'adaptation, on constate que bon nombre de personnes sont rejetées par le monde du travail dans notre société industrialisée. Sont-elles maintenant inadaptées ou est-ce notre société actuelle, plus exigeante, qui n'a pas su s'adapter à leurs besoins et leur faire une place ? Ces personnes sont-elles rejetées parce qu'elles vivent des inadaptations ou ont-elles des difficultés d'adaptation parce qu'elles sont rejetées ? Cela s'applique aussi sur le plan microsocial.

> «Comment concevoir, enfin, qu'un enfant dit normal mais "souffrant d'un milieu non conforme à ses besoins", ne développe pas plus ou moins, au cours de sa maturation affective, des troubles qui, plus tard, en imposeront pour des difficultés "tenant à l'enfant lui-même" ?[28] »

Un quatrième corollaire met l'accent sur la part de responsabilité qui revient aux individus dans la prise en charge de leur vie et celle de la collectivité. Dans certaines situations, une non-acceptation de ses limites personnelles et des limites sociales fait développer des attentes trop élevées ou trop égocentriques, risquant de compromettre l'équilibre personnel ou social. Un refus des valeurs et des normes de conduite, s'il se prolonge et s'il se manifeste intensément, peut avoir des conséquences autodestructrices ou destructrices, entraînant alors une augmentation des coûts sociaux ou des contraintes sociales.

Dans d'autres cas, cette absence d'autonomie est un symptôme ou une conséquence d'une déficience qui, à un certain degré, limite sérieusement cette prise en charge personnelle. Ainsi, certaines déficiences profondes empêchent de recevoir, d'intégrer et d'organiser les stimuli pour donner un sens au monde environnant et elles peuvent provoquer des mécanismes répétitifs à caractère névrotique, des absences de structuration de l'identité, des conditionnements particulièrement rigides, etc.

Un cinquième corollaire implique que les situations d'inadaptation comportent toujours une certaine part de subjectivité et de relativité parce que filtrées par l'interprétation personnelle ou le jugement d'autrui. S'il est vrai que le social est vécu psychiquement par les personnes, il est également vrai que l'activité psychique est pour une large part faite d'accommodation, selon l'expression de Piaget, à un donné social qui demeure extérieur aux personnes. Dans le cas de l'enfant, les situations d'inadaptation sont jugées comme telles à partir des attentes des parents, de l'école, des milieux de loisirs.

Souvent, le passage d'une inadaptation provisoire à une inadaptation durable se produit parce qu'on est en présence de conditions défavorables à l'adaptation. Certaines de ces conditions peuvent relever de la personne elle-même (limitations fonctionnelles, mécanismes inadéquats de résolution des problèmes, etc.) alors que d'autres sont davantage liées à l'environnement (barrières architecturales, préjugés, etc.).

Prenons l'exemple du mode de résolution des problèmes qui nous permet de mieux comprendre pourquoi les mêmes événements ne produisent pas toujours les mêmes effets chez toutes les personnes concernées. Certaines s'enlisent dans le cercle vicieux de l'inadaptation, travaillant ainsi contre leurs propres intérêts, alors que pour d'autres, la période d'inadaptation fera place, plus ou moins rapidement et plus ou moins consciemment, à une période d'adaptation, à de nouveaux ajustements.

> «Selon Caplan, l'homme est constamment confronté avec le besoin de résoudre des problèmes pour maintenir son équilibre. S'il s'agit d'un déséquilibre entre la difficulté (telle qu'il la perçoit) d'un problème et l'ensemble de ses capacités d'adaptation, une crise peut se produire. S'il ne peut trouver d'autres moyens ou si la solution du problème nécessite plus de temps et d'énergie qu'à l'ordinaire, le déséquilibre survient. Sa tension s'accroît et il ressent un malaise accompagné de sentiments d'anxiété, de crainte, de culpabilité, de honte et d'impuissance[29]. »

Il est bien difficile d'interpréter le poids et le jeu des conditions qui déterminent ou favorisent une orientation de vie plutôt qu'une autre. Ainsi, des conduites «inadaptatives» peuvent résulter des mêmes frustrations, angoisses et insécurités qui développent chez d'autres un désir d'innovation ou de réforme sociale.

Nous parlons de comportements «adaptatifs» quand les réponses assurent l'intégrité de la personne en matière de survie, de croissance, de reproduction et de maturation ; ce sont des réponses de forte adaptation. Notons que les mêmes mécanismes psychosociaux peuvent être à l'origine de l'adaptation ou de l'inadaptation, mais il y a tous les facteurs individuels, familiaux et de soutien extérieur au milieu familial qui transforment l'influence de ces mécanismes. Nous parlons de comportements non adaptatifs quand les réponses ne favorisent pas l'adaptation de l'individu, c'est-à-dire sa survie, sa croissance, sa maturation ; ce sont des réponses de faible adaptation qui provoquent un plus grand déséquilibre.

LE PROCESSUS D'ADAPTATION PSYCHOSOCIALE

Depuis quelques années, nous assistons à une prise de conscience individuelle et collective de diverses manifestations de ce phénomène de l'inadaptation, qui est devenu une question sociale d'une exceptionnelle importance. Le tiers du budget du gouvernement du Québec est consacré au réseau de la santé et des services sociaux, sans compter les autres ministères et les nombreux organismes qui, indirectement, contribuent à la mise sur pied de plusieurs programmes d'intervention.

Toutes les formes d'inadaptation sont quotidiennement présentées par les médias: reportages à sensation, romans psychologiques, biographies, journaux, documentaires, films, débats politiques, entrevues y trouvent matière à information, à promotion des droits, à argumentation, à scandale, à spectacle, à propagande... et, espérons-le, à réflexion ainsi qu'à changement individuel et social. Souvent, nous sommes envahis par un sentiment d'insécurité et d'impuissance devant les nombreuses difficultés présentées. Dans d'autres situations, l'espoir en de meilleurs jours semble possible.

La dynamique de l'adaptation

Nous venons de cerner ce qu'est l'adaptation psychosociale de même que son concept antagoniste, l'inadaptation psychosociale, provisoire ou durable. Nous voulons montrer que même si l'adaptation parfaite est une utopie, la recherche d'un meilleur équilibre entre un mieux-être individuel et un mieux-être collectif demeure à notre portée dans plusieurs situations.

Nous nous intéressons à toutes les formes et à tous les degrés d'inadaptation, et nous voulons mettre en perspective les inadaptations plus situationnelles et les inadaptations psychopathologiques. La compréhension des phases du processus d'adaptation est un moyen parmi d'autres pour tenter d'y voir plus clair. Comment l'inadaptation apparaît-elle chez un individu ou dans un groupe? Comment se développe-t-elle? À quels facteurs l'adaptation est-elle liée? Y a-t-il des formes particulières d'adaptation?

La problématique des personnes aux prises avec des difficultés d'adaptation n'est pas celle d'un état statique d'inadaptation ; c'est plutôt celle d'une restriction, imaginée ou réelle, de la marge de liberté devant une situation. Comme cette problématique réside dans les interactions de l'individu et de son environnement, elle demeure essentiellement dynamique. C'est ce que Rosnay appelle la «stabilité dynamique», c'est-à-dire l'équilibre dans le mouvement:

> «La stabilité dynamique résulte de la combinaison et du réajustement de nombreux équilibres atteints et maintenus par le système. Comme l'équilibre du "milieu intérieur" de l'organisme, par exemple. Il s'agit d'équilibres dynamiques. L'équilibre dynamique peut être adopté, modifié et modulé en permanence grâce à des réaménagements parfois imperceptibles, en fonction des perturbations ou des circonstances[30].»

Les phases du processus d'adaptation

Le processus d'adaptation présente des aspects communs pour toutes les personnes, mais également des aspects spécifiques à certains types d'inadaptation, lesquels sont vécus d'une manière unique par la personne concernée.

> Tous les êtres humains sont semblables.
>
> Certains se ressemblent.
>
> Chacun est unique.
>
> (Margaret Mead, anthropologue)

Ainsi, en considérant l'ensemble des difficultés des êtres humains, nous retrouvons des dénominateurs communs comme les frustrations, les conflits, les réactions de l'entourage, les mécanismes de défense, les perceptions, les émotions agréables et désagréables, les tentatives d'adaptation. Ces dénominateurs communs font référence au processus de maturation et de développement.

Tous les êtres humains naissent, grandissent et meurent. Tous les êtres humains ont besoin de nourriture, de sommeil et de chaleur pour vivre. Tous les êtres humains éprouvent des joies et des peines. Tous les êtres humains pensent et réfléchissent. Tous les êtres humains tentent de s'adapter. Nous pouvons dégager des constantes sur le plan des inadaptations et des adaptations que nous vivons tous.

> «Il m'est apparu, finalement, qu'il valait mieux peut-être ne pas faire violence à l'usage courant et que, tout en conservant au terme "adaptation" le sens général et vague d'"appropriation de l'organisme aux conditions externes et internes de l'existence" que lui donne le dictionnaire, il ne serait pas absolument stérile de chercher à distinguer dans cette entité trop globale pour être pleinement utile un certain nombre de mécanismes, de processus, de moments plus ou moins différents les uns des autres, qui ont été isolés, précisés et décrits depuis une époque lointaine [...]. C'est donc un essai de différenciation qualitative et temporelle [...]. Sans rien apporter de neuf aux spécialistes, il contribuera peut-être à mettre un peu d'ordre dans un domaine confus[31]. »

Il est à noter cependant que cette étude des similitudes, tout en nous aidant à mieux saisir les problèmes humains, se révèle insuffisante et comporte des risques d'incompréhension si elle n'est pas complétée par l'étude des inadaptations transitoires et durables, lesquelles font référence au processus de réadaptation et de rééducation.

Dans certaines difficultés fort semblables en apparence, l'inadaptation et l'adaptation pourront se vivre d'une manière «unique». Pour chaque personne concernée, on doit alors tenir compte aussi bien de l'hérédité, de l'histoire personnelle, de l'utilisation de la marge de liberté que du contexte familial, social, matériel.

L'étude de l'adaptation psychosociale est celle d'un processus qui naît à un moment donné, en fonction d'un certain nombre de facteurs biologiques, psychodéveloppementaux et environnementaux, qui s'infléchit et se développe selon son orientation et son dynamisme propres, qui se manifeste dans le milieu humain et dans le psychisme de l'individu.

Un processus est un ensemble de phénomènes conçus comme actifs et organisés dans le temps: processus de développement, de croissance, de créativité, de résolution des problèmes, d'intervention. Un processus fait référence à une chronologie et à une durée, et il peut se décomposer en phases qui constituent les états successifs d'une chose en évolution. Chacune de ces phases est plus ou moins longue, mais chacune représente une division du temps marquée par des événements importants. Enfin, chacune correspond à une étape distincte dans l'étalement d'une évolution, d'un phénomène.

Nous distinguons trois phases dans le processus d'adaptation: la genèse des difficultés (phase A), la période d'inadaptation (phase B), la période d'adaptation (phase C). Que les inadaptations soient provisoires ou durables, nous retrouvons des caractéristiques communes à chacune de ces phases. Notons ici que les différences résident dans la complexité, dans la durée, dans la présence ou l'absence de conditions favorables à l'adaptation et dans les modalités particulières d'adaptation.

Comme notre vie prend souvent l'allure de «montagnes russes», avec ses hauts et ses bas, ou encore d'une longue course à travers une chaîne de montagnes dont quelques-unes sont très escarpées, l'«image» d'une descente, d'une vallée et d'une remontée permettra d'illustrer ces expériences plus difficiles de notre vie. Comme il serait trop complexe de saisir d'un seul regard l'ensemble d'une vie, l'accent sera mis sur une difficulté à la fois. Le tableau 1.3 présente quelques expressions courantes rattachées à chacune de ces phases.

Tableau 1.3 **Expressions courantes**

Comment c'est arrivé... (genèse d'une difficulté)	**Ce qui se passait, ce que je ressentais... (période d'inadaptation)**	**Comment j'ai réussi à m'en sortir... (période d'adaptation)**
Quand une difficulté s'annonce pour une personne, nous entendons souvent les expressions suivantes: «Je dégringole», «Je sens que je vais perdre les pédales», «Je descends», «Un malheur va me tomber sur la tête», «Il y a beaucoup de défis à relever».	Quand une personne traverse une période d'inadaptation, nous entendons des expressions comme: «J'ai mon voyage», «Je suis au bout du rouleau», «Je suis en bas de la pente», «Rien ne va plus», «Je suis dans le fond du trou», «Je suis dans un tunnel», «Tout est noir dans ma vie», «J'ai perdu le contrôle», «La vie n'a plus de sens», «Je me noie», «Ça ne va vraiment pas», «Il n'y a plus d'espoir», «Je ne m'en sortirai pas», «Ça ne sert à rien de faire des efforts», «La vie ne devrait pas être ainsi faite».	Quand une personne surmonte ou est en voie de surmonter une difficulté, nous entendons fréquemment les expressions suivantes: «Je remonte à la surface», «Il y a de l'espoir», «Je suis sortie du trou», «Je surnage maintenant», «Je flotte», «Je suis sortie du tunnel», «J'ai remonté la pente», «Je vois la lumière au bout du tunnel», «J'ai trouvé un sens à ma vie».

Les phases du processus d'adaptation présentées à la figure 1.11 illustrent pour chacune des difficultés rencontrées la pente descendante (genèse des difficultés), la partie plane (période d'inadaptation) et la pente ascendante (période d'adaptation). Elles permettent de mieux visualiser comment ces difficultés surviennent (genèse des difficultés) et comment elles se manifestent (période d'inadaptation, inadaptation provisoire et inadaptation durable) avant que ne soit trouvé le moyen de résoudre ou de surmonter une difficulté d'adaptation (période d'adaptation). Il est à remarquer que ces phases peuvent varier en durée et en intensité selon les personnes, les étapes de la vie et les types de difficultés rencontrés.

Figure 1.11 **Phases du processus d'adaptation**

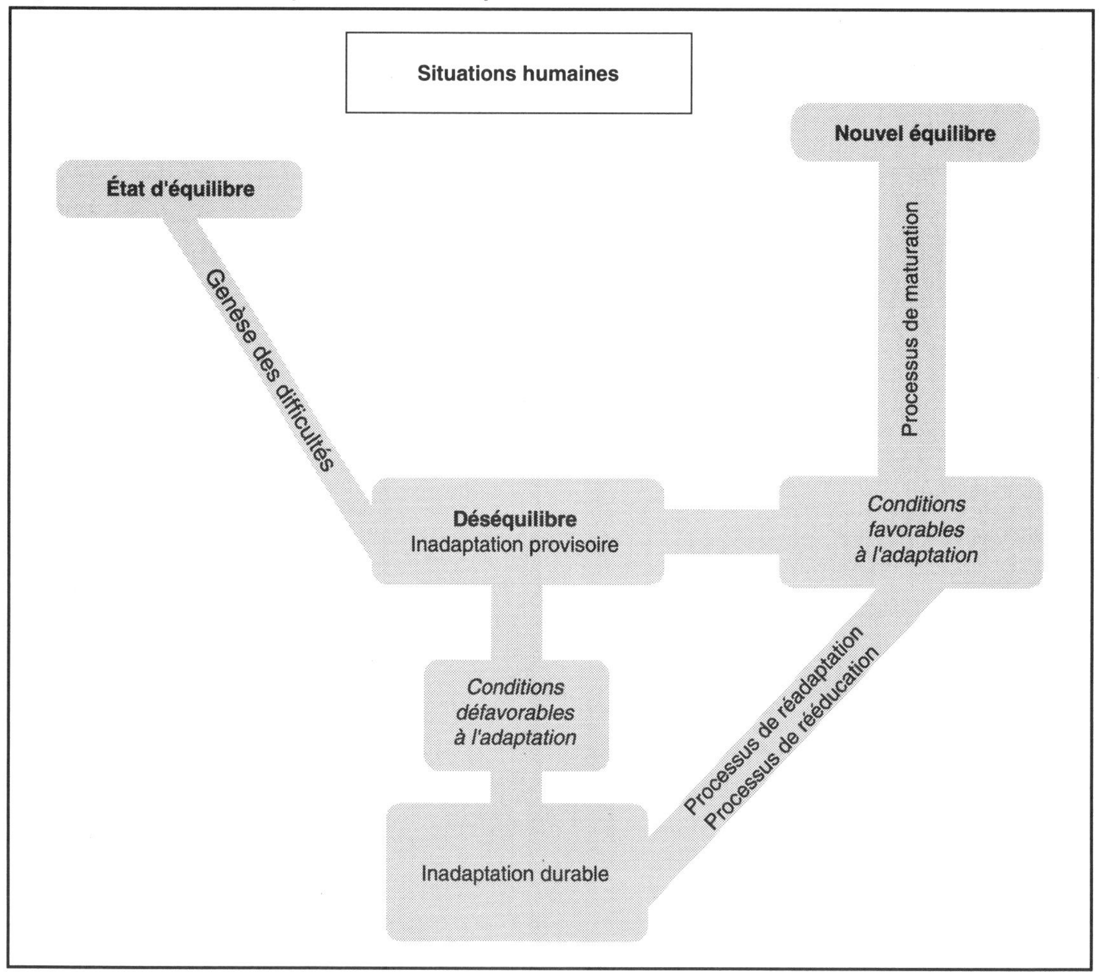

Phase A : la genèse des difficultés

La genèse d'une inadaptation renvoie à l'ensemble des facteurs biologiques, psychodéveloppementaux et environnementaux qui sont à l'origine ou qui concourent à la formation d'un déséquilibre provisoire ou durable. La genèse d'une difficulté s'inscrit d'abord sur le plan du développement individuel. Nous avons, d'une part, un équipement à la fois sensoriel, moteur, affectif, cognitif, sociomoral qui rencontre des situations et, d'autre part, un environnement à la fois responsable en partie de cet équipement et percuté par les difficultés du sujet.

Les mêmes facteurs d'inadaptation ne sont pas toujours dans une relation de cause à effet et n'entraînent pas les mêmes conséquences chez les personnes concernées. Dans plusieurs cas, il faut davantage tenir compte d'une combinaison de plusieurs facteurs. La délimitation n'est pas toujours facile à faire entre l'individu (réalité interne) et l'environnement (réalité externe).

Phase B : la période d'inadaptation

Les facteurs d'inadaptation ont des conséquences qu'on appelle des difficultés d'adaptation, des problèmes ou des crises, des inadaptations provisoires ou durables. Toute période d'inadaptation est caractérisée par un déséquilibre, une souffrance, un stress physique et psychologique vécus par la personne ou par son entourage. La personne lutte et tente de retrouver son équilibre. Ainsi, la majorité des symptômes sont des efforts, des essais, des tentatives d'adaptation qui réussissent ou qui échouent. Dans les diverses situations d'inadaptation, la personne tente de s'adapter, mais les conditions en présence peuvent être plus ou moins favorables à son adaptation.

Malgré les énormes différences d'une inadaptation à une autre, certains éléments sont communs à toutes les difficultés d'adaptation et à toutes les périodes d'inadaptation. Ces éléments communs sont la non-acceptation de cette frustration qui maintient le désir intact, une interprétation souvent déformée de la réalité, la présence d'émotions désagréables. De plus, la personne n'a pas enclenché le processus de résolution des problèmes parce que les éléments en présence constituent, du moins pour un certain temps, des facteurs défavorables à l'adaptation.

Phase C : la période d'adaptation

Pourquoi certaines personnes retrouvent-elles leur équilibre plus rapidement que d'autres ? Pourquoi certaines formes d'inadaptation sont-elles plus durables que d'autres ? L'étude des conditions défavorables et des conditions favorables à l'adaptation nous permettra d'apporter quelques éléments de réponse à ces questions.

Dans le cas d'une inadaptation provisoire, qui concerne souvent les troubles réactionnels, la période d'adaptation s'amorce graduellement dès qu'apparaissent des facteurs favorables à cette adaptation. Les difficultés s'estompent par la guérison, si cela est possible, ou grâce au processus de compensation, qui consiste dans la recherche d'une satisfaction supplétive ou le renforcement d'une satisfaction existante.

Il n'y a pas de recette miracle pour surmonter des difficultés d'adaptation. Le plus difficile semble être de prendre conscience des avantages de l'adaptation pour soi-même et pour les autres, tout en vivant une incertitude par rapport à la validité et à la faisabilité du changement souhaité.

Figure 1.12
Conduites adaptatives

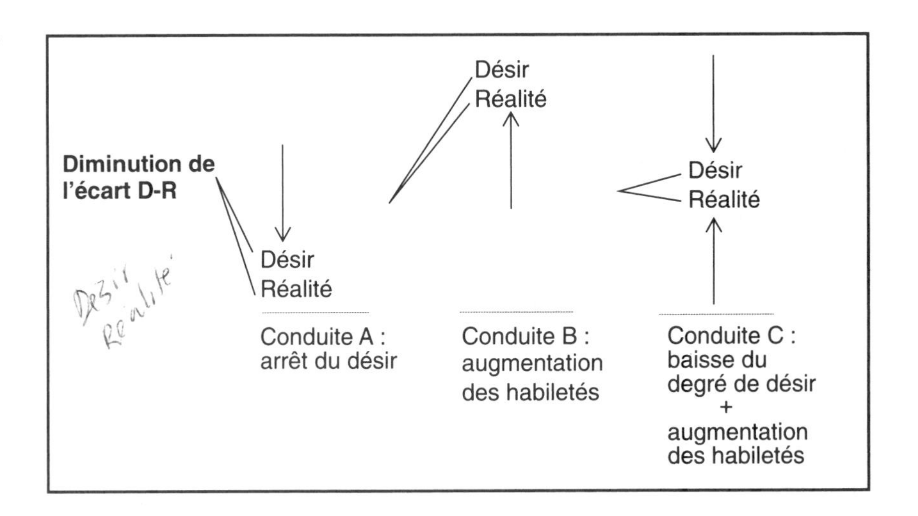

La personne peut adopter certaines conduites adaptatives visant à modifier soit le désir, soit la réalité, ou encore, les deux à la fois (*voir la figure 1.12*). Ainsi, une personne qui désire marcher mais se casse une jambe par suite d'un accident est en situation d'inadaptation provisoire puisqu'il y a écart entre son désir (marcher) et la réalité (perte temporaire de l'usage d'une jambe). Pour s'adapter, elle peut modifier son désir (acceptation de ne pouvoir marcher « normalement ») ou modifier la réalité (se procurer des aides techniques ou humaines pour poursuivre ses activités habituelles), ou encore, limiter ses activités habituelles tout en ayant de l'aide pour quelques activités jugées essentielles.

Dans le cas de plusieurs inadaptations durables, le nouvel équilibre ne sera pas trouvé ou du moins restera très précaire. Le changement est un processus lent mais, à partir du moment où l'objectif à court, à moyen ou à long terme est clarifié, chaque action en direction de cet objectif est une étape vers l'adaptation. Cependant, le processus de changement n'est pas linéaire ; dans des périodes de transition, le doute et l'insécurité amènent une tension: «Je ne suis plus comme avant et je ne sais pas tout à fait ce que je deviendrai.»

De plus, ce changement biopsychosocial demande une grande quantité d'énergie psychique et physique aux personnes concernées et aux membres de leur entourage afin de rechercher et de trouver, avec le moins de séquelles possible, ce nouvel équilibre, ou afin de limiter les conséquences négatives de l'inadaptation pour la personne ou pour son entourage.

NOTES

[1] Jacques RUFFIÉ. *De la biologie à la culture,* tome 1, Paris, Flammarion, coll. «Champs», 1983, p. 268.

[2] Notes manuscrites du Dr Michel LEMAY précisant que quelques caractères héréditaires dépendent de l'environnement pour se manifester : «Ainsi, en Afrique, on connaît des personnes qui ont hérité de l'hémoglobine S. Ce caractère défavorable en dehors des zones d'endémie du paludisme est favorable dans les zones d'endémie palustre. Voir à ce sujet Jean BERNARD, *L'enfant, le sang et l'espoir*, Paris, Éditions Buchet/Chastel, 1984.»

[3] Théodosius DOBZHANSKI. *L'hérédité et la nature humaine*, Paris, Flammarion, 1969, p. 14.

[4] N. L. MUNN. *Traité de psychologie*, Paris, Payot, 1967, p. 101.

[5] *Ibid.*, p. 103.

[6] *Ibid.*, p. 98.

[7] Notes manuscrites du Dr Michel LEMAY. Voir aussi Jean BERNARD, *op. cit.*, p. 246.

[8] Michel MAZIADE. *Guide pour parents inquiets. Aimer sans se culpabiliser*, Québec, Les Éditions La Liberté, 1988, 180 p.

[9] *Ibid.*, p. 3.

[10] Robert E. SCHELL et Elizabeth HALL. *Psychologie génétique. Le développement humain*, Montréal, Éditions du Renouveau pédagogique, 1980, p. 16.

[11] Kenneth J. GERGEN et Mary M. GERGEN. *Psychologie sociale*, Montréal, Éditions Études vivantes, 1984, p. 426.

[12] Jean PIAGET. «Intelligence et adaptation biologique» dans F. BRESSON, Ch. H. MARX, F. MEYER *et al. Les processus d'adaptation. Symposium de l'Association de psychologie scientifique de langue française*, Paris, P.U.F., coll. «Bibliothèque scientifique internationale», 1967, p. 68.

[13] N. L. MUNN. *Op. cit.*, p. 99.

[14] Jean PIAGET. *Études sociologiques*, Genève, Librairie Droz, 1965, p. 30-31 dans Guy

ROCHER, *Introduction à la sociologie générale. 1. L'action sociale*, Montréal, Hurtubise HMH, 1969, p. 15.

[15] Dr Michel LEMAY. Notes manuscrites.

[16] Helen L. BEE et Sandra K. MITCHELL. *Le développement humain*, Montréal, Éditions du Renouveau pédagogique, 1986, p. 3 à 39.

[17] René DUCHAC. *Sociologie et psychologie*, Paris, P.U.F., coll. « SUP », 1983, p. 5.

[18] N. L. MUNN. *Op. cit.*, p. 306-307.

[19] René DUBOS. *Les célébrations de la vie*, Paris, Éditions Stock, 1982, p. 292-293.

[20] F. MEYER. « Le concept d'adaptation » dans F. BRESSON, Ch. H. MARX, F. MEYER *et al., op. cit.*, p. 10.

[21] Jean PIAGET. « Intelligence et adaptation biologique » dans F. BRESSON, Ch. H. MARX, F. MEYER *et al., op. cit.*, p. 76.

[22] Dr Hans SELYE. *Le stress de ma vie*, Montréal, Éditions internationales, 1976, p. 71-72.

[23] Donna C. AGUILERA et Janice M. MESSICK. *Intervention en situation de crise. Théorie et méthodologie*, Toronto, The C.V. Mosby Company, 1976, p. 116.

[24] René DUBOS. *L'homme et l'adaptation au milieu*, Paris, Payot, coll. « Science de l'homme », 1973, p. 324-325.

[25] Dr Michel LEMAY. Notes manuscrites modifiées.

[26] René DUBOS. *L'homme et l'adaptation au milieu*, Paris, Payot, coll. « Science de l'homme », 1973, p. 7.

[27] Jean-Louis LANG. *L'enfance inadaptée. Problème médico-social*, Paris, P.U.F, coll. « SUP », 1976, p. 11.

[28] *Ibid.*, p. 12-13.

[29] Donna C. AGUILERA et Janice M. MESSICK. *Op. cit.*, p. 61.

[30] Joël de ROSNAY. *Le macroscope. Vers une vision globale*, Paris, Éditions du Seuil, 1975, p. 115.

[31] P. A. OSTERRIETH. « Développement et adaptation » dans F. BRESSON, Ch. H. MARX, F. MEYER *et al., op. cit.*, p. 85.

EN BREF

On peut retracer l'**histoire du concept d'adaptation** à partir de quatre perspectives. La perspective évolutionniste met l'accent sur la conservation de la vie et la sélection naturelle tant pour les individus que pour les espèces. La perspective statistique renvoie à une normalité quantitative en délimitant l'adaptation par une moyenne de fréquence de caractéristiques. La perspective socioculturelle se rapporte à une normalité qualitative en délimitant l'adaptation par la conformité aux modèles idéaux véhiculés dans une société. La perspective systémique considère l'adaptation comme la résultante des composantes tant internes qu'externes de l'être humain.

L'adaptation humaine fait référence à **trois composantes individuelles** (l'hérédité, l'histoire personnelle, la marge de liberté) et à **trois composantes environnementales** (les conditions naturelles, les conditions macrosociales, les conditions microsociales).

Ces diverses composantes peuvent être en **relation d'influence** (→) ou en **relation d'interaction** (↔). Pour les composantes individuelles, il y a relation d'influence hérédité → histoire personnelle, hérédité → marge de liberté et il y a relation d'interaction histoire personnelle ↔ marge de liberté. Pour les composantes environnementales, il y a relation d'interaction conditions naturelles ↔ conditions microsociales, conditions naturelles ↔ conditions macrosociales, conditions microsociales ↔ conditions macrosociales. Entre les composantes environnementales et les composantes individuelles, il y a relation d'influence composantes environnementales → hérédité et relation d'interaction composantes environnementales ↔ histoire personnelle, composantes environnementales ↔ marge de liberté.

Les bases d'une **définition de l'adaptation** sont les suivantes: le psychologique et le sociologique sont inséparables, la vie comporte des frustrations inévitables, toute conduite est un effort d'adaptation, l'adaptation se mesure dans des situations concrètes. L'adaptation psychosociale peut se définir comme l'équilibre entre le bien-être interne et le bien-être externe dans certaines situations données. Cette recherche d'équilibre est présente dans toutes les périodes et les expériences de la vie. Il importe cependant d'être réaliste, car l'adaptation parfaite est illusoire et utopique.

L'**inadaptation psychosociale** peut se définir comme un déséquilibre, plus ou moins prolongé dans le temps, provoqué soit par un mal-être interne, soit par un mal-être externe, ou encore, par les deux. L'inadaptation provisoire représente une tentative adéquate d'adaptation alors que l'inadaptation durable représente une tentative inadéquate d'adaptation. Cette définition a comme corollaires que le concept d'inadaptation est dynamique, qu'il est souvent difficile de distinguer les inadaptations provisoires des inadaptations durables, qu'il importe de tenir compte à la fois des attentes individuelles et des attentes sociales, que les individus comme les collectivités ont leur part de responsabilité respective dans l'adaptation des personnes.

L'adaptation humaine est un **processus dynamique** qui implique la recherche d'un meilleur équilibre entre un bien-être individuel et un bien-être collectif. Ce processus d'adaptation comprend trois phases: la genèse des difficultés, la période d'inadaptation, la période d'adaptation.

QUESTIONS

Vrai Faux

1. Dans la perspective évolutionniste, le concept d'adaptation se rapporte à la conservation de la vie.
2. Dans la perspective statistique, l'adaptation concerne les normes qualitatives.
3. Dans la perspective socioculturelle, l'adaptation est délimitée par une moyenne de fréquence de caractéristiques.
4. Dans la perspective systémique, l'adaptation humaine est considérée comme un tout ouvert à des composantes tant internes qu'externes.
5. Les composantes individuelles de l'adaptation humaine sont l'hérédité, l'histoire personnelle et la marge de liberté.
6. Les composantes environnementales de l'adaptation humaine sont les conditions naturelles, les conditions macrosociales et les conditions microsociales.
7. Toutes les composantes de l'adaptation humaine sont en relation d'interaction.
8. L'hérédité et l'histoire personnelle sont en relation d'interaction.
9. Les conditions macrosociales et les conditions microsociales sont en relation d'interaction.
10. Les composantes environnementales et l'hérédité sont en relation d'interaction.
11. La «réalité interne» fait référence aux composantes individuelles de l'adaptation.
12. La frustration est une absence d'écart entre le désir et la réalité.

☐ ☐ 13. Toute conduite humaine est un effort d'adaptation.

☐ ☐ 14. Une personne adaptée sur le plan interne vit nécessairement une adaptation psychosociale.

☐ ☐ 15. Il y a interaction des réalités interne et externe de l'adaptation.

☐ ☐ 16. Toutes les situations de déséquilibre sont à éviter le plus possible.

☐ ☐ 17. Il y a inadaptation psychosociale seulement s'il y a, à la fois, mal-être interne et mal-être externe.

☐ ☐ 18. L'inadaptation durable est une tentative inadéquate d'adaptation.

☐ ☐ 19. Il est souvent difficile de distinguer les inadaptations provisoires des inadaptations durables.

☐ ☐ 20. La genèse des difficultés, la période d'inadaptation et la période d'adaptation sont les trois phases du processus d'adaptation.

RÉPONSES

1. V 3. F 5. V 7. F 9. V 11. V 13. V 15. V 17. F 19. V

2. F 4. V 6. V 8. F 10. F 12. F 14. F 16. F 18. V 20. V

À TITRE DE RÉFLEXION

L'expérience est différente pour chacun de nous, mais n'est gratuite pour personne.

RICHARD BACH

Rien n'est en soi bon ni mauvais ; tout dépend de ce qu'on en pense.

SHAKESPEARE

Il faut aussi mentionner ce monde en perpétuel changement qui reste extérieur à la personne. Être adapté n'implique pas un état statique dans lequel vous vous moulez une fois pour toutes au monde qui vous entoure. La personne adaptée change avec les exigences de la vie, qui changent avec le temps.

MICHAËL J. MAHONEY

Je souhaite que le lecteur retienne de la biologie cette leçon : notre richesse collective est faite de notre diversité. L'« autre », individu et société, nous est précieux dans la mesure où il nous est dissemblable.

ALBERT JACQUARD

Nous sommes tous et chacun les maillons d'une chaîne. Même si nous sommes une parcelle de l'univers, nous pouvons être utiles pour solutionner les problèmes.

INCONNU

La liberté humaine est tenue en laisse par l'hérédité humaine et par l'environnement. Elle est conditionnée par ses gènes et son patrimoine biologique.

INCONNU

Nous nous arrêtâmes, sachant bien que rien n'est jamais fini, jamais entièrement accompli, entièrement compris et que c'est peut-être ainsi que la vie doit être.

MEL ROMAN

Le passé se perpétue dans ce que nous sommes aujourd'hui. Nous n'existons que dans la dimension du temps qui passe.

IMAMURA

Comme les autres manifestations du comportement humain, le mot « adaptation » s'est adapté aux besoins changeants de la condition humaine.

RENÉ DUBOS

On pense à tort que la nature agit toujours pour le mieux et que c'est pour cela, par exemple, qu'il faut manger des choses naturelles... Erreur que tout cela ! Les champignons vénéneux sont tout ce qu'il y a de plus naturel ; cependant, je ne les recommanderais pas !

HANS SELYE

2 LA GENÈSE DES DIFFICULTÉS D'ADAPTATION (Les facteurs d'inadaptation)

«L'esprit d'un seul s'épuise, mais jamais l'esprit humain.»

Lamierre

L'ÊTRE HUMAIN, CET ÊTRE DE CHAIR, de sang, de réflexion et d'illusion, éprouve toujours des difficultés inattendues quand il tente de s'adapter au monde réel qui lui résiste et qui, souvent, lui est hostile. L'adaptation parfaite n'est qu'un mirage, car, dans son univers concret, toute personne doit faire face aux forces physiques, biologiques et sociales qui composent son environnement. Ces forces éternellement changeantes modèlent progressivement le caractère humain. Les changements sont souvent imprévisibles et peuvent occasionnellement avoir des conséquences dangereuses pour une personne et son environnement.

L'adaptation est cette qualité de vie qui correspond à un ensemble d'éléments favorables ou défavorables à notre équilibre personnel et à notre capacité de vivre en société. L'inadaptation et la souffrance nous angoissent. Peut-être parce que, sous une forme ou sous une autre, elles peuvent surgir en nous n'importe quand. Nous aimerions en connaître la cause, la raison profonde. Il y a, c'est vrai, des souffrances qui sont la conséquence directe de nos actes, individuels et collectifs. Il y a également les événements qui nous frappent quand nous nous y attendons le moins et qui paraissent souvent absurdes, injustes. Cette maladie qui anéantit, en quelques semaines, une femme, un homme, un adolescent ou un enfant en bonne santé auparavant. Cet accident dû au hasard, qui aurait pu arriver à n'importe qui ou ne pas se produire. Qui est responsable ?

Pourquoi les difficultés d'adaptation surviennent-elles ? Comment naissent-elles ? Comment surgissent les problèmes ? Comment se produisent ces écarts entre ce que nous voudrions que les choses soient et ce qu'elles sont ? Comment ces difficultés d'adaptation apparaissent-elles chez un individu ou dans un groupe ? Comment se développent-elles ? À quels facteurs sont-elles liées ? Autant de questions qui n'ont pas une explication univoque, qui exigent que l'on réponde dans plusieurs registres.

Fondamentalement, l'inadaptation est inséparable de la vie elle-même. L'être humain, l'humanité sont perpétuellement en lutte : contre des microbes, contre des voisins difficiles, contre des conducteurs dangereux, contre des incendies dévastateurs, contre des rayons cosmiques, etc. Tout ce qui perturbe la vie quotidienne d'une personne peut en principe désorganiser celle-ci, c'est-à-dire troubler l'organisation de son existence et la placer dans une période d'inadaptation, une période plus ou moins longue de déséquilibre.

Manger, respirer, boire, se divertir, aimer, se marier, avoir des enfants, travailler, vieillir, se soigner, bref, vivre comporte des risques quotidiens. D'autant plus que dans ce domaine, tant de facteurs se conjuguent, se renforcent ou s'annulent qu'il est bien difficile de savoir où sont les normes d'une vie plus sécuritaire. La sédentarité est dangereuse pour la santé, mais les accidents du sport aussi : que choisir ? Les personnes et les sociétés ont des choix à faire quotidiennement et chacun comporte sa part de risques.

L'étude des causes et des facteurs d'inadaptation, que nous appelons « la genèse des difficultés », vise à fournir un cadre de référence qui pourra servir à l'analyse tant pour la problématique générale que pour les problématiques particulières reliées à l'inadaptation. Chaque catégorie d'établissement, chaque réseau de services, chaque profession utilise sa propre terminologie selon son approche et ses besoins. Au cours des dernières années, on a pourtant amélioré la compréhension des facteurs causals des diverses inadaptations. Nous nous attarderons dans le présent chapitre à l'étude de l'interaction des causes et des facteurs d'inadaptation.

LA CAUSALITÉ MULTIDIMENSIONNELLE

L'étude de la causalité

La genèse d'une difficulté d'adaptation est l'étude des facteurs d'inadaptation, c'est-à-dire l'étude de l'ensemble des faits et des éléments d'origine interne ou externe qui concourent ou contribuent à la formation de cette inadaptation. Un facteur d'inadaptation est un fait, un comportement, une situation, un événement, une interprétation ou une action antécédente qui produit un effet, une conséquence. La causalité est le rapport de la cause à l'effet qu'elle produit. Ce principe de la causalité, ou loi de la causalité, repose sur l'axiome en vertu duquel tout phénomène a une cause.

Dès le début de la cueillette d'informations pour l'étude de l'interaction des facteurs causals, il est devenu évident que l'accessibilité et la qualité des données étaient extrêmement inégales et qu'il serait très difficile, voire impossible, de présenter l'ensemble des facteurs dans leurs rapports interactifs. Les différences de qualité et les lacunes touchant les informations ont diverses causes: limites de notre connaissance des processus des facteurs causals et de leurs effets sur l'être humain; limites associées à l'étude des problématiques particulières; diversité des points de vue; différences méthodologiques des tendances et analyses.

> «On ne dispose pas actuellement d'une vue d'ensemble de connaissance et d'explication des facteurs contribuant à l'apparition des déficiences physiques et mentales dans la population. Les recherches qui permettraient de fournir les informations valables sur l'importance des facteurs de risque, les populations exposées et le lien entre les causes et l'apparition de chaque déficience, sont actuellement très insuffisantes[1].»

L'étude de ces facteurs nous apparaît indispensable pour mieux comprendre leurs conséquences et les moyens de les résoudre le plus adéquatement possible. Nous donnons un aperçu des éléments de connaissances que nous avons pu recueillir au sujet des différents facteurs d'inadaptation individuelle en ayant à l'esprit une perspective systémique et en tentant d'éviter les cinq pièges suivants: le premier, c'est de mettre l'accent uniquement sur les facteurs individuels; le second, c'est de mettre l'accent uniquement sur les facteurs environnementaux; le troisième piège consiste à chercher une cause unique, un responsable; le quatrième, à placer sur un même plan tous les facteurs; le cinquième piège, enfin, c'est de considérer ces facteurs seulement sous leur angle négatif, quand on les isole des autres, et d'oublier que plusieurs d'entre eux ont des conséquences différentes selon les situations concrètes et les personnes concernées.

Les grandes orientations historiques

L'évolution des concepts est parallèle à celle des connaissances scientifiques et à celle des idéologies dominantes. Divers champs de recherche et professions ont permis d'élargir nos connaissances sur les facteurs causals. Alors que certaines sciences et techniques mettent l'accent sur les facteurs individuels, internes, intérieurs, intrinsèques, d'autres insistent sur les facteurs environnementaux, externes, extérieurs, extrinsèques.

Jusqu'à la fin des années 1960, trois grandes orientations, en opposition plutôt qu'en complémentarité, prédominaient lorsqu'il s'agissait d'expliquer les facteurs d'inadaptation individuelle: l'orientation biologique, l'orientation psychologique et l'orientation environnementale.

D'abord traitées isolément, ces orientations ont été graduellement intégrées dans une perspective plus systémique, une approche multidimensionnelle qui tient compte de l'interaction de plusieurs facteurs. Cette approche est fondée sur l'analyse des faits plutôt que sur des hypothèses et elle se modifie constamment au fur et à mesure que de nouvelles données sont fournies par la recherche. On tend, malgré de nombreuses difficultés de parcours, vers une meilleure compréhension des rapports interactifs entre ces trois grandes orientations. Sans être hiérarchisées, ces dernières s'expriment dans une interdépendance effective que l'on peut mettre en évidence à plusieurs étapes. En effet, on restreint souvent arbitrairement le sens d'un problème en le formulant en termes exclusivement «biologiques», «psychologiques» ou «sociologiques».

Il semble cependant important de préciser les notions d'échelle d'observation, de niveaux d'analyse d'une même réalité. Un problème peut être envisagé sous une multiplicité d'angles d'analyse. Nous essaierons seulement de montrer comment se modifient les données d'un problème quand on passe d'une discipline à l'autre et comment, autour de ce problème, collaborent les disciplines. Un exemple – la famille – mettra en évidence la convergence de ces systèmes autour d'un même objet. Le tableau 2.1 illustre les différents niveaux d'analyse concernant la famille.

Tableau 2.1
Niveaux d'analyse de la famille

Biologie	La biologie étudiera, dans la famille, les lois de l'hérédité, les bases biologiques de l'évolution de l'être humain et les fonctions de la famille en considérant l'espèce humaine parmi l'ensemble des êtres vivants, mais également les différences entre l'être humain et les autres êtres vivants.
Sociologie	La sociologie, s'intéressant précisément à l'aspect institutionnel de la famille, décrira le jeu des règles, variables selon les sociétés, qui la maintiennent. La psychosociologie y verra un groupe restreint, dont les membres participent à toute une constellation de représentations collectives communes et ont établi entre eux, sur la trame des structures institutionnelles, des rapports de hiérarchie ou d'égalité, de compréhension ou d'hostilité, d'amour ou de tolérance résignée.
Psychologie	La psychologie recherchera la clef qui permet de comprendre l'aventure personnelle d'un individu; elle inclura aussi dans son analyse la famille considérée comme milieu privilégié des situations conflictuelles et des situations structurantes.

Il n'y a pas de subordination hiérarchique entre les sciences. La notion de niveau d'analyse demeure toutefois légitime parce qu'elle renvoie à des distinctions opératoires entre les sciences. Elle signifie qu'à l'intérieur de la réalité biopsychosociale, les facteurs d'inadaptation peuvent être vus sous des angles d'analyse différents, lesquels impliquent des méthodes et techniques qui sont à la fois complémentaires et distinctes: complémentaires dans la mesure où l'adaptation humaine – y compris les facteurs d'inadaptation – , pour être décrite en totalité, demande que l'on emprunte toutes les voies d'approche possibles; distinctes parce que les problèmes rencontrés le long de chacune de ces voies ne sont pas identiques, ne relèvent pas du même ordre de grandeur, ne sont ni interchangeables dans leurs énoncés, ni susceptibles d'entraîner des mêmes réponses.

Ces trois orientations ont cependant ceci d'original: aux différents niveaux d'analyse correspondent des totalités réelles qui, de l'individu au groupe et à la société globale, sont à la fois assez autonomes pour justifier des sciences spécifiques et assez étroitement imbriquées pour que la solution des problèmes posés à propos de l'une demeure connexe de la solution par rapport à toutes les autres.

Ces niveaux d'analyse également valables, et aisément séparables en théorie, le sont plus malaisément dans la pratique puisque la délimitation des problèmes n'a de sens que dans l'abstrait. Dans le concret, dans la réalité, il n'y a sans doute pas de question qui puisse être épuisée par un seul type d'analyse. Retenons cette seule idée: l'explication de l'imbrication des problèmes n'est pas tant la recherche d'une causalité unique que l'intégration d'un phénomène dans un ensemble significatif plus vaste. La délimitation n'est pas toujours facile à faire entre l'individu et l'environnement, mais la dialectique de l'Un et du Multiple permet de mieux saisir le caractère indissociable des trois orientations.

> «Depuis les succès de la vaccination contre les maladies infectieuses, on persiste à agir comme si chaque problème spécifique avait une cause précise. Ainsi, séparément, de nombreux facteurs possibles d'apparition de déficiences sont bien étudiés, surtout d'un point de vue médical, et des interventions importantes sont entreprises pour les contrôler. Mais, de plus en plus, on s'aperçoit qu'une approche multifactorielle est nécessaire. Les milieux de recherche reconnaissent clairement que le danger d'apparition d'un déséquilibre physique ou mental est variable et dépend d'une exposition simultanée ou de l'accumulation des effets de plusieurs facteurs de risque[2]. »

Les trois ordres de causalité

Dans son premier avis sur la notion de santé mentale, *De la biologie à la culture*[3], le comité sur la santé mentale du ministère de la Santé et des Services sociaux privilégie une approche tridimensionnelle des problèmes de santé tant physique que mentale. C'est autour des trois grands axes biologique, contextuel et psychodéveloppemental que s'articulent les différentes problématiques reliées à l'inadaptation. Nous nous servirons de ces axes comme cadre de référence pour situer les facteurs causals des difficultés générales d'adaptation: l'axe biologique (biogenèse), l'axe environnemental ou contextuel (sociogenèse) et l'axe psychodéveloppemental (psychogenèse). La figure 2.1 illustre cette conception multidimensionnelle des facteurs causals.

Figure 2.1 **Conception multidimensionnelle des facteurs causals**

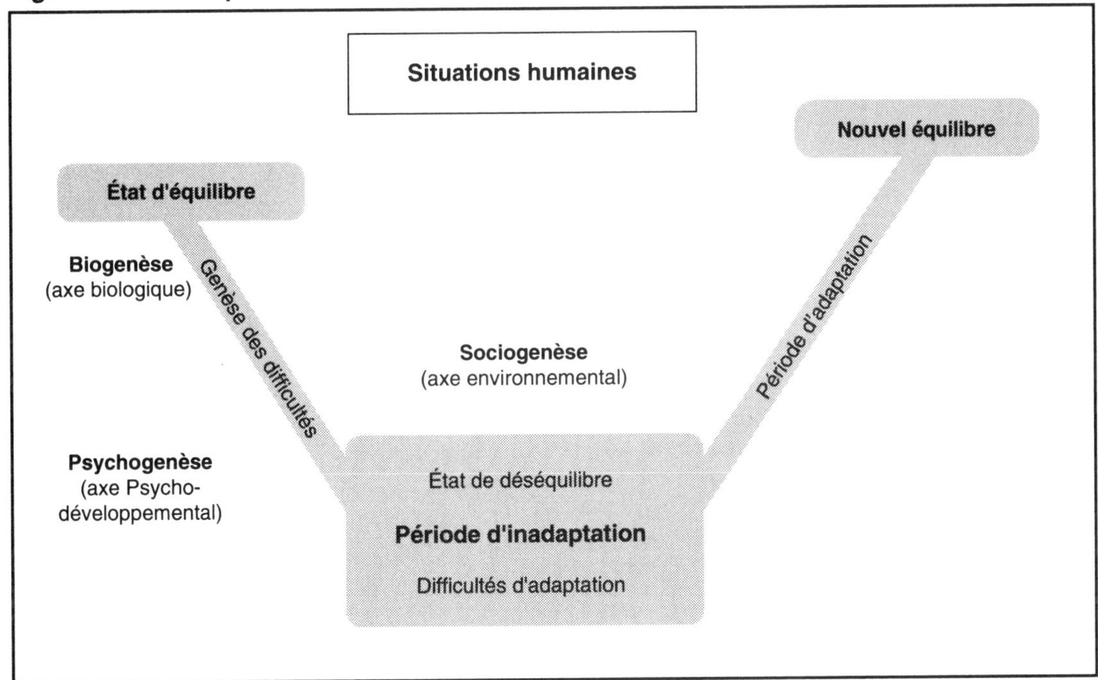

Les trois axes permettent d'établir trois ordres de causalité : causalité biologique, causalité environnementale, causalité psychodéveloppementale. Loin de s'exclure, ces ordres de causalité se complètent puisque les vulnérabilités ou les fragilités humaines peuvent se retrouver dans l'un et l'autre (*voir la figure 2.2*).

La causalité biologique met en évidence le fait qu'une partie des caractéristiques physiques et psychiques de l'être humain est influencée par des facteurs héréditaires ou neurochimiques. Les recherches actuelles pour éclairer le lien entre la biologie et le comportement semblent prometteuses.

La causalité environnementale ou contextuelle met l'accent sur le fait qu'une personne évolue dans un contexte social auquel son corps et son esprit ne sont pas insensibles. L'ensemble des facteurs sociaux, relationnels et naturels influencent directement le psychisme et le physique des personnes.

La causalité psychodéveloppementale montre que l'être humain est un tout en lui-même, que son corps et son esprit ne sont pas des entités différentes.

Figure 2.2 **Les trois ordres de causalité**

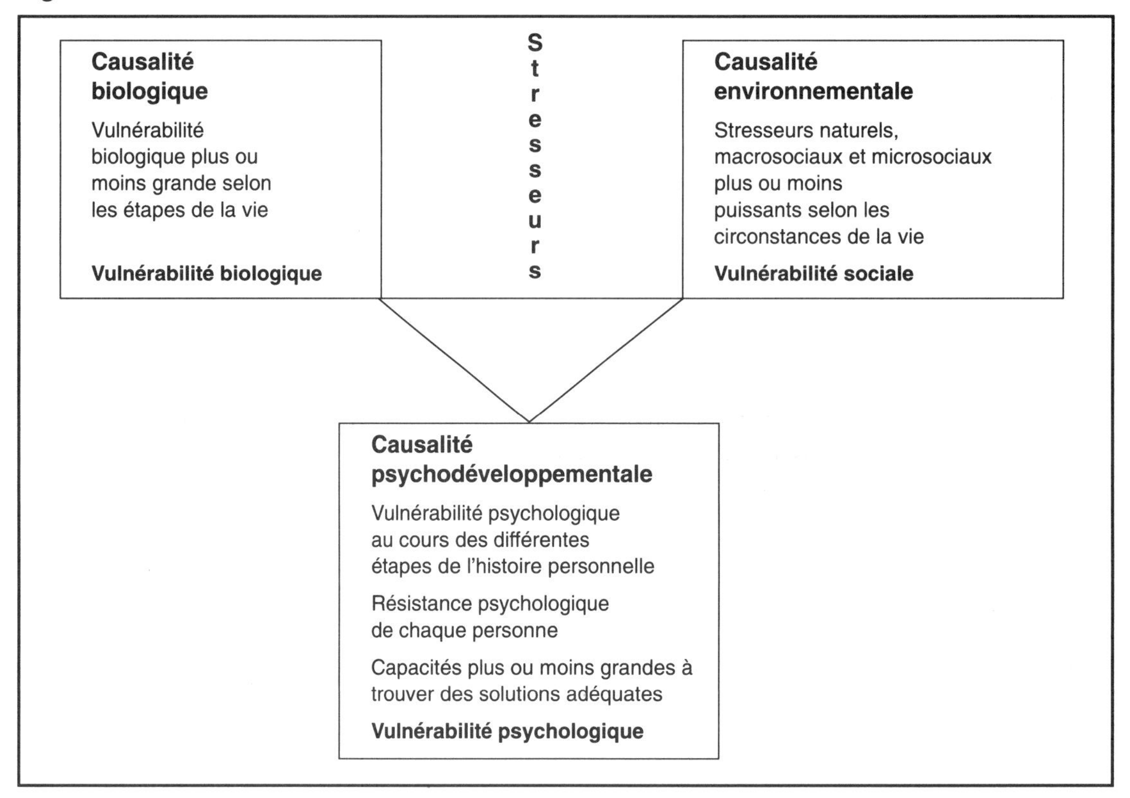

Le psychisme est une dimension à considérer parce qu'il est dynamique et qu'il est en constante évolution à travers les âges et les crises de la vie.

Selon la théorie des systèmes, chacun des trois axes peut être considéré comme un système: système biologique, système environnemental et système psychologique. La plupart du temps, les expériences qu'il est nécessaire de réaliser pour comprendre les mécanismes d'interaction existant entre un individu et son environnement, sont extrêmement ardues et complexes. Il n'existe pas de processus général, valable pour tous les comportements et pour toutes les inadaptations.

LA TYPOLOGIE DES FACTEURS D'INADAPTATION

Les facteurs biologiques, les facteurs environnementaux et les facteurs psychodéveloppementaux sont souvent les trois pôles, les trois facettes d'une même problématique à l'intérieur de laquelle ils sont inextricablement liés. Puisqu'il est impossible de les présenter tous dans leurs rapports interactifs, nous les présenterons d'abord d'une manière linéaire en indiquant au passage quelques-unes de leurs influences potentielles sur les difficultés d'adaptation. Dans la dernière partie du chapitre, qui traite de la dynamique des facteurs causals, nous mettrons davantage l'accent sur les rapports interactifs.

La typologie est la science de l'élaboration des types facilitant la classification et l'analyse d'une réalité complexe. Il est question, dans le présent chapitre, d'une typologie des facteurs d'inadaptation, donc des facteurs qui, en général ou sous certains aspects, peuvent être considérés comme défavorables à l'adaptation. Ces facteurs jouent un rôle potentiel dans l'origine ou le développement des différentes difficultés d'adaptation vécues par les êtres humains. Puisqu'il existe un très grand nombre de facteurs d'inadaptation, nous proposons une typologie (*voir le tableau 2.2*) où nous les regroupons selon les trois ordres de causalité.

Tableau 2.2
Typologie des facteurs d'inadaptation

Typologie des facteurs d'inadaptation
Facteurs biologiques
Facteurs héréditaires endogènes Facteurs prénatals exogènes Facteurs périnatals exogènes Facteurs postnatals
Facteurs environnementaux
Facteurs liés aux conditions naturelles Facteurs liés aux conditions macrosociales Facteurs liés aux conditions microsociales
Facteurs psychodéveloppementaux
Facteurs liés aux stades de développement Facteurs liés à la motivation Facteurs liés aux dimensions cognitives Facteurs liés aux dimensions affectives

Les facteurs biologiques

L'être humain est un laboratoire où se produisent continuellement de très nombreuses réactions physiques et chimiques; autrement dit, les substances qui constituent un organisme vivant se transforment et sont constamment remplacées par d'autres selon des schémas bien précis. Les cellules de l'être humain fournissent de l'énergie, transmettent des informations, dirigent des réactions chimiques, se dédoublent. C'est en elles que réside le secret de la vie. L'être humain naît, grandit, se reproduit et meurt. Les gènes et les chromosomes sont probablement les porteurs d'une partie des informations qui font que nous sommes ce que nous sommes. Lorsque des facteurs défavorables sont présents à l'une ou l'autre des étapes du développement, l'organisme risque de vivre une inadaptation provisoire ou durable.

Nous avons regroupé les différents facteurs biologiques qui interviennent dans la genèse de l'inadaptation selon quatre périodes différentes: les facteurs héréditaires, les facteurs prénatals, les facteurs périnatals et les facteurs postnatals (*voir le tableau 2.3*).

Les facteurs héréditaires endogènes

L'hérédité est la transmission des caractères spécifiques, raciaux et individuels, des parents aux enfants. Lorsqu'un spermatozoïde et un ovule s'unissent pour former un zygote, ils dotent la première cellule du futur enfant d'un riche héritage. Le zygote résultant de cette fusion contient 46 chromosomes, comme toutes les cellules du corps humain – à l'exception des gamètes, qui ne possèdent que 23 chromosomes chacun puisque le nombre de leurs chromosomes a été réduit de moitié au moment de la méiose. Chaque zygote peut reconstituer le même capital chromosomique, dont chaque moitié est issue de chaque parent. La figure 2.3 montre la répartition des chromosomes au moment de la fécondation.

À mesure que l'œuf fécondé se développe pour former un être humain complexe, il est graduellement transformé en milliards de cellules qui se spécialisent dans des centaines de fonctions différentes. Chaque cellule possède cependant la même information génétique portée sur ses 46 chromosomes. Chaque enfant reçoit, dès sa conception, un double héritage génétique contenu dans ces 46 chromosomes disposés en 23 paires. Pour chaque paire, l'enfant hérite d'un des deux chromosomes du père et d'un des deux chromosomes de la mère. Ainsi, des 46 chromosomes du bagage génétique, 23 proviennent du spermatozoïde paternel et 23 de l'ovule maternel.

***Tableau 2.3* Facteurs biologiques**

Facteurs héréditaires endogènes

Tares causées par un seul gène

1. Transmission autosomique dominante
2. Transmission autosomique récessive
3. Transmission hétérosomique récessive par le chromosome sexuel

Tares causées par plusieurs gènes
Tares causées par accident chromosomique

Facteurs prénatals exogènes

Traumatismes physiques
Infections transmises par la mère
Vaccinations durant la grossesse
Drogues et agents toxiques
Médicaments
Éléments radioactifs
Incompatibilité sanguine
Autres facteurs maternels

Facteurs périnatals exogènes

Caractéristiques du fœtus
Utilisation de médicaments
Blocage du fœtus dans la filière pelvigénitale
Utilisation de moyens techniques
Manque de soins adéquats

Facteurs postnatals

Facteurs intervenant durant les premières années de la vie

1. Maladies infantiles
2. Non-vaccination
3. Intoxications
4. Accidents en bas âge

Facteurs intervenant durant les étapes ultérieures du développement

5. Accidents de toutes sortes
6. Radiations
7. Surconsommation de drogues
8. Maladies transmises sexuellement

Figure 2.3
Répartition des chromosomes au moment de la fécondation

Chaque cellule de la femme et de l'homme contient 23 paires de chromosomes.

Chaque cellule reproductrice parvenue à maturité ne possède que 23 chromosomes uniques. Lors de la méiose, un chromosome de chaque paire de chromosomes initiale est retenu au hasard.

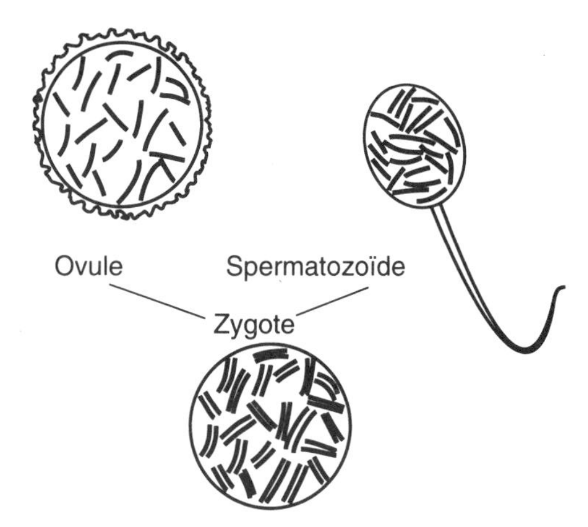

À la fécondation, les chromosomes de chaque parent s'unissent pour former le zygote, qui contient 23 paires de chromosomes, dont la moitié provient de la mère et la moitié du père.

Source : Diane E. PAPALIA et Sally W. OLDS, *Le développement de la personne*, Montréal, Éditions Études vivantes, 1989, p. 44.

Chaque chromosome contient de 10 000 à 50 000 gènes[4] constitués par des molécules d'ADN (acide désoxyribonucléique), qui portent l'information et définissent ainsi chaque cellule de notre corps. Les milliers de gènes jouent un rôle important dans la fixation de tous nos caractères héréditaires. Ils agissent sur la synthèse de nombreuses protéines, dont les enzymes; celles-ci ont la capacité d'influencer de nombreuses réactions chimiques se produisant dans l'organisme humain.

Les chromosomes des 22 premières paires sont dits « autosomes » ou « autosomiques » parce qu'ils n'interviennent pas dans la détermination du sexe. Les chromosomes de la 23e paire sont dits «hétérosomes» ou «hétérosomiques» parce qu'ils déterminent si l'individu sera mâle (XY) ou femelle (XX). Les gènes sont responsables non seulement de l'apparence extérieure, mais aussi de caractères qui ne sont pas visibles extérieurement. C'est ce qu'on appelle le «code génétique» ou le «message héréditaire».

Combien d'informations portent les chromosomes humains? Personne ne le sait avec précision, mais on suppose qu'il y en a des centaines de milliers puisqu'ils doivent organiser un être des plus complexes. On connaît cependant quelques-unes de ces informations.

La reproduction de l'espèce humaine est une aventure passionnante, mais également une aventure pleine de risques parce qu'il arrive que le délicat mécanisme qui transmet les informations fasse des erreurs. Ainsi, certains gènes sont parfois absents ou surreprésentés tout en étant normaux, ou fonctionnent anormalement. Ils peuvent alors transmettre des tares ou des maladies génétiques. Une tare est une défectuosité héréditaire susceptible de provoquer des troubles fonctionnels ou de diminuer la résistance de l'organisme à diverses maladies.

Certains désordres affectent non seulement un organe ou un tissu, mais l'ensemble de l'individu. Ce sont généralement des maladies héréditaires, que les parents transmettent à leurs enfants en même temps que les caractéristiques spécifiques portées par les chromosomes. Quand nous parlons de maladies, d'affections ou d'anomalies héréditaires, il est nécessaire de faire la remarque suivante: il ne s'agit pas toujours, en réalité, d'une malformation, d'une malfaçon portant sur un tissu ou sur un organe. Il peut s'agir aussi d'un trouble fonctionnel, d'une anomalie relative au métabolisme, aux échanges.

Les facteurs héréditaires sont dits «endogènes» parce qu'ils sont dus à une cause interne et apparaissent au tout début du développement embryonnaire. Les accidents qui mènent à la naissance d'un enfant malade pour cause héréditaire peuvent être regroupés en trois catégories. La première concerne l'apparition d'une tare causée par un seul gène transmissible héréditairement selon un mode dominant, récessif ou lié au sexe. La deuxième catégorie concerne la transmission par plusieurs gènes de certaines prédispositions génétiques également transmissibles héréditairement, mais qui subiront des variations sous l'influence de l'environnement. La troisième catégorie concerne les gènes entraînant par leur combinaison avec d'autres gènes une tare ou un accident touchant un chromosome et faisant apparaître un ensemble de symptômes, sans que ceux-ci ne soient généralement transmissibles même si le bagage chromosomique est modifié. Le tableau 2.4 nous fournit des exemples de tares héréditaires selon les modes de transmission.

Tableau 2.4
Exemples de tares héréditaires selon les modes de transmission

Tares causées par un seul gène. Transmissibles selon le mode
Hérédité autosomique dominante Brachydactylie (doigts anormalement courts), héméralopie (absence de la vision crépusculaire ou nocturne), ictère hémolitique congénital (jaunisse chronique avec anémie et grosse rate), dystrophie myotonique * ataxie de Friedreich (tantôt dominante, tantôt récessive)
Hérédité autosomique récessive Albinisme, fibrose kystique, certaines formes de cécité, certaines formes de cancer, phénylcétonurie, dystrophie de Duchenne, ataxie spastique de Charlevoix-Saguenay, muscoviscidose
Hérédité hétérosomique liée au sexe Hémophilie, myopathie de Duchenne, daltonisme, syndrome de Turner
Tares causées par plusieurs gènes. Prédispositions transmissibles, variations sous l'influence de l'environnement
Sclérose en plaques, goutte, certains cancers, incompatibilité sanguine, diabète, diabète sucré, scoliose congénitale, Tay-Sachs
Tares causées par un accident chromosomique généralement non transmissibles
Trisomie 21 (mongolisme ou syndrome de Down), trisomie 13, trisomie 18, hommes XXY, polysomies X, syndrome de Klinefelter

Les tares causées par un seul gène

La transmission de caractères anormaux peut être, dans certains cas, provoquée par des mutations génétiques de plusieurs types portées par des chromosomes différents. Chaque système peut subir une mutation; donc, les chaînes de réactions peuvent être bloquées à des niveaux différents. On connaît actuellement plusieurs mutations pathologiques dues à la possession d'un seul facteur, d'un seul «gène»; pour cette raison, on parle de «transmission unifactorielle». «Elles sont relativement moins courantes: leur fréquence se situe aux environs de 1/2 000 (Thompson et Thompson, 1980)[5]. » Mais dans tous les cas, le résultat définitif est la non-réalisation du caractère normal.

La transmission des caractères anormaux ou pathologiques s'opère d'une façon beaucoup plus simple que dans le cas de ceux transmis par plusieurs gènes. La mutation peut être présente sur un seul chromosome d'une paire ou sur les deux. Si les effets d'un gène sont observables chez un enfant qui a reçu ce gène d'un seul de ses parents, on dit alors que le gène est «dominant» et qu'il s'agit d'une «transmission autosomique dominante». Si les effets du gène ne sont pas observables à moins que celui-ci ne soit reçu de la part des deux parents, on dit alors que le gène est «récessif» et qu'il s'agit d'une «transmission autosomique récessive». Pour les gènes situés sur les chromosomes sexuels des hommes, on parle d'une «transmission hétérosomique liée au chromosome du sexe». D'où la distinction entre maladies autosomiques dominantes, maladies autosomiques récessives et maladies hétérosomiques liées au chromosome sexuel.

1. La transmission autosomique dominante

Le fait que le gène soit dominant explique qu'une personne possédant ce gène à l'état simple, c'est-à-dire à l'état hétérozygote, le transmette même si le ou la partenaire possède deux gènes normaux, et qu'il ou elle est homozygote pour le gène normal. Dans ce cas, 50 % des enfants hériteront, sur un certain chromosome d'une certaine paire, d'un gène responsable de l'anomalie en question. Ils seront «génotypiquement tarés» parce que les informations sont présentes dans le génotype et «phénotypiquement tarés» parce que les traits sont observables dans le phénotype. Dans l'éventualité que nous considérons ici, le gène pathologique, du fait de sa seule présence sur un seul chromosome d'une même paire, provoque l'apparition de l'anomalie malformative.

Un gène taré est dit «dominant» lorsque la personne ayant le gène taré est elle-même atteinte de la maladie et qu'elle le transmet toujours à la moitié de ses descendants même si le gène se trouve à l'état hétérozygote, c'est-à-dire si les deux gènes qui se correspondent sur la même paire de chromosomes ne sont pas semblables. À la figure 2.4, la personne hétérozygote possède un gène dominant anormal et ce gène se transmet aux descendants même si le ou la partenaire est homozygote pour le gène normal. On devine que, dans le cas où il s'agit d'un gène dominant, le caractère héréditaire de la maladie est évident puisque le gène taré et la maladie sont transmis directement à 50 % des descendants.

Figure 2.4 **Transmission d'un gène dominant**

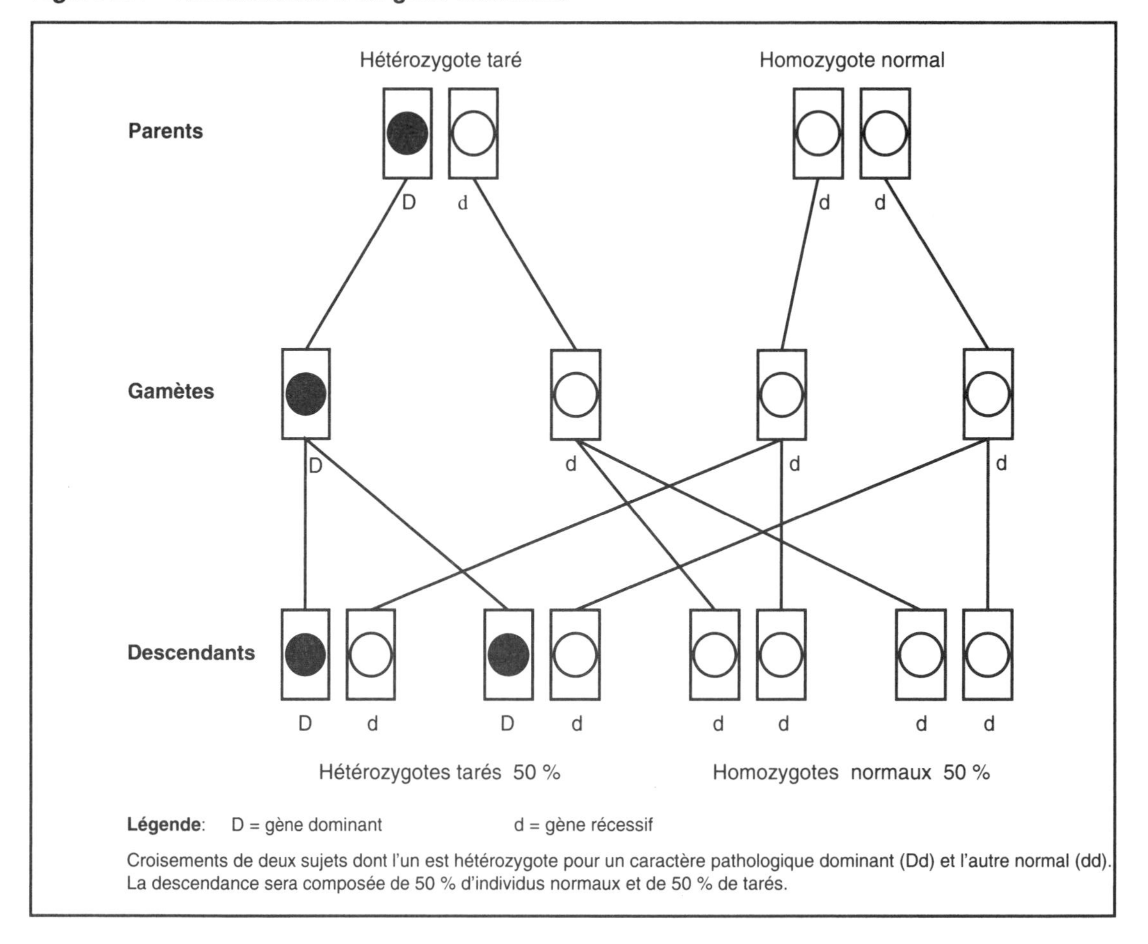

Croisements de deux sujets dont l'un est hétérozygote pour un caractère pathologique dominant (Dd) et l'autre normal (dd). La descendance sera composée de 50 % d'individus normaux et de 50 % de tarés.

2. La transmission autosomique récessive

Les choses se passent différemment quand le caractère en question se transmet selon le mode récessif; une personne peut être porteuse d'une maladie héréditaire sans la transmettre directement à sa descendance. Ainsi, le parent peut être génotypiquement taré tout en étant phénotypiquement normal, c'est-à-dire sans avoir lui-même la maladie. Le caractère héréditaire est alors beaucoup moins évident. Pour que la maladie apparaisse dans la descendance, il faut que les deux parents soient porteurs de la maladie.

***Figure 2.5* Transmission d'un gène récessif**

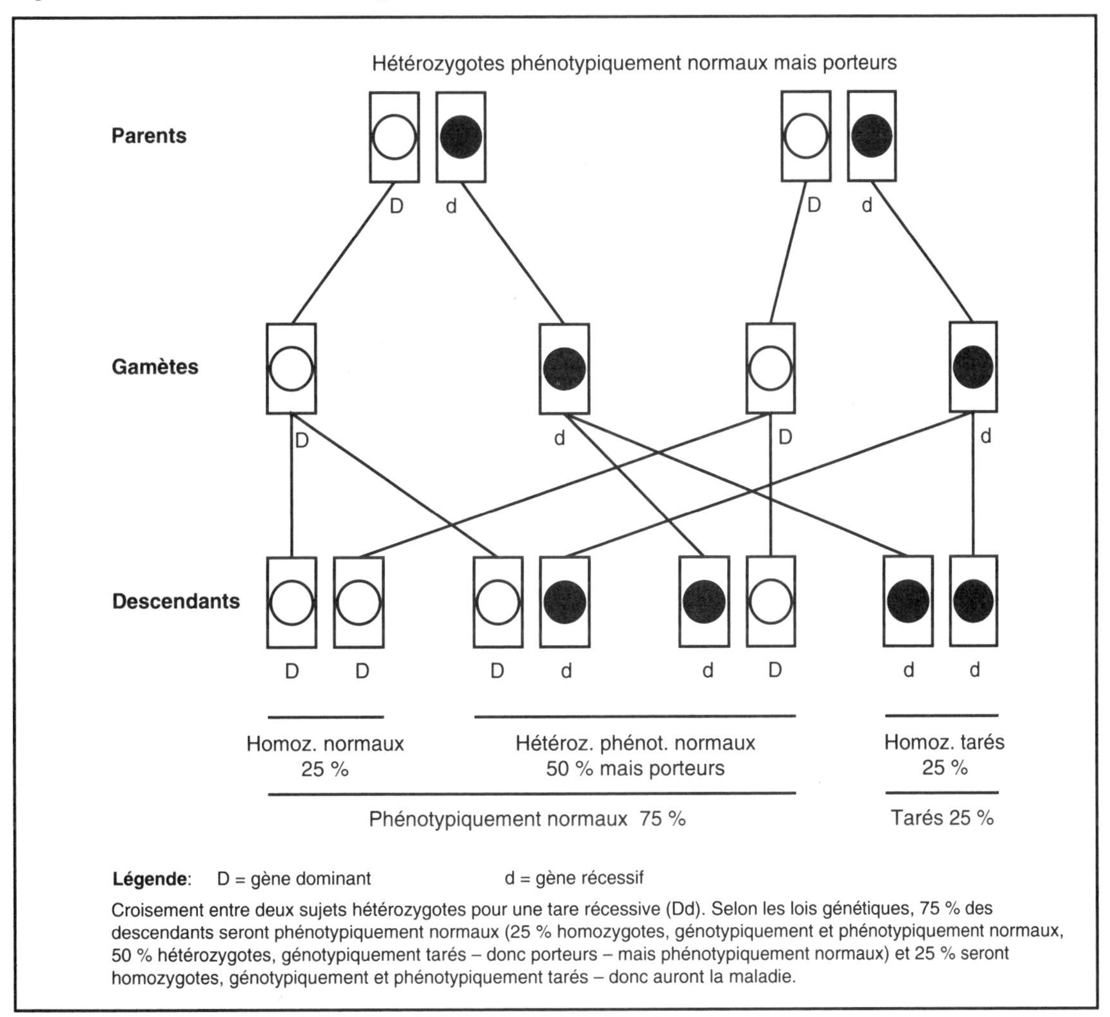

Légende: D = gène dominant d = gène récessif

Croisement entre deux sujets hétérozygotes pour une tare récessive (Dd). Selon les lois génétiques, 75 % des descendants seront phénotypiquement normaux (25 % homozygotes, génotypiquement et phénotypiquement normaux, 50 % hétérozygotes, génotypiquement tarés – donc porteurs – mais phénotypiquement normaux) et 25 % seront homozygotes, génotypiquement et phénotypiquement tarés – donc auront la maladie.

Ainsi, l'enfant qui hérite d'une maladie héréditaire récessive est issu, dans la plupart des cas, de parents qui l'un et l'autre sont indemnes. L'union qui donne naissance à un enfant porteur de la tare mais ayant la maladie, a lieu entre deux individus hétérozygotes pour le gène considéré. Ce gène est récessif puisqu'il ne peut exprimer ses effets quand, en face de lui, sur l'autre chromosome, au point correspondant, se trouve un gène normal qui, lui, est dominant.

Pour que la tare puisse apparaître chez une personne, il est indispensable que celle-ci ait reçu le gène récessif à l'état double, l'un du père et l'autre de la mère, c'est-à-dire qu'elle soit homozygote pour le gène anormal considéré. C'est ainsi qu'un enfant ayant telle ou telle déficience génétique peut naître de parents en bonne santé, mais porteurs de cette déficience.

Plusieurs anomalies génétiques, causes de déficiences, peuvent être reliées au nombre de chromosomes, à leur structure anormale, au «manque» héréditaire d'un élément nécessaire au développement normal de l'être humain. C'est pourquoi les déficiences sont plus nombreuses parmi les enfants issus d'unions entre cousins proches et chez les enfants qui naissent dans des régions plutôt fermées.

La figure 2.5 montre bien pour quelle raison les deux parents, hétérozygotes pour un gène récessif, ont toutes les apparences d'une santé intacte, et pourquoi dans leur descendance seulement un sujet sur quatre est touché. Celui qui, par malchance, a reçu de l'un et de l'autre de ses deux parents le gène responsable, le possède à l'état double, est donc homozygote pour ce gène.

3. La transmission hétérosomique récessive par le chromosome sexuel

Dans cette catégorie de gènes récessifs, on peut également considérer certaines affections héréditaires se transmettant selon un mode particulier que l'on dit «lié au sexe». Rappelons que les chromosomes de la 23e paire (X et Y) sont dits «hétérosomiques» parce qu'ils déterminent si l'individu sera un homme (XY) ou une femme (XX). L'ovule est toujours porteur d'un chromosome X alors que le spermatozoïde peut être porteur soit d'un chromosome X, soit d'un chromosome Y – lequel est plus court. Quand l'ovule s'unit à un spermatozoïde porteur d'un X, le zygote est XX, donc de sexe féminin. Si l'ovule est fécondé par un spermatozoïde porteur d'un Y, le zygote est XY, donc de sexe masculin.

La plupart du temps, la transmission des caractères est identique pour les deux sexes, sauf dans les cas où celle de certains caractères est liée à la 23e paire de chromosomes. C'est ce que l'on appelle l'« hérédité liée au sexe » ou la « transmission hétérosomique par le chromosome X ». L'anomalie génétique, si anomalie il y a, s'exprimera, alors qu'elle passait inaperçue chez la mère. Transmises par les femmes, les maladies du chromosome X ne frappent en principe que les hommes (*voir la figure 2.6*). D'où la difficulté de prévoir leur apparition tant qu'on ne connaît pas le gène fautif.

Figure 2.6 **Transmission d'un gène récessif lié au chromosome sexuel**

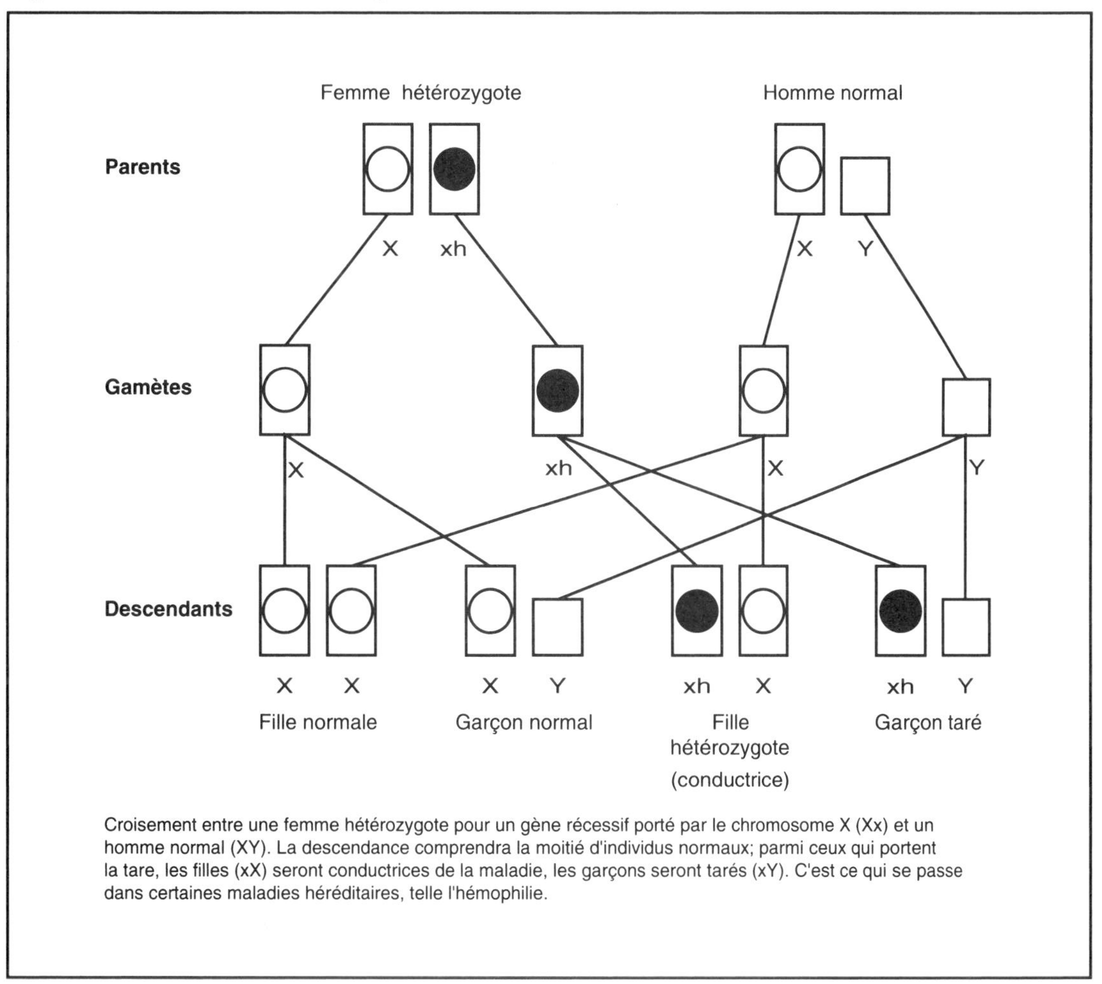

Croisement entre une femme hétérozygote pour un gène récessif porté par le chromosome X (Xx) et un homme normal (XY). La descendance comprendra la moitié d'individus normaux; parmi ceux qui portent la tare, les filles (xX) seront conductrices de la maladie, les garçons seront tarés (xY). C'est ce qui se passe dans certaines maladies héréditaires, telle l'hémophilie.

Un grand nombre de gènes du chromosome X sont en effet directement responsables de maladies héréditaires, une centaine de maladies environ; certaines sont très rares. Ces affections sont dues à la présence d'un gène récessif sur la partie impaire du chromosome X, partie qui n'existe que dans le sexe féminin. La maladie liée au sexe la plus connue et la plus fréquente est l'hémophilie, qui frappe un enfant masculin sur 7 000. Il existe au moins deux types d'hémophilie, A et B, caractérisés chacun par l'absence de l'un des facteurs nécessaires à la coagulation du sang. Les hémophiles ont un sang qui coagule mal et toujours très lentement; ils sont sujets à des hémorragies souvent graves apparaissant pour des causes apparemment tout à fait anodines ou de manière spontanée.

Dans les familles d'hémophiles, les parents sont généralement sains. Le père est normal tant pour ce qui concerne son phénotype que son génotype. La mère est de phénotype normal, mais porte dans son génotype un chromosome hémophile. C'est une conductrice. Dans sa descendance, elle transmettra l'hémophilie à la moitié de ses garçons, l'autre moitié étant épargnée. Les filles sont phénotypiquement saines, mais la moitié sont conductrices, comme le démontre la figure 2.6, où xh représente le chromosome hémophile et X le chromosome normal. Une fille peut être atteinte dans le cas – très rare – où le père et la mère sont porteurs. Les deux gènes récessifs peuvent alors être simultanément présents.

Les tares causées par plusieurs gènes

Beaucoup de caractères morphologiques sont héréditaires, mais leur transmission est complexe et met sans doute en jeu un nombre élevé de systèmes génétiques. Il en est de même pour la plupart des caractères fonctionnels. La majorité des caractères normaux sont sous la dépendance non pas d'un gène unique, d'un seul facteur, mais de plusieurs; pour cette raison, la transmission de ces caractères est quelquefois dite «multifactorielle» et s'opère d'une manière complexe. Par exemple, les particularités du caractère ne sont pas dues à la possession d'un seul facteur mais à l'accumulation de plusieurs d'entre eux et, pour certaines, d'un grand nombre.

Quelques maladies semblent se manifester en plus grand nombre dans des familles données, sans que leur mode de transmission soit d'hérédité dominante, d'hérédité récessive ou d'hérédité liée au sexe. On parle alors d'«hérédité multifactorielle» ou d'«hérédité intermédiaire».

En effet, un gène peut ne pas être rigoureusement dominant ou récessif. En d'autres termes, un sujet hétérozygote pour le gène en question peut être plus malade qu'un sujet normal, homozygote pour ce gène. La tare peut être reconnue soit par le simple examen, soit par la mise en œuvre de divers procédés d'exploration.

À quoi sont dues ces maladies? À l'environnement? Au genre de vie? À une faiblesse héréditaire dans le système de défense de l'organisme? Certaines familles présentent ce qu'on appelle un «terrain défavorable». D'où l'expression «maladies familiales»: elles se retrouvent fréquemment à l'intérieur de certaines familles, quoique le mode d'acquisition ne corresponde à aucun de ceux décrits précédemment. Cette notion de terrain défavorable, de prédisposition génétique, montre une direction intéressante d'interaction du biologique et de l'environnemental.

Dans de tels cas, il semble que plusieurs gènes soient concernés sur le plan héréditaire. Les facteurs héréditaires et environnementaux sont nombreux, d'où l'expression «transmission multifactorielle». L'individu semble hériter d'une prédisposition, d'un potentiel, d'une vulnérabilité biologique. Certaines conditions environnementales détermineront s'il sera affecté ou non, dans quelles conditions et à quel degré.

La maladie de Tay-Sachs, une maladie génétique mortelle pour les jeunes enfants, s'attaque aux centres nerveux vitaux. Elle provient de l'absence d'une enzyme essentielle et peut être détectée par l'analyse du sang des parents éventuels. L'incompatibilité sanguine se produit entre le facteur génétique (RHésus positif) du père et l'absence de ce même facteur chez la mère, qui est donc RHésus négatif. Si le fœtus est RH positif, la mère développera des anticorps nuisibles au fœtus. Si la grossesse peut être menée à terme, il faudra avoir recours à des mesures urgentes pour prévenir chez le nouveau-né tout risque ultérieur. Les cas de consanguinité rapprochée multiplient les risques d'anomalies héréditaires ou de naissance, dans la famille immédiate des deux conjoints, d'enfants ayant une déficience physique ou intellectuelle.

Les tares causées par un accident chromosomique

> «Les accidents chromosomiques ne sont généralement pas considérés comme des facteurs héréditaires (il y a une petite exception) mais ils ne sont pas considérés non plus comme des facteurs prénatals dans le sens de déve-

loppement intra-utérin. Ils peuvent se produire au moment de la division des gamètes puis de leur recombinaison au moment de la fécondation. L'accident s'est produit soit au moment de la division des gamètes – deux chromosomes dans une cellule, aucun dans l'autre – , soit par division et accolement au moment de la fécondation[6]. »

Ainsi, la répartition, au moment de la division des cellules sexuelles, se fait mal et les gènes des parents se marient mal, se mélangent mal. Tel chromosome de l'un des parents se trouve déformé, cassé, et les deux morceaux mal recollés. D'autres fois, les deux chromosomes d'une même paire, en provenance du père ou de la mère, ne sont pas – ou pas complètement – séparés et l'enfant hérite de trois chromosomes, voire de quatre, au lieu de deux.

On estime que ces accidents se produisent dans 15 à 20 % des grossesses. «Ces problèmes sont relativement fréquents : ils touchent environ 7 enfants sur 1 000 à la naissance et sont responsables d'environ 59 % des avortements spontanés pendant le premier trimestre de la grossesse (Thompson et Thompson, 1980)[7]. »

En résumé, les aberrations chromosomiques peuvent se diviser en trois catégories : celles où le nombre de chromosomes est différent de 46, celles où il y a perte d'une partie d'un ou de plusieurs chromosomes, et celles où il y a addition de parties de chromosomes à d'autres chromosomes.

Le mongolisme, aussi appelé «trisomie 21» ou «syndrome de Down», est un exemple d'une maladie non pas proprement héréditaire, mais liée à une «aberration chromosomique». Le nombre de chromosomes de l'enfant est de 47 : il a 3 chromosomes sur la 21e paire. Cette aberration porte atteinte à l'intégrité physique et intellectuelle des enfants qui en sont victimes, sans que l'on puisse en discerner la trace chez les parents, sauf si la mère est elle-même atteinte, ce qui constitue l'exception.

Les facteurs prénatals exogènes

Même lorsque le bagage génétique de l'embryon est favorable au développement, des obstacles environnementaux précoces peuvent entraver ce dernier. L'environnement n'est guère capable de «remodeler» le stock génique de manière active ou de le modifier fondamentalement. Cependant, il n'est pas sans agir sur l'activité des gènes eux-mêmes, en particulier au cours du développement fœtal, de la vie intra-utérine.

Le liquide amniotique (poche des eaux) et le corps de la mère (robustesse des muscles abdominaux) protègent le bébé contre les chocs et les coups. Le placenta empêche certaines substances (surtout les bactéries) de pénétrer dans le tissu sanguin du fœtus. Par contre, l'embryon et le fœtus sont vulnérables à certains événements externes. Rappelons que le développement prénatal est très résistant et qu'on peut éviter un grand nombre des facteurs susceptibles de nuire au développement intra-utérin depuis la conception jusqu'à l'accouchement.

Avant de donner un aperçu des différents facteurs prénatals, distinguons deux types d'affections qui peuvent apparaître durant la vie intra-utérine. Les embryopathies, qui se développent durant le stade embryonnaire, sont toujours très graves puisqu'il s'agit de malformations globales. Les fœtopathies, qui se développent durant la période fœtale, sont des altérations du fœtus qui provoquent des atteintes localisées (par exemple, sur un membre).

Le stade embryonnaire débute lorsque l'embryon se fixe à l'utérus; il se poursuit jusqu'au troisième mois de grossesse. Le placenta – dont la fonction est de séparer le courant sanguin de la mère de celui de l'embryon tout en les reliant, par le cordon ombilical, pour permettre les échanges d'éléments nutritifs et d'oxygène – se développe durant cette période pour mieux protéger l'embryon en lui servant de filtre. La période fœtale se poursuit du troisième mois de grossesse jusqu'à la fin de la période de gestation. Cette période sert à compléter et à perfectionner tous les systèmes en place.

Les facteurs prénatals sont dits «exogènes» parce que les modifications sur les gènes sont dues à des causes externes, environnementales; elles proviennent de l'extérieur du bagage génétique de base. Plusieurs facteurs environnementaux (l'environnement étant ici l'utérus maternel) interviennent précocement dans le développement sans modifier la structure interne des gènes ni le message qu'ils transmettront à la descendance.

On a longtemps confondu transmission héréditaire et contagion. Ainsi, quand des nouveau-nés étaient atteints de la syphilis ou de la tuberculose de leurs parents, on croyait que ces maladies étaient héréditaires, alors qu'il s'agissait de contagion. Il a fallu la découverte du rôle de l'ADN et le déchiffrement du code génétique, dans les années 60, pour qu'on fasse la distinction. Il est exact que les parents syphilitiques peuvent contaminer leurs enfants, comme aujourd'hui les mères atteintes du sida peuvent transmettre le virus à leur fœtus. Mais il s'agit de contagion par des facteurs prénatals exogènes et non des facteurs héréditaires. Peut-être y a-t-il, en effet, des organismes humains qui ont hérité d'une « sensibilité » particulière au microbe de la tuberculose, comme d'autres aux rhumatismes. La grande différence aujourd'hui avec les croyances du passé, c'est qu'on ne parle plus de « fatalité », mais de « facteur de risque » durant la vie intra-utérine.

On sait depuis la découverte de la régulation génétique que l'activité des gènes de structure est contrôlée par celle des gènes régulateurs. Or, ceux-ci sont sensibles à l'état de la cellule, lequel peut dépendre, en partie, de l'environnement. Il y a là une certaine marge d'« adaptabilité génétique » liée à l'induction ou à la répression de l'activité de certains gènes, mais non au « remodelage » des gènes de structure eux-mêmes.

En effet, au cours de la période intra-utérine, plusieurs modifications ne sont pas enregistrées par les chromosomes et ne sont donc pas transmissibles héréditairement. Ainsi, le parent ayant une anomalie qu'il a contractée par un facteur environnemental lors de sa vie intra-utérine, ne transmettra pas cette anomalie à ses enfants. Par exemple, un enfant peut naître sans bras parce qu'il a été atteint par un médicament dangereux absorbé par sa mère durant la grossesse. Lorsque cet enfant deviendra à son tour parent, ses enfants ne courent aucun risque d'être affectés par cette anomalie, les chromosomes n'ayant pas enregistré l'information.

C'est en tout cas ce que suggèrent les études menées sur les survivants d'Hiroshima. Un nombre anormalement élevé d'entre eux ont été victimes, parfois très longtemps après le drame, de cancer et de leucémie, maladies provoquées dans ce cas par des mutations cellulaires. Ce qui n'a rien d'étonnant, puisque les radiations nucléaires ont la propriété de léser les molécules d'ADN et, par conséquent, de modifier le développement des gènes. Par contre, le pourcentage d'anomalies congénitales relevé chez les descendants de ces victimes des radiations, n'est pas supérieur à celui du reste de la population.

Les traumatismes physiques

Des accidents de toutes sortes peuvent causer des traumatismes physiques et affecter directement le fœtus. Ainsi, des chutes, des agressions, des coups, des blessures chez la mère peuvent nuire au développement des organes, des membres ou du cerveau du fœtus.

Dans cette catégorie, il faut faire une place à part aux avortements ratés. Assez souvent, les traumas physiques n'atteignent pas le fœtus mais lèsent le placenta, d'où des problèmes d'apports métaboliques et de filtrage. Ce genre de traumatismes se produisait assez souvent dans le cas des avortements clandestins comportant l'introduction d'objets contondants.

Les infections transmises par la mère

La mère peut contracter plusieurs infections durant sa grossesse et les effets de ces infections sur le fœtus peuvent être très variables. Les infections maternelles les plus connues sont les maladies vénériennes, les toxoplasmoses et la rubéole. Des maladies vénériennes ont des incidences sur le fœtus et certaines sont la cause de toutes sortes de déficiences.

Maladie bénigne en soi, la rubéole contractée dans les 10 premières semaines de la grossesse peut être la cause de graves anomalies congénitales chez le bébé, de paralysie cérébrale ou de déficience intellectuelle. Les infections telle la rubéole ne sont redoutables que durant les premiers mois de grossesse, c'est-à-dire tant que le placenta, non formé, ne peut jouer son rôle de filtre.

Les vaccinations durant la grossesse

Les vaccinations sont déconseillées pendant la grossesse parce qu'elles entraînent généralement de fortes réactions pouvant nuire au développement du fœtus. Les vaccins contre la typhoïde, les paratyphoïdes, la diphtérie, la tuberculose (BCG), la rage, la poliomyélite et la variole sont considérés comme dangereux durant la grossesse.

Les drogues et agents toxiques

Dans le cas des drogues, la période où le fœtus est plus vulnérable semble se situer pendant les trois premiers mois de la grossesse, mais il y a des risques jusqu'à la fin de la gestation. C'est par contagion plutôt que par hérédité que l'embryon et le fœtus peuvent être affectés. Certaines drogues peuvent également avoir des effets sur le fœtus. Il a été vérifié que le LSD détruit certaines cellules du cerveau et peut entraîner des lésions génétiques sur les enfants des usagers. On analyse actuellement les effets du cannabis sur les spermatozoïdes des grands consommateurs de cette drogue. Les nouveau-nés de mère narcomane naissent eux-mêmes intoxiqués. L'usage du tabac chez la femme enceinte réduit la masse du bébé et entraîne une plus grande fréquence de naissances prématurées, avec tous les risques que cela comporte.

D'autres agents toxiques comme certains produits chimiques et certains gaz, s'ils sont ingurgités ou inhalés par la femme enceinte, peuvent entraîner des malformations ou des retards de croissance.

Les médicaments

Chez les femmes enceintes, certains médicaments sont déconseillés parce qu'ils peuvent nuire au développement intra-utérin. Voici un exemple de médicament pouvant entraîner des conséquences irréversibles chez les fœtus touchés. Au début des années 60, un médicament, dont les effets étaient de réduire les nausées et les maux de tête chez les femmes enceintes, fut interdit aux États-Unis, mais il fut toléré au Canada. Ce médicament provoqua des mutations désastreuses chez 125 bébés canadiens, dont 50 bébés québécois, nés à cette époque. Il contenait une substance dénommée « thalidomide », qui modifiait les informations déterminant la présence des bras et des jambes dans le corps humain.

Les éléments radioactifs

Des éléments radioactifs comme les rayons X, les rayons ultraviolets, les radiations nucléaires peuvent parfois nuire au développement des gènes. Il est donc préférable qu'une femme enceinte s'abstienne de subir de fréquentes radiographies tant que l'embryon n'est pas complètement formé. Si les rayons touchent aux organes génitaux lors de radiographies des hanches et du bassin, il y a également risque. L'accident nucléaire de Tchernobyl nous fournit de nombreux exemples de malformation chez les nouveau-nés dont les mères ont été exposées à des éléments radioactifs.

L'incompatibilité sanguine

L'incompatibilité sanguine entre la mère et le fœtus est un des problèmes dus à l'interaction de l'hérédité et de l'environnement prénatal. Lorsque le sang du fœtus est RH positif alors que celui de la mère est RH négatif, la mère peut fabriquer des anticorps susceptibles d'attaquer le fœtus. Jaunisse, anémie, anomalies cardiaques, arriération mentale peuvent en découler. Soulignons, cependant, que si cette incompatibilité est découverte à temps, il existe des moyens médicaux de pallier la fabrication d'anticorps.

Les autres facteurs maternels

En plus des facteurs mentionnés ci-dessus, la condition maternelle peut comporter d'autres risques pour le développement intra-utérin. Les difficultés reliées au transport de l'oxygène et des éléments nutritifs de même que celles concernant l'élimination des déchets, font partie de ces autres facteurs défavorables. Leurs conséquences: diabète sucré, maladies rénales, mauvais attachement du placenta, mauvais état de santé général ainsi que sous-alimentation maternelle.

Un état d'anémie peut affaiblir mère et enfant pendant la grossesse et provoquer l'anoxie, c'est-à-dire la diminution de la quantité d'oxygène distribuée aux tissus par le sang; une telle diminution peut entraver le développement du cerveau du fœtus et laisser des séquelles.

Les facteurs périnatals exogènes

Tout comme les facteurs prénatals, les facteurs périnatals sont exogènes. Ils comprennent tous les facteurs susceptibles d'intervenir durant la période de l'accouchement, laquelle se divise en trois phases qui se chevauchent. La première est celle des contractions, c'est-à-dire du travail préparatoire à l'expulsion; la deuxième est celle où le bébé commence à s'engager dans le col et le vagin; la troisième est celle où le cordon ombilical et le placenta sont expulsés de l'utérus.

On évalue généralement à 30% la proportion de femmes susceptibles d'avoir des problèmes au moment de l'accouchement, surtout pour celles qui ont une grossesse «à risques élevés». En moyenne, 6% des femmes auront finalement des accouchements difficiles. Par ailleurs, parmi les 70% pour lesquelles on n'avait pas prévu de difficultés, 4% en auront.

Certains facteurs périnatals concernent l'enfant lui-même alors que d'autres concernent la mère ou les conditions de l'accouchement. Le système nerveux peut être atteint si le bébé manque d'oxygène, et les séquelles sont fonction du système nerveux du fœtus ainsi que de la sévérité et de la durée du manque d'oxygène. Ce manque peut conduire à une déficience intellectuelle, à une paralysie cérébrale ainsi qu'à des troubles d'apprentissage. Cependant, les conséquences des troubles périnatals peuvent varier beaucoup en fonction des conditions environnementales ultérieures.

Parmi les facteurs périnatals risquant d'entraîner des conséquences fâcheuses, on retrouve surtout les caractéristiques du fœtus, l'utilisation de médicaments, le blocage du fœtus dans la filière pelvigénitale, l'utilisation de moyens techniques et le manque de soins adéquats. Les principales conséquences de ces facteurs sont le manque d'oxygène et divers traumatismes.

Les caractéristiques du fœtus

Lors de l'accouchement, la mauvaise présentation du bébé, par les pieds, par le siège ou par une épaule, peut être une cause du manque d'oxygène ou provoquer un traumatisme. L'immaturité du système nerveux de même que l'insuffisance des apports caloriques et métaboliques peuvent entraîner une souffrance fœtale qui ralentit l'accouchement parce que le fœtus a de la difficulté à tolérer les contractions utérines. Ce facteur est souvent présent dans les pays en voie de développement.

L'utilisation de médicaments

Effectués trop tôt, certains déclenchements artificiels du travail peuvent entraîner une souffrance fœtale en coinçant le bébé dans la filière pelvigénitale. Toute tentative de déclenchement artificiel équivaut à prendre des risques pour le bébé, mais le fait de ne pas le tenter en comporte d'aussi grands. L'utilisation de médicaments pour faciliter les contractions ou diminuer l'anxiété peut être aussi une cause du manque d'oxygène.

Il semblerait que l'anesthésie entraîne une certaine passivité chez le bébé. L'anesthésie épidurale, qui exige la présence et l'intervention d'un anesthésiste, ne peut s'appliquer à toutes les femmes, car elle peut être la cause de malaises désagréables et comporter directement des dangers pour l'enfant.

Le blocage du fœtus dans la filière pelvigénitale

Quand le bassin de la mère est trop étroit ou le bébé trop gros, il peut y avoir un blocage dans la filière pelvigénitale; le bébé peut alors souffrir d'anoxie, qui est, rappelons-le, la diminution de la quantité d'oxygène que le sang distribue aux tissus.

L'utilisation de moyens techniques

L'emploi des forceps est à l'origine d'un grand nombre de paralysies cérébrales ou de traumatismes physiques chez l'enfant. Signalons toutefois que leur non-utilisation pourrait avoir des conséquences aussi redoutables. La césarienne, nécessaire dans certains cas, comporte des risques pour la mère et, comme cette intervention requiert toujours une forme d'anesthésie, elle peut aussi représenter des risques pour le bébé.

Le manque de soins adéquats

Un personnel inexpérimenté, insuffisant ou négligent, des conditions d'hygiène inadéquates de même que des équipements insuffisants ou inadéquats, peuvent contribuer à l'augmentation des risques au moment de l'accouchement.

Signalons que malgré les risques liés à plusieurs des facteurs mentionnés ci-dessus, ces facteurs présentent dans l'ensemble plus d'avantages que d'inconvénients. La non-utilisation de moyens techniques aurait eu, dans un grand nombre de cas, des conséquences aussi nuisibles que leur utilisation. De plus, dans plusieurs autres cas, ces moyens ont permis d'éviter des séquelles.

Les facteurs héréditaires, prénatals et périnatals sont appelés «congénitaux» parce qu'ils apparaissent pendant la vie utérine et qu'ils sont présents à la naissance. Les facteurs dont nous avons parlé plus haut interviennent précocement et constituent la première étape de l'histoire personnelle.

Facteurs congénitaux

Facteurs héréditaires endogènes

Facteurs prénatals exogènes

Facteurs périnatals exogènes

Les facteurs postnatals

Après la naissance, des facteurs d'inadaptation biologiques, d'ordre physique ou physiologique, peuvent intervenir à toutes les étapes de l'histoire personnelle. Certains agissent durant les premières années de la vie, c'est-à-dire durant la phase de maturation et d'évolution du système nerveux central. D'autres interviennent aux étapes ultérieures du développement: enfance, adolescence, âge adulte, âge mûr, vieillesse, fin de la vie. Les séquelles des facteurs postnatals d'inadaptation peuvent être différentes selon l'étape de la vie où ces facteurs jouent un rôle. Comme ceux-ci sont très nombreux, nous en présenterons quelques-uns à titre indicatif en les subdivisant en deux parties: ceux relatifs aux premières années de la vie et ceux relatifs aux étapes ultérieures du développement.

Les facteurs intervenant durant les premières années de la vie

Les premières années de la vie sont importantes pour un développement adéquat. La période néonatale, qui suit la naissance, sert de transition entre la vie intra-utérine et la vie hors de l'utérus maternel. C'est durant cette période que les systèmes circulatoire, respiratoire, gastro-intestinal et de contrôle de la température corporelle deviennent autonomes par rapport à ceux de la mère.

Le système nerveux du bébé, ses sens de la vue, de l'ouïe, de l'odorat et du goût, ses réactions à la température et à la douleur, se développent très rapidement au cours de la première année de vie. Le développement moteur et physique est également très intense durant cette période; il suit deux axes: le développement des parties supérieures avant celui des parties inférieures et le développement des parties centrales du corps avant celui des extrémités. La motricité se développe quand le bébé a atteint le degré de maturation nécessaire pour franchir les stades de développement appropriés à son âge.

> «Au fur et à mesure des progrès dans la corticalisation, dans l'expression neuronale, dans la transformation métabolique des neurones et des cellules gliales et, de là, dans la complexification des tracés électriques, l'enfant dispose de moyens de plus en plus diversifiés pour recevoir, intégrer et organiser les stimulations issues de l'environnement afin de devenir un être créateur et agissant. Ses processus sensoriels et moteurs, cognitifs, affectifs s'enrichissent avec les notions de stades, de structuration, d'accommodation, etc. Cette croissance globale de l'être, y compris dans ses mécanismes intrapsychiques, ne peut se faire que si le sujet rencontre un creuset familial qui apporte les ingrédients nécessaires au développement[8].»

Différents facteurs biologiques peuvent intervenir durant les premières années de la vie en affectant le système nerveux central ou en entravant la maturation biologique. La conséquence est un ralentissement du développement physique, intellectuel, psychologique ou social de l'enfant. Parmi les facteurs plus fréquents, on trouve les maladies infantiles, la non-vaccination, les intoxications, les accidents en bas âge.

1. Les maladies infantiles

Certaines maladies infantiles banales, lorsqu'elles sont accompagnées de complications dites «d'ordre encéphalitique», peuvent, dans certains cas, se révéler la cause de lésions cérébrales. La méningite est l'une de ces maladies pouvant laisser des séquelles.

2. La non-vaccination

Il existe actuellement des préparations conçues pour être injectées ou avalées et qui, dans presque tous les cas, immunisent complètement contre la plupart des maladies contagieuses graves. Les plus importantes sont celles contre la diphtérie, le tétanos, la coqueluche, la poliomyélite et la variole.

En dépit de l'existence de ces moyens efficaces de prévention, de nombreux enfants ne sont pas vaccinés, soit par négligence, soit par une volonté délibérée des parents. Certains parents hésitent, en effet, à faire vacciner leurs enfants ou refusent carrément. Pourtant, les risques de la vaccination sont minimes comparativement aux conséquences de maladies comme la paralysie infantile ou le tétanos.

Malgré les avantages indéniables de la vaccination, certains dangers potentiels y sont cependant associés. En effet, sur un million de personnes vaccinées, une personne ou un membre de l'entourage contractera la maladie ou aura des séquelles souvent importantes. Il y a donc des risques associés à la vaccination, mais ils sont moindres que ceux associés à la non-vaccination.

3. Les intoxications

Plusieurs produits toxiques peuvent avoir des répercussions graves sur la santé de l'enfant lorsque ce dernier les ingurgite. En particulier, on citera les intoxications par des médicaments ou par des produits toxiques (produits d'entretien ménager, poison pour souris ou rats, insecticides, etc.).

4. Les accidents en bas âge

Le type d'accidents qui frappent le plus souvent les jeunes enfants sont: les ébouillantages par renversement de casseroles; les électrocutions, dues au fait que des prises de courant sont non protégées; les chutes diverses dans les escaliers ou par les fenêtres; les blessures consécutives à des actes de violence familiale; les blessures en jouant avec des armes à feu, des outils, des ciseaux; les angles protubérants de certains jouets; les noyades dans les baignoires, les piscines, les étangs ou les lacs.

Les facteurs intervenant durant les étapes ultérieures du développement

Au fur et à mesure de son développement, chaque personne est engagée dans un processus de maintien de son intégrité physique face aux agressions multiples auxquelles elle est confrontée. Un ensemble de facteurs chimiques, biologiques, sociaux et psychologiques peuvent attaquer l'organisme, causer une maladie, un traumatisme, une déficience temporaire ou durable.

Souvent, l'agression entraîne peu de conséquences pour la personne. Dans certains cas, cependant, selon les conditions en présence, les conséquences peuvent nuire à son bon fonctionnement. Nous présenterons à titre indicatif quelques-uns de ces facteurs de risque: les accidents de toutes sortes, les radiations, la surconsommation de drogues et les maladies transmises sexuellement.

5. Les accidents de toutes sortes

Plusieurs enfants, adolescents, adultes, personnes âgées ne peuvent échapper aux accidents de toutes sortes qui, en plus d'augmenter le taux de mortalité, laissent des séquelles graves chez un très grand nombre d'entre eux, qui auront à vivre avec ces états et à s'y adapter. Les accidents de jeu, de sport, les accidents de la route ou causés par d'autres moyens de transport, les accidents de travail nous fournissent quotidiennement de très nombreux exemples de séquelles de tous genres.

6. Les radiations

Les radiographies sont souvent nécessaires. Cependant, leur emploi excessif et les erreurs de manipulation présentent de nombreux dangers. D'autres radiations, trop fréquentes ou excessives, peuvent causer des dommages génétiques car il y a risque de bris de chromosomes.

7. La surconsommation de drogues

Des risques sont liés aux diverses toxicomanies comme la consommation abusive de tabac, d'alcool, de drogues, de médicaments. Quelque 10 000 Canadiens meurent chaque année de maladies pour lesquelles la cigarette est considérée comme un facteur important : non seulement le cancer du poumon, de la bouche, du larynx et de l'œsophage, mais encore les crises cardiaques, les bronchites chroniques ou l'emphysème. Le tabagisme serait responsable de 27,7 % des décès reliés aux maladies cardiaques et de 89,4 % des décès reliés au cancer des bronches ou des poumons.

Selon Statistique Canada, depuis 25 ans, le Québécois a augmenté sa consommation d'alcool de 65 %, ce qui entraîne une augmentation de 150 % du taux d'alcoolisme dans la population. L'alcool joue un rôle important dans la hausse du nombre des cirrhoses irréversibles du foie, des psychoses dues à l'alcool, des maladies cardiaques et de quelques types de cancer. La consommation abusive d'alcool est responsable de 60 % des accidents graves de la circulation, causant la mort d'un grand nombre de personnes et entraînant des déficiences définitives pour les personnes rescapées.

L'usage abusif des drogues est considéré comme dangereux puisqu'elles multiplient les risques. Le nombre de toxicomanes a doublé au Canada, mais le constat le plus grave est qu'il y a eu augmentation de la consommation des drogues « dures » et des mélanges de drogues : les consommateurs « alternent » les produits, ou les producteurs « altèrent » les produits. Les effets de certains mélanges sont meurtriers ; au Québec, ils causent un millier de décès par année. La conséquence la plus vérifiée, jusqu'à présent, de l'abus de drogues est l'apparition ou l'augmentation des problèmes de santé mentale de diverse gravité et des problèmes reliés à la criminalité. La drogue est également responsable d'accidents ou d'actes violents (non quantifiés) pouvant avoir des séquelles de toutes sortes.

La surconsommation de médicaments a augmenté considérablement dans les pays développés ; au Québec, comme ailleurs, elle est directement responsable d'un nombre élevé d'intoxications et de décès. Parmi les principaux médicaments responsables d'empoisonnement, on retrouve les médicaments pour le système nerveux central, les analgésiques antipyrétiques, les médicaments pour l'appareil respiratoire, les suppléments diététiques, les médicaments à action locale et gastro-intestinale.

8. Les maladies transmises sexuellement

Depuis les années 60, on assiste à une dangereuse recrudescence des maladies transmises sexuellement, principalement la syphilis, la gonorrhée (blennorragie) et une nouvelle maladie, le sida. La moitié des cas de blennorragie touchent les 15-25 ans. Dans l'ensemble, les MTS atteignent des couches de population de plus en plus jeunes: la libération des mœurs a amené une généralisation des expériences sexuelles dès l'adolescence, entraînant un nombre croissant de grossesses accidentelles et une augmentation des maladies transmises sexuellement.

Les facteurs environnementaux

Pour étudier l'impact des facteurs environnementaux sur la genèse des difficultés d'adaptation individuelle, nous avons élargi la notion d'environnement en distinguant trois catégories de facteurs: les facteurs liés aux conditions naturelles, les facteurs liés aux conditions macrosociales et les facteurs liés aux conditions microsociales (*voir le tableau 2.5*). Cette distinction permet de mettre en perspective la part de la responsabilité environnementale dans la genèse des inadaptations.

Les conditions naturelles, physiques et matérielles des sociétés déterminent partiellement les faits sociaux. Ce sont, en effet, les caractéristiques pédologiques et climatiques qui, pour un territoire donné, commandent en priorité les formes d'organisation sociale qui s'y développent. Ces formes d'organisation apparaissent comme des réponses adaptatives aux conditions fournies par la nature. Elles comportent cependant un certain nombre de risques qui peuvent être considérés comme des facteurs potentiels d'inadaptation. À l'instar d'autres chercheurs, Konrad Lorenz[9] analyse les processus qui risquent de mettre l'humanité en péril s'ils ne sont pas freinés ou enrayés. Dans la présente étude, nous nous attarderons peu à ces facteurs parce que le processus de dégradation écologique risque d'avoir moins de conséquences négatives sur les inadaptations individuelles des générations actuelles que sur les individus des générations futures.

Les conditions macrosociales relatives aux choix de société exercent diverses influences à la fois sur les conditions naturelles, sur les conditions microsociales et sur les individus. Plusieurs de ces conditions ont favorisé les progrès de société, mais elles comportent également des germes d'inadaptation. Nous tenterons de montrer comment quelques-uns de ces facteurs peuvent contribuer au déclenchement, au maintien ou à l'aggravation de plusieurs inadaptations individuelles.

Tableau 2.5
Facteurs environnementaux

Facteurs liés aux conditions naturelles et physiques
Sources naturelles d'agression Choix de société Mouvements de population Agressions sur les récoltes par des produits chimiques Pollution de l'air et de l'eau Restructuration environnementale Production de déchets résiduels
Facteurs liés aux conditions macrosociales
Augmentation de nos exigences Genre de vie moderne Attitudes collectives Désorganisation sociale Déviance sociale Mobilité culturelle Inégalités sociales Difficultés de coordination des services publics Crise des valeurs
Facteurs liés aux conditions microsociales
Facteurs liés à la famille 1. Négligences et carences affectives en bas âge 2. Violence faite aux enfants 3. Milieu familial dysfonctionnel 4. Carences de l'autorité parentale 5. Présence d'une personne aux prises avec des difficultés
Facteurs liés aux autres groupes d'appartenance 6. Difficultés d'intégration scolaire 7. Influence négative de groupes d'appartenance 8. Crises et changements de statut 9. Présence d'un stress sévère et prolongé 10. Isolement social

Les conditions microsociales renvoient aux facteurs relationnels présents dans les différents groupes d'appartenance d'une personne au cours de son histoire personnelle. Plusieurs de ces groupes primaires, comme la famille, l'école, le monde du travail, les pairs, les groupes communautaires, contribuent à l'intégration sociale de l'enfant, de l'adolescent, de l'adulte et de la personne vieillissante. C'est également au sein de ces différents groupes qu'on peut retracer une influence plus tangible sur l'origine, le maintien ou l'aggravation de plusieurs inadaptations individuelles.

Les facteurs liés aux conditions naturelles et physiques

Il semble important de rappeler ici que les conditions naturelles et physiques comprennent à la fois le monde inanimé, les êtres vivants du règne animal et végétal, et les modifications apportées par les activités humaines. Celles-ci se déroulent conjointement avec de nombreux processus du système naturel plutôt que de façon isolée. En plus des phénomènes de la nature elle-même, nous devons considérer les activités humaines qui ont de plus en plus tendance à produire des répercussions à la fois importantes et très visibles sur les conditions naturelles et physiques. Cela est particulièrement vrai pour les sociétés postindustrielles, dont les choix contribuent au processus de dégradation des conditions naturelles. Nous assistons à un phénomène d'accélération de ce processus enclenché par l'ampleur et la rapidité d'un bon nombre de transformations de la nature.

Les scientifiques tentent actuellement de mieux comprendre les répercussions à court et à long terme de plusieurs phénomènes comme les pluies acides, les déversements de substances dangereuses, les trous dans la couche d'ozone, etc., notamment en ce qui concerne la santé humaine. Étant donné qu'on dispose de peu de statistiques précises au sujet du rôle de ces facteurs dans la genèse des problèmes d'adaptation individuelle, il est impossible d'établir les nécessaires liens de cause à effet pour l'ensemble des facteurs. Plusieurs des données présentées dans cette section doivent donc être considérées comme des hypothèses montrant des répercussions potentielles plutôt que comme des résultats de recherches.

Nous avons repris certaines catégories d'agressions analysées par Statistique Canada dans sa publication *Activité humaine et l'environnement*[10]. Le tableau 2.6 montre les effets des activités naturelles et humaines sur les conditions naturelles. D'une part, les actions humaines et les phénomènes naturels eux-mêmes agressent l'environnement, c'est-à-dire qu'ils suscitent des changements dans les systèmes naturels. Ces actions et phénomènes exercent des contraintes à la fois sur des éléments physiques (sol, eau et air) et biologiques (faune, flore et genre humain) des conditions naturelles. D'autre part, la nature elle-même réagit, c'est-à-dire subit des changements, lesquels à leur tour influencent d'une manière souvent défavorable les individus et les sociétés.

Tableau 2.6 **Effets des activités naturelles et humaines sur les conditions naturelles**

Catégories d'agressions	Catégories d'activités	Conséquences sur l'environnement : agressions contre l'environnement	Conséquences sur l'environnement : réactions contre l'environnement
Sources naturelles d'agression sur l'environnement	Phénomènes, processus géophysiques et météorologiques : crues, tempêtes, séismes, etc.	Vitesse de l'érosion, évolution du paysage	Changements dans les propriétés de l'air, de l'eau et du sol Changements dans l'état biotique
Choix de société	Industrialisation, combustibles et sources d'énergie, déchets polluants, armes chimiques et bactériologiques		
Mouvements de population (influence indirecte)	Dynamique de la population Croissance et migration de la population		
Agressions sur les récoltes par des produits chimiques	Production : agriculture foresterie pêches	Changements dans les propriétés du sol Épuisement des stocks	Changements dans l'état biotique, notamment dans la taille des populations et la capacité de régénération
Pollution de l'air et de l'eau	Exploitation à outrance de la nature Emploi de produits chimiques		
Restructuration environnementale	Conversion foncière Construction de maisons, de barrages, de réservoirs, de chemins de fer, de routes Prospection et exploitation des ressources	Territoire converti, nature modifiée	Changements dans les propriétés de l'air, de l'eau et du sol Changements dans l'état biotique, notamment dans la diversité des espèces et la taille de la population
Production de déchets résiduels	Mines Fabrication Production d'énergie Consommation Transport et mouvement de véhicules Ménages	Production de déchets Émission de déchets dans l'air, dans l'eau et dans le sol Élimination des produits toxiques	Changements des propriétés de l'air, de l'eau et du sol Changements dans l'état biotique Effets sur la santé humaine

Adapté de MINISTÈRE DES APPROVISIONNEMENTS ET SERVICES CANADA, *Activité humaine et l'environnement. Un compendium de statistiques*, Ottawa, Statistique Canada, Division de l'Analyse structurelle, Études analytiques, 1986, p. 3.

Le premier facteur (les sources naturelles d'agression) concerne spécifiquement les phénomènes naturels. Les six autres facteurs (les choix de société, les mouvements de population, les agressions sur les récoltes, la pollution de l'air et de l'eau, la restructuration environnementale, la production de déchets résiduels) concernent davantage la dégradation des conditions naturelles consécutive aux activités humaines.

Exemple illustrant les effets de la dégradation des conditions naturelles sur l'inadaptation individuelle

Supposons une industrie construite près d'un cours d'eau. Des déchets sont créés sous forme de sous-produits du processus de fabrication et ils sont éliminés par rejet dans le cours d'eau ainsi que dans l'atmosphère. Le rejet de ces déchets exerce une agression sur l'eau et l'atmosphère, ce qui a pour effet de modifier la composition chimique de ces milieux, première conséquence des déchets. Cette modification est une réaction biotique aux émissions des déchets. Par la suite, des changements biotiques, comme la mort du poisson, peuvent survenir. Tôt ou tard, certaines personnes se rendent compte que ces changements dans l'eau ou l'atmosphère sont néfastes en ce qu'ils affectent leur utilisation de ces ressources ou leur bien-être physique.

Les sources naturelles d'agression

Plusieurs phénomènes géophysiques et météorologiques viennent périodiquement modifier les habitudes de vie des personnes et des collectivités en agressant leur environnement naturel. Des fléaux comme les inondations, les tremblements de terre, la foudre, les éruptions volcaniques, les glissements de terrain, les tempêtes, les cyclones, les tornades, les crues, les sécheresses sont à l'origine de nombreux problèmes biologiques, psychologiques, sociaux pour les personnes concernées par ces catastrophes, d'autant plus que les assurances ne couvrent généralement pas les dommages matériels causés par ces «acts of God». L'influence des conditions météorologiques et des déterminismes cosmiques sur la santé physique et mentale des personnes reste à démontrer de manière précise.

Les choix de société

Les choix de société ont des répercussions sur les modifications apportées à la nature elle-même. Dans le développement historique des sociétés, on observe des effets d'inertie ou de dynamisme analogues à ceux qui accompagnent les étapes du développement individuel. Un exemple de choix de société est la décision de détériorer les conditions matérielles et humaines. C'est le cas des guerres, en particulier, où l'usage d'armes de plus en plus sophistiquées, allant jusqu'aux armes nucléaires et bactériologiques, risque de détruire l'écosystème et d'augmenter considérablement le nombre ainsi que la gravité des inadaptations individuelles.

Les mouvements de population

La dynamique démographique et la répartition de la population sont les points de départ des autres contraintes ayant des effets négatifs sur l'être humain qui les a lui-même engendrées. La croissance et l'évolution de la population constituent une force dominante qui sous-tend les activités humaines intenses. Le degré de concentration de l'habitat urbain dans un espace géographique relativement restreint influence, par exemple, les systèmes aquatiques et, plus largement, les écosystèmes.

Les agressions sur les récoltes par des produits chimiques

Cette catégorie comprend toute une variété de pressions dues aux activités humaines associées à l'extraction de la biomasse que l'on trouve dans l'environnement pour répondre à nos besoins de consommation. Il est question ici des forêts et des autres éléments vivants comme les cultures, les poissons et les animaux. Les épandages intensifs d'engrais ou de pesticides augmentent les déchets résiduels et peuvent avoir pour conséquence le déclin de la fertilité des sols naturels, mais aussi une augmentation de la quantité de produits chimiques présents dans les aliments consommés. En foresterie, la coupe à blanc risque de modifier l'écosystème. Dans le secteur des pêcheries, les problèmes de pollution des eaux et de surpêche peuvent nuire à la capacité de renouvellement à long terme des ressources marines et, à court terme, multiplier la contamination dans la chaîne alimentaire ainsi que les intoxications alimentaires localisées.

La pollution de l'air et de l'eau

Plusieurs agents contribuent à l'augmentation de la pollution de l'air et de l'eau. L'exploitation à outrance de la nature, combinée à l'emploi de produits chimiques, risque d'endommager grandement la chaîne alimentaire. Cela peut aussi dégénérer en catastrophes écologiques: par exemple, la contamination de la nappe phréatique, qui comporte des risques pour la santé des personnes contaminées.

La restructuration environnementale

Des agressions découlent des activités de construction et de modification du paysage. L'expansion des zones urbaines et habitées, la construction de barrages, l'exploitation des mines et des réseaux de transport ont des répercussions directes sur l'habitat faunique et l'écoulement des eaux, de même que des influences indirectes sur les microclimats et sur la qualité des eaux, ce qui affecte par la suite les êtres humains.

Des catastrophes tels les accidents nucléaires, les pannes hydroélectriques, les accidents écologiques, les incendies de forêt, les conflagrations, les accidents de transport, peuvent détruire l'environnement physique et humain. Ces désastres environnementaux, en partie provoqués par l'action de l'être humain, peuvent avoir des effets négatifs sur la santé physique et mentale des personnes concernées.

La production de déchets résiduels

Des déchets sont générés sous forme de sous-produits d'activités de production et de consommation industrielles et domestiques. Lorsque ces substances sont éliminées dans l'atmosphère, dans l'eau et dans la terre, elles produisent des changements dans les propriétés physiques et chimiques de ces milieux; ces changements affectent à leur tour la flore et la faune environnantes ainsi que la vie humaine. L'activité minière, l'activité manufacturière, la production d'énergie thermique, les transports et les activités domestiques constituent des contraintes environnementales provenant de sources multiples.

Prenons comme exemple le petit village de Minamata au Japon, où l'on a observé un taux anormalement élevé de malformations chez les jeunes enfants: enfants avec des cerveaux plus petits, augmentation des fausses-couches, maladies de toutes sortes. Les recherches ont permis d'identifier la cause de cet état de fait: la présence d'un taux très élevé de mercure dans l'eau, entraînant une contamination de la chaîne alimentaire. Le mercure était présent à forte dose dans les déchets de l'industrie locale, qui les déversait directement dans le lac avoisinant le village. Les poissons ingurgitaient une très grande quantité de ce mercure. À leur tour, les habitants utilisaient ces poissons comme base de leur alimentation.

Les facteurs liés aux conditions macrosociales

La société humaine forme une unité adaptative ou inadaptative. Les conditions macrosociales jouent un rôle important dans la genèse des difficultés d'adaptation. Plusieurs facteurs macrosociaux ayant une influence sur l'inadaptation individuelle doivent être vus comme des conséquences des choix de société. Dans ce sens, une partie de l'inadaptation individuelle doit être placée dans une perspective macrosociale. Aucune société humaine n'est exempte d'inadaptation, même s'il y a de nombreuses variantes d'un type de société à l'autre.

À travers l'étude de quatre types de société (paléolithique, agricole néolithique, industrielle, industrielle avancée), Jean-Pierre Chanlat[11] montre les liens entre les types de société et les formes d'inadaptation. L'organisation sociale n'est pas neutre et chaque système socioculturel dessine en quelque sorte la configuration que va prendre l'inadaptation à un moment donné. Le tableau 2.7 montre qu'on assiste, dans une société industrielle avancée, à la régression de certaines formes d'inadaptation, alors que de nouvelles formes apparaissent ou ont des répercussions différentes sur les personnes concernées.

Les changements économiques, politiques et sociaux au cours du XXe siècle ont introduit dans les sociétés postindustrielles des ruptures qui ont un impact significatif, et souvent préjudiciable, sur la santé physique et mentale d'un grand nombre de personnes. En raison de ces changements, le système social est en équilibre provisoire et souvent précaire parce que les valeurs de base sont profondément modifiées. Ainsi, les choix de société entraînent celui de la qualité de vie, les progrès techniques augmentent les problèmes de pollution et modifient les rythmes de vie. L'urbanisation s'est accélérée et des périodes de récession économique viennent modifier les conditions de vie des individus. Le niveau de stress augmente dans un contexte de consommation de masse.

Il y a un risque de survaloriser les types de société antérieurs et d'oublier, par exemple, que les disettes, les épidémies et les guerres locales entre les seigneurs au Moyen Âge ont fait des ravages. Les valeurs étaient sans doute plus stables si on compare avec le rythme accéléré des changements propres à nos sociétés modernes. Certes, le changement n'est pas le privilège des sociétés modernes. Autrefois, cependant, aux périodes de révolution sociale succédaient de plus longues périodes de stabilité; ainsi, la société avait la possibilité de se remettre du choc subi et de se réorganiser. La réalité sociale actuelle se présente d'une manière bien différente et est beaucoup plus complexe.

Tableau 2.7
Types de société et types d'inadaptation

Types de société	Types d'inadaptation
Société paléolithique Principales caractéristiques sociales: faible densité, économie de cueillette, de chasse et de pêche, population nomade	• Traumatismes (accidents, chutes, combats) • Osthéarthrose chronique (rhumatisme)
Société agricole néolithique Principales caractéristiques sociales: densité plus forte, économie agricole, échanges commerciaux, population sédentaire, absence d'hygiène publique et privée, sous-alimentation souvent chronique	• Maladies de carence (rachitisme, scorbut, caries) • Maladies infectieuses: – transmission interhumaine sans possibilité de survivance en dehors d'importantes concentrations humaines (poliomyélite, rougeole, rubéole, variole, etc.) – transmission de l'animal à l'humain, en particulier par les rongeurs (peste méloïcliose, tularémie) – maladies diarrhétiques en raison d'un besoin d'eau de plus en plus grand
Société industrielle Phase de décollage de la société industrielle: conditions similaires ou pires que celles des siècles précédents	• Maladies de carence • Maladies infectieuses: recrudescence de la tuberculose et apparition du choléra
Société industrielle avancée Après la Deuxième Guerre mondiale, économie très diversifiée et très développée, éclatement social, suralimentation, rythme des changements, pollution de l'environnement	• Maladies cardiovasculaires, ulcères • Cancer • Maladies mentales • Accidents

Adapté de Jean-François CHANLAT, «Types de sociétés, types de morbidité: la socio-genèse des maladies» dans *Traité d'anthropologie médicale, l'Institution de la santé et de la maladie*, publié sous la direction de Jacques DUFRESNE, Fernand DUMONT et Yves MARTIN, Québec, Presses de l'Université du Québec, 1985, p. 300.

Nous tenterons de mettre en relief quelques-uns des facteurs macrosociaux pouvant avoir des répercussions sur les difficultés d'adaptation des individus dans nos sociétés modernes. Ces facteurs concernent l'augmentation de nos exigences, le genre de vie moderne, les attitudes collectives, la désorganisation sociale, la déviance sociale, la mobilité culturelle, les inégalités sociales, les difficultés de coordination des services publics.

L'augmentation de nos exigences

Le bonheur, la santé et l'adaptation ne découlent pas nécessairement des progrès sociaux, économiques et médicaux. La liberté politique, l'abondance des biens matériels et les miracles de la médecine moderne ne suffisent manifestement pas à résoudre les problèmes d'ordre physique ou psychologique qui continuent de tourmenter l'être humain même là où règnent la paix et la prospérité.

Malgré les progrès, de plus en plus de personnes ont besoin d'assistance médicale et psychologique. C'est un paradoxe en partie explicable par le fait que nous sommes plus exigeants que nos ancêtres, que nous nous créons plus d'attentes à combler sans délai et que nous sommes moins disposés à accepter les maladies, les traumatismes, les déficiences, les douleurs, les souffrances, que l'on considérait, jusqu'à récemment, comme inévitables.

Par contre, la société elle-même peut exiger une charge excessive des personnes plus vulnérables et placer alors celles-ci en situation de crise. Dans les sociétés modernes où des valeurs hétérogènes, sinon divergentes, sont véhiculées socialement, les incertitudes, les oppositions et les conflits s'accumulent et pénètrent tous les domaines des relations sociales; ils affectent inévitablement les individus, en particulier ceux et celles qui sont plus vulnérables sur les plans intellectuel, psychologique, physique, matériel ou social. Le seuil de tolérance diminue et les attentes augmentent.

Il convient de noter, cependant, que la plus grande partie de la population échappe aux formes extrêmes de la désorganisation individuelle comme le suicide, la toxicomanie ou la criminalité. Mais ces problèmes individuels deviennent vite des problèmes sociaux à résoudre dans leurs causes mêmes.

Le genre de vie moderne

En admettant que les critères de santé et d'adaptation soient de jour en jour plus élevés et que les gens soient de moins en moins prêts, pour eux-mêmes et pour les autres, à supporter passivement les imperfections physiques, psychologiques et sociales, il devient également vrai que le genre de vie moderne crée des problèmes de santé qui n'existaient pas auparavant ou qui sont plus communs aujourd'hui qu'autrefois. Pensons, par exemple, au stress engendré par la circulation dans les grandes villes.

Les attitudes collectives

La représentation, c'est-à-dire l'idée que se fait chaque personne de sa situation, émerge entre la pensée collective et la pensée individuelle. Même si c'est l'individu qui construit le réel par la représentation, cette construction est profondément influencée par les conditions macrosociales dans lesquelles il vit. Ainsi, la place qu'il occupe dans la hiérarchie des classes sociales, des groupes et ethnies, des sexes, des milieux de vie influence ses attitudes face aux maladies physiques et aux maladies mentales.

La désorganisation sociale

Lorsqu'une société devient incapable de faire respecter ses normes et règlements, l'équilibre social est rompu. Les forces de désorganisation se multiplient, menacent certaines parties de l'organisation sociale et finissent par remettre tout l'ensemble en question. Le processus de désorganisation sociale résulte donc des conflits d'attitudes et de valeurs, c'est-à-dire de l'impossibilité du consensus social. Il y a conflit entre les anciennes et les nouvelles manières de vivre ou de penser, et la limite entre le « normal » et le « pathologique » est plus difficile à déterminer. Roger Bastide[12] s'intéresse à cette question dans son étude sur la sociologie des maladies mentales.

La désorganisation sociale est souvent à l'origine de plusieurs difficultés individuelles d'adaptation. Dans le désarroi né des tensions sociales, un plus grand nombre de personnes perdent leur équilibre psychique et le goût de vivre. Cette augmentation est à son tour un facteur de désorganisation familiale et sociale. Ainsi, la désorganisation sociale et la désorganisation individuelle s'entraînent mutuellement et représentent deux aspects d'un même processus. Ce cercle vicieux menace davantage les sociétés modernes, où l'accélération des changements et les mutations sociales rendent plus vulnérables les individus déjà fragiles sur le plan psychologique.

La déviance sociale

Relativement aux cas de détresse individuelle, la notion de déviance fait apparaître, au-delà des déterminismes individuels, le conditionnement social dans toute sa complexité. Cette notion de déviance permet d'évaluer l'importance relative des réactions sociales et de l'histoire individuelle dans la genèse des inadaptations. Ainsi, l'alcoolisme, la passion du jeu, la toxicomanie, la prostitution, plusieurs maladies mentales, la violence, la criminalité sont considérés, en plus des problèmes individuels et familiaux, comme de véritables problèmes sociaux.

La mobilité culturelle

La culture peut se définir comme un ensemble de manières de penser, d'agir et de sentir que partagent un groupe d'individus, ce qui inclut les croyances et les concepts – transmis socialement – relatifs au monde et à la société. Diverses raisons expliquent la très grande mobilité géographique des populations et l'interpénétration des différentes cultures: l'amélioration des moyens de communication, l'augmentation des échanges commerciaux, les guerres, les disettes.

Au Québec et au Canada, le phénomène de l'immigration implique, surtout dans les grands centres, des adaptations variées à une plus grande diversité. En ce sens, il peut exister des barrières culturelles et linguistiques entre les groupes minoritaires et le groupe social dominant. Comment respecter les droits individuels et les droits collectifs d'une société sans imposer aux groupes minoritaires les croyances, pratiques et valeurs du groupe dominant? Comment éviter une attitude ethnocentrique tout en protégeant le développement culturel de notre société? Si l'arrivée de groupes différents engendre inévitablement une inadaptation pour les populations locales, même une très grande tolérance sociale à leur égard entraîne tout aussi inévitablement des inadaptations diverses pour les nouveaux arrivants.

Les inégalités sociales

Le statut socio-économique, le chômage, la pauvreté ont pour conséquence de déterminer les conditions et les modes de vie des individus, et ont un impact, tant direct qu'indirect, sur l'émergence du phénomène de l'inadaptation.

Ainsi, la maladie et la mort ne frappent pas avec la même vigueur toutes les catégories socioprofessionnelles d'une société. Avant le XIXe siècle, il y a surmortalité des classes pauvres attribuable à la sous-alimentation chronique et à l'absence d'hygiène; les épidémies sont particulièrement meurtrières dans les quartiers pauvres des villes. On constate une légère amélioration de l'espérance de vie à la fin du XIXe siècle, mais l'espérance de vie des classes riches est encore le double de celle des classes les plus pauvres, au sein de la plupart des sociétés occidentales. Au Québec, par exemple, les francophones de cette époque, généralement plus pauvres, ont un taux de mortalité deux fois plus élevé que les anglophones.

La situation s'améliore beaucoup dans le courant du XXe siècle grâce aux progrès de la science et de la médecine. On assiste à un déclin considérable de la mortalité infantile et juvénile. Cependant, des écarts importants subsistent encore entre les riches et les pauvres; il y a une inégalité sociale devant la maladie et la mort dans tous les pays industrialisés malgré une plus grande accessibilité au système de santé. D'autres facteurs comme les inégalités d'usure au travail, de revenu et d'instruction expliqueraient le maintien de ces écarts entre riches et pauvres.

> «Pourtant, c'est bien à ce fait fondamental d'un état social donné de mœurs, de normes, d'obligations, assorti d'autant de limitations, de carences, d'interdictions, que renvoie, au plus profond, le statut existentiel de ces situations, qui sont sans doute parmi les plus objectivement sujettes à frustration... Bref, avant d'être subjectivement des situations d'humiliation morale, elles sont objectivement des situations d'humiliation sociale, et vouées en tant que telles à une indéfinie répétitivité[13].»

Les difficultés de coordination des services publics

Ce n'est que depuis une cinquantaine d'années que les divers pays industrialisés tentent de se doter de différentes politiques couvrant le champ de l'inadaptation. Cependant, les interventions des différents ministères, en plus de comporter de nombreuses lacunes, ne sont pas toujours coordonnées. Les programmes et services en place ne s'harmonisent pas toujours. De nombreux vides et un grand nombre de complications – et souvent, de contradictions – ressortent. Malgré les nombreux efforts notés au cours des dernières années, des pas énormes restent encore à franchir avant que l'on ait des politiques d'ensemble cohérentes à l'égard des différents secteurs ayant des liens directs ou indirects avec les problèmes d'adaptation. Ce manque de coordination est lui-même source de nombreuses difficultés d'adaptation pour plusieurs personnes, surtout parmi les plus démunies.

La crise des valeurs

Une valeur est, selon Guy Rocher, «une manière d'être ou d'agir qu'une personne ou une collectivité reconnaissent comme idéale et qui rend désirables ou estimables les êtres ou les conduites auxquels elle est attribuée[14]». Les différents modèles sociaux privilégiés par la société trouvent leur fondement dans les valeurs, qui sont les éléments essentiels du consensus social, de la solidarité sociale. S'il y a conflit de valeurs par l'introduction de nouvelles valeurs dans la société, on voit souvent apparaître des signes d'effritement du consensus, ce qui peut conduire à une plus grande désorganisation sociale mais également à une plus grande désorganisation individuelle.

La notion de valeur est un aspect très important des difficultés d'adaptation sociale dans le sens que chacun doit se définir dans une identité sociomorale, avec beaucoup moins de références dictées qu'autrefois. C'est formidable pour un être bien construit sur le plan de son identité, mais cela n'est pas facile pour un sujet fragile.

Les facteurs liés aux conditions microsociales

Les facteurs microsociaux relèvent du champ social relationnel qui comprend l'entourage immédiat, c'est-à-dire les groupes d'appartenance et de référence qui marquent l'histoire personnelle de chaque personne. La psychologie individuelle et la psychologie sociale ont mis en évidence l'importance des relations interpersonnelles dans le développement. Les recherches récentes démontrent que le support social, la quantité et la qualité des relations interpersonnelles sont des facteurs d'adaptation biopsychosociale. L'impact ou l'influence que les gens ont les uns sur les autres sont déterminés dans nombre de situations par trois facteurs principaux: le nombre de sources d'influence, la force de ces sources, leur proximité dans le temps et dans l'espace.

Plus le groupe est grand, plus il a la capacité d'influencer l'individu. Lorsqu'il y a augmentation du nombre de personnes ayant des opinions différentes de celles d'un individu, la probabilité que celui-ci se rallie à l'opinion du groupe augmente. De même, plus le groupe est fort, plus il a aussi la capacité d'influencer la personne. La notion de force se rapporte aux caractéristiques des membres du groupe susceptibles d'attirer la personne. La force des membres augmente lorsqu'ils peuvent protéger, nourrir, aider, offrir un statut social ou procurer du plaisir. Plus une source est immédiate, plus elle a d'impact. La notion d'immédiateté se rapporte à la proximité spatiale ou temporelle de la source par rapport à la personne.

L'entourage immédiat comprend d'abord la famille, laquelle constitue un pivot capital entre l'individu qui se façonne et la société qui l'influence. L'entourage comprend ensuite les autres réseaux microsociaux comme l'école, le milieu de travail, les groupes de pairs et les groupes communautaires qui, à l'instar de la famille, peuvent avoir un rôle de soutien et de protection des relations sociales et du développement individuel.

Cependant, plusieurs milieux pathogènes de même que plusieurs situations liées au contexte microsocial sont identifiés comme des facteurs d'inadaptation susceptibles de perturber l'équilibre physique ou psychique des personnes, surtout lorsque ces facteurs sont combinés à un facteur de vulnérabilité personnelle. De plus, ces milieux contribuent souvent à la naissance ou à la progression de processus psychopathologiques.

Nous diviserons les différents facteurs microsociaux en deux catégories. Premièrement, les facteurs qui relèvent de la famille : 1) la négligence et les carences éducatives en bas âge ; 2) la violence faite aux enfants ; 3) le milieu familial dysfonctionnel ; 4) les carences de l'autorité parentale ; 5) la présence d'une personne aux prises avec des difficultés. Deuxièmement, les facteurs qui relèvent des autres groupes d'appartenance : 6) les difficultés d'intégration scolaire ; 7) l'influence négative des groupes d'appartenance ; 8) les crises et les changements de statuts ; 9) la présence d'un stress sévère et prolongé ; 10) l'isolement social.

Les facteurs liés à la famille

La famille a été longtemps et trop souvent perçue comme la grande responsable, la cause presque unique des problèmes d'adaptation aux différents âges de la vie, au point de culpabiliser un certain nombre de parents qui, malgré leurs lacunes éducatives inévitables, assumaient adéquatement leurs responsabilités. Le risque est grand de passer à l'autre extrême du balancier en minimisant l'importance du rôle de la famille dans la genèse des inadaptations individuelles. Il semble important de « mieux » resituer le rôle de la famille dans la genèse de diverses adaptations en montrant comment elle peut être «en cause» et surtout en la situant, dans l'analyse de situations concrètes, dans ses interactions avec les autres facteurs biologiques, macrosociaux et psychodéveloppementaux.

Nous avons vu que l'utérus maternel est le premier environnement de l'embryon et du fœtus, et qu'il influence le développement du système nerveux central et le processus de développement du jeune enfant. Cette croissance globale de l'enfant, y compris ses mécanismes intrapsychiques, ne peut se faire que s'il rencontre un creuset familial qui apporte les ingrédients nécessaires à ce développement. Il est essentiel d'aborder le rôle des parents en tant qu'éléments structurants de la personnalité.

> «Un être humain ne peut s'adapter que s'il acquiert les bases de son identité, à savoir: la prise de conscience d'un corps, d'un espace, d'un temps, d'une causalité, la découverte de personnes significatives, la mise en place de mécanismes de défense pour juguler l'angoisse, l'intériorisation de valeurs, le développement des processus symboliques que sont l'imitation, le jeu, les représentations intérieures, le langage, le graphisme. La famille en tant que chaque membre et en tant que groupe va jouer un rôle déterminant dans cette structuration de base[15].»

Le rôle de la mère, du père, du groupe familial de même que la projection des désirs sur les vicissitudes de ce développement sont importants dans le développement psycho-affectif, psychosocial de l'enfant et de l'adolescent. Les connaissances issues de théories psychodynamiques montrent, d'une part, les découvertes essentielles sur les échanges précoces nourrissons-parents et, d'autre part, les conflits et richesses des différentes phases de la vie: enfance, adolescence, jeune adulte, âge adulte, âge mûr, vieillesse.

1. La négligence et les carences éducatives en bas âge

Plusieurs découvertes récentes dans le domaine de la psychothérapie du nourrisson ont permis d'identifier le désir plus ou moins pathogène d'avoir un enfant, les discontinuités précoces des liens, les investissements inégaux, etc., comme facteurs de risque dans le développement de l'enfant en bas âge.

La plupart des mères et des pères, biologiques ou adoptifs, en plus de répondre aux besoins physiologiques du nouveau-né, tissent graduellement des liens d'attachement avec lui. Ces liens affectifs exercent une influence majeure sur le développement physique et intellectuel de l'enfant, ainsi que sur la formation de sa personnalité. Plusieurs situations viennent entraver la formation adéquate de ces liens: départ d'un parent du domicile familial, retrait préventif de l'enfant quand le milieu pathogène porte atteinte à son intégrité physique et psychologique, etc. Ces facteurs risquent d'avoir des conséquences sérieuses sur le développement à moins que des interventions adéquates ne soient faites précocement:

> «C'est le manque d'occasions offertes au tout jeune enfant de former des liens affectifs privilégiés avec certaines personnes qui constitue le facteur dommageable. Les enfants peuvent s'adapter au fait que plusieurs personnes s'occupent d'eux, mais ce qui semble leur être préjudiciable, c'est le changement fréquent des personnes qui en sont responsables. Si les institutions pouvaient assurer à l'enfant des soins personnels prodigués par le même groupe limité d'adultes pendant les deux premières années de sa vie, l'enfant se développerait peut-être normalement au plan social. Cette personnalisation des soins est cependant difficile à assurer dans la pratique, et les enfants élevés en institution demeurent des enfants à risque[16].»

2. La violence faite aux enfants

Au Québec, en 1988-1989, plus de 50 000 cas d'enfants ont été signalés aux différents directeurs de la protection de la jeunesse. Les types de mauvais traitements concernaient des abus physiques, des abus sexuels intra et extrafamiliaux, de la négligence physique et des carences affectives. Les critères utilisés pour déterminer s'il y a abus sont: la nature du geste, les conséquences de ce geste, l'intention des parents, le comportement général des parents, les caractéristiques de l'enfant. L'enfant victime de violence, surtout si cette violence est intense et s'étale sur une longue période, risque de conserver certaines séquelles qui peuvent compromettre son développement:

> «L'enfant maltraité diffère souvent des autres enfants. Il a besoin de ses parents et exige davantage d'eux, en raison de sa personnalité ou d'autres facteurs. Il est plus susceptible d'avoir été anormalement plus petit à la naissance, d'être hyperactif, de souffrir d'arriération mentale ou d'un handicap physique et de présenter diverses anomalies de comportement (Reid et coll., 1982). Il est plus porté à pleurer et à adopter des comportements négatifs.

Les victimes d'abus sexuels semblent avoir un plus grand besoin d'affection que les autres enfants, ce qui peut en faire des proies faciles pour des adultes abusifs (Tsai et Wagner, 1979)[17]. »

À court terme, les conséquences de ces formes de violence peuvent être des dommages cérébraux, des problèmes de santé, des retards de développement, des troubles de comportement. À long terme, il semble que ces conséquences soient durables pour plusieurs victimes qui, une fois devenues adultes, risquent de perpétuer ce «cycle infernal» de la violence ou d'installer progressivement d'autres processus psychopathologiques. Avec une aide adéquate, cependant, et selon leur degré de vulnérabilité, plusieurs victimes réussissent à s'adapter adéquatement.

«Une étude longitudinale menée pendant 40 ans par Mc Cord indique que 45 % des sujets de son échantillon étaient devenus alcooliques, avaient développé une maladie mentale, avaient participé à des actes criminels ou encore étaient morts prématurément[18]. Ce pourcentage est énorme certes, mais au moins il se révèle encourageant en ce sens que la majorité des enfants de son échantillon (55 %) aient eu une attitude positive[19]. »

3. Le milieu familial dysfonctionnel

Parmi les facteurs microsociaux le plus souvent cités comme facteurs de risque, on retrouve un milieu familial perturbé, instable ou dysfonctionnel. De tout temps, la famille a eu un rôle dominant dans l'éducation des enfants et sa structure modelait même celle des autres organisations sociales. Cette institution s'est profondément transformée et l'image utilisée par Jacques Grand'Maison, «du thermostat régularisateur au fusible survolté», a l'avantage de nous faire voir cette révolution dans la conception même de l'institution familiale.

On parle de plus en plus du phénomène de la famille éclatée, désorganisée, dysfonctionnelle. La famille est un des «lieux» où l'on perçoit très sensiblement les répercussions des grands problèmes sociaux. Les nombreux changements politiques, économiques et sociaux de la société moderne ont servi d'éléments déclencheurs à l'éclatement de plusieurs familles et à l'augmentation des problèmes familiaux. Ce phénomène peut s'expliquer par plusieurs facteurs situés à la limite des facteurs macrosociaux, microsociaux et psychodéveloppementaux. Un grand nombre de difficultés sont étroitement liées avec le fait que des familles soient dysfonctionnelles.

4. Les carences de l'autorité parentale

Les opinions et les conceptions relatives à l'éducation familiale sont très diversifiées. Le modèle n'est plus unique. On recherche de nouveaux rapports entre adulte et enfant. Tout est questionné et tout est questionnable. L'émergence de nouvelles valeurs, la recherche psychologique sur le développement des enfants, les modifications dans le tissu social amènent maintenant les intervenants sur le terrain d'une confrontation permanente.

Dans les faits, une forme de relation éducative autoritaire entraîne des moments de tension et augmente les réactions agressives chez les enfants. Plusieurs parents tentent de faire disparaître ces tensions par des mesures draconiennes et abusives, ce qui a pour effet de les augmenter. La violence familiale, celle faite aux enfants et celle faite aux femmes, constitue un facteur important qui brime les droits fondamentaux et nuit, sérieusement dans certains cas, au développement harmonieux des personnes qui en sont victimes.

D'autres conflits peuvent également émerger quand les parents deviennent les serviteurs de l'enfant ou de l'adolescent et que le degré de permissivité est trop élevé. Des parents surprotecteurs, une vie affective et un milieu trop peu stimulants pourraient être également à l'origine d'un retard de développement intellectuel, affectif ou social. Ce retard peut devenir, selon le stade, plus difficilement rattrapable.

5. La présence d'une personne aux prises avec des difficultés

Par le passé, la famille a été perçue dans une perspective étiologique, c'est-à-dire comme cause génétique ou psychodynamique des problèmes de santé mentale. Aujourd'hui, cette perspective a fait place à une vision plus interactive et systémique où la famille peut protéger ou léser la santé mentale d'un de ses membres. Les membres d'une famille peuvent également être affectés par la maladie physique ou mentale d'un des leurs. Notons, à titre d'exemples, les répercussions sur le reste de la famille dans les cas où un membre a des problèmes d'alcoolisme, de toxicomanie ou de délinquance, une maladie chronique ou dégénérative, une déficience physique, une déficience intellectuelle, une maladie mentale, une carence affective ou des tendances suicidaires.

Les facteurs liés aux autres groupes d'appartenance

6. Les difficultés d'intégration scolaire

Comme la famille et le groupe de pairs, l'école est un moyen d'intégration sociale. Les normes de conduite en vigueur dans l'institution scolaire peuvent être différentes des normes que l'enfant a connues dans sa famille ou avec ses camarades. Bien s'intégrer à l'école, bien s'entendre avec ses professeurs, réussir les examens sont, aux yeux des principaux agents d'éducation, des conditions importantes d'une adaptation adéquate. On confie à l'école la mission d'élargir les connaissances de l'enfant, de favoriser son intégration sociale et son développement psychologique tout en le préparant graduellement à accepter les lois et les règles sociales.

L'école actuelle est souvent accusée, à tort ou à raison, d'être responsable d'un grand nombre d'inadaptations individuelles. Pour comprendre le rôle de l'école dans la genèse des difficultés, il est important de préciser que les lacunes de l'école doivent être différenciées des difficultés vécues par les enfants et les adolescents. Ces difficultés, en effet, peuvent venir du bagage insuffisant du sujet (p. ex., limitations intellectuelles, sensorielles, affectives), du contexte socio-économique extérieur à l'école (p. ex., récession, milieux défavorisés, intégration des immigrants), ou encore, de l'organisation scolaire elle-même (p. ex., enseignement non adapté aux besoins de l'enfant, conflit autour des conditions de travail, intégration des élèves en difficulté). Ainsi, l'enfant peut être inadapté «à» l'école, sans être nécessairement inadapté «par» l'école.

L'école en tant qu'institution repose sur des structures et fait partie d'un système intégré. Dans l'ensemble, elle répond à plusieurs besoins de développement et d'apprentissage. Mais malgré des progrès importants quant à la démocratisation de l'enseignement et à l'accessibilité à l'école, cette dernière n'est pas toujours adaptée à des besoins particuliers et semble être une source d'inadaptation pour un certain nombre de jeunes.

7. L'influence négative des groupes d'appartenance

Dès les premières années de l'école et durant toute sa vie, une personne est influencée par ses pairs. À l'école, l'enfant se détache de son milieu familial et établit de nouvelles relations. Le groupe de pairs a généralement ses lois et ses valeurs propres en matière de comportement. Cette influence peut s'exercer en convergence ou en divergence par rapport à la famille et aux professeurs. Le groupe de pairs constitue un terrain privilégié de valorisation et d'affirmation de soi, mais également de dévalorisation de soi.

Les gens se joignent fréquemment à des groupes afin d'augmenter leur « marge de liberté » soit par le développement de connaissances, d'habiletés, de liens affectifs, soit par l'acquisition d'un pouvoir. En même temps, le fait de devenir membre d'un groupe peut limiter cette marge de liberté de façon importante. La plupart des groupes exigent que leurs membres se conforment à la vision de la réalité qu'a le groupe et suivent les règles établies dans le but d'atteindre les objectifs visés.

La pression mise sur les déviants pour qu'ils se conforment à ce cadre peut augmenter si le groupe est cohésif et s'il a une probabilité élevée d'atteindre ses buts. Cette capacité du groupe de faire garder le rang à ses membres dépend de la dimension du groupe, du pouvoir ou de l'attrait de ses membres ainsi que de leur proximité géographique et temporelle. Certains groupes véhiculent une grande intolérance par rapport à d'autres groupes ou à la société globale. La violence constitue même la base idéologique de certains d'entre eux, lesquels exercent une influence négative sur leurs membres.

Quand on parle de l'influence négative des groupes d'appartenance, on fait allusion à certains groupes pathogènes ou encore à ceux qui manipulent consciemment ou inconsciemment des personnes plus fragiles, plus influençables (p. ex., certains groupes de motards, certains groupes racistes, certains groupes criminels, certains groupes spirituels, etc.).

8. Les crises et les changements de statut

Parmi les crises et les changements de statut, on retrouve les difficultés conjugales et familiales, les difficultés professionnelles, les mises à la retraite et les deuils. Plusieurs situations, dont les divorces et les séparations, viennent principalement des transformations sociales des dernières décennies. Cet impact est encore plus tangible et plus prononcé lorsqu'il est associé à une situation socio-économique marquée par la pauvreté. Dès lors, la conjonction de ces situations joue un rôle prépondérant dans l'émergence du phénomène de l'inadaptation.

La vie de couple et la vie de famille deviennent de plus en plus une affaire privée dont la norme ultime est l'unique volonté des partenaires de poursuivre la vie commune. Dans ce contexte, la séparation et le divorce cessent d'être une solution réservée aux conflits extrêmes et vont de pair avec le courant d'individualisation qui traverse la vie moderne.

L'accent mis sur le droit au bonheur individuel, à la vie privée, à l'épanouissement personnel a repoussé au second plan la signification de la famille comme institution intégratrice. Ce renversement peut être considéré à certains égards comme une libération parce qu'en apparence, il lève le carcan d'une structure jugée souvent trop rigide et brimante. Cependant, il contient à d'autres égards un germe de dissolution et de désorganisation.

Les tensions familiales ont augmenté et on assiste à un nombre de plus en plus grand de divorces «psychologiques» qui souvent se terminent par des séparations ou par des divorces légaux. Du point de vue sociologique, le divorce représente la solution définitive et légale d'une inadaptation familiale. Il est donc le résultat de la désorganisation et non pas la cause. Plusieurs partenaires divorcés réussissent à se «refaire» une vie intéressante, en couple ou non, alors que d'autres en sortent perdants. De plus, les enfants traversent, dans la majorité des cas, une période d'insécurité avant, pendant et après le divorce. Plusieurs s'en sortent bien, à moyen ou à long terme, mais un bon nombre risquent de vivre diverses difficultés.

Il y a souvent un écart religieux, philosophique, ethnique, économique, culturel ou social entre deux conjoints. Cet écart peut entraîner des divergences profondes par rapport à des aspects fondamentaux de la vie du couple et de l'éducation des enfants. La poussée du mouvement féministe a produit des changements positifs fondamentaux dans les rapports entre hommes et femmes. Il y a eu des progrès significatifs dans tous les domaines, et l'ensemble de la cellule familiale a été profondément touché. Or, les mentalités et les structures sociales n'étaient pas préparées pour faire face à un changement aussi fondamental et aussi rapide. Dans les faits, il y a encore de nombreuses résistances à l'égalité entre les hommes et les femmes.

9. La présence d'un stress sévère et prolongé

La présence d'un stress sévère et prolongé est considérée comme un facteur d'inadaptation. Ainsi, une maladie chronique, une déficience, le manque de l'essentiel ou un sérieux traumatisme psychique tels un accident grave, une situation d'inceste ou autre, peuvent entraîner d'autres inadaptations.

La persistance d'un stresseur, comme une mésentente conjugale ou une insatisfaction au travail, peut devenir un facteur d'inadaptation parce qu'elle augmente chroniquement le niveau global d'anxiété. Il en est de même d'une hygiène de vie inappropriée: abus de drogues, de médicaments, manque de repos, d'exercice. Parmi les stresseurs considérés comme sévères, on retrouve la perte réelle ou symbolique d'un parent ou d'un être cher par décès, divorce, crainte d'un divorce, absence prolongée d'un parent (*voir le tableau 2.8*).

10. L'isolement social

Dans une société plus « traditionnelle », le soutien de la famille élargie et du voisinage est plus fort et une solidarité facilite l'entraide nécessaire lors de périodes difficiles. Dans ce type de société, le partage des mêmes valeurs et des mêmes normes de comportement par la majorité, constitue souvent un obstacle au comportement déviant. Cependant, dans une société « moderne », la mobilité géographique et sociale est grande, et les voisins se connaissent peu. Ainsi, il y a moins d'obstacles au comportement déviant, car chacun fait son affaire et intervient peu ou pas dans les affaires des autres. Une certaine confusion peut exister entre le respect des autres et le non-interventionnisme.

Plusieurs personnes se retrouvent seules pour faire face aux difficultés de l'existence. L'isolement social, l'éclatement des liens sociaux, la perte ou la séparation d'êtres chers jouent un rôle non négligeable dans la genèse des inadaptations. L'isolement frappe surtout les personnes âgées, les jeunes décrocheurs, les responsables de famille monoparentale.

> « [...] l'absence de soutien social mérite une attention particulière [...] Les statistiques révèlent, en effet, [...] une surmortalité chez les personnes veuves, divorcées, séparées ou célibataires par rapport aux personnes mariées, et ce, quels que soient l'âge ou la cause du décès[20]. »

Tableau 2.8 Échelle des changements de la vie (Holmes et Rahe, 1967)

Événement	Valeur sur l'échelle d'effet
Mort de l'époux (épouse)	100
Divorce	73
Séparation	65
Période d'emprisonnement	63
Mort d'un membre de la famille immédiate	63
Blessure personnelle ou maladie	53
Mariage	50
Congédiement	47
Réconciliation conjugale	45
Début de la retraite	45
Changement dans la santé d'un membre de la famille	44
Grossesse	40
Difficultés sexuelles	39
Arrivée d'un nouveau membre dans la famille	39
Réajustement sur le plan des affaires	39
Changement de situation financière	38
Mort d'un ami intime	37
Changement pour un genre de travail différent	36
Changement dans la fréquence des disputes avec l'époux (épouse)	35
Hypothèque élevée	31
Saisie d'une hypothèque ou d'un prêt	30
Changement dans les responsabilités au travail	29
Départ d'un fils ou d'une fille du foyer	29
Difficultés avec les beaux-parents	29
Succès personnel extraordinaire	28
Époux (épouse) commence à travailler ou cesse de travailler	26
Commencement ou fin de la fréquentation de l'école	26
Changement dans les conditions de vie	25
Révision des habitudes personnelles	24
Difficultés avec le patron	23
Changement dans l'horaire ou les conditions de travail	20
Changement de résidence	20
Changement d'école	20
Changement dans les loisirs	19
Changement dans les activités paroissiales	19
Hypothèque ou prêt de moins de 10 000 $	17
Changement dans les habitudes de sommeil	16
Changement dans le nombre de réunions familiales	15
Changement dans les habitudes alimentaires	15
Vacances	13
Noël	12
Violations mineures de la loi	11

Source: Kenneth J. GERGEN et Mary M. GERGEN, *Psychologie sociale*, Montréal, Édition Études vivantes, 1984, p. 439.

Les facteurs psychodéveloppementaux

L'axe psychodéveloppemental constitue une entité autonome bien qu'il soit en interaction avec l'axe biologique et l'axe environnemental. Même si l'environnement socioculturel d'une personne influence son comportement, une partie de la personnalité demeure relativement libre.

Si l'on prend pour référence les composantes de l'adaptation humaine définies au premier chapitre (*voir la figure 1.4*), l'axe psychodéveloppemental correspond à l'histoire personnelle et à la marge de liberté. L'adaptation n'est jamais terminée, la personne et son environnement évoluant ensemble. L'être humain reçoit les influences de son environnement, mais il réagit également à ces influences.

Dans l'étude de l'axe psychodéveloppemental, on considère l'unité originale dynamique comme la façon dont une personne, dans l'expression de ses besoins et de ses relations avec les autres, fonctionne à la manière d'une unité reconnaissable possédant certains traits distinctifs, tendances, attitudes, habitudes. Cette personne arrive ou n'arrive pas à s'adapter à elle-même et à son entourage. René Duchac dégage l'aspect suivant:

> «Toutes les formules témoignent d'une même perspective: les traits psychologiques sont objets de science non en tant que facultés ou dispositions données une fois pour toutes, mais en tant que processus liés conjointement au substrat physiologique et au milieu social, et en réorganisation perpétuelle en fonction des modifications de ce milieu. On comprend que les problèmes de genèse, de formation, d'apprentissage deviennent prédominants pour le psychologue, et que les conditions sociales, si l'on omet (*sic*) pas d'y inclure les relations interindividuelles, y apparaissent comme le facteur déterminatif le plus important[21].»

Tout comme on ne peut pas prévoir, d'une manière précise, comment évoluera l'environnement, on ne peut pas non plus prévoir, d'une manière précise, le développement psychologique d'une personne, à moins que des facteurs agissent de manière très intense à des périodes critiques de l'histoire personnelle. À cet effet,

> «[...] nous reprendrons les remarques qu'Hailman faisait sur l'ontogenèse des comportements [...]: "tout comportement est placé sous le contrôle des facteurs génétiques, tout comportement dépend de l'interaction continuelle de l'être humain avec l'environnement dans lequel il se développe"[22].»

L'histoire personnelle est marquée par une séquence de développement qui met d'abord en jeu des activités élémentaires, lesquelles tendent à se coordonner pour devenir un ensemble de structures et de fonctions comportementales de plus en plus différenciées, mais intégrées les unes aux autres. L'enfant organise graduellement cet ensemble complexe, à partir d'éléments de conduite dissociés. La structuration se fait en liaison avec la maturation de l'enfant, son assimilation et son accommodation progressive à la réalité extérieure.

Nous avons vu dans l'étude des facteurs biologiques et des facteurs environnementaux que l'importance du dommage et les conséquences subies dépendent de la nature du traumatisme et du moment où il est déclenché. Dans l'étude des facteurs liés à l'axe psychodéveloppemental, on constate que l'histoire personnelle est jalonnée de périodes critiques et que certaines personnes ont ou développent une plus grande vulnérabilité psychologique.

Une période critique du développement peut se définir comme le moment où un phénomène risque d'avoir le plus de répercussions sur l'un ou l'autre des aspects du développement. Plusieurs théoriciens insistent sur l'importance de certaines périodes critiques reliées aux stades de développement. Cette avenue est intéressante pour autant que nous reconnaissons que la personne est particulièrement sensible à des facteurs reliés aux cycles de la vie, mais également à des facteurs reliés à ses expériences de vie.

Ainsi, dans plusieurs secteurs du développement humain, des événements pourront dans certaines situations annuler ou diminuer les conséquences négatives d'expériences passées. Dans d'autres situations, cependant, les séquelles risquent de compromettre ou de ralentir considérablement le développement de la personne et de la rendre plus vulnérable par une fragilisation progressive, ou encore, en contribuant à une structuration psychopathologique.

Chez un enfant normal, plusieurs stades de développement sont liés aux processus de maturation fondamentaux du corps et particulièrement du cerveau. À mesure que les années s'additionnent, la pesée culturelle devient plus forte, l'environnement s'élargit et les sources d'influence se diversifient. De plus, la personne a accumulé un grand nombre d'expériences: genre de travail, degré de réussite, satisfaction dans les relations interpersonnelles, milieu de vie, qualité de vie, état de santé, réalisation de certains rêves, etc.

Tableau 2.9
Facteurs psychodéveloppementaux

Facteurs liés aux stades de développement
Modèle psychanalytique
Modèle de Mahler
Modèle de Piaget
Modèle d'Erikson
Modèle de Kolhberg
Modèle de Vaillant
Modèle de Loevinger
Facteurs liés à la motivation
Incertitude face au sens de l'existence
Désaccord avec les attentes sociales
Non-motivation
Refus de renoncer à une adaptation antérieure
Attentes individuelles très élevées
Facteurs liés aux dimensions cognitives
Attitudes inadéquates
Perceptions déformées et interprétations irréalistes
Image de soi négative
Facteurs liés aux dimensions affectives
Sentiment d'étrangeté sociale
Vulnérabilité psychologique
Structure de personnalité pathologique
Rigidité comportementale

La typologie des facteurs psychodéveloppementaux n'est pas facile à établir. Sans décrire de manière exhaustive les différents facteurs d'inadaptation reliés à l'axe psychodéveloppemental, nous présenterons ceux qui sont le plus souvent identifiés dans les recherches sur les différents problèmes d'adaptation. Comme l'indique le tableau 2.9, nous les avons regroupés en quatre catégories: les facteurs liés aux stades de développement, les facteurs liés à la motivation, les facteurs liés aux dimensions cognitives et les facteurs liés aux dimensions affectives.

Les facteurs liés aux stades de développement

Plusieurs théories reliées à l'axe psychodéveloppemental reposent sur un système de stades pour ce qui est d'expliquer la nature et l'orientation du développement. Selon ces théories, la croissance et les transformations qui s'ensuivent se font selon une séquence établie. Au cours du développement, à travers les différentes étapes de la vie, de nouvelles fonctions et acquisitions apparaissent, qui ne sont pas le résultat d'une simple accumulation, mais d'une complète réorganisation des fonctions et des acquisitions antérieures.

Cette notion de stades est fondamentale dans plusieurs théories qui tentent de cerner comment l'axe psychodéveloppemental nous permet non seulement de dégager les facteurs de l'adaptation, mais également de retracer les facteurs potentiels d'inadaptation. Ces théories suggèrent qu'il y a une séquence constante dans la croissance et que le passage d'un stade à l'autre correspond à une progression. Elles contribuent ainsi à éclairer diverses facettes du développement de l'être humain et sont complémentaires dans une large mesure.

Plusieurs auteurs ont tenté de « saisir » l'axe psychodéveloppemental en interaction avec l'axe biologique et l'axe environnemental. Sous un angle réaliste, ils ont mis l'accent sur les changements évolutifs de la croissance, de même que sur les variations reliées aux processus dynamiques d'interaction de l'individu avec l'environnement. Les modèles que ces auteurs ont conçus nous permettent de mieux comprendre les besoins, les potentiels, les défis cognitifs, affectifs et sociaux d'une personne au cours de son développement. Ils se situent à l'intérieur de l'approche du développement qui permet de concrétiser l'idée d'un certain relativisme dans les réactions individuelles et les réponses de l'environnement face aux principaux défis de la vie.

> « C'est ainsi qu'on peut trouver des individus plus ou moins vulnérables ou résistants selon leur niveau de compétence, relativement au stress créé par ces tâches et les exigences ou les réponses de l'entourage[23]. »

Ces modèles ont également l'avantage de présenter une compréhension claire et articulée du psychisme humain dans son évolution tout au long des étapes de la croissance, en touchant un ensemble de dimensions majeures de la personnalité. À l'intérieur de chaque étape, plusieurs forces sont mises en présence et on peut dégager la signification d'une étape en regard du potentiel d'accomplissement de la maturité et du mode d'appréhension de l'univers.

Bien que toutes les personnes traversent les stades du développement selon le même ordre et la même chronologie générale, le vaste domaine du développement normal peut englober de nombreuses différences individuelles. Il s'agit de moyennes d'âge qu'il faut considérer comme des variables. Le point important à retenir, c'est que dans la pratique, tout le monde franchit sensiblement les mêmes étapes, même si chacun le fait à son propre rythme et à sa manière propre.

Ce n'est que lorsqu'une personne s'écarte des normes de façon extrême et qu'elle a un retard important dans tel aspect de son développement moteur, physique, affectif, intellectuel et social, qu'on doit la considérer « à risque » dans tel moment de sa vie.

Les modèles présentés par Freud, Mahler, Piaget, Erikson, Kolhberg, Vaillant et Loevinger peuvent servir de base pour présenter les étapes du développement humain. Rappelons les données fondamentales de chacun de ces modèles.

Le **modèle psychanalytique**, conçu par Freud et développé par plusieurs autres, décrit le développement psycho-affectif particulièrement au cours des premières années de vie. La relation objectale passe par la maturation de l'intelligence et des acquisitions sociales. Ce modèle tient compte de la psychologie génétique et retient les éléments reliés à la dimension affective de la relation entre la personne et son environnement. Freud a surtout décrit l'évolution du monde intrapsychique.

Le développement psycho-affectif n'est pas conçu selon un modèle linéaire. Chaque niveau se présente comme une partie de la construction d'une organisation structurale qui implique un progrès dans les capacités fonctionnelles d'intégration, lesquelles partent de l'expérience subjective qu'a une personne de son environnement.

Le processus d'interaction avec l'environnement suit l'évolution des fonctions physiologiques déterminées chronologiquement. On y trouve la raison comme faculté au sommet du développement hiérarchisé de la vie psychique. Le tableau 2.10 présente les étapes chronologiques dans l'évolution vers un mode d'expérience émotionnelle adulte fondé sur une relation objectale.

La prémisse de ce modèle est que les premières années sont déterminantes pour la vie psychique ultérieure. C'est le passage du principe du plaisir au principe de réalité. L'évolution du développement suppose que les capacités et les besoins changent avec le temps.

Tableau 2.10 **Étapes du développement psycho-affectif (Freud et plusieurs autres)**

De 1 à 6 mois	*Le nouveau-né recherche l'expérience du plaisir et de la satisfaction, appelés par Freud « narcissisme primaire » et « auto-érotisme ». Ses émotions sont à la base des réflexes vers les premiers objets, encore indistincts, surtout la mère. Les émotions différenciées et l'expérience subjective vers l'objet extérieur se développent à partir de cette première relation. L'enfant existe comme désir lié à son objet.*
De 6 à 10 mois	*Début d'une relation émotionnelle avec l'objet détaché de soi. Le bébé assimile des objets à ce qui peut s'offrir ou se refuser. La relation devient bipolaire dans ce sens qu'il y a opposition entre le pôle subjectif des besoins et des désirs, et le pôle objectif des droits et devoirs prescrits par les autres. L'intérêt se déplace vers le monde des objets, que le bébé accepte s'il le trouve bon ou rejette s'il le trouve mauvais.*
De 10 à 20 mois	*L'image de soi se constitue, car le bébé distingue sa propre image de celle des autres. C'est une première relation humaine avec les autres. L'anxiété de séparation se manifeste par la conscience de l'existence séparée de l'autre et la reconnaissance des individus familiers et non familiers.*
De 20 mois à 2 ans	*L'apparition du langage agrandit les relations avec le milieu. Les grandes fonctions s'organisent pour établir le schéma corporel et le contrôle des sphincters.*
De 2 à 4 ans	*Le « je » fait son apparition et l'enfant comprend qu'il est sexué. Il se constitue définitivement en personne. C'est l'origine du conflit œdipien, le moment des premières jalousies et des fixations incestueuses. C'est autour de cette situation triangulaire, et à travers les interdits sociaux et les refoulements, que s'organisent les instances psychiques du moi, du ça et du surmoi.*

De 4 à 7 ans	*C'est la période de latence, vue comme le moment où l'enfant doit oublier les problèmes et les conflits de son existence afin de former sa raison dans sa forme logique. Son environnement se limite aux dimensions de la cellulle familiale, de l'école, du quartier.*
De 7 à 10 ans	*Les contraintes disciplinaires, morales et sociales exercent une pression sur les sentiments, les actions et les règles de la pensée. L'environnement de l'enfant s'élargit.*
De 10 à 12 ans	*La pré-puberté favorise une plus large communication avec l'environnement. L'enfant ébauche sa conception du monde sous forme d'idéaux et de projets. Il se constitue un système personnel de valeurs idéales et logiques. Ses comportements sont de plus en plus dirigés vers les valeurs sociales.*
De 12 à 14 ans	*La puberté réanime les problèmes affectifs du choix de l'objet. La coexistence avec autrui est bien différenciée et l'adolescent peut s'orienter vers l'amour de l'autre encore teinté du souvenir narcissique liant le désir et le plaisir du corps propre.*
De 14 à 17 ans	*C'est l'âge de la formation plus définitive du caractère. Le choix des objets, la conception du monde, les relations avec le monde objectif et l'idéal de soi se fixent. C'est le début de la possibilité d'une réelle auto-détermination.*

L'expérience d'attachement et de relation sera en partie fonction de l'aptitude des personnes significatives à adapter leur propre mode de relation à l'enfant. Selon ce modèle, la santé mentale adulte est davantage influencée par la construction de la structure psychique interne que par des facteurs environnementaux.

Le **modèle de Margaret Mahler**[24] a trait surtout aux premiers sentiments d'identité personnelle du jeune enfant. Elle décrit un processus par lequel l'enfant se rend compte qu'il est un être distinct de son entourage. Trois stades font partie du processus de la séparation-individuation (*voir le tableau 2.11*) et le succès dépend en partie de la manière dont la mère s'acquitte de son rôle à chaque stade du processus.

Tableau 2.11
Processus de séparation-individuation selon Mahler

Stade 1 (de la naissance à 2 mois)	**L'autisme normal** Le bébé ne fait pas la distinction entre lui-même et son entourage. Il ne distingue pas ce qui est à l'intérieur et ce qui est à l'extérieur de son corps. Durant cette phase d'autisme normal, le bébé a comme tâche de réduire la tension engendrée par les pulsions biologiques. Il y parvient par la nourriture qu'il absorbe quand il a faim, par l'élimination, par les couvertures s'il a froid ou par le changement de couche si cette dernière est souillée. Le bébé associe graduellement sa mère à la réduction des tensions.
Stade 2 (de 2 mois à 6-10 mois)	**La phase symbiotique** Le bébé commence à prendre conscience de lui-même tout en conservant un sentiment de fusion avec la mère. Par les actes répondant aux besoins physiologiques de base, la mère assure la survie du bébé. Durant cette phase de symbiose, le bébé et la mère échangent de nombreux signaux de relation intime caractérisée par une dépendance et des avantages mutuels.
Stade 3 (de 6-10 mois à 4 ans)	**La phase de la séparation-individuation** Le rôle de la mère à ce stade est très différent puisqu'elle doit maintenant aider l'enfant à se séparer d'elle pour qu'il devienne lui-même, qu'il se reconnaisse comme individu et développe ainsi son identité personnelle propre. Cette phase est importante pour le développement ultérieur, en particulier pour l'établissement des relations d'intimité ou l'autonomie. L'enfant oscille entre la dépendance et l'indépendance; il y a des risques associés à quitter le confort rassurant de la dépendance, mais il y a aussi d'énormes bénéfices.

Adapté de Diane E. PAPALIA et Sally W. OLDS, *Le développement de la personne*, Montréal, Éditions Études vivantes, 1989, p. 155-156.

Selon Mahler, ce processus de séparation-individuation explique bon nombre de troubles émotifs graves chez les enfants pour lesquels la présence maternelle est inadéquate dans les premières années de la vie. Toutefois, elle reconnaît que d'autres enfants ayant des troubles graves ont eu des mères adéquates, ce qui va dans le sens d'admettre une certaine vulnérabilité psychologique propre à ces enfants. Cette théorie donne une place importante à la mère en négligeant dans plusieurs cas l'effet du développement propre à l'enfant ou encore l'impact d'autres personnes dans l'entourage de l'enfant ou les circonstances de sa vie. Cette lacune a été signalée par d'autres chercheurs, et reconnue également par Margaret Malher.

> «Au milieu des années 1970, un nouveau consensus s'est établi parmi les chercheurs en psychiatrie et les psychologues du développement. On reconnaît que la mère joue certes un rôle important dans le développement de l'enfant et même, dans certains cas, un rôle considérable; mais d'autres facteurs ont aussi leur importance: le père, les frères et sœurs, l'organisation et le fonctionnement de la famille, l'école, les groupes de pairs, le milieu social plus vaste et les caractéristiques de l'enfant lui-même (Chess et Thomas, 1982, p. 215)[25].»

Le **modèle de Piaget** a pour pôle central le développement cognitif avec l'évolution de la pensée logique. Piaget décrit l'évolution des fonctions intellectuelles et la forme du raisonnement plutôt que son contenu. La manière de régler un problème est au départ égocentrique pour évoluer graduellement en intégrant différents points de vue.

Dans une échelle de développement cognitif, les stades décrivent les manifestations des structures psychologiques à différents moments de l'évolution de la pensée. La personne est active dans son apprentissage et les nouvelles expériences sont reliées en partie à ce qu'elle sait déjà. Les défis d'apprentissage doivent être suffisants sans trop dépasser les modes de compréhension actuels.

L'enfant est bien différent de l'adulte dans sa façon de saisir la réalité. La connaissance qu'une personne acquiert de la réalité dépend de sa structure mentale, et celle-ci change selon l'âge et l'expérience cognitive. Un mode de raisonnement est prédominant à un âge donné pour ensuite faire place à un autre mode de raisonnement. Progressivement, il y a chevauchement de plusieurs modes vers un niveau de complexité de

Tableau 2.12
Étapes de la pensée logique selon Piaget

Étape 1	**Pensée sensorimotrice (0 à 2 ans)** Au début de la vie, les activités réflexes s'organisent en systèmes de perception et d'action sur l'entourage. L'enfant se confond avec l'environnement et il ne distingue pas ses désirs de la réalité. Il exerce ses fonctions motrices et sensorielles pour agir sur les objets. Sa curiosité naturelle l'amène à agir sur l'environnement. Il demeure actif dans son interprétation de la réalité telle qu'il l'a intégrée à ce moment.
Étape 2	**Pensée intuitive ou symbolique (2 à 6 ans)** L'enfant acquiert graduellement le langage et son intelligence est constituée d'idées. Il se représente mentalement les événements sans les comparer ou les généraliser. Il affirme sans raisonnement et sa pensée est encore égocentrique, ce qui le rend incapable de reproduire ou de rapporter verbalement de l'information organisée et utile pour les autres. Cela influence le mode de communication entre les enfants.
Étape 3	**Pensée concrète (6 à 12 ans)** L'enfant commence à raisonner et peut distinguer son point de vue de celui des autres. Son raisonnement demeure concret. Il commence à voir la nécessité des règles dans un jeu et à les respecter. Il développe l'aptitude complexe de considérer simultanément plusieurs aspects et plusieurs points de vue. Il apprend à décentrer sa pensée et son action.
Étape 4	**Pensée formelle (12 ans et plus)** L'enfant raisonne de plus en plus en fonction du possible plutôt que de ses désirs. Il est capable de déductions logiques et d'abstraction. Il dépasse l'appréciation de la réalité et imagine des possibilités futures. Il comprend et évalue des concepts, et effectue des opérations abstraites à partir de symboles. Au début de l'adolescence, ce mode de pensée commence à se développer et cela continue jusqu'à l'âge adulte.

plus en plus élevé, tout en maintenant la possibilité de recourir à des modes antérieurs, toujours accessibles. Piaget présente quatre grandes étapes de la pensée logique, allant des réflexes à la pensée abstraite. Ces étapes varient en fonction de l'âge et sont des points de repère approximatifs. Le tableau 2.12 présente succinctement les étapes de la pensée logique décrites par Piaget.

Ce modèle d'évolution de la pensée logique nous permet de reconnaître ceci: l'apprentissage de la réalité ne peut se faire que par l'action et les modes de compréhension sont différents selon le niveau de maturité des structures cognitives. Celles-ci peuvent influencer qualitativement l'expérience de la réalité et ses répercussions affectives.

Le **modèle psychodynamique selon Erikson** décrit les étapes du développement psychosocial. Dans la perspective de l'intégration de l'individu à son environnement, ce modèle adapte des notions de la psychanalyse en les appliquant à la croissance de la personne comme être social. C'est une approche «intégrée» des étapes de la vie de la naissance à la mort.

Erikson conçoit le développement humain comme une résolution progressive de conflits. Chaque stade comprend un noyau d'antagonismes nés de la rencontre entre des sollicitations opposées d'origine interne et d'origine externe. L'univers social s'agrandit graduellement.

Le mode de résolution des conflits dépend des ressources individuelles, de l'environnement et de la façon dont les oppositions ont été résolues antérieurement.

À chaque stade, l'environnement doit offrir une réponse différente, laquelle à son tour doit correspondre aux nouveaux besoins et aux nouvelles tâches de croissance de l'individu. Graduellement, celui-ci tend vers l'autonomie en développant sa capacité de décider et de faire des choix qui engagent des aspects importants de sa vie. Il acquiert plus de capacité d'agir à l'aide de moyens de plus en plus nombreux et diversifiés selon les situations qu'il rencontre. Il devient de plus en plus capable d'exercer son propre jugement sur la réalité.

Tableau 2.13 **Étapes du développement psychosocial selon Erikson**

Confiance et méfiance (oralité)

Au cours de la première année, toute la relation est perçue comme une absorption, d'où l'importance de donner aux sens les stimuli et la «nourriture» au moment voulu et avec une intensité convenable. La présence et la qualité de la mère ou d'un adulte significatif sont fondamentales. Ce sont ces expériences qui servent de conditions préalables à la confiance de base, ce qui signifie que l'enfant apprend à accorder sa confiance à l'environnement pourvoyeur et à se faire confiance.

Autonomie et honte, doute (analité)

L'évolution de la maturation musculaire et de la parole implique une capacité de coordination de plusieurs modèles d'activités conflictuels caractérisés par des tendances à l'obstination et au laisser-faire. C'est le début de l'expérience d'une volonté autonome. L'enfant a besoin de support et de protection dans son désir de se tenir sur ses pieds. Il lutte contre le sentiment de honte pour s'être exposé prématurément contre la méfiance secondaire et contre le doute envers sa famille.

Initiative et culpabilité (génitalité)

L'enfant se déplace avec plus de liberté et d'agressivité en élargissant son rayon d'action. Langage et locomotion lui permettent d'étendre son imagination à plusieurs domaines. La marche n'est plus un but, mais un moyen. Son sens du langage fait qu'il comprend et interagit continuellement. Il fait l'expérience de ce qu'il veut faire et de ce qu'il peut faire. Sa première réalité sociale est celle de faire et de réaliser, et son début de conscience peut être rigide et cruel. L'issue positive pour l'enfant est la conviction qu'il peut réussir sans craindre la culpabilité. Le jeu est essentiel et c'est surtout à travers le comportement des parents que l'enfant apprend la direction vers ce qui est possible.

Compétence et infériorité

L'enfant s'oriente vers le besoin de connaissance, se distancie et liquide le besoin de figure maternelle. C'est l'âge de l'école et de l'attachement aux maîtres, qui servent de modèles à imiter. Il se compare avec ses pairs. L'accomplissement des tâches scolaires sérieuses ne donne pas lieu au sentiment infantile d'infériorité et la vie scolaire doit favoriser le sentiment de compétence. La contrainte doit être ferme pour qu'il apprenne et qu'il réalise des choses dont l'attrait vient du fait qu'elles font partie du monde adulte et de la réalité.

Identité et confusion (puberté - adolescence)

L'adolescent est confronté aux rôles adultes. Il intègre des éléments d'identité de l'enfance dans un cadre social plus large que la famille et l'école. Il recherche des personnes significatives pour bâtir sa confiance en soi et en les autres. Il développe sa capacité de vouloir et de choisir librement en recherchant des occasions, sans s'exposer au ridicule. Il planifie, anticipe l'avenir, a des ambitions réalistes, recherche l'excellence dans la réalisation. S'il y a eu des doutes antérieurs, l'imposition de force d'un rôle ou l'impossibilité d'établir une identité professionnelle, l'échec peut aboutir à l'aliénation et à la confusion. Les choix offerts par la société doivent être des idéaux favorisant l'autonomie, l'indépendance et l'initiative sous forme de travail constructif. Ces idéaux doivent être partageables par les jeunes.

Intimité et isolement

Le jeune adulte établit son identité. La capacité de développer une véritable et réciproque intimité psychosociale avec une autre personne est souvent précédée des intimités sexuelles. Cela suppose la maturité génitale et la générosité de l'intimité. L'échec ou l'aliénation peut résider dans l'isolement ou l'incapacité de risquer son identité en partageant une véritable intimité.

Générativité et stagnation

C'est la préoccupation d'établir et de guider la génération suivante. L'éthique de la succession est codifiée dans les institutions, qui prévoient un ensemble de méthodes pour que chaque génération soit à même de faire face aux besoins de celle qui monte.

Intégrité et désespoir

C'est l'acceptation de ses responsabilités face à sa propre vie et l'acceptation du cycle de la vie dont on dispose avec les personnes devenues significatives.

Erikson met l'accent autant sur les instincts inconscients que sur le moi conscient dans les stades psychosociaux. Il perçoit le développement comme une longue quête de l'identité, résultat de l'interaction des attitudes instinctuelles de base et des schèmes de l'enfant avec les réactions des personnes qui l'entourent.

Selon Erikson, que le conflit d'un stade soit résolu ou non, la personne est amenée à la tâche de la résolution du conflit du stade suivant, au moment physiologiquement déterminé. Il y a donc risque d'échecs et de déviations, qui affectent l'évolution de façon permanente. Il peut également y avoir des fixations à un stade ou des régressions à un stade antérieur. Le tableau 2.13 décrit les huit étapes du modèle d'Erikson; chacune est caractérisée par un enjeu fondamental se présentant comme un conflit entre deux pôles. Les conséquences de cet enjeu peuvent se prolonger durant toute la vie.

Le modèle d'Erikson fait ressortir l'importance relative des groupes microsociaux selon l'étape du développement de la personne. Il montre l'expérience intrapsychique de même que l'influence de la réponse de l'environnement sur le mode de résolution individuel des conflits. Les conflits intérieurs sont relatifs à la définition de l'identité, des forces et des faiblesses de la personne. C'est le phénomène d'harmonisation, qu'Erikson appelle la «plénitude», pivot inébranlable du processus de maturation et de maturité.

Le passage d'une étape à l'autre est en grande partie déterminé par les stades du développement biologique et touche donc toutes les personnes. C'est davantage un certain succès à résoudre le conflit sous-tendu par une étape qui est signe de progrès, plutôt que l'accession à une autre étape.

Le **modèle de Kohlberg** montre l'évolution de la pensée sociale et du jugement moral. À la suite de Piaget, Kohlberg découvre et vérifie empiriquement une suite séquentielle de stades de jugement moral-cognitif qualitativement différents les uns des autres. Les stades sont des structures de personnalité; ils font appel à des séquences structurelles de jugement et de compréhension des rapports humains. Les stades font référence aux jugements de valeur selon leurs structures et non pas dans leur contenu. Ils sont le contenant alors que les valeurs sont le contenu. Ils décrivent une structure de pensée, non le contenu du jugement moral.

L'approche de Kohlberg se situe dans une perspective développementale selon laquelle l'être humain évolue à travers les stades et est amené vers l'autonomie personnelle, morale. Passant d'une structure à l'autre, la personne devient mieux outillée pour résoudre les problèmes de la réalité quotidienne en s'acheminant vers l'autonomie. Elle évolue en différenciant graduellement sa propre perspective de celle des autres dans l'univers des relations sociales. Ces règles gouvernent l'univers des interactions sociales et définissent ce qui est bien ou mal.

Le modèle de Kolhberg postule que l'acquisition de la compréhension des phénomènes liés aux relations interpersonnelles n'est pas uniquement affaire d'apprentissage. Il suggère une éducation orientée vers l'exercice de la démocratie tout en tenant compte du stade de développement. La démarche proposée favorise l'acquisition d'un mode de raisonnement adéquat pour résoudre les problèmes de l'individu et ceux de la société. Un comportement donné est rarement possible sans le niveau de jugement correspondant.

Les six stades sont regroupés en trois niveaux: préconventionnel, conventionnel et postconventionnel. Le tableau 2.14 présente succinctement les stades et les niveaux postulés par Kohlberg.

Cet instrument de connaissance permet la prise de conscience des normes et des valeurs des interlocuteurs; il facilite la communication entre eux par la connaissance des caractéristiques et des schèmes de valeurs auxquels ils se réfèrent. Finalement, cet instrument permet d'adapter une stratégie d'intervention précise en fonction des objectifs d'évolution et de développement poursuivis.

Il est important de saisir qu'il s'agit non pas de savoir si une justification est morale ou non au sens de bien ou de mal, mais de repérer à quel stade se situe l'argumentation de la personne. Les stades possèdent les trois caractéristiques fondamentales suivantes: ils sont séquentiels, irréversibles et intégratifs.

On pourrait dire qu'un processus de maturation qui faciliterait l'autonomie intérieure et l'adaptation dans les divers secteurs de l'activité humaine se situerait au stade 6, qui est le stade des principes moraux. Le bien y est défini à partir de la conscience individuelle appliquant à une situation donnée un système éthique choisi en fonction de sa pertinence, de sa cohérence, de sa globalité et de son universalité. Ces principes sont essentiellement les principes universels de justice et d'égalité qui respectent la dignité humaine de chacun et chacune.

Tableau 2.14 **Stades du jugement moral selon Kohlberg (séquentiels, intégratifs, irréversibles)**

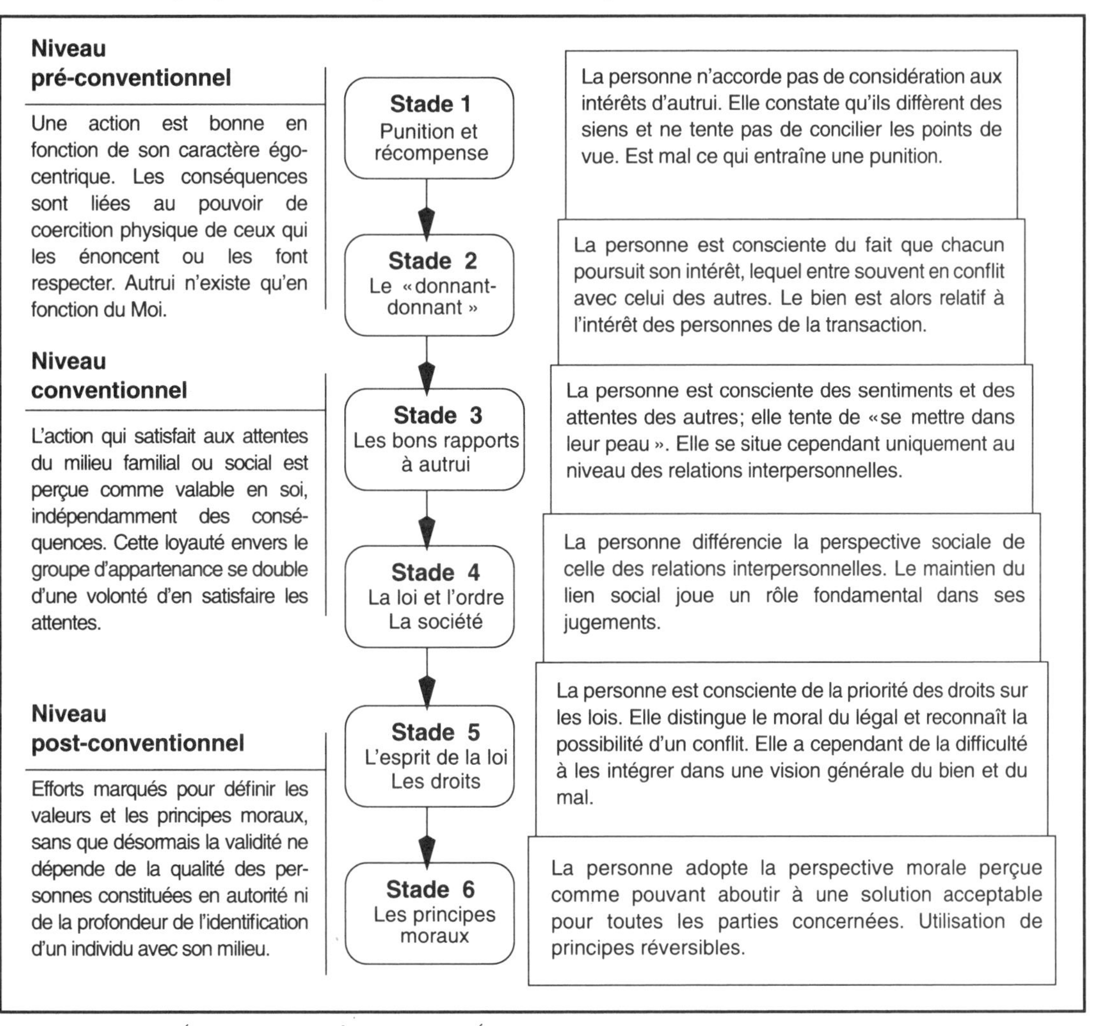

Source: Claude PARIS, *Éthique et politique*, 2e édition, Québec, Éditions C.G., 1985, p. 87.

Le **modèle de Vaillant** décrit les étapes du développement adulte en déterminant les caractéristiques psychologiques personnelles reliées à l'adaptation. Il met l'accent sur le pouvoir d'adaptation, lequel est davantage favorisé par l'organisation des structures intrapsychiques individuelles. Pour chacune des étapes, on relève les facteurs les plus déterminants d'une adaptation future positive plutôt que de définir les caractéristiques des étapes de la vie.

Dans ce modèle, l'adaptation a été mesurée en fonction de quatre grands domaines de la vie: le travail, la famille, la santé physique et la vie psychologique. Dans une perspective longitudinale, l'histoire personnelle à travers chacun de ces domaines se révèle importante. Les appuis théoriques demeurent les modèles psychanalytiques de l'élaboration du système intrapsychique et de celle des mécanismes de défense. Le développement intrapsychique s'articule sur l'univers social, comme dans le modèle d'Erikson.

Les changements observés au cours du développement adulte se situent surtout dans le domaine du système de croyances et de l'expression instinctuelle. Cette maturation adulte est liée à l'utilisation de mécanismes de défense ou d'adaptation de plus en plus ajustés à mesure qu'on s'élève aux niveaux suivants.

Au premier niveau, l'individu utilise des mécanismes de type psychotique comme le déni, la distorsion, la projection hallucinatoire. Au deuxième niveau, il utilise des mécanismes immatures comme la fantaisie, la projection, l'hypocondrie, l'*acting out*; ces mécanismes sont communs dans la dépression grave et les désordres de la personnalité de l'adolescence. Au troisième niveau, il utilise des mécanismes de type névrotique comme l'intellectualisation, le refoulement, la formation réactionnelle, le déplacement, la dissociation; on rencontre ces mécanismes chez la plupart des gens. Au quatrième niveau, il utilise des mécanismes adultes comme la sublimation, l'altruisme, la suppression, l'anticipation, l'humour; ces mécanismes sont communs chez les adultes adaptés « sainement ».

L'utilisation opportune des mécanismes doit être également évaluée en fonction du contexte environnemental et des facteurs de vulnérabilité personnelle. La base d'une adaptation saine se situerait autour de quatre grands facteurs dont deux sont des facteurs environnementaux alors que les deux autres sont des facteurs individuels.

Pour les facteurs environnementaux, Vaillant signale d'abord les occasions et les obstacles créés par la classe sociale, l'ethnie, l'âge, le sexe, les changements sociaux majeurs; il signale ensuite les sources externes de support et d'orientation. Pour les facteurs individuels, il mentionne d'abord les ressources personnelles comme l'intelligence, la santé et le choix des défenses; il mentionne ensuite l'investissement d'effort pour son propre compte et la motivation à la réalisation personnelle. Le tableau 2.15 présente les trois étapes de la vie adulte identifiées par Vaillant, en précisant les tâches et les modes d'adaptation observés chez les hommes adultes américains adaptés « sainement ».

Tableau 2.15
Étapes du développement des hommes adultes selon Vaillant

Adolescence (la première fois)	L'adolescence implique un processus de différenciation de soi douloureux. À partir d'une séparation de la famille, tout en intériorisant les personnes aimées, l'identité se forme. L'attachement au plan affectif est conservé à travers l'adoption de certaines de leurs caractéristiques telles que les valeurs. Une réelle maturation est favorisée par la séparation et le sentiment de solitude est évité par l'intériorisation. Si le contrôle des émotions a été réussi en préadolescence, un bon ajustement adulte peut se faire même si l'adolescence est explosive. Cette désorganisation peut être vue comme une fonction adaptative qui n'est pas une crise dramatique pour l'adolescent. L'état de crise est rare et relève plutôt d'une vulnérabilité psychologique.
Intimité et consolidation de la carrière	Le jeune adulte de 20 à 30 ans a comme préoccupation majeure sa capacité de succès à établir des liens d'intimité. C'est l'approfondissement des liens d'amitié qui respectent les différences individuelles par opposition aux amitiés d'adolescence basées sur l'image idéale de soi. C'est également la période du choix de relations plus intimes et de l'engagement avec une partenaire de vie. Cette intimité est facilitée lorsque la séparation d'avec la famille et l'identité propre sont bien réalisées. L'étape de 25 à 45 ans concerne la consolidation de la carrière à travers l'investissement dans le travail et la famille nucléaire. Le succès de cette période est davantage relié au caractère à la préadolescence qu'à l'adolescence. Le désir de succès permet de se différencier des pairs plutôt que de s'identifier à eux. La période de consolidation de carrière correspond à un changement extérieur constitué par l'acquisition, l'assimilation et aussi la mise de côté des modèles de rôles ou des mentors parentaux.
Générativité (seconde adolescence)	La quarantaine est marquée par une réévaluation des vérités de l'adolescence et du début de l'âge adulte. Les aspects compulsifs du travail sont délaissés et une exploration intérieure commence. Comme à l'adolescence, il y a une période moins conformiste, laquelle se manifeste par une nouvelle « tempête » dans la vie instinctuelle mêlée d'une certaine crainte du changement et d'une capacité à reconnaître la douleur. Il y a remise en question des valeurs et des buts précédents, qui se manifeste par une nouvelle incertitude. Les crises dramatiques sont exceptionnelles parce que la crise est rare si les événements du cycle surviennent au moment propice.

Le modèle de Vaillant postule d'abord que les événements traumatiques isolés ne sont pas autant responsables des changements dans le déroulement de la vie d'une personne qu'un bouleversement dans la relation avec les personnes significatives. À l'instar d'Erikson, Vaillant montre que les adultes changent entre 20 et 50 ans, ce qui constitue une démarcation majeure par rapport à d'autres études.

Ce modèle montre aussi que la maladie mentale apparaît plus comme un processus de réaction à un stress excessif qu'un déficit intrinsèque indépendant. Les mécanismes de défense deviennent des variables critiques qui peuvent déterminer si les stresseurs environnementaux produiront la maladie mentale ou une saine croissance. Ceux et celles qui réussissent à s'adapter sainement dépassent l'étape de la consolidation du plan de carrière et en arrivent à se préoccuper plus des autres que d'eux-mêmes.

Enfin, ce modèle montre que le fait d'avoir des adolescents constitue une autre source conflictuelle de croissance autour de la quarantaine. L'adulte doit alors user d'honnêteté pour réussir à dépasser ses fortes défenses afin de reconnaître ses propres tensions instinctuelles à travers les pulsions de l'adolescent.

Le **modèle de Loevinger** décrit les étapes du développement du moi intégrant les dimensions affectives et cognitives dégagées dans les modèles précédents. Il offre une perspective d'ensemble et une approche globale du développement de la personnalité. Toutes les dimensions sont considérées en fonction de leur contribution à l'établissement du moi de la personne autonome.

Ce modèle poursuit l'objectif suivant: montrer qu'à chaque étape de sa vie, une personne fait face à une tâche de maturation multidimensionnelle et qu'elle connaît des changements sur plusieurs plans, lesquels modifient son mode d'appréhension et d'interaction avec son environnement. Le tableau 2.16 présente les sept étapes du développement du moi selon Loevinger.

En mettant ce modèle en relation avec les autres, il apparaît qu'un certain niveau logique soit nécessaire, mais non suffisant, pour l'apparition du niveau d'acquisition de rôle et du jugement moral correspondants. Le facteur complémentaire essentiel est constitué par l'expérience sociale et l'occasion de résolution de problèmes interactionnels et moraux.

Tableau 2.16 Étapes du développement du moi selon Loevinger

Présocial:	Début de la tâche de différenciation du monde des objets et des personnes. Rôle du langage. Identité favorisée par le besoin d'agir, de faire et de refuser.
Autoprotection:	Début d'intériorisation des contrôles.
Conformisme:	Identité liée au groupe familial ou au groupe de pairs.
Conscience (adolescence):	Aspirations et buts personnels. Responsabilité et jugement nuancé. Besoin de performance.
Individualiste:	Accentuation du sens de l'individualité et reconnaissance de la complexité des déterminants de la vie.
Autonome:	Capacité de composer avec les conflits intérieurs et besoin de réalisation de soi.
Intégré:	Consolidation du sens d'identité.

Les facteurs liés à la motivation

L'incertitude face au sens de l'existence

Dans la société moderne, hétérogène, le sens de l'existence est plus difficile à trouver: plusieurs sens sont possibles et il y a risque de conflits de sens. Les valeurs véhiculées sont souvent contradictoires; on se retrouve de plus en plus devant un supermarché des valeurs, où l'abondance et les multiples possibilités offertes rendent tout choix difficile, sinon hasardeux. Pour l'individu qui ne trouve pas les raisons et les motivations de son existence, le risque est grand qu'il réponde à ses angoisses existentielles par des réactions jugées inadéquates: suicide, irresponsabilité, dépression, délinquance, etc.

Le désaccord avec les attentes sociales

Il peut y avoir facteur d'inadaptation également quand l'individu n'est pas d'accord avec les attentes sociales, ou encore, lorsqu'il est à l'étroit dans son statut même si ce dernier est très clair ou très précisément perçu. Le statut social peut être décrit comme le système d'attentes dans lequel l'individu est placé par rapport aux autres membres de la société. Les statuts «homme» et «femme», le statut professionnel en sont les exemples les plus visibles.

Un autre facteur d'inadaptation surgit quand l'individu ne perçoit pas clairement son statut social, c'est-à-dire d'une manière satisfaisante et sans équivoque. Par exemple, on incite les jeunes à poursuivre des études alors que le nombre d'emplois est limité dans certains secteurs, à des périodes données.

La non-motivation

Les chercheurs de plusieurs disciplines ont voulu comprendre les raisons qui poussent une personne à manifester tel ou tel comportement selon les circonstances. Chaque type de comportement correspond en fait à la conjonction d'une motivation endogène, caractérisée par un état physiologique particulier de l'organisme, et d'une situation exogène, composée de stimuli-signes qui agissent comme des renforcements positifs ou négatifs selon qu'ils provoquent ou font cesser le comportement en question.

Cette situation simple se trouve en réalité compliquée par d'autres facteurs comme l'environnement social, le bagage expérientiel de la personne et les conséquences du comportement au fur et à mesure qu'il se manifeste. Ainsi, on constate que certaines personnes sont plus difficiles à motiver que d'autres pour certains comportements jugés adéquats par l'environnement macrosocial ou microsocial. Dans d'autres cas, c'est l'environnement qui présente des lacunes et augmente ainsi la non-motivation d'un grand nombre de personnes pour des comportements souhaités.

Le refus de renoncer à une adaptation antérieure

Chacune de nos vies est un compromis global, dans lequel nous réalisons un équilibre plus ou moins « réussi » entre des adaptations diverses et parfois contradictoires. Il peut être avantageux pour une personne de renoncer à parfaire une adaptation donnée si celle-ci doit entraîner, dans une autre dimension adaptative, des conséquences trop onéreuses. Au concept d'adaptation comme totalité actuelle, il faut superposer celui d'adaptation comme totalité temporelle. Ainsi, un trait inutile ou même désavantageux pour l'adulte peut devoir sa persistance à sa valeur adaptative pour un stade antérieur du développement et se conserver pour cette raison. À titre d'exemple, la symbiose nourrisson-adulte est, selon Margaret Mahler, un trait utile et un stade important au cours du processus de la séparation-individuation ; ce trait, cependant, est désavantageux s'il persiste dans les autres étapes du développement.

En ce qui concerne l'avenir, certaines adaptations présentes à un stade du développement peuvent fermer la voie à des adaptations postérieures ou les compromettre plus ou moins gravement; d'autres au contraire les tolèrent ou même les favorisent. Certaines adaptations peuvent ainsi être dites «ouvertes» en favorisant un pouvoir d'adaptation alors que d'autres sont dites «fermées» et renvoient à un état d'adaptation. Les adaptations fermées peuvent constituer des facteurs d'inadaptation dans certaines circonstances données de notre développement individuel et social.

À titre d'exemple, nous pouvons signaler la fuite ou l'évitement comme une forme de renforcement positif temporaire qui incite la personne à répéter un même comportement. Dans les phobies, la personne fuit une situation pathogène et ressent un relatif soulagement parce qu'elle tente de résoudre un sentiment d'angoisse indéfini en construisant une peur désignable. À la longue, cette fuite ne procure pas vraiment d'apaisement. Dans les obsessions, c'est le rituel qui procure le soulagement. Dans ces deux cas, le comportement risque de devenir inadéquat à moyen et à long terme parce qu'il nuit au développement des habiletés nécessaires pour faire face à certaines situations non objectivement dangereuses.

Dans la plupart des situations problématiques, on doit également considérer les gains secondaires parce que c'est souvent l'entourage ou la société qui doit assumer une bonne partie des tâches. En demandant le support de l'entourage, la personne en vient à diminuer ses responsabilités, ce qui peut être vécu comme un soulagement risquant cependant de perpétuer ou d'accentuer certaines inadaptations.

Les attentes individuelles très élevées

Si les attentes individuelles et sociales sont très élevées, la frustration, le mécontentement ou l'insatisfaction ont des chances d'augmenter parce qu'il y a un déséquilibre entre une attente et sa réalisation. La société industrielle, par exemple, tend à exclure de plus en plus d'individus sur le plan du rouage des décisions économiques. La compétition sociale entraîne des défis de plus en plus grands, et l'échec, quel qu'il soit, provoque une insatisfaction d'autant plus difficile à surmonter que les causes n'en sont pas toujours perceptibles.

La publicité et les communications de masse peuvent embellir le réel et minimiser les difficultés. Alors, l'écart entre les attentes individuelles et les possibilités de réalisation de même que la perte des illusions au contact d'une réalité décevante, entraînent des frustrations et augmentent les risques de désorganisation individuelle. Par exemple, les personnes dépourvues économiquement et qui n'ont pas accès aux nombreux produits de consommation risquent de vivre dans une situation quasi permanente de frustration.

Les facteurs liés aux dimensions cognitives

Les attitudes inadéquates

Avec la notion d'attitudes, la psychologie contemporaine montre cette imbrication indissociable du physiologique, du psychologique et du sociologique. Cette perspective exprime l'appartenance sociale et l'originalité individuelle du sujet. Plusieurs croyances sont en elles-mêmes chroniquement anxiogènes. Par exemple, certaines personnes pensent que pour se considérer comme un être humain valable, on doit toujours être efficace en tout, rarement se tromper et toujours se classer parmi les premiers. D'autres croyances deviennent anxiogènes parce qu'elles s'opposent l'une à l'autre et qu'il en résulte un conflit. Par exemple, un individu plus passif ou plus dépendant peut se sentir mal à l'aise dans une famille ou un milieu socioculturel qui prônent l'autonomie, le travail ou la réussite à tout prix.

Les perceptions déformées et les interprétations irréalistes

Dans plusieurs situations, des personnes entretiennent des idées fausses ou douteuses en exagérant certains dangers. Elles généralisent à partir d'un ou de quelques cas, ou déforment la réalité. Plusieurs de ces idées sont irréalistes et elles contribuent alors au déclenchement, au maintien ou à l'aggravation d'un problème. Des conséquences comme la panique, la peur de mourir, de devenir fou ou de perdre le contrôle de soi-même, entraînent un sentiment de catastrophe imminente avec les comportements de fuite, physique ou mentale, qui en résultent. Tant que ces idées persistent, elles contribuent à maintenir l'inadaptation.

La perception d'un danger, réel ou fictif, et l'idée de l'incapacité d'y faire face sont à la base de l'angoisse d'anticipation ou «peur d'avoir peur». Celle-ci porte la personne à la fuite, à l'évitement, ou encore, à la prophétie auto-accomplissante. Ainsi, une chose se produit non pas parce qu'elle devait se produire, mais parce que les gens, croyant cette chose, agiront certainement selon cette croyance. Bien des prophéties, par la seule force de la croyance qu'elles engendrent, se sont muées en réalité et sont ainsi devenues des prophéties auto-accomplissantes.

L'inadaptation est une chose et l'idée qu'on s'en fait en est une autre. Malgré les différences objectives entre les malaises eux-mêmes, il y a aussi des réactions et des perceptions différentes d'une même inadaptation suivant les gens. Ces réactions et perceptions individuelles sont influencées par le tempérament, l'éducation, la situation sociale, les peurs conscientes ou inconscientes et la représentation du problème.

Il existe un lien entre le vécu et l'imaginaire de l'inadaptation. Le même problème peut être perçu comme surmontable par une personne et comme insurmontable par l'autre. Ainsi la signification personnelle du problème n'est pas l'effet d'un désordre somatique, mais la conséquence de l'importance que l'événement revêt dans le comportement général de l'individu en situation. Il y a beaucoup de subjectivité dans ce domaine. C'est ce qu'on appelle la «primauté» de la subjectivité.

La cause de nos difficultés ne réside donc pas toujours dans les situations elles-mêmes, mais, en bonne partie, dans notre manière individuelle et collective irréaliste d'interpréter ces situations. Ainsi, notre manière de penser exerce une grande influence sur nos émotions, lesquelles à leur tour contribuent au déclenchement, au maintien ou à l'aggravation de plusieurs difficultés.

Les attributions de la causalité ont tendance à varier selon la perspective d'observation. Les acteurs voient souvent leurs actions comme ayant été causées par l'environnement (cause externe), tandis que les observateurs voient les mêmes actions comme ayant été causées par les acteurs (cause interne). L'attribution peut également être biaisée par des motifs intérieurs. Souvent, les gens se voient comme la cause de leurs succès, mais attribuent leurs échecs à des causes externes.

L'image de soi négative

L'impression qu'une personne se fait d'elle-même peut être influencée lorsqu'elle observe la façon dont les autres réagissent vis-à-vis d'elle, lorsqu'elle se compare aux autres et lorsqu'elle dirige son attention sur les aspects d'elle-même qu'elle considère lui être particuliers. Quand une personne se sert des perceptions des autres comme miroir de sa propre image, elle risque de développer une image négative d'elle-même dès que l'entourage la perçoit ainsi. Cette image de soi négative peut constituer un important facteur d'inadaptation dans plusieurs secteurs de la vie quotidienne.

Les facteurs liés aux dimensions affectives

Le sentiment d'étrangeté sociale

Le projet de vie incorpore tout un système d'attitudes et de valeurs qu'une personne tire de sa société, de son milieu, de son expérience, de ses réflexions. Si cette conception est menacée quant à un ou plusieurs aspects essentiels, il y a risque de désorganisation individuelle. La réorganisation peut être difficile, surtout si les individus sont privés de véritables interactions sociales, c'est-à-dire d'un minimum d'échange d'idées et de partage d'opinions.

C'est là le phénomène de l'isolement social ou du sentiment d'étrangeté sociale: de lui-même, l'individu s'isole malgré le fait qu'il puisse trouver du support. Pour une personne, le sentiment de ne pas être aimée, acceptée ou désirée par son entourage peut l'amener à se retirer de plusieurs groupes d'appartenance en se sentant de plus en plus étrangère à eux.

La vulnérabilité psychologique

La personnalité de chacun est donc le résultat des interactions du tempérament et de la socialisation. Que ce soit sur le plan physique ou psychologique, chaque enfant naît avec un certain degré de vulnérabilité, composante de la personnalité. La notion de vulnérabilité psychologique est en relation avec la notion de construction progressive de la personnalité. James Anthony[26] a particulièrement étudié cet aspect de la personnalité et son développement au cours d'une vie. Une prédisposition de base se modifie au contact des influences environnementales, allant vers une plus ou moins grande vulnérabilité. Cette dernière se caractérise surtout par les manières de réagir aux influences de son environnement et aux expériences de sa vie.

On dit de certaines personnes qu'elles ont une personnalité fragile parce qu'elles éprouvent plus de difficultés pour composer avec les éléments de la réalité. On s'intéresse de plus en plus aux conséquences possibles de cette vulnérabilité psychologique sur le développement de l'individu. On admet généralement l'action des facteurs héréditaires, des facteurs accidentels apparaissant dans les premières années de la vie et de certains traumatismes au cours du développement personnel. On ne doit pas donner trop d'importance à chacun de ces facteurs ni minimiser leur influence réelle.

Cependant, la vulnérabilité psychologique, présente chez plusieurs personnes, est comparable à certains égards à la vulnérabilité physique et à la vulnérabilité sociale. La possibilité d'adaptation dépend donc pour une personne de sa capacité de résister aux agressions. L'adaptation et l'inadaptation ne doivent pas être opposées, mais être situées dans une continuité liée à cette relative capacité de résistance pour chacun en regard de l'intensité des agressions.

La structure de personnalité pathologique

La structure de la personnalité est comme le mode d'organisation global, formel de la personnalité et elle exerce une influence relative sur plusieurs de nos conduites, comportements ou relations. Dans certains cas, cette structure psychique se développe dans un sens pathologique, selon des lignes de séparation préalablement établies dans leurs limites, leurs directions, leurs angles, un peu comme ce qui se passe dans le bris d'un cristal.

Il semble donc essentiel de ne pas considérer la structure de la personnalité comme figée une fois pour toutes, mais de tenir compte également de tous les acquis postnataux qui peuvent se prolonger au-delà de l'adolescence et qui influencent cette structure. La structure de personnalité n'est considérée comme fixée qu'au terme d'un long développement riche de tous les possibles aussi bien que gros de tous les risques et dangers.

La rigidité comportementale

La représentation courante cherche à diviser les comportements en bons ou mauvais. Par exemple, l'amour, la fidélité, la confiance sont considérés comme bons en soi alors que la haine, l'infidélité, la méfiance sont considérées comme mauvaises en soi. Cette catégorisation peut amener une rigidité comportementale, laquelle peut constituer un facteur d'inadaptation dans certaines conditions. Ainsi la haine, l'amour, la colère, la fidélité, l'attachement, la méfiance, la confiance désignent tous des états qui indiquent une disposition à des comportements précis.

Cependant, se demander si tel comportement est en soi bon ou mauvais serait aussi nuisible que de se demander, par exemple, si les glandes endocrines sont bonnes ou mauvaises. Un amour excessif gâte d'innombrables enfants pleins de promesses. Une fidélité à tout prix, élevée au rang de valeur absolue, peut avoir des conséquences souvent néfastes. Quant à la méfiance, Erik Erikson a démontré de manière convaincante qu'elle est avantageuse dans plusieurs situations.

LA DYNAMIQUE DES FACTEURS CAUSALS

Le problème de l'origine des comportements ne saurait aujourd'hui être posé en termes d'inné et d'acquis. Il paraît impossible, dans la plupart des cas, de dire si tel trait comportemental est génétique ou s'il est dû à l'environnement; dans une situation concrète, la question n'a pas de sens. De même, il est bien souvent impossible de rechercher si l'un des deux facteurs a plus de poids que l'autre. La question qu'il faut se poser peut s'énoncer comme suit: comment les composantes individuelles (biologiques et psychodéveloppementales) entrent-elles en interaction avec les composantes environnementales pour déclencher, maintenir ou aggraver des problèmes d'adaptation?

La plupart des caractères héréditaires, normaux ou non, sont aussi sous l'influence de l'environnement extérieur, du milieu ambiant dans lequel l'individu vit et a vécu. Il en va de même en ce qui touche la pathologie. Certaines maladies indiscutablement héréditaires, comme le diabète, la goutte, sont en grande partie sous la commande de l'environnement. Des excès d'alimentation ou d'alcool, une mauvaise hygiène, une contamination fournissent à la maladie une occasion de se développer. Non seulement ils sont «sous influence», mais certains caractères héréditaires ne semblent devoir apparaître que si certaines conditions environnementales sont présentes.

Dans tous les cas où la transmission est génétique, il est important de ne pas assimiler ces phénotypes de comportement à des entités figées, léguées de génération en génération sans la moindre marge de manœuvre. La plupart des inadaptations ne se limitent pas à la combinaison additive de l'hérédité et de l'environnement. Il est important d'y ajouter aussi les réponses personnelles.

La grande découverte de la psychologie contemporaine et qui est considérée comme un postulat indispensable, est précisément que l'être humain est un être social. Ainsi, toute abstraction du contexte microsocial ne peut être que provisoire. L'existence sociale est aussi inséparable de la personne humaine que l'existence corporelle par rapport à l'existence psychique.

Lorsqu'il s'agit de définir la personnalité, la référence à ce qui constitue la personne comme unité originale dynamique n'est pas forcément abandonnée, mais elle devient en quelque sorte un aspect de la personne reliée à ses bases biologiques, d'une part, et en relation avec l'environnement, d'autre part. Le développement individuel lui-même est un processus de socialisation, et l'étude d'un phénomène quelconque concernant l'être humain est toujours la description d'un certain type de relation entre l'individu et le monde.

Les causes nécessaires mais non suffisantes

Comprendre une cause ou un facteur peut certes se révéler utile et même recommandable, mais la plupart du temps, cela est nettement insuffisant pour solutionner un problème ou une difficulté d'adaptation. La recherche des facteurs causals aide à émettre des hypothèses sur la genèse d'une difficulté de manière qu'une formulation efficace de ces facteurs contienne déjà des germes de solutions.

Dans bien des cas, une même anomalie phénotypique peut correspondre soit à une maladie acquise (virale ou autre), soit à une maladie héréditaire, laquelle peut d'ailleurs reconnaître des modèles génétiques indépendants puisque la réalisation d'un caractère héréditaire suppose le franchissement de plusieurs étapes.

La phénylcétonurie, par exemple, est une maladie héréditaire récessive. Cette mutation génétique, si elle est la condition nécessaire à la réalisation d'une forme de déficience intellectuelle, n'est cependant pas une condition suffisante. En effet, on peut éviter cette déficience, ou tout au moins la limiter dans sa profondeur, en soumettant le nouveau-né, dès les premiers jours de sa vie, à un régime alimentaire systématiquement appauvri en phénylalanine. Cet exemple le montre bien : pour que la déficience intellectuelle se réalise, le facteur génétique n'est pas suffisant ; il faut qu'il s'accompagne, dans ce cas-ci, d'un excès de phénylalanine apporté par voie alimentaire.

Gardons à l'esprit que telle inadaptation peut être causée par tel ou tel facteur et non que tel ou tel facteur cause inévitablement telle inadaptation. Prenons l'exemple du vaccin (*voir la figure 2.7*). Si une personne reconnaît le vaccin comme cause de la déficience intellectuelle, elle affirme deux faits : d'abord, que le vaccin est une substance préparée à partir de microbes, virus ou parasites et qui, inoculée à un individu, lui confère une immunité contre le germe correspondant ; ensuite, que le vaccin peut, dans quelques cas, transmettre à l'individu inoculé le germe qu'on voulait combattre.

Figure 2.7 **Exemples de causes nécessaires mais non suffisantes**

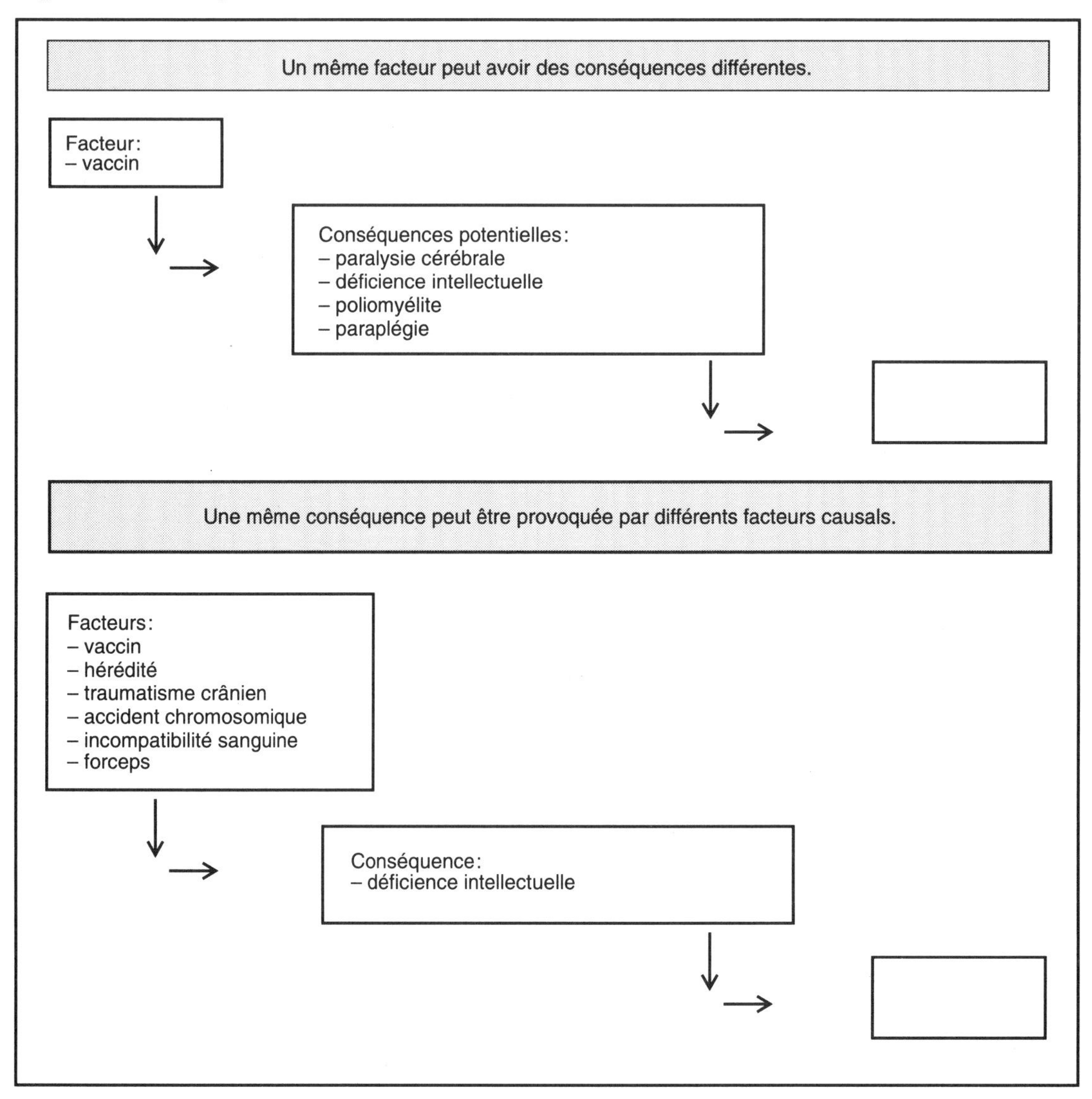

Le germe ainsi injecté est la cause initiale et spécifique, l'antécédent constant et nécessaire. Mais l'effet terminal de la déficience intellectuelle ne se trouve pas contenu dans ce germe. Entre la cause et l'effet, se déroulent un long intervalle de temps et de multiples processus organiques. La cause initiale produit des effets qui, à leur tour, causent d'autres effets, suivant un processus continu d'actions et de réactions organiques.

Dans l'exemple considéré plus haut, il y a une cause nécessaire, à savoir le germe transmis par le vaccin, mais ce germe n'est cependant pas suffisant pour transmettre une déficience intellectuelle.

C'est pourquoi nous avons parlé de « facteurs potentiels » dans la majorité des cas présentés, indiquant par là que très peu de facteurs sont des facteurs directs, de cause à effet. La majorité des facteurs présentés ont une influence fort variable selon les caractéristiques individuelles et environnementales. On trouvera quelques exemples au tableau 2.17.

Tableau 2.17 **Exemples de conséquences potentielles des facteurs causals**

Facteur causal	Conséquence (difficulté d'adaptation)
Accident d'automobile	Amputation d'un bras
Incendie	Brûlures au visage
Inondation	Pertes financières
Médicament (thalidomide)	Malformation et atrophie des membres
Gène taré	Hémophilie
Situation d'inceste	Traumatisme affectif
Présence d'un chromosome supplémentaire	Syndrome de Down
Fermeture d'usine	Perte d'emploi
Manque de confiance en soi	Non-performance en entrevue
Violence familiale	Insécurité émotive

Voici quelques exemples montrant la différence entre les facteurs causals étudiés dans le présent chapitre (genèse des difficultés) et les conséquences potentielles étudiées au chapitre 3 (difficultés d'adaptation). Notons au passage que dans la présentation des différents facteurs causals, nous indiquerons quelques conséquences potentielles. Notons également qu'*un même facteur peut provoquer d'autres conséquences* et, à l'inverse, qu'*une même conséquence peut avoir été causée par un autre facteur.*

Une certaine inadaptation provisoire est une loi de la vie. Plusieurs facteurs causals ne constituent pas toujours une relation de cause à effet. Comment ces différents facteurs interagissent-ils dans la réalité ? Toutes les possibilités contribuent en partie à une situation problématique. L'organisme varie en fonction de l'environnement, mais aussi au même moment en fonction de lui-même, et l'environnement à son tour est soumis à des variations en fonction de l'organisme. Il n'y a adaptation que si ces trois relations fonctionnelles sont présentes. Où sont les causes, où sont les effets ?

La causalité linéaire

Le concept d'adaptation est constamment victime du problème de la causalité linéaire. Plusieurs personnes pensent qu'elles pourront intervenir adéquatement en trouvant la grande et unique cause d'une difficulté d'adaptation. Cette conception de la causalité linéaire entretient encore le mythe qu'en comprenant la cause de départ, on réglera automatiquement la difficulté.

Dans la causalité linéaire, on cherche la cause la plus lointaine, dans le passé, pour expliquer le problème actuel. À tort, on croit que plus le traumatisme ou le souvenir est précoce et profond, plus on a de chance de toucher enfin « la cause » qui permettra de résoudre le problème. Cette conception présente, malgré ses avantages dans certaines situations, de nombreux inconvénients. En effet, elle néglige les autres facteurs qui ont pu être également « en cause » dans la genèse d'une difficulté d'adaptation comme contribuant soit au déclenchement, soit au maintien, ou à l'aggravation du problème.

La causalité circulaire

Pour plusieurs difficultés, il semble assez ardu d'identifier avec certitude lequel des facteurs en présence est le facteur le plus important et qui peut l'expliquer.

> « En effet, le manque de connaissances scientifiques sur le développement de l'enfant et de la famille nous empêche de discuter, honnêtement et avec précision, de l'importance relative de chacun des facteurs contribuant à la venue d'un problème humain. Le spécialiste qui s'y risquerait ne ferait que céder à la tentation de porter ses opinions personnelles, si expertes soient-elles, au flambeau de la "certitude". Contrairement à la pensée commune, la recherche de la cause "la plus importante" ne conduit souvent pas à la solution pratique d'un problème affectif dans une famille ou avec un enfant[27]. »

Figure 2.8 Causalité circulaire

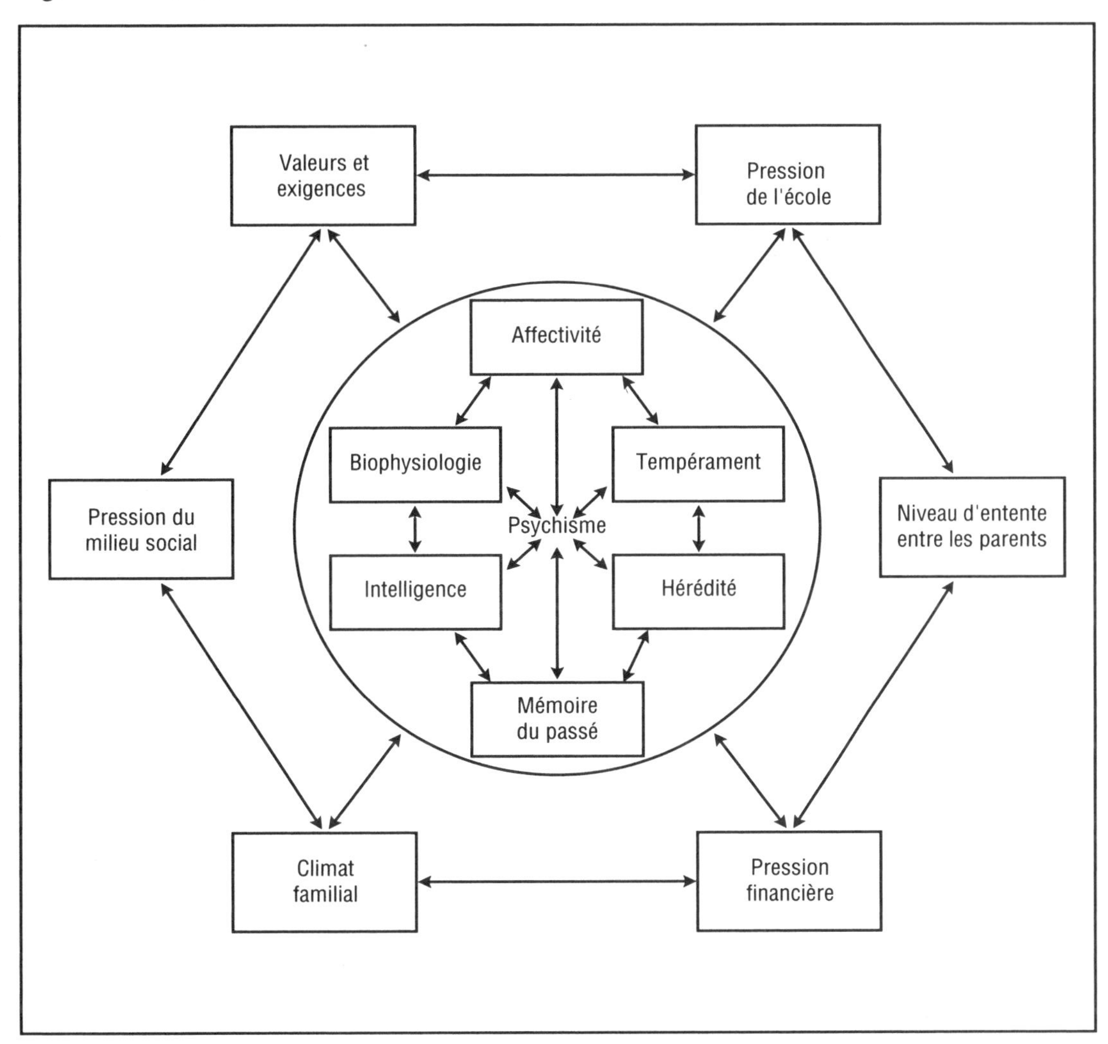

Adapté de Michel MAZIADE, *Guide pour parents inquiets*, Québec, Les Éditions La Liberté, 1988, p. 52.

De plus en plus, on abandonne la vision mécaniste et causale des phénomènes qu'est la causalité linéaire. De ce fait, les divers facteurs ne peuvent être considérés comme la «cause» les uns des autres. C'est vers la causalité circulaire qu'on s'oriente de plus en plus en considérant les systèmes et les sous-systèmes en interaction (*voir la figure 2.8*).

Une des conclusions découlant de la vision systémique est que plusieurs types de problèmes ou d'inadaptations peuvent provenir en partie du jeu des forces entre les différents facteurs. Un problème présent chez une personne peut provenir en partie d'un de ses groupes d'appartenance, mais il est également important de considérer qu'un des problèmes présents pour le groupe d'appartenance lui-même peut provenir du problème vécu par un de ses membres.

Les dernières recherches sur les relations parents-nourrisson montrent combien, dès le début, la manière d'être de l'enfant influence directement les attitudes familiales et, bien sûr, réciproquement. Dans cette perspective, le passé constitue un des facteurs parmi tous ceux qui interagissent pour créer la difficulté.

Plus un enfant est jeune, plus il est influencé par la dynamique familiale, mais plus il grandit, plus il influence à son tour le comportement des parents et des autres membres de la famille. Ainsi il interagit fortement dans son milieu familial selon ses caractéristiques propres et les influences qu'il subit de systèmes extérieurs tels l'école ou l'entourage. Les parents ne sont plus considérés comme les seuls en cause lorsque les enfants présentent des problèmes (*voir la figure 2.9*).

Les comportements d'un groupe influencent chacun de ses membres en même temps que les comportements de chaque membre influencent son groupe. Chaque système se caractérise par un type de relations et d'interactions qui lui est bien particulier. Un système est donc beaucoup plus que la somme de ses parties ou sous-systèmes.

La difficulté doit donc être analysée sous l'angle de l'interaction des différents facteurs qui entretiennent le système dysfonctionnel. Nous parlons d'un cercle vicieux quand un vice s'est introduit dans le cercle pour maintenir ou aggraver la situation problématique. Dans la causalité circulaire, le problème vient souvent du vice infiltré dans le cercle et non pas de la cause la plus lointaine, comme dans la causalité linéaire.

Figure 2.9 **Exemple d'interaction de facteurs causals**

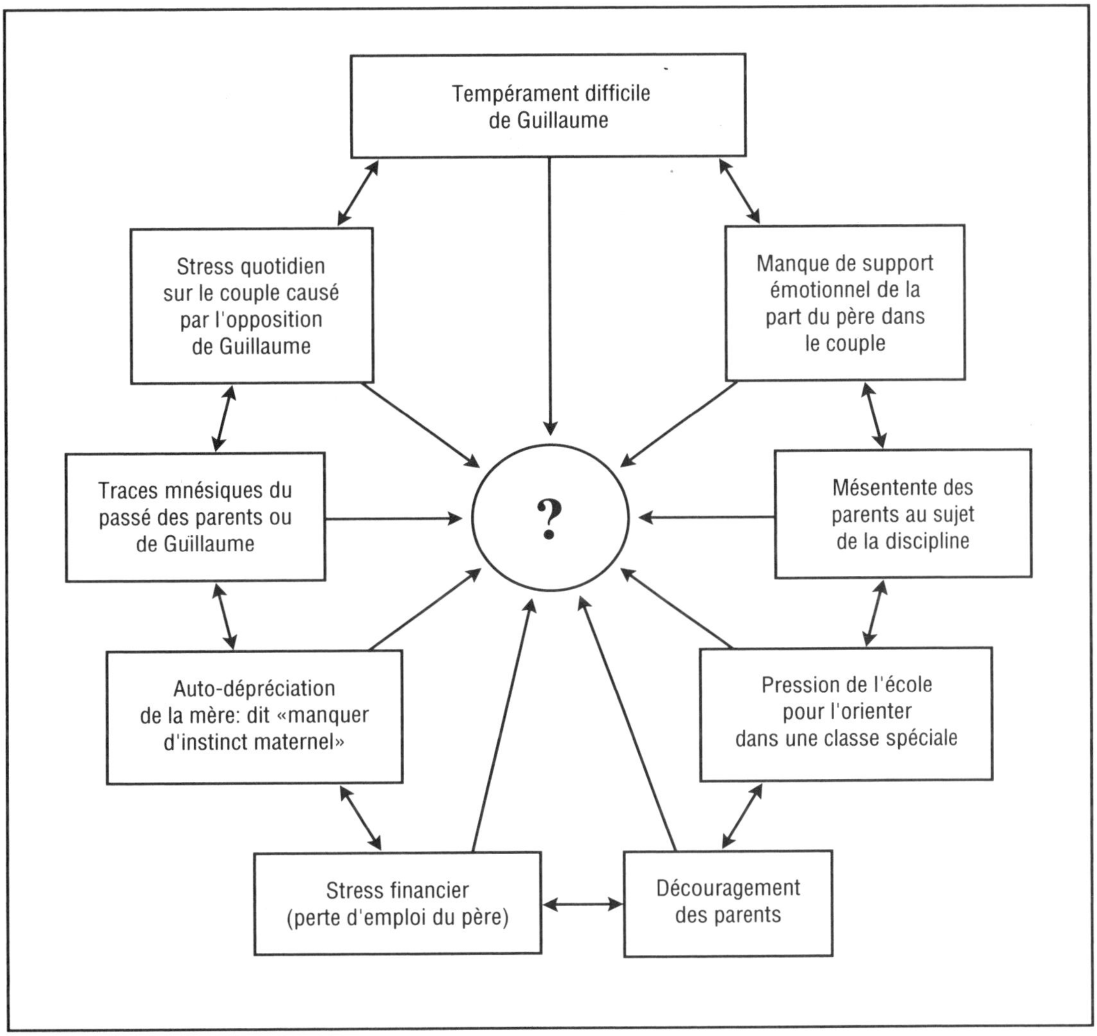

Tempérament difficile de Guillaume

Stress quotidien sur le couple causé par l'opposition de Guillaume

Manque de support émotionnel de la part du père dans le couple

Traces mnésiques du passé des parents ou de Guillaume

?

Mésentente des parents au sujet de la discipline

Auto-dépréciation de la mère: dit «manquer d'instinct maternel»

Pression de l'école pour l'orienter dans une classe spéciale

Stress financier (perte d'emploi du père)

Découragement des parents

Adapté de Michel MAZIADE, *Guide pour parents inquiets*, Québec, Les Éditions La Liberté, 1988, p. 52.

Selon Piaget, il y a interaction constructive, créatrice de «formes» cognitives ou organiques.

> «Le fonctionnement de l'intelligence est lié à celui du système nerveux et constitue donc un secteur particulier des activités de l'organisme[...] On peut donc considérer l'adaptation cognitive du sujet aux objets comme un cas particulier de l'adaptation biologique au milieu, encore que, si l'on passe de la filiation à l'explication causale, cette causalité sera naturellement tôt ou tard circulaire[28]. »

L'échelle de pondération des facteurs

Il est souvent difficile de séparer les facteurs d'inadaptation des facteurs d'adaptation. Plusieurs des facteurs peuvent être favorables dans une situation donnée et défavorables dans une autre situation ou pour une autre personne. La majorité de ces facteurs ne sont pas en eux-mêmes des facteurs d'inadaptation. Toutefois, dans certaines situations, ils peuvent le devenir.

Nous nous sommes attardés ici sur les types de facteurs considérés habituellement comme des facteurs défavorables, mais ils n'ont pas tous la même valeur, la même intensité. C'est pourquoi nous introduisons une échelle de pondération, qui permet d'attribuer une valeur particulière aux divers facteurs en leur donnant une place proportionnelle à leur importance réelle. C'est une valeur donnée en fonction des conséquences que les facteurs peuvent avoir sur l'inadaptation potentielle.

Cette échelle comporte l'avantage de mesurer, dans chaque situation concrète, la marge d'influence potentielle des différents facteurs d'inadaptation. À cet effet, nous n'avons pas conservé la subdivision en facteurs biologiques, environnementaux et psychodéveloppementaux. Nous proposons plutôt d'analyser, selon les personnes et les circonstances, les facteurs en cause en appliquant la pondération suivante: les facteurs déterminants, les facteurs de prédisposition, les facteurs déclenchants, les facteurs de maintien, les facteurs d'aggravation (*voir la figure 2.10*). Voici une description de chacun de ces types de facteurs, qu'on ne peut analyser que dans des situations particulières et dans une dynamique d'interaction.

Les **facteurs déterminants** concernent la majorité des facteurs génétiques héréditaires et plusieurs facteurs génétiques accidentels mais

Figure 2.10
Échelle de pondération des facteurs causals

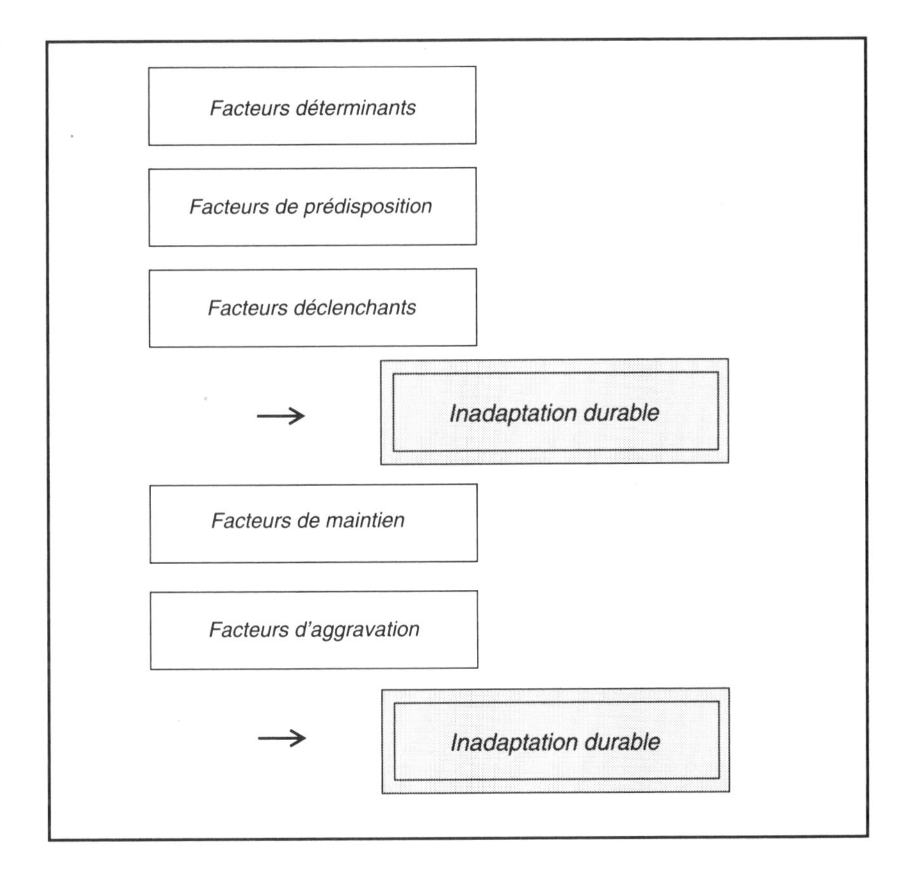

non héréditaires. On les appelle « déterminismes » quand ils sont irréversibles, parce que la conséquence est souvent inévitable et qu'elle est en relation de cause à effet. Même ici, il faudrait nuancer. Par exemple, une trisomie 21 donne toujours des signes de mongolisme, mais les capacités intellectuelles de la personne, bien qu'inévitablement entravées, dépendront aussi des influences socioculturelles et affectives.

Les **facteurs de prédisposition** recouvrent trois secteurs différents et complémentaires: les prédispositions peuvent être d'origine héréditaire, d'origine familiale ou d'origine socioculturelle. Leurs conséquences sont modifiables, comme nous l'avons vu avec les exemples de la phénylcétonurie, de l'intelligence, du tempérament et de la vulnérabilité. On parle alors d'« influence », de « terrain » et non de « relation de cause à effet ». On retrouve également dans cette catégorie les traits de personnalité, qui désignent les modalités habituelles selon lesquelles on perçoit son environnement et sa propre personne, comment on y réagit et comment on les conçoit. Ils s'expriment dans une vaste gamme de situations importantes, sociales et personnelles.

On admet généralement que c'est au sein du milieu familial et socioculturel que se forgent chez les êtres humains la majeure partie des croyances et des attitudes qui influenceront par la suite leur façon de vivre au quotidien et d'entrer en relation avec leur entourage. Certains sont plutôt anxieux, pessimistes ou méfiants; d'autres sont plutôt optimistes, calmes et confiants.

Les **facteurs déclenchants** font référence aux stresseurs psychosociaux liés à l'environnement ou aux habitudes de vie d'une personne et qui contribuent à engendrer des difficultés d'adaptation. En voici quelques exemples: les traumatismes physiques (accident, agression, maladie grave subite); les traumatismes psychiques ou stresseurs aigus (décès ou maladie grave d'une personne importante, divorce, perte d'emploi, perte financière); les stresseurs chroniques (mésententes conjugales ou familiales chroniques, tensions chroniques au travail ou sur le plan social, maladies sérieuses chroniques).

Beaucoup de personnes ont tendance à romancer l'enfance, à la percevoir comme une période insouciante et merveilleuse de la vie. Tous les enfants vivent des tensions et certains d'entre eux plus que d'autres, surtout avec les pressions modernes qui les obligent souvent à acquérir très vite de la maturité. Quand les interactions entre l'enfant et son entourage sont perturbées par des facteurs psychosociaux, l'anxiété qui en résulte risque d'avoir des conséquences négatives sur le développement. La façon dont un enfant réagit à une expérience stressante dépend elle aussi de plusieurs facteurs. Plusieurs difficultés d'adaptation débutent souvent de façon insidieuse, sans qu'on puisse trouver de facteurs déclenchants précis.

Les **facteurs de maintien** sont des facteurs qui peuvent freiner ou ralentir le changement adaptatif. Ils contribuent ainsi à maintenir les difficultés. Parmi ces facteurs, on retrouve habituellement les facteurs psychodéveloppementaux, surtout les facteurs cognitifs.

Les **facteurs d'aggravation** font référence aux cercles vicieux. Nous avons vu que certaines croyances ou attitudes plus ou moins conscientes, tant individuelles que collectives, peuvent rendre l'individu plus fragile et le prédisposer à des difficultés d'adaptation. Une fois la difficulté présente, ces croyances et attitudes contribueront souvent à l'accentuer en augmentant chroniquement le niveau global d'anxiété. De plus, on trouve dans cette catégorie les interventions inadéquates de l'environnement social, qui aggravent souvent inutilement des situations déjà difficiles. On parle alors d'« obstacles écosociaux ».

NOTES

[1] OFFICE DES PERSONNES HANDICAPÉES DU QUÉBEC. *À part égale...L'intégration sociale des personnes handicapées : un défi pour tous*, Gouvernement du Québec, 1984, p. 54.

[2] *Loc. cit.*

[3] MINISTÈRE DE LA SANTÉ ET DES SERVICES SOCIAUX. *La santé mentale, de la biologie à la culture. Avis sur la notion de santé mentale*, 1985, 158 p.

[4] Robert E. SCHELL et Elizabeth HALL. *Psychologie génétique*, Montréal, Éditions du Renouveau pédagogique, 1980, p. 67.

[5] Marcel BOUFFARD. « Le développement moteur de la personne handicapée » dans *Activité physique adaptée*, sous la direction de Clermont SIMARD, Fernand CARON et Kristina SKROTSKY, Chicoutimi, Gaëtan Morin éditeur, 1987, p. 115.

[6] Dr Michel LEMAY. Notes manuscrites.

[7] Marcel BOUFFARD. *Op. cit.*, p. 115.

[8] Dr Michel LEMAY. Notes manuscrites.

[9] Konrad LORENZ. *Les huit péchés capitaux de notre civilisation*, Paris, Flammarion, 1973, 166 p.

[10] MINISTÈRE DES APPROVISIONNEMENTS ET SERVICES CANADA. *Activité humaine et l'environnement. Un compendium de statistiques*, Ottawa, Statistique Canada, Division de l'analyse structurelle, Études analytiques, 1986, 375 p.

[11] Jean-Pierre CHANLAT. « Types de sociétés, types de morbidités : la socio-genèse des maladies » dans Jacques DUFRESNE, Fernand DUMONT, Yves MARTIN, *Traité d'anthropologie médicale. L'Institution de la santé et de la maladie*, Québec, Presses de l'Université du Québec, Institut québécois de recherche sur la culture et Presses universitaires de Lyon, 1985, 1245 p., chapitre 14, p. 293 à 304.

[12] Roger BASTIDE. *Sociologie des maladies mentales*, Paris, Flammarion, 1965, 282 p.

[13] Rodolphe ROELENS. *Introduction à la psychopathologie*, Paris, Larousse, coll. « Sciences humaines et sociales », 1969, p. 125.

[14] Guy ROCHER. *Introduction à la sociologie générale. 1. L'action sociale*, Montréal, Éditions Hurtubise HMH, 1969, p. 56.

[15] Dr Michel LEMAY. Notes manuscrites.

[16] M. RUTTER. « Separation Experiences : A New Look at an Old Topic », *Pediatrics*, 1979, p. 151 dans Diane E. PAPALIA et Sally W. OLDS, *Le développement de la personne*, Montréal, Éditions Études vivantes, 3e édition, 1989, p. 176.

[17] Diane E. PAPALIA et Sally W. OLDS. *Op. cit.*, p. 178-179.

[18] J. Mc CORD. « A Forty Years Perpective on Effects of Child Abuse and Neglect », *Child Abuse and Neglect*, vol. 7, 1983, p. 265-270.

[19] Patricia HANIGAN. *Jeunesse en difficulté*, Québec, Presses de l'Université du Québec, 1990, p. 164.

[20] Jean-Pierre CHANLAT. *Op. cit.*, p. 298.

[21] René DUCHAC. *Sociologie et psychologie*, Paris, P.U.F., coll. «SUP», 1968, p. 119.

[22] Georges CHAPOUTIER, Michel KREUTZER et Christian MENINI. *Le système nerveux et le comportement*, Paris-Montréal, Éditions Études vivantes, coll. «Academic Press», 1980, p. 136.

[23] MINISTÈRE DE LA SANTÉ ET DES SERVICES SOCIAUX. *Avis sur la notion de santé mentale. De la biologie à la culture*, Gouvernement du Québec, 1985, p. 43.

[24] Margaret MAHLER. *Psychose infantile*, Paris, Payot, coll. «Petite bibliothèque Payot», 1977, 249 p.

[25] Diane E. PAPALIA et Sally W. OLDS. *Op. cit.*, p. 156.

[26] E. J. ANTHONY et C. KOUPERNIK. *L'enfant dans la famille*, Paris, Masson & Cie, 1970, 448 p.

[27] Michel MAZIADE. *Guide pour parents inquiets*, Québec, Les Éditions La Liberté, 1988, p. 74.

[28] Jean PIAGET. «Intelligence et adaptation biologique» dans F. BRESSON, Ch. H. MARX, F. MEYER *et al.*, *Les processus d'adaptation. Symposium de l'Association de psychologie scientifique de langue française*, Paris, P.U.F., coll. «Bibliothèque scientifique internationale», 1967, p. 65.

EN BREF

La genèse d'une difficulté d'adaptation est l'**étude des facteurs causals**, c'est-à-dire des faits et des éléments d'origine interne ou externe qui concourent à la formation d'une inadaptation. Jusqu'à la fin des années 60, trois grandes orientations, souvent opposées, ont guidé l'analyse des facteurs d'inadaptation: l'orientation biologique, l'orientation environnementale et l'orientation psychologique. Ces orientations sont graduellement devenues complémentaires dans une conception multifactorielle des facteurs causals. Les axes biologique, environnemental et psychodéveloppemental servent de cadre de référence pour situer les différents facteurs d'inadaptation.

Les **facteurs biologiques** (biogenèse) comprennent les facteurs héréditaires endogènes, les facteurs prénatals exogènes, les facteurs périnatals exogènes, les facteurs postnatals. Les **facteurs environnementaux** (sociogenèse) comprennent les facteurs liés aux conditions naturelles, les facteurs liés aux conditions macrosociales, les facteurs liés aux conditions microsociales. Les **facteurs psychodéveloppementaux** (psychogenèse) comprennent les facteurs liés aux stades de développement, les facteurs liés à la motivation, les facteurs liés aux dimensions cognitives, les facteurs liés aux dimensions affectives.

Une formulation adéquate de ces facteurs causals contient déjà des germes de solutions. Dans plusieurs cas, **une cause est nécessaire mais non suffisante**; cela signifie que telle inadaptation peut être causée par tel ou tel facteur et non que tel ou tel facteur causera inévitablement telle inadaptation. Dans la majorité des situations d'inadaptation, il est difficile de trouver un facteur causal unique. La **causalité circulaire** permet d'analyser les différents facteurs causals qui interagissent dans la genèse d'une inadaptation. Selon les personnes et les circonstances, les **différents facteurs** en cause peuvent être des facteurs déterminants, des facteurs de prédisposition, des facteurs déclenchants, des facteurs de maintien, des facteurs d'aggravation.

QUESTIONS

Vrai	Faux		
☐	☐	1.	L'orientation biologique, l'orientation psychologique et l'orientation environnementale ont été, jusqu'à la fin des années 60, en opposition plutôt qu'en complémentarité.
☐	☐	2.	Les facteurs héréditaires sont dits «endogènes» parce qu'ils sont liés à une cause externe au «code génétique».
☐	☐	3.	Si les effets d'un gène sont observables chez un enfant qui a reçu ce gène, on dit que le gène est «dominant».
☐	☐	4.	Une personne qui a un gène taré récessif à l'état hétérozygote est atteinte de la maladie.
☐	☐	5.	Les accidents chromosomiques sont considérés comme des maladies héréditaires.
☐	☐	6.	Hérédité et contagion sont synonymes.
☐	☐	7.	Les facteurs périnatals interviennent durant le développement fœtal.
☐	☐	8.	Plusieurs maladies infantiles banales, lorsqu'elles sont accompagnées de complications dites «d'ordre encéphalitique», peuvent, dans certains cas, se révéler la cause de lésions cérébrales.
☐	☐	9.	La pollution de l'air et de l'eau est considérée comme un facteur environnemental lié aux conditions naturelles.
☐	☐	10.	Les inégalités sociales sont un facteur environnemental lié aux conditions macrosociales.
☐	☐	11.	Un milieu familial dysfonctionnel est considéré comme un facteur environnemental lié aux conditions microsociales.

☐ ☐ 12. Dans l'axe psychodéveloppemental, on considère que l'être humain reçoit les influences de son environnement sans réagir à ces influences.

☐ ☐ 13. Les facteurs liés aux stades de développement reposent sur des modèles qui considèrent qu'une personne est « à risque » dès qu'elle s'écarte le moindrement des normes de développement.

☐ ☐ 14. Un des facteurs psychodéveloppementaux liés à la motivation est l'incertitude face au sens de l'existence.

☐ ☐ 15. Les interprétations irréalistes font partie des facteurs psychodéveloppementaux liés aux dimensions affectives.

☐ ☐ 16. Un même facteur peut être à l'origine d'inadaptations fort différentes.

☐ ☐ 17. Une même conséquence peut avoir des facteurs causals très différents.

☐ ☐ 18. Certaines causes sont nécessaires mais non suffisantes pour engendrer une déficience.

☐ ☐ 19. La causalité linéaire analyse les interactions entre plusieurs facteurs dans la genèse d'une difficulté.

☐ ☐ 20. Les facteurs déterminants, les facteurs de prédisposition, les facteurs déclenchants, les facteurs de maintien, les facteurs d'aggravation doivent être analysés dans une dynamique d'interaction selon les personnes et selon les circonstances.

RÉPONSES

1. V 3. V 5. F 7. F 9. V 11. V 13. F 15. F 17. V 19. F

2. F 4. F 6. F 8. V 10. V 12. F 14. V 16. V 18. V 20. V

À TITRE DE RÉFLEXION

L'humanité et les êtres humains ont tendance à découvrir les vérités en polarités.

INCONNU

Toute la science n'est que le raffinement de la pensée quotidienne.

EINSTEIN

Chez la plupart des hommes, l'incroyance en une chose est fondée sur la croyance aveugle en une autre.

LICHTENBERG

Je compris, beaucoup mieux que par des considérations dialectiques, qu'il n'est pas d'observateurs purs, mais qu'il y a une relation constante et complexe entre l'histoire présente et l'histoire passée, l'observateur et ce qu'il observe.

EDGAR MORIN

L'hérédité est comme une diligence dans laquelle tous nos ancêtres voyageraient. De temps en temps, l'un d'eux met la tête à la portière et vient nous causer toutes sortes d'ennuis.

O.W. HOLMES

Est-il sûr qu'on respecte la liberté d'un enfant en lui présentant une dizaine d'options en principe également valables et entre lesquelles, finalement, il n'arrivera jamais à choisir ?

INCONNU

Dans l'histoire de plus d'une discipline de recherche, un phénomène longtemps ignoré s'est révélé la clé d'une grande découverte. Une pierre d'abord rejetée trop vite par la science en est parfois devenue plus tard la pierre angulaire.

RHINE

L'unité de l'être et la complexité du déterminisme n'empêchent pas la dominance d'un ordre causal par rapport à un autre. Selon son niveau, cette dominance confère une tout autre signification pathogénique, et réclame une conduite thérapeutique différente.

GABRIEL DESHAIES

C'est ainsi que, paradoxalement, il se peut justement que ce soit nos connaissances sur des phénomènes à première vue fantastiques et sans caractère pratique, qui nous apportent des renseignements fondamentaux nouveaux, nous entraînant ainsi vers de nouveaux sommets.

HANS SELYE

Un chercheur a déjà écrit qu'à être trop près d'une situation, d'un problème ou d'un événement, on n'en voit plus que les détails et que, conséquemment, on perd le sens de l'ensemble.

INCONNU

3 LA PÉRIODE D'INADAPTATION (Description des difficultés)

« Tant que ces problèmes demeureront dans l'ombre, c'est l'ombre qui va gagner. »

Edgar Morin

ACCEPTER DE VIVRE, C'EST RECHERCHER le bonheur, mais c'est aussi accepter de souffrir. La souffrance, inhérente à la condition humaine, constitue la trame de fond de toute période d'inadaptation. Tous les êtres humains sont soumis, au cours de leur vie, à un grand nombre de facteurs d'inadaptation biologiques, environnementaux et psychodéveloppementaux. Il en résulte plusieurs conséquences ; certaines sont minimes, alors que d'autres laissent des séquelles qui peuvent prendre la forme de déficiences ou de limitations fonctionnelles sur les plans physique, psychologique ou social. L'objet du présent chapitre est l'étude de la période d'inadaptation. Nous décrirons les conséquences potentielles des facteurs causals, les variables influençant la durée et l'intensité de la période d'inadaptation, les classifications des difficultés d'adaptation et ce, en mettant en relief la question du normal et du pathologique.

LES CONSÉQUENCES POTENTIELLES DES FACTEURS CAUSALS

Les facteurs causals, ou « stresseurs », ont différentes conséquences ou répercussions sur les personnes concernées. Une première conséquence a trait aux réactions de stress, qui entraînent une période de déséquilibre. Pour contrer ce déséquilibre, l'individu et son environnement réagissent par différents moyens tels les mécanismes de régulation, les mécanismes de défense, les mécanismes de contrôle social.

Lorsque certains facteurs d'inadaptation interviennent au début de l'existence, ils ont un impact particulier sur l'histoire personnelle. Ainsi, les facteurs génétiques, prénatals, périnatals et postnatals précoces laissent des séquelles quelquefois irréversibles. Il est même possible que certaines personnes n'aient pas conscience de ce qui leur arrive. Lorsque les facteurs d'inadaptation interviennent plus tard au cours de l'existence, la durée et l'intensité des réactions sont différentes. Il n'est pas rare qu'une personne soit aux prises avec plusieurs événements stressants à la fois. On parle de «troubles réactionnels» lorsque, à la suite d'événements stressants, des difficultés surgissent et perdurent.

Les agents stresseurs et le stress

L'initiateur des travaux sur le stress fut Hans Selye, un physiologiste canadien d'origine autrichienne. Le mot «stress», qu'il a emprunté à la terminologie anglaise de la physique, renvoie à l'interaction entre une force et une résistance, quelle que soit la force et quelle que soit la résistance. Le stress est ainsi considéré comme la réponse non spécifique de l'organisme à toute demande qui lui est faite. Par exemple, une grande joie ou une grande douleur peuvent produire les mêmes manifestations non spécifiques du point de vue biochimique, c'est-à-dire produire les mêmes changements dans la chimie du corps.

Dans certains cas, cependant, l'organisme se rend malade pour défendre son équilibre. C'est ce que Selye appelle la «maladie de l'adaptation». Pour lui, le stress concerne en même temps l'agression et la réaction organique à l'agression. Selye tente de cerner davantage le stress en le distinguant des stresseurs (*voir la figure 3.1*). Le terme «agents stresseurs» ou «stresseurs» désigne les facteurs d'inadaptation alors que le terme «stress» désigne les réactions ainsi que les réponses biologiques et psychologiques de l'individu.

> «Les agents produisant le stress – appelés techniquement stresseurs– sont différents, mais tous provoquent la même réponse biologique. Cette distinction entre stresseurs et stress a sans doute été le premier pas important fait dans l'analyse scientifique de ce phénomène biologique des plus communs, et que nous connaissons par expérience personnelle[1].»

Figure 3.1
Stresseurs et stress

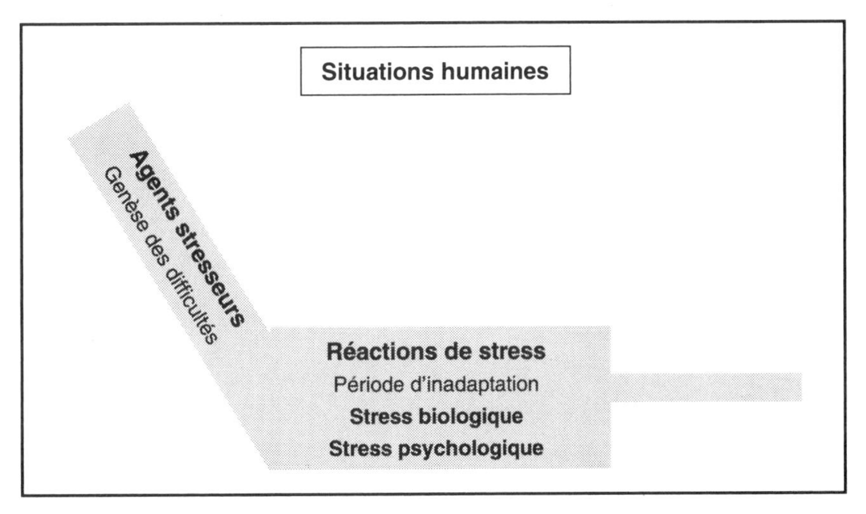

Les stresseurs imposent une demande d'énergie spéciale à une personne à un moment ou l'autre de sa vie. Dans cette perspective, même les stresseurs de la vie quotidienne constituent un stress additionnel pour tout individu. Un stresseur est une cause nécessaire, mais pas nécessairement suffisante, pour produire des résultats de stress déterminés. La figure 3.2 illustre les trois phases du stress décrites d'abord par Selye en terme de «syndrome de détresse biologique», qui fut connu par la suite comme le «syndrome général d'adaptation». Les trois phases du stress sont la réaction d'alarme, la phase de résistance et la phase d'épuisement.

Dans le langage courant, le mot «stress» prit souvent un sens très large, ce qui entraîna parfois de la confusion. On a même décrit le stress comme le «mal du siècle». C'est pourquoi, dans ses travaux subséquents, Hans Selye a tenu à préciser que le stress n'est pas seulement de la tension nerveuse, qu'il n'est pas toujours le résultat non spécifique d'un dommage, qu'il n'est pas à éviter et que l'absence complète de stress entraîne la mort.

Ainsi, le stress n'est ni une dépression nerveuse, ni de la fatigue, ni du découragement. Le stress est la réponse non spécifique que donne le corps à toute demande qui lui est faite. Cela peut conduire à de l'épuisement, à un collapsus nerveux, à un accident cardiaque, à de la fatigue musculaire, etc. Mais ce n'est pas là le stress: ce sont plutôt les résultats du stress.

Figure 3.2
Syndrome général d'adaptation selon Selye (1936)

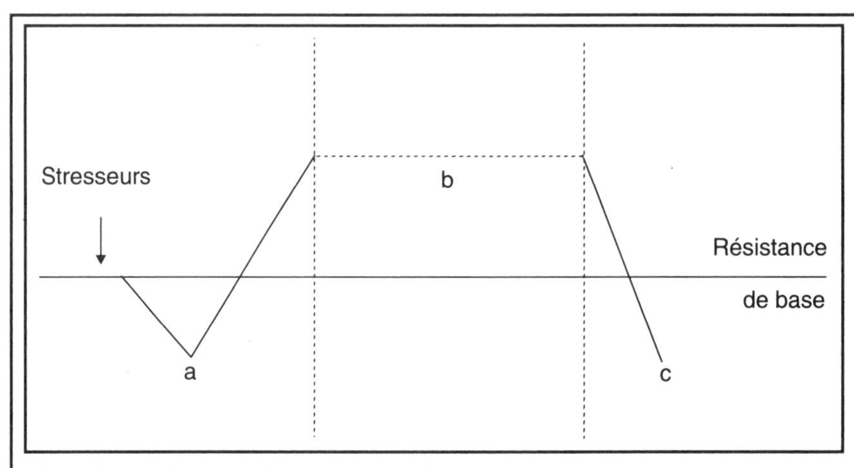

a) **Phase d'alarme:** l'organisme subit l'action de l'agent stresseur et commence à réagir.
b) **Phase de résistance:** l'organisme mobilise ses ressources et lutte contre l'agent stresseur, puisant dans ses réserves.
c) **Phase d'épuisement:** l'organisme, par suite d'une exposition prolongée, se vide de ses énergies jusqu'à la mort.

Source: Hans SELYE, *Stress sans détresse,* Montréal, Éditions La Presse, 1983, p. 42.

> «[...] Toute activité, quelle qu'elle soit, met en mouvement notre mécanisme de stress, bien que ce soit accidentellement que le cœur, le rein, le cerveau ou l'appareil intestinal soient atteints. Tout comme dans une chaîne, c'est le maillon le plus faible qui se brise sous l'effort, bien que chacun d'eux soit également exposé. Il en est de même pour le corps[2].»

Les agents stresseurs, quant à eux, sont rarement bien définis au moment où ils surviennent dans la vie d'une personne. Il est peu fréquent qu'on puisse déterminer immédiatement le ou les facteurs causals d'une réaction de stress. Selon Selye, il y a deux genres de stress: un stress détresse et un stress agréable. Dans les deux cas, il s'agit d'une réaction non spécifique.

> «Le stress peut résulter de contraintes familiales ou sociales, de tabous, de traditions, de tout. Il faut bien comprendre qu'au point de vue psychologique, le plus stressant pour l'individu, ce sont les frustrations, les défaites, la faillite, l'humiliation: en un mot, toutes les choses négatives. Au contraire, ce qui le remplit de force et de joie, c'est la victoire et le succès; cela

> nous donne le goût du travail, l'impression de rajeunir et maintient notre énergie et notre vitalité[3].»

Le concept de stress, du point de vue médical et biochimique, comprend donc une réaction qui est simplement celle de l'adaptation à un changement, quel que soit le changement – pour le meilleur et pour le pire. Selye nous donne l'exemple suivant qui concerne les agents pathogènes directs et indirects:

> «Le premier type d'agent est nocif en soi. Si je trempais par erreur ma main dans l'acide ou dans l'eau bouillante, il n'y aurait rien à faire, elle serait endommagée. Ce n'est pas ma propre réaction qui causera le dommage mais bien l'agent. Même si le bras était celui d'un homme mort, l'agent lui serait néfaste, l'acide le désintégrerait et l'eau bouillante l'ébouillanterait. L'homme étant mort, sa réaction vitale ne pourrait évidemment pas être en cause. Tandis que dans des cas d'inflammation ou dans certaines hyperréactions psychologiques, c'est notre réaction qui est en cause. Voilà la différence[4].»

Depuis la Deuxième Guerre mondiale, d'énormes progrès ont été faits dans le domaine du stress physiologique. Le chercheur Henri Laborit, par exemple, est allé plus loin dans cette voie. Il a étudié les mécanismes physiologiques reliés au stress et a montré les trois voies que peuvent prendre les émotions. Les études portant sur les réactions physiologiques aux stresseurs ont été suivies par des recherches sur les réactions psychologiques. Ces recherches, moins avancées mais prometteuses, furent réalisées dans le cadre des théories biologiques, psychodynamiques, comportementales et cognitives. Plusieurs des résultats sont complémentaires et améliorent notre connaissance des divers mécanismes en jeu dans le phénomène des réactions psychologiques de stress. Les théories cognitives, en particulier, ont permis de cerner des dimensions essentielles à la compréhension de ce phénomène complexe qu'est le stress.

Les moyens pour lutter contre le déséquilibre

Comme la notion de stress est relative et comporte une part de subjectivité, on ne peut interpréter les résultats du stress sans faire référence à la «vulnérabilité» physique, psychologique et sociale de l'individu en situation d'inadaptation. Il y a beaucoup d'inadaptations liées à des stress. Mais le stress n'est souvent qu'un facteur précipitant, plusieurs facteurs antérieurs ayant préparé la fragilisation. Ainsi conçu, le stress devient un facteur précipitant pour des troubles réactionnels, caractéristiques surtout de l'inadaptation provisoire. Pour l'inadaptation durable, le stress est un phénomène davantage présent comme facteur de maintien ou d'aggravation d'une difficulté déjà existante.

Il est donc important d'analyser les autres mécanismes dont disposent l'individu et son environnement pour contrer le risque de déséquilibre provoqué par les différents facteurs d'inadaptation. En effet, l'une des propriétés les plus remarquables et les plus caractéristiques des systèmes de grande complexité, comme l'être humain, est de réagir et de résister aux agressions diverses en utilisant les moyens qu'ils ont à leur disposition.

> «Il existe une infinité d'états stationnaires, comme il existe une infinité de niveaux d'équilibre à des hauteurs différentes du réservoir. C'est ce qui permet à un système ouvert de s'adapter et de répondre à la très grande variété des modifications de l'environnement[5].»

Les systèmes biologiques, environnementaux et psychodéveloppementaux, donc, s'opposent au déséquilibre par tous les moyens à leur disposition. Si le système ne parvient pas à rétablir ses équilibres, il adopte un autre mode de fonctionnement qui peut conduire, si les perturbations se poursuivent, à la destruction de l'ensemble.

Les moyens utilisés par l'être humain pour contrer le déséquilibre deviennent ainsi la réaction légitime d'un système qui tente de maintenir un état de bien-être relatif. Les divers mécanismes jouent en quelque sorte le rôle d'un système d'alarme, un peu comme la peur qui nous informe d'un danger risquant d'affecter l'équilibre relatif de notre organisme. Ces mécanismes nous imposent un réajustement, qu'on peut utiliser comme levier de changement et comme première étape d'un cheminement adaptatif.

Les moyens pour contrer le risque de déséquilibre portent des noms différents selon qu'ils concernent les plans biologique, psychologique ou social. Sur l'axe biologique, on parle habituellement de «mécanismes de régulation». Sur l'axe psychodéveloppemental, on parle de «mécanismes de défense». Sur l'axe environnemental, excluant ici les phénomènes naturels, on parle de «mécanismes de socialisation et de contrôle social». Le tableau 3.1 illustre ces divers moyens.

Tableau 3.1

Moyens pour lutter contre le risque de déséquilibre

Mécanismes de régulation (axe biologique)
Mécanismes de défense (axe psychodéveloppemental)
Mécanismes de socialisation et de contrôle social (axe environnemental)

Cette répartition nous amène à saisir le phénomène de l'inadaptation dans son ensemble tout en appliquant ces notions à une personne précise, dans telle situation particulière, à telle étape de sa vie, dans tel environnement. Il semble important de passer du général au particulier, du pluriel au singulier, de l'ensemble au détail. Les spécialistes de la biologie, de la psychologie et de la sociologie s'intéressent aux personnes aux prises avec telle ou telle difficulté d'adaptation. Ils remarquent que beaucoup de difficultés résultent d'une réaction inadéquate du corps, de l'esprit ou de l'environnement à des influences nocives.

> «[...] tous ceux qui étudient les maladies considèrent comme évident que les manifestations pathologiques tiennent souvent au fait que les tentatives d'adaptation, bien qu'appropriées par nature, échouent parce que soit mal dirigées, soit trop intenses. Ainsi, le patient court un grand danger par suite de l'excès de ses réactions dites "d'adaptation"[6].»

Il est juste de dire qu'on formule souvent un jugement de valeur en disant que les réactions physiques, psychiques ou sociales à un stimulus donné sont inadéquates. Certaines maladies aident à la survie des autres organes; ainsi, certaines névroses contribuent à une réorganisation défensive. L'inadéquation apparente de certaines réactions ne doit pas nous faire oublier qu'elles peuvent se révéler positives à la longue.

Les mécanismes de régulation (axe biologique)

Les mécanismes de régulation interviennent sur l'axe biologique surtout lorsque des changements importants ou imprévus font vivre des difficultés sur le plan de la santé physique. Afin de faire face aux nouveaux défis, l'individu met en œuvre différents mécanismes lui permettant de retrouver un équilibre satisfaisant. Ces mécanismes de régulation doivent demeurer relativement constants; ils peuvent varier, mais à l'intérieur d'étroites limites.

L'environnement peut être le point de départ d'agressions fort diverses. Prenons le cas d'une blessure faite au corps humain. L'organisme se met sans tarder à l'œuvre pour réparer autant que possible les dommages causés. Des réactions physicochimiques, comme la coagulation du sang, stopperont l'hémorragie pour autant qu'elle ne soit pas trop abondante. Si l'hémorragie est arrêtée, la cicatrisation commencera, la plaie se refermera et l'intégrité physique sera rétablie.

Dans le cas d'un agent toxique ou infectieux, l'alarme sera d'abord déclenchée par un afflux de leucocytes. L'organisme produira ensuite des anticorps capables, à l'intérieur de certaines limites, de neutraliser les antigènes. Les anticorps, barrière secondairement constituée, ont la propriété de faire perdre aux antigènes leur pouvoir infectant ou toxique; ils constituent la base même de l'immunité. Cependant, les tentatives d'adaptation peuvent échouer et mettre ainsi en danger la vie de l'organisme. Il est néanmoins rare qu'elles se soldent par un échec complet entraînant la mort. La plupart du temps, on constate plutôt des réactions d'adaptation insuffisantes (p. ex., le foie qui éprouve des difficultés à réduire une intoxication) ou excessives (p. ex., l'hypertension artérielle, les ulcères d'estomac).

Il peut aussi arriver que la réaction d'adaptation soit anormale. Par exemple, l'allergie n'est pas une réaction de défense normale puisqu'elle est la conséquence d'une hypersensibilité de l'organisme à une substance normalement inoffensive. Ainsi, la réaction antigène-anticorps, favorable à l'organisme en matière d'immunité, devient nuisible en matière d'allergie.

Les êtres humains possèdent de merveilleuses capacités d'adaptation biologique. Cependant, elles ne sont pas illimitées. Les mécanismes immunitaires ne peuvent venir à bout de tous les agents pathogènes. Ainsi, la cicatrisation d'une plaie ne peut se produire spontanément si la blessure est trop importante. Ou encore, la régulation thermique du corps ne peut pas avoir lieu si les changements de température sont trop grands ou trop brutaux. Afin que l'organisme forme un tout cohérent et harmonieux, les opérations exécutées par les organes doivent être conformes aux besoins réels de l'ensemble. Cela suppose une coordination des différentes activités. L'harmonisation des rythmes cardiaque et circulatoire est un exemple d'une telle coordination.

La coordination ne peut être assurée sans un système de liaison et des mécanismes régulateurs. Les liaisons sont effectuées par le système nerveux. Situés à la base du cerveau, l'hypophyse et l'hypothalamus constituent le centre principal de régulation du corps humain. Ils jouent le rôle de chef d'orchestre et assurent l'unité de fonctionnement de l'organisme. L'équilibre intérieur assure une activité harmonieuse des différentes fonctions organiques. Celles-ci sont interdépendantes et la santé dépend non seulement de leur bon fonctionnement, mais aussi de leur bon équilibre.

Les maladies dites «fonctionnelles» désignent des troubles qui, contrairement aux troubles organiques, ne s'accompagnent d'aucune lésion anatomique décelable, au moins dans un premier temps. Elles sont généralement des déséquilibres dus à des défauts de régulation (p. ex., hyperglycémie ou hypoglycémie) et l'organisme est alors en danger. On pourrait aussi parler des déséquilibres du système circulatoire, ou encore, de ceux liés au fonctionnement de tel ou tel organe, et allonger ainsi la liste des déséquilibres possibles.

On constate que la capacité de l'organisme de préserver un équilibre satisfaisant, condition indispensable au maintien de la santé physique, diminue avec l'âge. La capacité d'adaptation et de régulation, qui assure le fonctionnement harmonieux de l'organisme, est un indice de vitalité. La santé physique dépend d'une multitude de facteurs variant sans cesse et elle repose sur un équilibre dynamique. Elle est donc un bien relatif, jamais acquis une fois pour toutes.

Les mécanismes de défense (axe psycho-développemental)

Les mécanismes de défense interviennent sur l'axe psychodéveloppemental. La personnalité est une structure non achevée, sans cesse en développement. Le mouvement psychanalytique a mis l'accent sur l'effet dynamique de l'utilisation des mécanismes de défense, qui constituent des recours inconscients afin de se protéger de l'anxiété. Cette émotion fondamentale est considérée comme normale parce qu'elle est essentiellement liée à la condition humaine et qu'elle constitue un moteur puissant pour notre développement. Elle peut cependant devenir une source importante de difficultés et être considérée comme pathologique par rapport aux raisons et aux causes sous-jacentes à son apparition.

La peur est une réaction adaptative, car elle révèle une source possible de danger et peut conduire à la prudence si le danger est réel. Elle peut également être source d'anxiété; on la définit alors souvent comme une peur sans objet. Les causes de l'anxiété sont multiples; elles peuvent se répartir en deux éléments principaux: une menace à l'intégrité physique ou psychologique par un danger réel ou imaginaire, et le sentiment d'une incapacité à faire face à cette menace. L'anxiété peut devenir une force destructrice qui risque de nuire à la satisfaction de certains besoins et d'empêcher l'autonomie.

L'anxiété apparaît dans toute situation qui menace l'intégrité et l'équilibre d'une personne. Elle se caractérise par un sentiment profond d'inconfort. Cet état peut exister sans cause précise, ou encore, surgir dans les moments difficiles de la vie, quand il faut prendre une décision importante, ou à la suite d'une déception, d'une frustration ou d'un conflit, par exemple. L'anxiété doit être décelée et évaluée selon ses divers degrés de manifestation. Elle peut être, selon le cas, légère, moyenne, forte ou extrême.

L'anxiété légère est une manifestation d'un peu de nervosité et d'irritabilité. C'est le niveau d'anxiété qu'atteint couramment une personne bien équilibrée, mais réagissant à certaines difficultés qu'elle perçoit comme étant surmontables. L'anxiété moyenne est une perturbation des diverses perceptions du sujet, qui ne retient que certains aspects d'une situation et élimine bon nombre d'éléments de son champ de conscience. Le degré de difficulté lié à la situation vécue est perçu comme étant élevé. L'anxiété forte est une intensification des phénomènes entraînant des perturbations marquées sur le plan des perceptions, puis du jugement. L'anxiété extrême est une forme de panique, un état de terreur qui détermine une incapacité totale ou partielle de fonctionner et de communiquer avec les autres. Lorsque l'anxiété devient trop grande, elle déborde et subjugue les moyens d'adaptation de la personne.

Ainsi, les tensions, les frustrations et les conflits sont des occasions qui jouent le rôle de facteurs précipitants, d'éléments déclencheurs de l'anxiété. Celle-ci pousse l'individu à utiliser des mécanismes de défense pour soulager son malaise et retrouver son équilibre émotionnel.

Les mécanismes de défense sont également appelés «mécanismes d'adaptation psychologique» parce qu'ils sont communément utilisés dans diverses situations de vie et qu'ils servent à protéger l'estime de soi, l'intégrité personnelle et la sécurité émotive. Les mécanismes de défense permettent à une personne de conserver son équilibre psychologique, de lutter contre les problèmes de la vie et l'anxiété qu'ils suscitent.

Soulignons que ces problèmes ne sont pas nécessairement pathologiques et que c'est par un usage adéquat des mécanismes de défense qu'une personne arrive à maintenir son équilibre émotionnel. Les mécanismes de défense servent à mieux tolérer les déceptions et les frustrations de la vie courante. Ces moyens psychologiques sont le plus souvent automatiques et la personne n'est généralement pas consciente qu'elle les utilise. Ils lui permettent de se défendre, de s'épanouir, de résoudre des conflits et d'apaiser des tensions.

Les mécanismes de défense s'acquièrent avec le développement de la personnalité. Ils établissent des compromis entre les pulsions qui entrent en conflit avec le moi et le surmoi de la personne. Ils peuvent apaiser les tensions intérieures, réduire la lutte entre deux aspects de la personnalité. Selon le type de conflit à résoudre et selon le mode habituel de réaction adopté au cours du développement de la personnalité, un individu peut se servir de plusieurs mécanismes de défense différents en même temps ou successivement. S'ils sont utilisés d'une manière adéquate, ils favorisent le cheminement adaptatif. D'ailleurs, la santé mentale se caractérise par une capacité d'utiliser avec souplesse l'éventail des mécanismes de défense.

Par contre, si les mécanismes de défense sont insuffisants ou employés d'une manière inadéquate, on voit apparaître des symptômes et un comportement perturbé, lesquels prolongent ou aggravent la période d'inadaptation. Chez une personne, l'utilisation inadéquate des mécanismes de défense signifie que, pour répondre à ses besoins, elle se sert trop fréquemment, de façon trop intense, trop durable ou trop exclusive de certains de ces processus psychologiques. Il en découle des distorsions plus ou moins considérables de la vie émotionnelle de la personne et de sa vision de la réalité. Les relations avec autrui de même que le vécu interne deviennent alors plus ou moins perturbés, aboutissant au domaine de la souffrance et de la maladie. Notons, cependant, que même si l'utilisation des mécanismes est inadéquate, ils ont sûrement été sélectionnés afin de contrôler l'anxiété et de tenter de maintenir un équilibre psychologique. La figure 3.3 illustre les différences de conséquences entre l'utilisation adéquate et l'utilisation inadéquate des mécanismes de défense.

Ainsi, tous les mécanismes de défense se situent aux frontières du normal et du pathologique. Une prise de conscience des mécanismes de défense qui entrent en jeu dans les interactions individu/environnement permet de mieux comprendre la réalité intérieure et extérieure des êtres humains dans leur cheminement adaptatif.

Figure 3.3 **Utilisation des mécanismes de défense**

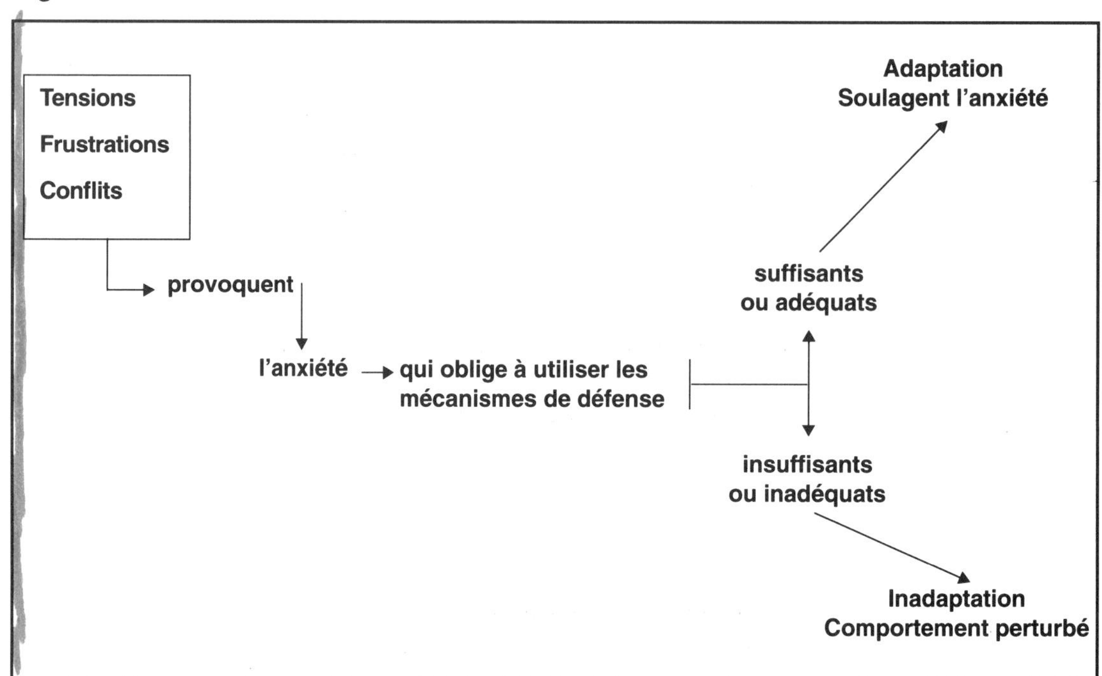

> «Bien que le moi ne dispose pas, dans le choix des mécanismes de défense, d'une totale liberté, il n'en est pas moins vrai que l'importance de son rôle nous frappe quand nous étudions ces mécanismes. L'existence même des symptômes névrotiques prouve que le moi a été submergé. Tout retour des pulsions refoulées, toute formation ensuite de compromis trahissent un échec de la défense projetée, partant, une défaite du moi. Le moi est vainqueur quand ses mesures de défense sont efficaces, c'est-à-dire quand il arrive, par elles, à limiter la production d'angoisse et de déplaisir, à assurer au sujet, même dans des circonstances difficiles, grâce à une modification des pulsions, une certaine dose de jouissance pulsionnelle. Ainsi s'établissent, dans la mesure du possible, d'harmonieuses relations entre le ça, le surmoi et les puissances du monde extérieur[7].»

Dans chaque période d'inadaptation quelle qu'elle soit, des mécanismes de défense sont mis en branle. On fera une description sommaire de ces mécanismes dans les prochaines pages. Des exemples seront présentés au tableau 3.2. Les principaux mécanismes de défense sont, par ordre alphabétique, l'annulation rétroactive, la compensation, la conversion, le déplacement, la fantaisie, la formation réactionnelle, l'identification, l'introjection, l'isolation, la négation, la projection, la rationalisation, le refoulement, la régression, la sublimation, la substitution, la symbolisation.

L'annulation rétroactive est un mécanisme par lequel la personne défait ce qu'elle a fait, en réalisant l'inverse de l'action ou de la pensée précédente. Après coup, elle utilise une pensée ou un comportement ayant une signification opposée à la pensée ou au comportement antérieur.

La compensation est un mécanisme substitutif qui consiste à remplacer une satisfaction qu'on imagine défendue ou inaccessible par une autre forme de gratification. La personne essaie de contrebalancer certaines caractéristiques. Une telle conduite peut être adéquate pour compenser une limitation fonctionnelle ; par exemple, une personne aveugle développera son ouïe d'une façon remarquable. Cette conduite, si elle est poussée à l'extrême, s'appelle « surcompensation ».

La conversion ou somatisation est un mécanisme par lequel la personne transforme ou convertit ses difficultés psychologiques en symptômes somatiques moteurs ou sensitifs. La conversion permet de transformer un conflit psychique en un symptôme physique.

Le déplacement est un mécanisme par lequel on attribue à une autre personne ou à un objet des sentiments qui se rapportent à une autre personne ou à un autre objet. On déplace une motivation, une émotion, comme l'amour ou la haine, de leur objet d'origine.

La fantaisie est un mécanisme qui consiste à se servir de l'imagination pour supporter une situation désagréable, pour revivre des expériences agréables du passé, pour arriver à faire des projets ou pour résoudre des problèmes. La fantaisie est reliée aux rêves éveillés et aux « faire comme si ». Les désirs sont comblés par l'imagination vers le passé, le présent ou le futur pour rendre la vie plus acceptable. Cependant, une personne qui utilise trop la fantaisie en se retirant trop souvent de la réalité en fait un usage inapproprié.

La formation réactionnelle est un mécanisme qui permet de lutter contre ses tendances ou désirs jugés non corrects, en développant des attitudes ou des traits de caractère exactement opposés. On adopte la conduite contraire à celle qu'on voudrait montrer.

Tableau 3.2 **Liste alphabétique et exemples des principaux mécanismes de défense**

Annulation rétroactive:
pour annuler un désir inacceptable de partir à l'aventure, un enfant pose le pied sur les intersections du trottoir.

Compensation:
grignoter quand on s'ennuie; développer une voix très forte pour compenser une petite taille; remplir un vide intérieur ou parer à un sentiment d'infériorité en consommant de l'alcool ou des drogues.

Conversion:
indigestion à la veille d'un examen; une mère souhaitant frapper son enfant sent sa main paralyser; un homme souffre subitement d'un violent mal de tête qui l'empêche de poursuivre une discussion épineuse.

Déplacement:
agressive contre son patron, une personne s'en prend à ses enfants; une mère éprouve une hostilité inconsciente par rapport à son conjoint et manifeste une autorité abusive envers l'enfant qui ressemble le plus à son conjoint; un jeune milite dans des mouvements contestataires pour se libérer inconsciemment de l'autorité excessive de ses parents; un enfant manifeste de l'hostilité envers son professeur plutôt que son parent puisqu'il est trop menaçant et socialement inacceptable de haïr un de ses parents.

Fantaisie:
rêver de vacances au bord de la mer pour supporter un cours ennuyeux; une personne en imagine une autre dans une situation ridicule ou farfelue parce qu'elle se sent intimidée et qu'elle la perçoit comme imposante; un chômeur rêve de gagner à la loterie et fait des projets grandioses, comme s'il avait cet argent, afin de mieux tolérer sa situation précaire.

Formation réactionnelle:
amabilité excessive et mielleuse pour camoufler des tendances à l'agressivité; un enfant qui a tendance à jouer avec ses selles, et qui développe une propreté exagérée et un extrême dégoût face à la saleté; un garçon brise le jouet de sa sœur, se sent coupable et offre de le remplacer par son jouet préféré; une personne soulage son sentiment d'agressivité par des gestes amicaux.

Identification:
adolescent qui imite un héros ou une idole dans le domaine des sports ou du cinéma; un petit garçon imite la voix de son père en jouant; un jeune pense qu'il est incapable de terminer ses études parce que ses parents n'ont pas réussi.

Introjection:
les enfants développent leur conscience en intériorisant les conseils et les avertissements de leurs parents; par contre, les sentiments de haine retournés contre soi peuvent créer de la dépression et conduire à un suicide.

Isolation:
continuer son travail comme si de rien n'était après avoir appris une très mauvaise nouvelle; avoir une activité stable et régulière le jour, et, la nuit, avoir des activités tout à fait différentes et qu'on réprouve sans en garder aucun souvenir le lendemain matin; une personne ne manifeste aucune émotion, aucune tristesse même si elle est frappée par le décès d'une amie très chère; une personne, sur le plan de l'agressivité envers une collègue, ne retient de l'ensemble des circonstances que les comportements de l'autre qui peuvent justifier une telle agressivité et perd de vue l'ensemble du décor; un professeur dont l'enfant est malade supprime temporairement cette préoccupation de son esprit afin d'être disposé à donner ses cours.

Négation:
continuer à parler d'une personne décédée comme si elle était encore vivante; ne pas perdre une occasion de dénigrer une personne, mais refuser d'admettre tout sentiment d'hostilité envers elle; après avoir absorbé une dose massive de barbituriques, dire qu'on n'a jamais souhaité mourir; une personne atteinte du cancer, qui trouve cette réalité inacceptable, la rejette inconsciemment comme si cela ne lui avait jamais été annoncé.

Projection:
une personne mal à l'aise dans un nouveau groupe croit que tout le monde la regarde; un homme jaloux voit partout des preuves que sa femme le trompe alors qu'en réalité, il ne peut s'avouer que c'est lui qui désire la tromper; une personne qualifie sa voisine de commère, tout en étant inconsciente de ses propres commérages.

Rationalisation:
un adolescent se met à parler de façon très intellectuelle de la sexualité afin de se mettre à distance des émotions soulevées par de telles évocations; un étudiant explique que son échec à un examen est dû au manque de temps ou à une mauvaise aération de la classe; un malade s'enfuit de l'hôpital dans un moment de grande anxiété et explique à son retour qu'il était allé s'acheter des cigarettes; l'étudiant qui voudrait réellement être élu président de sa classe dit qu'il refusera cette offre fatigante et trop exigeante; un homme, lors de son admission au centre hospitalier pour une intervention chirurgicale, se dit réellement content de pouvoir enfin se reposer; à la suite d'un échec en amour, au lieu de se laisser aller au chagrin qu'elle ressent, une femme trouve des prétextes pour affirmer que de toute façon, son partenaire et elle n'étaient pas faits pour vivre ensemble.

Refoulement:
ne garder aucun souvenir d'un événement qui a provoqué un choc émotif; dire ne pas avoir peur du dentiste, mais oublier systématiquement ses rendez-vous avec lui; lors d'une rupture amoureuse dont la femme a pris l'initiative, l'homme trouve la situation embarrassante et réprime alors le fait qu'elle ait posé ce geste, croyant plutôt qu'il l'avait fait lui-même; une personne qui urine dans son lit à la suite d'une opération se sent honteuse et embarrassée, et elle refoule complètement cet incident au point de ne plus s'en rappeler après sa sortie de l'hôpital.

Régression:
un enfant de quatre ans devient énurétique à la naissance d'un autre enfant dans la famille et il reprend inconsciemment une conduite antérieure afin de retenir l'attention de sa mère; un adulte demande de l'attention et des cajoleries lorsqu'il est malade ou fatigué; un malade joue avec ses selles; une personne hospitalisée devenue fort dépendante du personnel pour de simples soins physiques revient à un niveau de dépendance qu'elle trouvait jadis fort agréable.

Sublimation:
une personne canalise son agressivité dans des sports où une certaine forme de violence est possible; une femme ne pouvant avoir d'enfant ouvre une garderie; un individu méfiant ou soupçonneux devient agent de renseignement ou enquêteur; une personne consacre sa vie à son travail pendant que son conjoint alcoolique est à la maison; une autre s'occupe d'organismes communautaires plutôt que de vivre sa solitude.

Substitution:
une personne veut devenir médecin et elle ne peut atteindre son but; elle continue à lutter et cherche à dépasser les obstacles afin d'atteindre son but, l'évite, le fuit, ou encore, s'oriente vers une profession connexe.

Symbolisation:
un chat représentant l'enfant mort-né pour une personne; l'adolescent qui porte des vêtements que sa mère n'aime pas, symbole de sa rébellion contre elle.

L'identification est un processus d'apprentissage global par observation qui joue un grand rôle dans le développement normal de l'individu. Par contre, l'identification à l'agresseur peut être considérée comme un mécanisme de défense quand la personne cherche à s'identifier, à s'attacher à cette autre personne. Elle assimile un aspect, une caractéristique ou un attribut d'une autre personne.

L'introjection est un mécanisme inconscient qui est le contraire de la projection. Les traits de caractère d'une autre personne sont pris pour soi, qu'ils se révèlent désirables ou non.

L'isolation est un mécanisme qui consiste à retrancher de la conscience toute une partie de la personnalité qui provoque trop d'anxiété, en coupant les liens entre sa pensée et ses émotions. La personne détache une pensée, une image ou un comportement de son contexte temporel, spatial ou émotionnel pour se protéger de l'affect en s'empêchant de le lier au contenu. Elle est menacée par un événement et elle se libère de son anxiété en refusant d'y penser.

La négation ou le déni consiste en un refus inconscient d'admettre l'existence de faits, d'actions, de pensées ou de désirs intolérables pour la conscience. La personne les désavoue en niant qu'ils lui appartiennent.

La projection est un mécanisme par lequel l'individu nie des pensées et des sentiments qu'il n'accepte pas en les attribuant à une autre personne. L'individu attribue aux autres des caractéristiques qu'il ne veut pas admettre pour lui-même ; il critique les autres au sujet de traits qu'il possède. La projection peut constituer un des éléments permettant de comprendre la constitution du délire, mais la formation du délire de persécution est beaucoup plus complexe. La projection est à la base d'un tel délire dans certains cas pathologiques.

La rationalisation ou l'intellectualisation est un mécanisme très répandu par lequel une personne se donne des raisons logiques et acceptables socialement afin de remplacer la raison réelle de son comportement. Ce mécanisme maintient le respect de soi et prévient un sentiment de culpabilité. Il permet d'élaborer des justifications provenant de motivations généralement inconscientes et il s'apparente au mécanisme de la négation. Au lieu de réagir par des émotions appropriées aux événements, la personne bloque ses émotions et ne se laisse pas engager dans son vécu réel. Cela est différent de l'utilisation de la raison et du raisonnement, laquelle n'est pas un mécanisme de défense.

Le refoulement est un mécanisme par lequel la personne rejette dans l'inconscient ses désirs inacceptables, ses motivations, ses idées ou ses impulsions intolérables, surtout dans les situations de conflit. Tout ce qui est en contradiction avec l'image de soi est éloigné du champ de la conscience, surtout si ces expériences impliquent la culpabilité, la honte ou la baisse de l'estime de soi. Le refoulement peut se produire, par exemple, dans le cas où la satisfaction d'un désir, susceptible de provoquer du plaisir, risquerait par contre de provoquer un conflit par rapport à d'autres exigences. La répression est une sorte de refoulement parce que l'esprit conscient renvoie dans l'inconscient un réflexe, une idée ou une réaction émotionnelle inacceptable afin de «faire bonne figure».

La régression est un mécanisme qui consiste à rétablir une situation antérieure par un retour partiel ou symbolique à des modes plus infantiles de satisfaction. Une personne adopte une attitude ou un comportement qui ont déjà été réconfortants pour elle.

La sublimation est un mécanisme qui consiste à transformer des tendances ou désirs refoulés en objets socialement acceptables. C'est un moyen de déverser l'énergie pulsionnelle reliée à un besoin – qui, autrement, se traduirait en actions nuisibles – dans des buts utiles ou des actes socialement acceptables. La personne trouve des issues à son énergie, qu'elle transforme en des voies telles que la carrière, les arts, ou tout autre élément enrichissant sa vie ou son groupe social.

La substitution est un mécanisme par lequel un individu frustré peut réduire la tension. Il choisit d'autres buts accessibles et ayant une gratification similaire.

La symbolisation est un mécanisme permettant à la personne l'utilisation d'objets représentant des idées ou des émotions difficiles à exprimer. Dans la conscience de la personne, le symbole devient réalité.

Les mécanismes de socialisation et de contrôle social (axe environnemental)

Les comportements individuels et collectifs s'inscrivent dans un cadre culturel donné, à une époque donnée. Les mécanismes de socialisation et de contrôle social interviennent à deux paliers de la réalité sociale. Le premier, le palier des conduites individuelles, concerne l'action et l'interaction des personnes sur la plan microsociologique. Le second palier, celui de la collectivité, renvoie à des ensembles sociaux comme les institutions, la classe sociale, la nation, la civilisation; il fournit des modèles communs dont les individus s'inspirent dans l'orientation de l'action sur le plan macrosociologique. Dans ce sens, l'axe environnemental tient moins compte des conditions naturelles et physiques. Les personnes ont à faire des choix individuels et collectifs entre différentes valeurs, différents modèles et diverses manières d'agir possibles.

> «Les acteurs sociaux doivent opter entre des modèles divergents ou même contradictoires; ils doivent choisir entre un ou parfois même plusieurs modèles préférentiels, un ou des modèles variants et des modèles déviants[8].»

Les décisions que prennent les acteurs et les sociétés face aux divers modèles s'inspirent des valeurs auxquelles ils adhèrent, ou du moins, leurs choix expriment concrètement une adhésion plus ou moins consciente à un certain ordre de valeurs. Les décisions devant être prises ne se présentent généralement pas sous la forme d'une option entre un seul modèle qui serait approprié et d'autres qui ne le seraient pas.

Plusieurs modèles peuvent souvent être, tout compte fait, assez généralement appropriés. C'est l'option entre des valeurs qui amène les sujets et les collectivités à décider que certains modèles sont plus conformes que d'autres à leur vision du monde, à leur idéal de vie, à l'idée qu'ils se font de l'être humain, de sa nature et de sa destinée.

L'option est la faculté ou l'action de choisir entre deux ou plusieurs choses. En ce sens, l'action humaine rencontre sans cesse un certain nombre de «dilemmes». En effet, l'être humain doit constamment opter entre diverses orientations d'actions opposées et souvent nettement irréconciliables. Selon Talcott Parsons[9], on peut réduire à cinq le nombre de dilemmes et, face à chacun d'eux, deux orientations ou options contraires s'offrent à l'acteur.

Les cinq dilemmes, auxquels correspondent dix options de valeurs, sont présentés au tableau 3.3. Notons que c'est déjà faire une option de valeur que de choisir, dans un contexte donné, une manière d'agir plutôt qu'une autre. L'option de valeur n'est donc pas une et identique pour une même personne dans toutes les situations; elle est au contraire liée au contexte.

Les sociétés jouissent d'une certaine marge de liberté et leurs projets collectifs peuvent influer sur la façon dont les personnes vont vivre leur vie. La culture est un instrument d'adaptation aussi efficace que le processus biologique; il importe de se rappeler que la culture est indissociable du biologique. Afin de mieux saisir dans quel cadre culturel peuvent se situer les choix individuels et collectifs, nous utiliserons le modèle

Tableau 3.3 Dilemmes et valeurs selon Talcott Parsons

Options de valeurs	Options de valeurs
Dilemme A	
1. L'acteur peut choisir de laisser libre cours à l'expression de ses sentiments et de rechercher la gratification immédiate de ses impulsions. C'est l'option de l'**affectivité**.	**2.** Il peut, au contraire, contrôler ses sentiments, en restreindre ou en inhiber l'expression, les mettre entre parenthèses. C'est l'option de la **neutralité affective**.
Dilemme B	
3. L'acteur peut juger les situations, les choses et les autres acteurs d'après des critères généraux applicables d'une manière universelle aux acteurs, aux situations ou aux objets analogues. C'est l'option de l'**universalisme**.	**4.** Si, par contre, l'acteur met de côté les critères généraux de jugement et recourt à des normes ne s'appliquant qu'à l'acteur particulier avec qui il est en rapport, c'est l'option du **particularisme**.
Dilemme C	
5. L'acteur qui agit avec les autres personnes accorde à celles-ci son estime en tenant compte de ce qu'elles sont, indépendamment de ce qu'elles font. C'est l'option de l'**être**.	**6.** S'il agit avec elles et les juge à la lumière de ce qu'elles font et du résultat de leur action, c'est l'option de l'**agir** et de la **performance**.
Dilemme D	
7. L'acteur peut considérer les personnes dans leur totalité et agir avec elles en tant qu'unités globales. C'est l'option pour le **globalisme**.	**8.** S'il ne les considère que sous un aspect, que par un segment de leur être et de leur action, c'est l'option pour la **spécificité**.
Dilemme E	
9. L'acteur peut choisir d'agir en fonction de buts qui lui sont personnels, qui répondent à ses intérêts personnels (sans s'opposer à l'altruisme). C'est l'option pour l'**égocentrisme** (*self-orientation*).	**10.** L'acteur peut, au contraire, agir en fonction de buts et d'intérêts qu'il partage avec d'autres acteurs ou qui sont ceux de la collectivité à laquelle il appartient. C'est l'option en faveur de la **communauté**.

Adapté de GUY ROCHER, *Introduction à la sociologie générale*, tome 1, *L'action sociale*, Montréal, Éditions Hurtubise HMH, 1969, p. 63-64 .

d'Abraham Moles, qui propose une définition de la culture plus proche du caractère dynamique et global de celle-ci. Selon lui, le rôle de la culture est de fournir un écran de concepts sur lequel la personne projette et repère ses perceptions. Le modèle de Moles, illustré à la figure 3.4, montre la mutation de la culture traditionnelle, plus simple et homogène, à la culture moderne, plus complexe et plus hétérogène. Ainsi conçue, la culture est une force agissante qui sert d'écran de référence à l'individu pour encadrer ses perceptions.

Dans la culture traditionnelle, cet écran conceptuel avait une structure rationnelle organisée d'une façon presque géométrique. Une personne passait par un réseau intégrateur et savait utiliser des concepts nouveaux par référence à des concepts anciens. Dans la culture moderne, l'écran de référence est semblable à une série de fibres accolées au hasard : les unes longues, les autres courtes, les unes épaisses, les autres fines, placées, à l'extrême, dans un désordre total. Cet écran s'établit par l'immersion d'une personne dans un flux de messages disparates sans hiérarchie. Cette personne peut avoir l'impression qu'elle sait tout de tout et la structuration de sa pensée en est souvent réduite.

Figure 3.4
Modèles culturels selon Abraham Moles (culture traditionnelle et culture moderne)

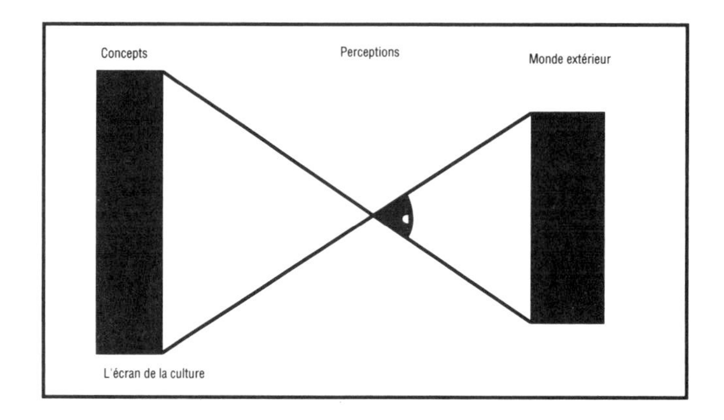

Source : ABRAHAM MOLES, « Sociodynamique de la culture », Paris, Mouton, 1967, p. 28 dans *Rapport Rioux sur l'enseignement des arts au Québec*, tome 1, Gouvernement du Québec, 1968, p. 165.

Par un processus d'essais et d'erreurs, chacun de nous découvre son environnement. Nous possédons un certain nombre d'informations exactes sur des situations ou événements, mais cela ne signifie nullement que nous possédons la structure fondamentale de connaissances qu'ils impliquent. Les fragments de notre connaissance sont souvent des bribes sans ordre, liées au hasard, sans cohérence interne, sans structure définie.

La culture moderne, appelée «culture mosaïque», se présente comme essentiellement aléatoire, comme un assemblage de fragments par juxtaposition sans construction, sans point de repère, où aucune idée n'est forcément générale, mais où beaucoup d'idées sont importantes.

Dans une société moderne, les personnes ont des points de référence moins stables et l'influence du système social plus complexe est tantôt favorable, tantôt défavorable au développement des individus. Cette influence s'exerce, d'une part, par les mécanismes de socialisation et, d'autre part, par les mécanismes de contrôle social. Le système social comprend les actes sociaux, les facteurs d'organisation ou de structuration, l'interdépendance ainsi qu'une sorte d'équilibre résultant de cette organisation et de cette interdépendance.

Les actes sociaux sont ceux faits par un ensemble de personnes formant un groupe ou une collectivité. Ces actes sont liés les uns aux autres et s'agencent, s'organisent et se structurent entre eux pour former un ensemble de modèles, de rôles, de conduites, de sanctions. Il résulte de cette organisation une interdépendance et une sorte d'équilibre, d'échange, de complémentarité, d'interaction. Cet équilibre dynamique, sans cesse mouvant, changeant, est soumis à la fois aux forces de l'interdépendance et à celles de la spontanéité des personnes.

Les mécanismes de socialisation concernent l'apprentissage par les autres, par les symboles et par l'image, c'est-à-dire la manière dont les membres d'une collectivité apprennent les modèles de leur société, les assimilent et en font leurs règles de vie personnelle. Les attentes du milieu servent de base à cet apprentissage, qui a sa finalité et ses exigences. Tous les chercheurs s'entendent pour dire que l'héritage biologique et le processus de socialisation jouent un rôle dans le développement humain. Le développement individuel ne se fait pas du jour au lendemain et constitue l'histoire d'une vie. La socialisation se fait par anticipation. Un groupe ou une collectivité peuvent fonctionner plus efficacement lorsque leurs membres possèdent une connaissance des normes, des valeurs et des comportements rattachés à certaines attentes microsociales ou macrosociales.

Les mécanismes de socialisation peuvent avoir comme résultat naturel une adaptation sociale qui s'exprime aussi bien par le désir de changer l'environnement ou d'innover que par celui de se conformer à cet environnement. La marge qui sépare l'adaptation sociale novatrice ou dynamique de ce qu'on peut considérer comme une «inadaptation pathologique» n'est souvent pas très grande, car les mêmes mécanismes psychosociaux peuvent être à l'origine de l'une et de l'autre. Les mécanismes de socialisation peuvent également avoir comme résultat des inadaptations dans les cas où les attentes de l'entourage sont trop élevées par rapport aux personnes ayant des limitations fonctionnelles importantes (déficience), ou encore, dans les cas où les personnes ont des attentes trop élevées par rapport à leur entourage (déviance).

Le processus de la socialisation est le produit de multiples tensions et interactions entre la conformité, la liberté, l'innovation, entre les impulsions et les idéaux, entre les exigences de la personnalité individuelle et celles de l'environnement social, entre l'obligation sociale et l'aspiration personnelle.

Lorsqu'une tentative de changement a pour conséquence de bouleverser l'équilibre des normes dans un système, la tendance à se conformer produit des résistances plus ou moins considérables pouvant conduire à des inadaptations individuelles. Lorsqu'on veut introduire un changement dans la vie d'un système, on doit donc tenir compte du fait que la dynamique systémique favorise la stabilité et l'équilibre. Le changement risque alors de mettre en péril cette cohérence interne. Dans la mesure où le changement remet en cause la hiérarchisation, le prestige, le pouvoir, l'autonomie, les privilèges économiques et sociaux, on peut s'attendre à une certaine résistance de la part des personnes dont les intérêts sont menacés.

La manière d'introduire des changements sociaux conduit également à des résistances, lesquelles peuvent, dans certains cas, provoquer un déséquilibre individuel ou collectif. L'équilibre entre les droits individuels, les droits des minorités et les droits collectifs est souvent difficile à trouver. Dans notre société, nous exigeons de plus en plus que l'individu soit respecté et que chacun ait voix au chapitre. Nous avons besoin de temps pour «apprivoiser» le changement et de moyens adéquats pour y faire face; sans cela, nous sommes «dépassés par les événements». De plus, les personnes qui proposent un changement n'ont souvent pas la crédibilité nécessaire, ce qui augmente l'insécurité accompagnant une tentative de changement.

La resocialisation renvoie au processus par lequel on abandonne un modèle de comportement pour en adopter un nouveau qui marque une transition importante dans les étapes d'une histoire personnelle. Par la resocialisation, on en arrive à apprendre de normes et des valeurs sous la pression d'un nouvel environnement. Si cette pression est trop ou pas assez forte, il y a risque de dérapage vers un plus grand déséquilibre. À titre d'exemple, prenons les personnes qui sont volontairement ou involontairement resocialisées dans un environnement nouveau, ouvert ou fermé. Une institution fermée, comme la prison, l'hôpital, le centre d'accueil, est coupée dans une certaine mesure du reste de la société et l'individualité y est souvent perdue, du moins pour un certain laps de temps. Le nouvel environnement peut se constituer dans des lieux où l'on isole des individus de leur entourage familier, ou encore, simplement lors d'événements heureux ou malheureux de la vie quotidienne qui obligent des personnes à redéfinir leurs habitudes de vie.

La socialisation se présente sous forme de périodes, de passages ou de transitions à franchir. À travers le développement personnel, plusieurs forces sociales influencent les choix individuels de comportement de même que l'image que chacun se fait de lui-même. Ces forces significatives sont appelées des «agents de socialisation». La famille, surtout durant l'enfance, est considérée comme l'agent de socialisation le plus important puisqu'elle accompagne l'histoire personnelle durant une longue période. D'autres agents de socialisation jouent également un rôle déterminant selon les personnes, les étapes et les circonstances. Ce sont, en particulier, l'école, les groupes de pairs, les médias et le monde du travail. Les mécanismes de socialisation peuvent conduire à l'inadaptation lorsque les agents de socialisation sont absents ou inadéquats. Prenons, par exemple, le cas d'enfants vivant dans des milieux pathogènes ou dans des conditions de vie inadéquates. Souvent, leur développement est compromis quant à un ou plusieurs aspects.

Chaque groupe, chaque collectivité a ses normes propres qui régissent le comportement de ses membres. Qu'on les appelle «lois», «règles» de vie, «règlements» des organisations, «codes et procédures», «politiques» institutionnelles, «règles» de jeu ou de sport, il s'agit toujours en fait de normes sociales. Pour qu'un groupe fonctionne, il semble essentiel qu'un nombre important de personnes respectent un minimum de règles de base afin de créer une solidarité. La notion de «contrôle social» permet de cerner les différents moyens utilisés pour exercer une pression de régularisation du comportement humain. Le contrôle social se trouve à tous les niveaux de la société.

Les mécanismes de contrôle social peuvent s'exercer d'une manière informelle ou formelle. Le contrôle social informel renvoie aux façons indirectes, souvent inconscientes, de faire pression sur un individu pour obtenir de lui la conformité. Le langage non verbal ou la moquerie sont des exemples de ce type de contrôle. Le contrôle social formel est le dernier recours que possède un groupe ou une organisation pour contraindre une personne à agir selon la norme lorsque le contrôle informel ne fonctionne pas. Il est exercé autant par les représentants mandatés par le gouvernement pour faire respecter les lois (policiers, juges, fonctionnaires, militaires, etc.) que par les personnes ayant une influence, un pouvoir ou une autorité au sein des divers groupes d'appartenance.

Qu'elles soient positives ou négatives, les sanctions macrosociales ou microsociales ont toutes pour fonction d'assurer une conformité suffisante aux normes d'orientation de l'action pour sauvegarder, entre les membres d'une collectivité ou d'un groupe, le dénominateur commun nécessaire à la cohésion et au fonctionnement de l'ensemble. Inversement, elles ont pour fonction de décourager toutes les formes de non-conformité aux normes établies. Dans plusieurs situations, cependant, les mécanismes de contrôle social peuvent conduire à l'inadaptation individuelle quand ils augmentent le déséquilibre plutôt que de favoriser un retour à un équilibre dynamique. C'est le cas des abus de pouvoir ou du laxisme politique, économique et judiciaire, qui conduisent à des injustices souvent révoltantes pour les personnes concernées.

La théorie de la régulation sociale[10] prend pour acquis, au point de départ, que l'être humain est, de nature, peu enclin à se soumettre aux règles sociales. Graduellement, au cours de son développement, il apprend à respecter les normes de ses différents groupes d'appartenance. Le processus de socialisation est donc la base de la régulation sociale, cette dernière exerçant une influence sur le plan psychodéveloppemental. Dans ce sens, la régulation s'établit par un ensemble de liens et de contraintes entre une personne et son entourage. L'attachement à un environnement et l'engagement par rapport à celui-ci constituent de puissants régulateurs. Voici un exemple: plus un jeune est attaché à sa famille, à son école, à ses amis, plus il est porté à respecter les normes qui y sont véhiculées et mieux il accepte les contraintes qui lui sont imposées. Il est ainsi amené à intérioriser les normes, à s'automaîtriser en développant un sentiment d'appartenance.

La personne qui exerce un rôle social accepté et qui a consolidé son identité personnelle est bien socialisée et utilise adéquatement les mécanismes de socialisation; elle a moins besoin des mécanismes de contrôle extérieurs. Cependant, les problèmes vécus dans la famille, à l'école, au travail, avec les pairs empêcheront les mécanismes de socialisation de fonctionner normalement et les mécanismes de contrôle social devront être plus adéquats. Si la maîtrise interne et la maîtrise externe échouent, cette personne ne réussira pas à contrer le déséquilibre.

L'INADAPTATION PROVISOIRE ET L'INADAPTATION DURABLE

L'inadaptation ne s'explique pas par une logique du tout ou du rien; il y a des niveaux, des gradations, des hiérarchies. C'est autour de la notion de durée, d'étendue de la période d'inadaptation que nous constatons des différences importantes dans les conséquences des stresseurs. Pour un même stresseur, un degré de sévérité similaire peut entraîner, chez une personne, une période d'inadaptation provisoire et, chez une autre, une période d'inadaptation durable. De même, un stresseur sévère peut entraîner, chez une personne, une période d'inadaptation provisoire alors qu'un stresseur de moindre gravité peut entraîner, chez une autre personne, une période d'inadaptation durable.

Quelles distinctions peut-on faire entre une inadaptation provisoire et une inadaptation durable? Chaque fois que surviennent dans la vie d'une personne des stresseurs qui menacent son intégrité biologique, psychique ou sociale, il en résulte un certain degré de déséquilibre provisoire, lequel peut, dans certains cas et selon certaines variables, se transformer en inadaptation durable. Pour mieux cerner la question du normal et du pathologique, il faut donc trouver des balises.

Les niveaux d'inadaptation

Une inadaptation dite «provisoire» est habituellement de courte durée, compte tenu de la gravité de la situation. Quand les méthodes habituelles de résolution de problèmes permettent à une personne de faire face aux difficultés et aux défis à tel âge ou à telle étape de développement, nous disons qu'elle a traversé une «période d'inadaptation provisoire». La personne réussit graduellement à maintenir son équilibre initial ou à retrouver un nouvel équilibre. Ses objectifs sont réalistes et les moyens utilisés pour les atteindre sont efficaces.

Ainsi, une personne en situation d'inadaptation provisoire est à un point tournant, caractérisé par une certaine fragilité. Si elle est en présence de conditions favorables, elle amorcera graduellement une période d'adaptation. Si, au contraire, elle est en présence de conditions défavorables à l'adaptation, la tension et l'anxiété s'accroîtront et elle pourra devenir moins capable de trouver des solutions adéquates.

Selon les conditions, la personne peut donc en arriver soit à la maîtrise de la situation, soit à l'échec. Ainsi, à toute inadaptation provisoire correspond toujours la possibilité concomitante d'une période d'inadaptation durable. Notons de plus que certaines personnes sont particulièrement vulnérables parce qu'elles ont des ressources biologiques, psychologiques ou environnementales limitées.

Quand un individu, devant une difficulté, utilise des techniques habituelles de résolution des problèmes et que ces dernières se révèlent inefficaces pour la situation, il peut traverser une période d'inadaptation durable. Les techniques peuvent échouer parce que les difficultés sont en elles-mêmes plus grandes, parce que l'individu est plus vulnérable, ou encore, parce que l'entourage ne le supporte pas adéquatement. L'équilibre est troublé et un déséquilibre prolongé s'installe. Il en découle souvent une remise en question des valeurs et du sens de la vie. C'est alors la «période de crise».

> «[...] une personne rencontre un obstacle à des objectifs importants de la vie, obstacle qui est, pour un certain temps, insurmontable par le recours aux mécanismes ordinaires de la solution des problèmes. Une période de désorganisation s'ensuit, une période de trouble, pendant laquelle elle tente à maintes reprises, sans succès, d'arriver à une solution[11].»

Le mot «crise» a souvent un sens péjoratif. Comme il est d'usage courant dans la langue et qu'il est souvent employé sans discrimination, il a perdu en précision et en pouvoir descriptif. Il est souvent mal compris et fait habituellement peur. Ce mot provient du mot grec *krisis*, qui signifie «décision». On peut lui donner le sens de moment décisif, de point tournant. Une crise est une période prolongée de perturbation.

Ainsi, on parle de crise quand un ou plusieurs stresseurs déclenchent chez une personne un afflux d'excitation dépassant le seuil de tolérance de son appareil physique, psychique et social. Caplan[12] a identifié quatre phases d'évolution qui conduisent à une situation de crise. Au tableau 3.4, on décrit comment une personne peut passer d'une inadaptation provisoire à une inadaptation durable.

Tableau 3.4
Phases d'évolution d'une crise

Durant la **première phase**, la tension s'accroît au fur et à mesure que les techniques habituelles de solution d'un problème sont mises à l'essai sans succès.

Durant la **deuxième phase**, la tension se poursuit quand la personne constate que les mécanismes d'adaptation échouent. Le malaise augmente.

Durant la **troisième phase**, on assiste à une intensification de la tension, laquelle mobilise les ressources internes et externes. La personne tente d'utiliser des mécanismes d'urgence pour faire face à la difficulté. Elle essaie de redéfinir le problème ou se résigne, ou encore, abandonne les aspects de l'objectif qui lui semblent inaccessibles.

Durant la **quatrième phase**, la personne constate que même les mécanismes d'urgence ont échoué. Le problème se prolonge sans pouvoir être ni évité, ni résolu. C'est à ce moment que la tension augmente au point de provoquer une désorganisation majeure. S'il s'agit d'un déséquilibre entre la difficulté telle que perçue par la personne et l'ensemble de ses capacités d'adaptation, une crise peut alors se produire.

En résumé, l'inadaptation provisoire se caractérise par un processus dans lequel un certain niveau de déséquilibre permet un nouveau réaménagement et la mise en place d'un nouvel équilibre. L'inadaptation durable se caractérise par une très grande difficulté à utiliser le déséquilibre pour s'ouvrir sur une nouvelle manière d'être.

Pour la majorité des difficultés, on utilise des qualificatifs précis afin de montrer l'intensité de l'inadaptation. Cette terminologie de classement est proposée dans le DSM-III-R[13]. On y parle de difficultés «légères», «moyennes», «sévères». Les difficultés sont «légères» quand il y a des conséquences mineures des symptômes sur le fonctionnement scolaire ou professionnel, sur les activités sociales habituelles ou sur les effets sur autrui résultant des symptômes. Les difficultés sont dites «moyennes» quand les symptômes ou la gêne fonctionnelle se situent entre «légers» et «sévères». Enfin, on parle de difficultés «sévères» quand il y a plusieurs symptômes en plus de ceux qui sont requis pour le diagnostic et que les conséquences des symptômes sont importantes pour le fonctionnement professionnel, les activités sociales habituelles ou les relations avec autrui.

On parle aussi de «rémission partielle» ou d'«état résiduel» dans le cas où un trouble a répondu antérieurement à tous les critères alors qu'actuellement, seuls certains symptômes ou signes de la maladie sont présents. On utilise l'expression «en rémission partielle» lorsque l'on s'attend à ce que la personne guérisse complètement (ou soit en rémission complète) au cours des années à venir – par exemple, dans un cas d'épisode dépressif majeur. On utilise l'expression «état résiduel» lorsqu'il y a peu de chances de rémission complète au cours des années à venir – par exemple, dans un cas de trouble autistique. Dans certaines situations, la différence entre «en rémission partielle» et «état résiduel» est difficile à établir. L'expression «en rémission complète» est employée lorsqu'il n'existe plus de symptômes ou de signes de trouble. La distinction entre rémission complète et guérison doit prendre en compte la durée écoulée depuis la dernière période de trouble, la durée totale du trouble et la nécessité de poursuivre une surveillance ou un traitement prophylactique.

Les variables influençant la durée et l'intensité d'une inadaptation

La perspective systémique nous conduit à analyser l'interaction entre plusieurs variables afin de déterminer la conséquence du facteur causal. Il est, en effet, très difficile, dans plusieurs cas, de prédire avec exactitude les répercussions de tel ou tel facteur sur une personne de même que les réactions de celle-ci face à telle ou telle situation. C'est seulement *a posteriori* qu'il est possible de préciser l'intensité et la durée d'une période d'inadaptation. Nous devons considérer les différentes variables en présence afin de voir lesquelles peuvent devenir des conditions favorables et lesquelles peuvent devenir des conditions défavorables à l'adaptation.

Pourquoi des facteurs d'inadaptation similaires entraînent-ils des conséquences différentes chez les êtres humains ? Pourquoi, devant une conséquence «objectivement» considérée comme très grave, certaines personnes s'en sortent-elles harmonieusement alors que d'autres trébuchent et se désorganisent à la suite d'une conséquence «objectivement» considérée comme de moindre gravité ?

Ces deux questions nous incitent à constater que la cause de nos difficultés ne réside pas uniquement dans les facteurs internes et externes, plus ou moins pénibles, de notre vie. Si la cause de nos difficultés d'adaptation résidait seulement dans les stresseurs, ces derniers entraîneraient toujours les mêmes conséquences et des stresseurs d'intensité différente génèreraient des types et des niveaux d'inadaptation différents.

Ainsi, le facteur causal ou le stresseur ne peut en lui-même être qualifié de «normal» ou de «pathologique» parce qu'il est inséparable des réactions de la personne et de son entourage. Selon ces réactions, les conséquences des stresseurs varient et ce sont elles qui peuvent devenir pathologiques.

Six variables jouent un rôle déterminant dans l'intensité et la durée d'une inadaptation. Ce sont les antécédents personnels, le degré de sévérité des stresseurs, les mécanismes d'adaptation, l'interprétation de la situation, les soutiens situationnels et les mécanismes de résolution de problèmes (*voir le tableau 3.5*).

Tableau 3.5
Variables influençant l'intensité et la durée d'une période d'inadaptation

Antécédents personnels
Degré de sévérité des stresseurs
Mécanismes d'adaptation
Interprétation de la situation
Soutiens situationnels
Mécanismes de résolution de problèmes

Une brève présentation de chacune de ces variables nous permettra d'abord de mieux saisir les différents niveaux d'inadaptation, les diverses catégories de difficultés de même que l'importance de plusieurs classifications. Cela nous permettra ensuite, au début du quatrième chapitre, de dégager les conditions favorables et défavorables à l'adaptation, de mieux cerner le point tournant vers l'adaptation et d'analyser les voies possibles vers une meilleure adaptation biopsychosociale.

Les antécédents personnels

Dans une situation donnée, le choix d'une réaction de comportement est fondé sur les actions qui ont réussi à réduire la tension dans des situations analogues antérieurement. On reproduit les mécanismes déjà utilisés et puisés dans le répertoire personnel, et ces mécanismes peuvent être adéquats ou inadéquats par rapport à une situation précise.

Les vulnérabilités biologique, psychologique et sociale, développées au cours de l'histoire personnelle, jouent un rôle important dans l'intensité et la durée d'une inadaptation. Ainsi, des succès rencontrés dans divers domaines comme le sport ou la musique peuvent contribuer à atténuer les effets d'une vie familiale pénible; un mariage heureux peut compenser des relations difficiles vécues en bas âge; etc.

Plusieurs études, en particulier celle du Dr E. James Anthony[14] et de C. Koupernik, ont permis de mettre en évidence les différents degrés de vulnérabilité psychologique. Ces études portaient sur des enfants victimes de traumatismes sévères ou issus de milieux inadéquats. On a constaté que la vulnérabilité dépendait en partie de l'hérédité, en partie de l'influence de l'environnement macrosocial et microsocial, et en partie des réponses de la personne dans les situations passées. L'hérédité fait que chaque enfant naît plus ou moins vulnérable, mais l'environnement augmente ou amoindrit cette vulnérabilité.

Même si on voit déjà quelques signes de vulnérabilité durant l'enfance, c'est surtout à l'âge adulte, après qu'une personne a traversé plusieurs situations difficiles, qu'on peut mieux juger de sa vulnérabilité. Ainsi, la douleur ressentie, la profondeur de la blessure, la souffrance subjective, le seuil de tolérance à la douleur physique, psychologique ou sociale peuvent être différents d'une personne à l'autre. Nous entrons dans le domaine du «subjectif», dans lequel les perceptions, les mécanismes de défense et les interprétations des événements jouent un rôle très important. Il s'agit d'un phénomène complexe.

Une analogie peut servir à illustrer les degrés variables de vulnérabilité psychologique: certaines personnes ont une maison en verre; elles sont très vulnérables. D'autres ont une maison en plastique; elles sont moyennement vulnérables. D'autres, enfin, ont une maison en acier; elles sont peu vulnérables et quelques personnes parmi elles sont souvent appelées «incassables».

Le degré de sévérité des stresseurs

La sévérité des stresseurs n'est pas toujours en relation de cause à effet, mais ils jouent un rôle important dans l'inadaptation. Certains stresseurs interviennent très précocement dans le développement d'une personne. Rappelons-nous les facteurs héréditaires, prénatals, périnatals et postnatals de même que plusieurs facteurs environnementaux qui interviennent en bas âge, laissant des séquelles importantes.

Quant aux stresseurs psychosociaux, on peut les diviser en quatre catégories[15]: les stresseurs quotidiens, les stresseurs chroniques, les stresseurs graves et les stresseurs extraordinaires. La circulation automobile, les horaires, l'entretien domestique sont des exemples de stresseurs quotidiens. Les sollicitations, les critiques, les agressions bénignes sont des exemples de stresseurs chroniques liés à certaines maladies et situations. La mort d'un être cher, une maladie prolongée, la pauvreté sont des exemples de stresseurs graves de la vie courante. Une guerre, une catastrophe écologique, un viol sont des exemples de stresseurs extraordinaires.

À titre indicatif, nous présentons au tableau 3.6 des exemples de degrés de sévérité pour des catégories de stresseurs à partir de la typologie des facteurs d'inadaptation présentée au chapitre 2. À une extrémité, au degré de sévérité 1, nous retrouvons des conséquences qui seront, en règle générale, de faible intensité, plutôt mineures. Au centre, au degré de sévérité 4, se trouvent des conséquences qui seront, en règle générale, de moyenne intensité, et qui s'amenuiseront avec le temps et des moyens adéquats. À l'autre extrémité, au degré de sévérité 7, nous retrouvons des conséquences qui seront, en règle générale, de forte intensité, car elles laisseront des séquelles souvent plus difficiles à surmonter et irréversibles.

Il est important de ne pas exagérer ni de minimiser le degré de sévérité de certains stresseurs. Les stresseurs ont des conséquences différentes sur la personne et son entourage selon que celles-ci sont plus ou moins réversibles, qu'elles affectent partiellement ou globalement le fonctionnement quotidien, ou encore, qu'elles comportent un degré de dangerosité.

> «Étant donné que tous les stresseurs ont quelques effets spécifiques, il est donc clair qu'ils ne peuvent pas provoquer exactement la même réponse; bien plus, le même stimulus agira différemment chez différents individus, selon les facteurs internes et externes de conditionnement, lesquels déterminent la manière dont chacun des deux réagira [...] Sous l'influence de tels facteurs de conditionnement (lesquels déterminent la sensibilité), un degré de stress, normalement bien toléré, peut devenir pathologique et causer des maladies d'adaptation qui choisissent de toucher des zones vulnérables de l'individu[16].»

Ainsi, certaines conséquences sont réversibles et la personne peut retrouver plus facilement l'équilibre antérieur. D'autres sont irréversibles et la période d'adaptation permet la mise en place d'un équilibre différent. Enfin, certaines conséquences irréversibles peuvent compromettre l'ensemble du processus d'adaptation.

Tableau 3.6 **Exemples de degrés de sévérité pour des catégories de stresseurs**

Catégories de stresseurs	Degrés de sévérité des conséquences possibles		
	Exemples **Sévérité 1**	Exemples **Sévérité 4**	Exemples **Sévérité 7**
Facteurs biologiques:			
– héréditaires	• Jambes arquées	• Strabisme	• Distrophie
– prénatals	• Nausées	• Médicaments (mère)	• Rubéole (mère)
– périnatals	• Travail long	• Césarienne	• Complication
– postnatals	• Grippe musculaire	• Pneumonie	• Cancer
Facteurs environnementaux:			
– conditions naturelles	• Panne d'électricité	• Orage électrique	• Incendie, foudre
– conditions microsociales	• Hausse du coût de la vie	• Crise économique	• Guerre civile
– conditions macrosociales	• Perte d'un congé	• Baisse de salaire	• Congédiement
Facteurs psycho-développementaux:			
– de motivation	• Professeur	• Choix d'un programme	• Perte d'un sens à la vie
– cognitifs	• Puberté	• Retraite précipitée	• Mort imminente
– affectifs	• Mariage	• Divorce	• Viol

Les mécanismes d'adaptation

Les moyens utilisés par une personne pour lutter contre le déséquilibre peuvent être très adéquats ou peu adéquats. On parle ici des mécanismes de régulation, des mécanismes de défense, des mécanismes de socialisation et de contrôle social étudiés précédemment. Notons, cependant, que plus les stresseurs sont complexes, plus les divers mécanismes doivent être élaborés afin d'offrir des réponses adéquates et diversifiées.

L'interprétation de la situation

Une autre variable à considérer dans l'analyse des conséquences des stresseurs concerne l'interprétation que se fait une personne d'une situation donnée. La situation est-elle interprétée d'une façon irréaliste ou réaliste ?

L'organisation particulière de chaque personnalité, le bagage expérientiel, les défenses privilégiées, les valeurs individuelles, la signification personnelle de l'événement sont des éléments qui, avec d'autres, entrent en jeu dans l'interprétation de la situation. Les approches cognitives, en particulier, ont permis de mettre en évidence l'impact de cette variable sur le niveau et la durée de la période d'inadaptation.

Les soutiens situationnels

L'être humain est un être social qui a souvent besoin des membres de son entourage et de la société pour assurer son développement. C'est à l'intérieur de cette relation dynamique que se déroule toute l'histoire de l'individu avec son hérédité, son cheminement, ses accidents de parcours ainsi que toute l'histoire de cette famille et de cette société, l'un et l'autre avec leur potentiel évolutif propre.

L'entourage exerce une influence importante sur les réactions d'une personne qui fait face à des difficultés d'adaptation. Il peut devenir un support ou une entrave à l'adaptation. Les soutiens situationnels désignent la quantité, l'accessibilité et la qualité de l'aide apportée par les proches et les services professionnels. Cela comprend autant les ressources humaines que les ressources matérielles, techniques et architecturales, qui exercent une influence importante.

On ne peut négliger le rôle de soutien du réseau social dans la réduction ou l'aggravation de l'impact des stresseurs sur une personne. Ces soutiens situationnels influencent le développement et la durée de la période d'inadaptation selon le moment où ils interviennent dans le processus d'adaptation.

Les mécanismes de résolution de problèmes

On doit également tenir compte de l'habileté ou de la volonté de la personne en vue de chercher, trouver et utiliser les ressources de soutien adéquates pour faire face à la situation. Tout le long de son développement, l'individu apprend à utiliser plusieurs méthodes pour relever les défis, pour faire face aux difficultés. La présence d'un problème et le sentiment de malaise entraînent chez lui le besoin de faire quelque chose en recherchant des solutions. Les énergies sont alors concentrées sur la résolution du problème.

Les mécanismes de résolution de problèmes concernent donc les capacités d'une personne à faire face à des situations changeantes et à trouver des réponses appropriées afin de diminuer les frustrations, de réduire les tensions internes et externes. Dans bien des circonstances, la personne n'est pas consciente du pourquoi et du comment de ses mécanismes personnels de résolution de problèmes. C'est pourquoi la réduction et l'élévation subséquentes de la tension peuvent passer inaperçues. Dans d'autres cas, les mécanismes de résolution de problèmes peuvent être mis en branle consciemment. Ces mécanismes concernent les moyens utilisés pour atteindre les objectifs. Des caractéristiques personnelles comme l'âge, le style de vie, le tempérament, les apprentissages, affectent lesdits mécanismes.

La prévisibilité des difficultés joue également un rôle dans l'utilisation des mécanismes de résolution de problèmes. Selon qu'une difficulté est prévisible ou non pour la personne, celle-ci pourra la vivre différemment.

La question du normal et du pathologique

La question du normal et du pathologique demeure toujours actuelle parce qu'elle est en tout temps difficile à circonscrire, précisément si nous voulons distinguer symptôme et inadaptation. Il est risqué de trop vouloir limiter ces notions, comme il est tout aussi risqué de ne pas tenter de les cerner davantage. Ce sont des notions riches si elles sont balisées pour notre époque et notre culture. Au point de vue théorique, cette question marque les frontières et les champs spécifiques de la recherche et de l'intervention. Au point de vue pratique, elle guide l'action sans toutefois pouvoir tout expliquer ni s'appliquer à tous les cas concrets. Les notions d'inadaptation normale et d'inadaptation pathologique renvoient aussi bien à des concepts quantitatifs qu'à des concepts qualitatifs.

Nous avons brièvement vu dans le premier chapitre que la perspective statistique (normalité quantitative) et la perspective socioculturelle (normalité qualitative) ne sont pas suffisantes pour définir l'inadaptation psychosociale. Dans une perspective systémique, la question du normal et du pathologique met en interaction plusieurs dimensions.

Sous l'angle quantitatif, le normal est défini par la loi statistique de la moyenne et le pathologique traduit l'écart par rapport à la moyenne. Dans ce sens, seuls les comportements, les actes et les incapacités plus rares, moins fréquents, sont dits «pathologiques», «inadaptés» ou «anormaux». Il est important de distinguer les écarts normaux et les écarts pathologiques. Ainsi, le normal repose sur la norme humaine physiologique, psychologique et sociale.

La santé mentale relève, d'une part, du bon fonctionnement du cerveau mais aussi, d'autre part, de son utilisation correcte. Du point de vue cérébral, on peut déceler deux ordres de pathologie: une pathologie liée à un trouble cérébral et une pathologie liée à une mauvaise utilisation du cerveau normal. Le pathologique serait un écart par rapport à la norme qualitative. Mas il s'agit d'une normalité relative par rapport à un cadre ou à une culture donnés, et la moyenne devient ainsi l'indice d'une norme propre à un milieu particulier.

> «Lorsqu'une expérience ou un comportement particulier paraît rigoureusement normal dans une culture déterminée, on ne saurait le considérer comme pathologique. Par exemple, halluciner la voix d'un mort pendant les premières semaines du deuil est banal chez de nombreux groupes indiens nord-américains. Il en est de même des expériences de transe ou de possession survenant dans des contextes rituels culturellement approuvés dans une large partie du monde non occidental[17].»

Plusieurs personnes affirment qu'il n'y a qu'une différence de degré entre le normal et le pathologique; elles parlent d'«échelle», de «continuum» en montrant qu'il n'y a pas de différences de structure, mais seulement des degrés variables entre le normal et le pathologique. Il faut préciser ici que le principe de la continuité entre le normal et l'anormal ne s'oppose pas à la possibilité d'une différenciation structurale et d'une mutation qualitative.

Par exemple, l'endormissement s'opère selon des variations continues, mais l'état de sommeil diffère entièrement de l'activité de veille. Comme certaines modifications complexes sont intraduisibles en termes quantitatifs, il faut analyser les différences entre les structures pathologiques et les structures normales. Ainsi, la personnalité délirante et la personnalité normale, malgré certaines similitudes, reposent sur des structures fonctionnelles différentes.

Sous l'angle qualitatif, le sens large du «normal» et du «pathologique» repose donc sur des différences de structure ainsi que sur les notions d'intégration et d'autonomie. La notion d'intégration fait référence à la pathologie qui résulte d'une altération plus ou moins systématique des phénomènes normaux: il y a une angoisse et une impuissance à faire face à la situation. C'est un échec des mécanismes de défense et de la réalisation de soi-même.

La notion d'autonomie fait référence à la pathologie qui a comme conséquence une perte d'autonomie implicitement présente chez la personne «normale» capable de se poser comme individu, de s'imposer comme personne, de se diriger consciemment, en accord avec elle-même et indépendamment d'autrui. Dans l'état pathologique, la disponibilité intérieure et l'indépendance relative par rapport à autrui se trouvent précisément plus ou moins altérées. Les contraintes persistantes du passé, l'insuffisance de maturation, les limitations fonctionnelles, le besoin de tutelle, le débordement des automatismes, l'insuffisance de contrôle personnel, etc., marquent autant d'atteintes à cette autonomie.

Ainsi, les concepts de normal et de pathologique sont relatifs, car ils ne valent que par rapport à un système de référence déterminé. Les définitions de l'adaptation et de l'inadaptation n'ont de sens que si on les applique à une personne donnée, fonctionnant dans un environnement physique et social donné. L'inadaptation est la réduction de la marge de tolérance d'une personne face à l'environnement ou de l'environnement face à cette personne. La personne «normale» est celle qui, malgré ses limites, reste adaptée à son environnement pour autant que ce même environnement lui fournit les conditions propices à son développement.

Certains stresseurs sévères provoquent une pathologie sur le plan physiologique sans nécessairement provoquer une psychopathologie. Sur ce dernier plan, le stresseur se borne souvent à révéler un trouble imminent, mineur ou méconnu. Certaines réactions soudaines et disproportionnées sont souvent la conséquence d'une fragilisation qui a évolué lentement pendant des semaines ou des mois, et qui a permis à ces réactions de se produire. Le stresseur a alors servi de facteur déclenchant ou précipitant; il a rompu l'équilibre apparent du milieu interne ou externe dans lequel vivait la personne.

Les réactions de compensation, de dérivation, de rejet, de protection, de fuite apparaissent comme autant de moyens défensifs contre l'agression ou la frustration et contre l'angoisse de la vie et de la mort. Une phobie, une obsession, une agitation, un délire expriment, d'une part, une thématique positive et, d'autre part, un processus défensif.

> «Le processus défensif est en lui-même une thématique positive. Par exemple, le délire est une tentative pour traduire un ressenti, une tentative d'expliquer ce ressenti et une tentative pour se défendre contre ce ressenti[18].»

Ce processus défensif n'est pas en lui-même pathologique. Mais il peut le devenir. Ainsi, les mécanismes de défense peuvent devenir à leur tour secondairement générateurs de troubles. L'inadaptation peut se définir comme un ensemble de tentatives inadéquates pour s'adapter. Dans certains cas, c'est le processus défensif lui-même qui se révèle pathologique et c'est dans ce sens que la notion d'utilisation inadéquate des mécanismes de défense peut être comprise.

Cependant, on peut percevoir un aspect positif dans de nombreux phénomènes pathologiques. Plusieurs inadaptations traduisent presque toujours un remaniement plus ou moins profond du fonctionnement de l'être tendant à continuer la vie. En effet, à moins d'être présents au moment même du processus perturbateur, nous voyons surtout les remaniements. Une énergie foncière peut être libre, et souvent la maladie détermine un autre genre d'équilibre et une qualité différente de l'adaptation fonctionnelle aux situations. Quand l'organisme reste capable de faire face à toutes les situations, de courir des risques de développer ses aptitudes et d'utiliser ses capacités malgré des normes pathologiques, nous parlons de « valeur positive du pathologique ».

PANORAMA DES PRINCIPALES DIFFICULTÉS D'ADAPTATION

Avant d'aborder les grandes classifications des difficultés d'adaptation, nous présenterons un panorama des principales difficultés d'adaptation à partir du découpage des ressources existant au Québec, tout en tenant compte de la clientèle visée par le présent ouvrage. Plusieurs ressources et programmes tentent de répondre aux besoins actuels des personnes faisant face à diverses difficultés d'adaptation. Ce panorama met l'accent sur des types de difficultés et non sur une classification des personnes ou des symptômes.

Plusieurs catégories d'inadaptations font allusion à des difficultés internes ou externes que l'on peut considérer comme des entraves relativement spécifiques dans le développement de la personne ayant des difficultés d'adaptation et non comme des blocages entiers, définitifs et insurmontables. Souvent relative et passagère, la difficulté est tantôt intrinsèque à l'individu, tantôt attribuable aux conditions présentes dans son milieu familial, scolaire ou social.

Il y a parfois une dominante dans les difficultés d'adaptation. Ou encore, une personne peut vivre des difficultés reliées à plusieurs plans. Notre cadre de référence est certes sujet à critique, car il est schématique et incomplet. Toutefois, il permet au lecteur et à la lectrice de se retrouver parmi les diverses catégories évoquées en les situant dans un ensemble plus large et d'avoir un aperçu des différents degrés d'inadaptation.

Dans la perspective des interactions entre une personne et son environnement, nous pouvons proposer non pas une classification des inadaptations, mais plutôt une description des conditions mêmes où se manifeste l'inadaptation. Très schématiquement, deux éventualités peuvent être envisagées.

D'une part, il est des cas où les manifestations paraissent liées à première vue au degré de sévérité du stresseur (par exemple, un traumatisme crânien ou une maladie héréditaire grave). Dans la pratique, ces cas se caractérisent par l'importance accordée par l'entourage à ce qui apparaît comme une cause évidente dans la genèse des difficultés. Il s'agit d'une inadaptation «par» déficience. Ces formes d'inadaptation sont liées au concept d'exceptionnalité[19].

D'autre part, dans d'autres cas, au contraire (celui de la délinquance, par exemple), ce qui est au premier plan, ce sont les conséquences, les troubles d'adaptation eux-mêmes. Il s'agit d'une inadaptation «à» la famille, «à» l'école, «à» la société. Ces formes d'inadaptation sont liées au concept de déviance (*voir le tableau 3.7*).

Tableau 3.7
Exceptionnalité et déviance

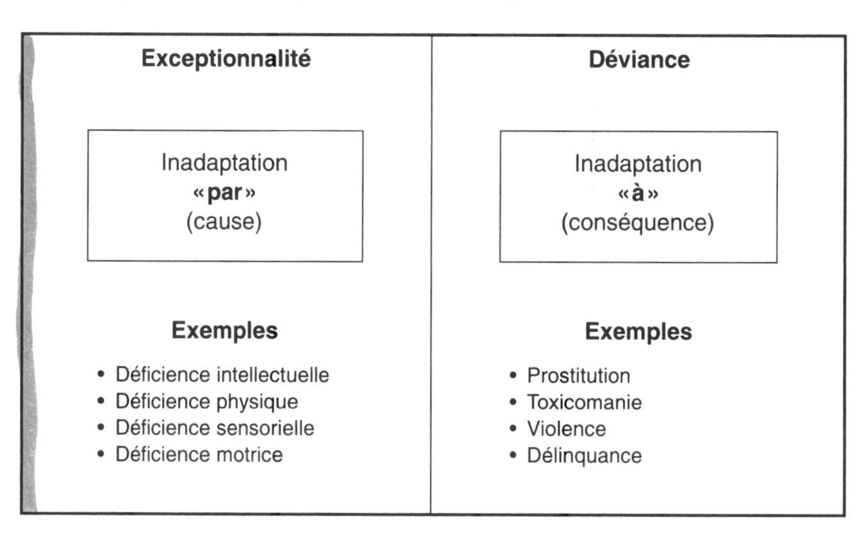

Nous voulons recouper ici l'ensemble des difficultés auxquelles peuvent faire face les êtres humains au cours de leur vie. Plusieurs de ces difficultés d'adaptation font l'objet de services ou de programmes particuliers d'intervention.

Nous voulons cerner les caractéristiques particulières de tel ou tel type de difficulté, tout en ayant à l'esprit le potentiel d'adaptation des personnes concernées. Voici le panorama (*voir le tableau 3.8*) que nous proposons pour le champ de l'inadaptation biopsychosociale à partir des quatre grandes catégories suivantes : difficultés de la vie, problématiques spéciales, déficiences, déviances sociales.

Tableau 3.8
Panorama des difficultés d'adaptation

Les difficultés de la vie

1. Difficultés reliées à la vie quotidienne
2. Difficultés reliées aux étapes de croissance
3. Difficultés reliées au vieillissement
4. Difficultés reliées aux maladies physiques
5. Difficultés reliées aux crises existentielles

Les problématiques spéciales

6. Difficultés reliées à la violence
7. Difficultés reliées au suicide
8. Difficultés reliées à la pauvreté
9. Difficultés reliées à l'intégration scolaire
10. Difficultés reliées au marché du travail

Les déficiences

11. Difficultés reliées aux déficiences intellectuelles
12. Difficultés reliées aux déficiences psychiques ou émotionnelles
13. Difficultés reliées aux déficiences physiques
14. Difficultés reliées aux déficiences sensorielles

Les déviances sociales

15. Difficultés reliées à la délinquance juvénile
16. Difficultés reliées à la criminalité
17. Difficultés reliées aux toxicomanies

Les difficultés de la vie

La première catégorie comprend les difficultés reliées à la vie quotidienne, aux étapes de croissance, au vieillissement, aux maladies physiques et aux crises existentielles.

1. Les difficultés reliées à la **vie quotidienne** concernent les problèmes quotidiens liés à la satisfaction de nos besoins physiologiques, affectifs et existentiels. Nos activités quotidiennes requièrent de plusieurs d'entre nous une grande dépense d'énergie physique et psychologique. Ces difficultés font référence aux stresseurs de la vie quotidienne et à nos réactions de stress.

2. Les difficultés reliées aux **étapes de croissance** concernent les défis rencontrés à chacune des périodes de maturation, de la naissance jusqu'à la mort: premier âge de la vie, début de l'enfance, étape préscolaire, étape prépubertaire, adolescence, début de la maturité, maturité, maturité avancée et troisième âge. À chacune de ces étapes, des difficultés particulières surviennent et sont surmontées plus ou moins facilement selon les personnes et les conditions en présence.

3. Les difficultés reliées au **vieillissement** concernent les pertes graduelles de l'autonomie sur plusieurs plans. Ces pertes sont très différentes d'une personne à l'autre et ne correspondent pas toujours à l'âge chronologique. Notons, cependant, qu'une plus grande vulnérabilité physique, psychologique et sociale augmente le risque de maladies physiques et psychiques à mesure qu'une personne avance en âge.

4. Les difficultés reliées aux **maladies physiques** sont celles qui nous affectent personnellement ou qui affectent une personne de notre entourage immédiat. Plusieurs de ces maladies sont bénignes; un certain nombre entravent notre fonctionnement quotidien alors que d'autres laissent des séquelles importantes. Notons particulièrement les maladies infectieuses, les maladies transmises sexuellement, les maladies respiratoires, les maladies cardiovasculaires et les cancers de toutes sortes.

5. Les difficultés reliées aux **crises existentielles** concernent les crises de situation, qui peuvent se produire à tous les âges de la vie. Parmi les principales difficultés, on retrouve l'avortement, la naissance à risque, le changement de statut et de rôle, la déception amoureuse, l'erreur de jeunesse, la perte d'emploi, le divorce, le départ d'êtres chers, la mort et le processus de deuil, par exemple.

Les problématiques spéciales

La deuxième catégorie concerne des problématiques spéciales telles que la violence, le suicide, la pauvreté, l'intégration scolaire et l'intégration au marché du travail.

6. Les difficultés reliées à la **violence** sont celles que subissent les victimes d'agressions de toutes sortes, quel que soit le groupe d'âge. Pour les jeunes, les actes violents prennent la forme de négligence, de rejet affectif grave, d'abus physiques, d'inceste et d'abus sexuels extra-familiaux. La violence conjugale, dont plusieurs femmes sont les principales victimes, peut être physique, sexuelle ou psychologique. La vulnérabilité de certaines personnes âgées augmente les agressions physiques, financières et psychologiques à leur endroit.

7. La problématique du **suicide** touche tous les groupes d'âge même si certains sont plus à risque que d'autres. On ne peut associer directement le phénomène du suicide à un trouble mental. Dans la majorité des cas, la personne ne veut pas arrêter de vivre, mais elle veut arrêter de souffrir. On inclut habituellement dans cette problématique les idées suicidaires, les idéations suicidaires, les tentatives de suicide et les décès par suicide. Il est également possible d'y inclure les équivalents suicidaires, qui consistent à se mettre de façon répétitive en situation de danger.

8. Les difficultés reliées à la **pauvreté** touchent en particulier les nouveaux immigrants, les chômeurs chroniques, les assistés sociaux, les sans-abri et les itinérants. De plus, soulignons que la majorité des personnes ayant des déficiences moyennes ou sévères vivent en-dessous du seuil de la pauvreté.

9. La problématique de l'**intégration scolaire** concerne surtout les jeunes, mais on la retrouve également chez les adultes. Les élèves en difficulté d'adaptation et d'apprentissage sont des jeunes faisant face à des problèmes d'intégration à l'école à cause de troubles de comportement, de troubles d'apprentissage, d'une déficience intellectuelle, d'une déficience physique ou d'une déficience sensorielle.

10. Les difficultés reliées au **marché du travail** concernent la précarité d'emploi, les emplois saisonniers, les mises à pied massives, les changements technologiques, la mobilité professionnelle, le corporatisme professionnel, les accidents de travail et les maladies professionnelles.

Les déficiences

On retrouve ici les grandes catégories de déficiences décrites par l'Organisation mondiale de la santé (OMS). L'Office des personnes handicapées du Québec (OPHQ) les a regroupées à son tour en quatre catégories (*voir le tableau 3.9*): la déficience mentale intellectuelle, la déficience psychique ou émotionnelle, les déficiences physiques et les déficiences sensorielles.

Tableau 3.9
Catégories de déficiences et statistiques

Catégories de déficiences au Québec	Statistiques *1983
Déficience mentale, déficience intellectuelle	200 000
Déficience psychique ou émotionnelle	20 000
Déficiences physiques	
– déficience motrice	100 000
– déficience organique	
– déficience de la parole	60 000
Déficiences sensorielles	
– déficience auditive	56 000
– déficience visuelle	50 000
	TOTAL: 486 000

Adapté de OFFICE DES PERSONNES HANDICAPÉES DU QUÉBEC, *À part... égale. L'intégration sociale des personnes handicapées: un défi pour tous*, Québec, 1984, p. 32.

11. Les personnes ayant une **déficience intellectuelle** sont celles chez qui l'évaluation des fonctions cognitives révèle un fonctionnement intellectuel inférieur à la moyenne, accompagné d'une déficience du comportement adaptatif se manifestant graduellement pendant la période de croissance. On parle de déficience «légère», «moyenne», «sévère» ou «profonde» selon l'écart plus ou moins grand par rapport à la moyenne.

12. Les **déficiences psychiques ou émotionnelles** concernent les troubles mentaux. Il n'existe aucune définition satisfaisante de «trouble mental». Notons qu'il s'agit habituellement d'un syndrome ou d'un ensemble cliniquement significatif, comportemental ou psychologique, pouvant survenir à tout âge, et associé à une souffrance et à une incapacité dans plusieurs secteurs de fonctionnement. En psychopathologie, on peut retrouver une division partielle en névroses et en psychoses, mais également une division en troubles apparaissant durant l'enfance ou l'adolescence et en troubles se manifestant à l'âge adulte.

Chez les adultes, on rencontre des troubles mentaux organiques, des troubles liés à l'utilisation de substances psycho-actives, des troubles délirants (paranoïa), des troubles psychotiques (schizophrénie et troubles dissociatifs), des troubles de l'humeur (dépression majeure ou trouble bipolaire), des troubles anxieux, des troubles sexuels, etc. Chez les enfants et les adolescents, on peut aussi y inclure les troubles de comportement et certains problèmes de mésadaptation socio-affective.

Quelle qu'en soit la cause, le trouble mental est habituellement considéré comme une manifestation d'un dysfonctionnement comportemental, psychologique ou biologique. Cela exclut en général les déviances et les conflits interpersonnels, à moins que ceux-ci ne représentent le symptôme d'un dysfonctionnement de la personne. Certains troubles mentaux sont légers alors que d'autres sont moyens ou sévères.

13. Les difficultés reliées aux **déficiences physiques** comprennent les déficiences motrices, les déficiences organiques et les déficiences de la parole. Les déficiences motrices sont les déficiences du squelette et de l'appareil de soutien: déficiences des régions de la tête et du tronc, déficiences mécaniques ou motrices des membres, altération des membres. Dans un sens restrictif, on pourrait également ajouter les déficiences esthétiques. Les déficiences organiques comprennent les déficiences des organes internes, les déficiences cardio-respiratoire, gastro-intestinale, urinaire, reproductrice. Les déficiences de la parole comprennent les troubles du langage (déficiences sévères de la communication, de la compréhension, de l'utilisation du langage et des fonctions linguistiques) et les troubles de la parole (déficiences des organes de la parole, de la fonction vocale, de la forme des paroles, du contenu des paroles).

14. Les difficultés reliées aux **déficiences sensorielles** comprennent toutes les atteintes aux organes des sens: les déficiences auditives, les déficiences visuelles ainsi que les déficiences olfactives, gustatives et tactiles. Les déficiences auditives font référence à la perte totale de l'ouïe, à la perte auditive profonde bilatérale ou pour une oreille, à la déficience auditive sévère bilatérale ou pour une oreille, à la déficience de la discrimination vocale, de la fonction auditive, de la fonction vestibulaire et de l'équilibration. Les déficiences visuelles comprennent l'absence d'œil, la déficience profonde des deux yeux ou d'un œil, la déficience moyenne des deux yeux ou d'un œil, la déficience du champ visuel et de l'œil.

Les déviances sociales

La catégorie des déviances sociales fait référence à des dénominateurs communs et à des règles de conduite ou normes sociales qui ne sont pas respectées par certaines personnes. La vie en général n'est possible que grâce à l'existence d'un certain nombre de normes, de règles de conduite, de modèles d'action auxquels les membres d'une même collectivité se rapportent dans tout leur agir. Si ces règles n'existent pas ou si tous les membres d'une société décident de ne plus s'y conformer, il y a chaos social et la société elle-même se désorganise de l'intérieur.

Dans le langage sociologique, on appelle «déviants» toute personne ou tout groupe de personnes dont le comportement réel ne correspond pas aux normes et aux modèles généralement observés dans l'ensemble d'une société donnée. Les personnes ayant des déficiences ne sont pas des déviants au sens strict de ce terme parce qu'elles ne sont pas personnellement responsables de leur déviance et que leur intégrité morale n'est pas entachée. Ce n'est pas délibérément que les personnes déficientes contreviennent aux normes sociales.

La notion de déviance sociale s'applique surtout à certaines formes de déviance comme la délinquance juvénile, la criminalité adulte et les toxicomanies parce qu'elles sont considérées, en plus de problèmes individuels, comme des problèmes sociaux sérieux. Il est également important de comprendre que la déviance concerne aussi la transgression des règles normatives dans les familles, les entreprises commerciales, les associations diverses et les gouvernements.

15. Les difficultés reliées à la **délinquance juvénile**, tant la délinquance officielle que la délinquance cachée, concernent les délits contre les biens et ceux contre la personne. Les délits contre les biens comprennent l'introduction par effraction, le vol simple, le vol d'un véhicule moteur, le vandalisme. Les délits contre la personne comprennent le vol qualifié, les voies de fait, les délits sexuels, l'homicide. On identifie habituellement trois formes de sous-cultures délinquantes: la forme criminelle met l'accent sur le gain économique; la forme conflictuelle met l'accent sur la violence, la provocation et les bagarres entre bandes; la forme d'évasion met l'accent sur l'usage des drogues.

16. Les difficultés reliées à la **criminalité adulte** comprennent un très grand nombre d'actes illégaux et d'infractions aux lois d'un pays. Notons ici que la notion d'âge «adulte» varie selon chaque pays et parfois selon chaque région d'un même pays. La criminalité correspond à l'activité de toute personne qui s'écarte de la loi en commettant un acte illicite, c'est-à-dire un délit. Comme ce sont les législateurs qui promulguent les lois, la notion de criminalité est relative aux différentes époques, aux valeurs, aux normes et aux usages d'une société donnée. La criminalité se définit strictement par rapport à la loi et l'acte délinquant est celui qui entraîne une peine légale. À un degré grave d'atteinte à autrui, il s'appelle un «crime».

17. Les difficultés reliées aux **toxicomanies** font référence à la surconsommation de drogues, au phénomène de la dépendance physique ou psychologique de certaines drogues ou à l'abus de drogues. Les principales drogues psychotropes sont les dépresseurs, les stimulants et les perturbateurs. Les toxicomanies incluent l'alcoolisme, l'abus de drogues et la pharmacodépendance. À une certaine époque, ces difficultés se présentaient surtout chez les adultes; aujourd'hui, les adolescents et les enfants sont de plus en plus touchés.

LA CLASSIFICATION DES DIFFICULTÉS

Classifier les difficultés ou les personnes en catégories fait partie de notre mode de raisonnement. Le champ de l'inadaptation biopsychosociale recouvre une grande diversité de «clientèles en difficultés d'adaptation» et de problématiques actuellement identifiées en vertu des difficultés ou des déficiences qui les affectent. Terminologies et classifications varient selon les spécialités, les approches, les intervenants, les clientèles, les époques, les âges, les ministères, les programmes, les sources de subventions, etc.

On classifie dans presque tous les domaines. Cependant, il faut garder à l'esprit qu'une classification est une forme arrêtée dans un processus qui se poursuit. La conséquence, c'est qu'une classification demeure une opération difficile. Une typologie sert à l'élaboration des types facilitant la compréhension et l'analyse d'une réalité complexe. Une classification est formée d'une succession de questions, posées expressément par rapport à l'ensemble que l'on veut classifier et qui reflètent les connaissances qu'on en a.

Quels critères servent de base à une classification? Qui a la responsabilité d'établir cette distinction? Qui a la compétence? Quels sont les avantages et les inconvénients d'une classification ? Est-il possible, nécessaire de classifier les difficultés d'adaptation humaine ? Compte tenu des variables biologiques, intellectuelles, affectives et sociales, peut-on classer les difficultés d'adaptation en fonction d'un regroupement des symptômes, d'un regroupement des mécanismes adaptatifs contre des éléments déficitaires, d'un domaine spécifique atteint, de causes clairement mises en évidence, d'un symptôme entraînant des répercussions sur le plan social ?

Réunir des personnes ayant des caractéristiques semblables est un moyen pour mieux circonscrire leurs difficultés et les aider le plus adéquatement possible en répondant à leurs besoins spécifiques. On peut aussi réunir ces personnes suivant d'autres ressemblances. On obtiendra ainsi des groupes différents et, par conséquent, une autre classification. Depuis plusieurs années, on recherche une plus grande cohérence dans les classifications afin de mieux répondre aux besoins des personnes et des collectivités. Il y a certes des divergences, mais également des convergences et même certains consensus.

Les avantages et inconvénients d'un système de classification

Plutôt que de classer les personnes, on fait de plus en plus référence dans les classifications aux difficultés elles-mêmes; on évite ainsi les risques d'étiquetage. Malgré les progrès réalisés dans le domaine des classifications, les risques inhérents à leur utilisation demeurent présents. Nous tenterons de mieux circonscrire ces risques en présentant d'abord les avantages escomptés des systèmes de classification pour en indiquer ensuite les inconvénients potentiels (*voir le tableau 3.10*).

Tableau 3.10
Avantages et inconvénients d'un système de classification

AVANTAGES	INCONVÉNIENTS
1. Distinguer les difficultés spécifiques	**1.** Associer la personne à sa difficulté
2. Mettre l'accent sur les capacités d'adaptation	**2.** Porter préjudice aux personnes concernées
3. Améliorer les interventions	**3.** Mêler l'organisation et l'intervention
4. Favoriser une approche plus systémique	**4.** Intervenir à partir des symptômes

Les **principaux avantages** d'un système de classification sont les suivants: distinguer le caractère spécifique d'une difficulté, mettre l'accent sur les capacités d'adaptation, améliorer les interventions et favoriser une approche plus systémique en permettant aux praticiens de parler davantage de la même chose.

Un premier avantage est de circonscrire des limitations particulières et non globales, de distinguer d'une manière plus précise les différentes problématiques. On ne crée pas le problème en reconnaissant son existence. Le contraire est plus probable, car ne pas reconnaître l'existence d'une difficulté chez une personne peut être dangereux pour elle et pour son entourage.

Cette méconnaissance du caractère spécifique d'une difficulté a entraîné et entraîne encore de nombreuses confusions. Ainsi, on confond les personnes ayant des déficiences intellectuelles avec des personnes ayant des maladies mentales. De la même manière, on est amené à douter des capacités intellectuelles de personnes ayant une déficience motrice ou sensorielle, ou encore, de l'habileté manuelle d'une personne ayant une déficience intellectuelle.

Comme le but d'un système de classification est d'obtenir des ensembles homogènes, il importe de bien identifier les variables qui nous permettent d'obtenir cette homogénéité. Cela entraîne aussi une meilleure connaissance ou compréhension de chaque groupe de difficultés ou des mécanismes en jeu dans la difficulté identifiée.

Notons toutefois que cela ne réduit pas entièrement l'hétérogénéité à l'intérieur de chaque groupe. La seule appréciation d'une difficulté ne définit pas l'ensemble des conduites de chaque individu dans un groupe donné. C'est pourquoi, dans les textes récents, on évite d'utiliser des expressions comme «schizophrène» ou «déficient mental»; on se sert d'expressions paraphrasiques, telles «un individu avec une schizophrénie» ou «une personne ayant une déficience intellectuelle».

Un deuxième avantage est de mettre l'accent sur les capacités d'adaptation en insistant notamment sur les aptitudes et potentialités de la personne concernée et, donc, sur les aspects positifs et dynamiques de sa personnalité ainsi que sur ses capacités fonctionnelles. Il y a lieu également de mettre l'accent sur les processus dynamiques de maturation, d'adaptation et d'apprentissage qui justifient et soutiennent toute forme d'intervention en faveur des personnes ayant des difficultés d'adaptation.

On doit en arriver précisément à faire une distinction entre une personne et une inadaptation. Cela permet de développer des instruments d'évaluation qui, tout en tenant compte des difficultés d'adaptation, identifient également les talents, les capacités et les aptitudes d'une personne.

Un troisième avantage est de favoriser un meilleur encadrement des échanges entre les ministères, les services et les intervenants, et d'améliorer ainsi les programmes d'intervention. Il y a une utilité administrative à une terminologie commune et à une microclassification puisque cela permet, entre autres, une allocation plus équitable des ressources. En effet, l'identification des difficultés d'adaptation a conduit à la constitution de programmes et de services mieux adaptés à des besoins spécifiques.

De plus, notons qu'un bon système de classification doit servir à l'identification et à l'organisation des services personnalisés, sans pour autant susciter et permettre un étiquetage des personnes elles-mêmes. Ainsi, l'établissement de bilans fonctionnels est utile pour l'élaboration de programmes d'éducation, de rééducation ou de réadaptation répondant aux besoins de la personne. À ne pas vouloir classifier, on risque de ne pas offrir à la personne les services spécifiques dont elle a besoin.

> « À partir de la meilleure connaissance de l'individu, on peut envisager de meilleures méthodes éducatives, en tout cas plus différenciées et plus adéquates à ses caractéristiques et besoins. Mais cela implique également que la société l'accepte et veuille bien y mettre le prix[20]. »

Un quatrième avantage est de favoriser une approche plus systémique auprès des personnes aux prises avec des difficultés et une plus grande concertation entre les intervenants. Une telle approche suppose une évaluation précise des forces et des limites de la personne en relation avec son entourage immédiat et en tenant compte des phases particulières de son développement. Grâce à cette approche, l'évaluation et les interventions ne reposent plus uniquement sur la personne mais sur tous les sous-systèmes dont la personne est une partie intégrante.

Cet aspect est essentiel tant sur le plan de l'évaluation que sur celui de l'intervention. L'adoption d'une microclassification concordante et s'appliquant à de grands ensembles ou à de grandes divisions de difficultés, facilite la cohérence entre les intervenants.

Les **principaux inconvénients** potentiels d'un système de classification sont d'associer la personne à sa difficulté, de porter préjudice aux personnes concernées, de confondre organisation et intervention, et de privilégier une approche selon les symptômes.

Un premier inconvénient est d'associer la personne à sa difficulté. En effet, il peut se produire un glissement de la qualification d'une caractéristique à la qualification de l'individu qui possède cette caractéristique. Cette tendance conduit à toutes sortes de confusions et de faux problèmes même si les différentes catégories ne sont pas caractérisées par des limites précises, définitives et globales. Une erreur fréquente consiste à croire qu'une classification des difficultés classe les individus alors qu'en réalité, ce sont les difficultés des personnes qui sont classées.

Quand, à l'aide d'une classification, on identifie le problème d'une personne, on met l'accent sur son déficit, sa maladie, son insuffisance, ses déficiences, ses incapacités, ses limitations fonctionnelles. Après l'identification du problème, on procède généralement à l'analyse de la difficulté dont on cherche à expliquer l'origine et l'évolution, en faisant une interprétation fondée sur la recherche des facteurs causals. On omet souvent plusieurs aspects de la personnalité globale et cela conduit à percevoir plus de négatif que de positif. Certaines définitions, fondamentalement négatives et exclusives, mettent l'accent sur des cheminements trop marginalisants pour les personnes concernées.

Un deuxième inconvénient consiste à porter préjudice aux personnes concernées en pensant que toutes les personnes décrites comme ayant la même difficulté se ressemblent sur tous les points importants. Bien que tous les individus décrits comme ayant le même problème présentent les caractéristiques spécifiques de ce problème, ils peuvent différer sur de nombreux autres points fondamentaux, susceptibles de modifier la conduite à adopter avec chacun d'eux et les perspectives d'adaptation.

En effet, chaque type de difficulté n'est pas une entité circonscrite, nettement délimitée. Cependant, le fait que certaines personnes présentent des problématiques similaires incite souvent au retrait de ces personnes hors des services habituels et à leur insertion dans des services spéciaux, justifiant ainsi l'existence d'une infrastructure parallèle.

Plusieurs définitions ont pour effet de minimiser les possibilités de maintenir la personne dans des groupes plus «normalisants». Ainsi, les services réguliers risquent de se dégager de leur responsabilité vis-à-vis des personnes présentant des problèmes d'adaptation, au lieu de viser à l'adaptation des programmes en fonction des modalités et des capacités d'adaptation de toute personne.

L'identification exclusive des difficultés et des limitations d'une personne, à l'intérieur d'un système de classification, risque fort de produire à l'égard de cette personne un effet discriminatoire, négatif et fataliste. D'autres définitions mettent en évidence les notions relatives de «norme» et de «rendement». Ces notions renvoient à des portraits types, et elles sont conditionnées par les attentes et les exigences variables d'un milieu.

Un troisième inconvénient est le risque de mêler l'organisation et l'intervention. Bien que les définitions soient conçues dans une perspective d'organisation des services, le milieu a tendance à les transposer intégralement sur le plan des interventions. La catégorisation des difficultés d'adaptation sert souvent à des fins administratives et s'est parfois traduite par un compartimentage des services axés sur les diverses catégories de difficultés.

L'association trop étroite entre la définition d'une difficulté et la détermination spécifique d'un programme ou d'un service spécial a eu pour effet de limiter le répertoire des mesures possibles d'intervention auprès des personnes. Ainsi, on consacre, face à chaque catégorie de difficulté, une forme spécifique d'intervention sans pour autant favoriser sa remise en question sur le plan de la pertinence et de l'efficacité. Cela peut conduire à considérer la personne en fonction du service et non le service en fonction de la personne.

Un quatrième inconvénient d'un système de classification est la tendance à intervenir sur le plan des symptômes. Cette tendance «statistique» met en évidence des incapacités et des limitations fonctionnelles par catégorie d'inadaptation. D'où, souvent, une «stigmatisation». Il s'ensuit que les difficultés de la personne deviennent vite associées à des états de fait souvent considérés comme globaux et irréversibles.

Les grandes classifications

Depuis une vingtaine d'années, une évolution des mentalités et des valeurs a permis de passer de classifications statiques à des classifications plus dynamiques. Cette évolution s'est traduite par une transformation de la terminologie, celle-ci favorisant davantage l'identification des forces et des possibilités d'adaptation, tout en considérant les limitations des personnes et de leur environnement. On tente ainsi de conserver les avantages d'une classification tout en essayant d'en diminuer les inconvénients.

La classification de l'OMS

En 1975, l'Organisation mondiale de la santé adoptait la neuvième révision officielle de la *Classification internationale des maladies*, la *CIM-9* (ou ICD-9, sigle anglais pour *International Classification of Disorders*). La CIM est une classification symptomatologique des maladies et autres conditions morbides, des implications de la grossesse et de l'accouchement, des maladies congénitales, des accidents, des intoxications et des autres symptômes mal définis. La CIM-9 est divisée en 17 sections principales (*voir le tableau 3.11*). Chacune des sections est subdivisée en un nombre défini de rubriques au moyen de trois chiffres allant de 001 à 999. Chacune des rubriques est subdivisée à son tour par des décimales afin d'apporter des précisions sur les éléments de contenu.

Tableau 3.11
Sections principales de la CIM-9 selon l'OMS

I.	Maladies infectieuses et parasitaires
II.	Tumeurs
III.	Maladies endocriniennes, de la nutrition et du métabolisme, et troubles immunitaires
IV.	Maladies du sang et des organes hématopoïétiques
V.	Troubles mentaux
VI.	Maladies du système nerveux et des organes des sens
VII.	Maladies de l'appareil circulatoire
VIII.	Maladies de l'appareil respiratoire
IX.	Maladies de l'appareil digestif
X.	Maladies des organes génito-urinaires
XI.	Complications de la grossesse, de l'accouchement et des suites des couches
XII.	Maladies de la peau et du tissu cellulaire sous-cutané
XIII.	Maladies du système ostéo-articulaire, des muscles et du tissu conjonctif
XIV.	Anomalies congénitales
XV.	Certaines affections dont l'origine se situe dans la période périnatale
XVI.	Symptômes, signes et états morbides mal définis
XVII.	Lésions traumatiques et empoisonnements

Afin d'augmenter la cohérence et l'efficacité des services offerts à la population, l'OMS s'est dotée d'un autre outil de classification, la *Classification internationale des déficiences, incapacités et handicaps (CIDIH)*. La «section des handicaps» s'appelle désormais la «section des désavantages» parce que le mot handicap s'est révélé source d'un certain risque de confusion. Le titre de cette classification a été modifié en 1984. Il est actuellement le suivant: *Classification internationale des handicaps: déficiences, incapacités et désavantages*.

Dans la dernière partie du présent chapitre, nous présenterons plus en détail les définitions ainsi que les classifications correspondant aux principales étapes du processus de production des handicaps. La CIM-9 et la CIDIH sont des outils rigoureux qui tiennent compte des spécificités de chaque plan d'analyse; elles donnent une vision synthétique de la maladie et de ses conséquences.

La classification de l'Association américaine de psychiatrie

Un organisme mondialement reconnu, l'Association américaine de psychiatrie, a élaboré une classification des troubles mentaux. Le DSM-III-R, publié en 1989, est la troisième édition révisée du *Manuel diagnostique et statistique des troubles mentaux (Diagnostic and Statistic Manual of Mental Disorders)*. Le DSM-III-R a un système d'évaluation multiaxial permettant, pour chaque individu, d'enregistrer sur cinq axes les informations ayant une valeur potentielle pour l'établissement du traitement et du pronostic. Considéré dans sa globalité, le système multiaxial fournit des références communes biopsychosociales sur un continuum hypothétique santé mentale – maladie mentale. Le tableau 3.12 présente une synthèse de cette classification.

Les axes I et II comprennent les troubles mentaux et renvoient aux catégories de la section des troubles mentaux de la CIM-9. L'axe III concerne les troubles et les affections physiques. Les axes IV et V concernent respectivement les facteurs de stress psychosociaux et l'appréciation globale du fonctionnement. Dans le DSM-III-R, tous les codes correspondent à des codes de la CIM-9-MC. Une révision des deux outils est prévue pour 1993.

Le DSM-III-R repose sur des questions qui définissent des critères positifs pour la description des troubles, dont l'existence ne peut être affirmée si les critères négatifs imposent de ne pas retenir le diagnostic envisagé. Le diagnostic est fixé à partir d'un premier axe, qui définit pour chaque item des critères positifs et négatifs. Un certain nombre de critères positifs pour la description des troubles, dont l'existence ne peut être

Tableau 3.12 Classification de l'Association américaine de psychiatrie (DSM-III-R)

La classification du DSM-III-R: catégories et codes des axes I et II

Tous les codes et termes officiels du DSM-III-R sont inclus dans la CIM-9-MC. Les codes suivis d'un * sont utilisés pour plus d'un diagnostic - ou d'un sous-type - du DSM-III-R pour maintenir la compatibilité avec la CIM-9-MC.

Les numéros entre parenthèses sont les numéros de page.
Un long tiret suivant un terme diagnostique indique la nécessité d'un cinquième chiffre pour désigner un sous-type ou un qualificatif supplémentaire.

Le terme *spécifier* figurant après le nom de certaines catégories diagnostiques concerne des caractéristiques que les cliniciens peuvent souhaiter ajouter, entre parenthèses, après le nom du trouble.

NS = Non spécifié[1]

La sévérité actuelle d'un trouble peut être spécifiée après le diagnostic de la façon suivante:

léger, moyen, sévère (grave) — répond actuellement aux critères diagnostiques

en rémission partielle (ou état résiduel)
en rémission complète

TROUBLES APPARAISSANT HABITUELLEMENT DURANT LA PREMIÈRE ET LA DEUXIÈME ENFANCE, OU À L'ADOLESCENCE

TROUBLES DU DÉVELOPPEMENT

N.B.: ceux-ci sont codés sur l'axe II

Retard mental (53)

317.00 Retard mental léger
318.00 Retard mental moyen
318.10 Retard mental grave
318.20 Retard mental profond
319.00 Retard mental non spécifié

Troubles envahissants du développement (55)

299.00 Trouble autistique
Spécifier si survenu au cours de la première enfance
299.80 Trouble envahissant du développement non spécifié

Troubles spécifiques du développement (59)

Troubles des acquisitions scolaires
315.10 Trouble de l'acquisition de l'arithmétique
315.80 Trouble de l'acquisition de l'expression écrite
315.00 Trouble de l'acquisition de la lecture
Troubles du langage et de la parole
315.39 Trouble de l'acquisition de l'articulation
315.31* Trouble de l'acquisition du langage (versant expressif)
315.31* Trouble de l'acquisition du langage (versant réceptif)
Trouble des aptitudes motrices
315.40 Trouble de l'acquisition de la coordination
315.90* Trouble spécifique du développement NS

Autres troubles du développement (63)

315.90* Trouble du développement NS

Comportements perturbateurs (Troubles) (63)

314.01 Hyperactivité avec déficit de l'attention
Trouble des conduites
312.20 type: en groupe
312.00 type solitaire-agressif
312.90 type indifférencié
313.81 Trouble oppositionnel avec provocation

Troubles anxieux de l'enfance ou de l'adolescence (69)

309.21 Trouble: Angoisse de séparation
313.21 Trouble: Évitement de l'enfance ou de l'adolescence
313.00 Trouble: Hyperanxiété

Troubles de l'alimentation (72)

307.10 Anorexie mentale
307.51 Boulimie (bulimia nervosa)
307.52 Pica
307.53 Mérycisme de l'enfance
307.50 Trouble de l'alimentation NS

Trouble de l'identité sexuelle (74)

302.60 Trouble de l'identité sexuelle de l'enfance
302.50 Transsexualisme
spécifier la tendance sexuelle antérieure: asexuelle, homosexuelle, hétérosexuelle, non spécifiée
302.85* Trouble de l'identité sexuelle de l'adolescence ou de l'âge adulte de type non transsexuel
spécifier la tendance sexuelle antérieure: asexuelle, homosexuelle, hétérosexuelle, non spécifiée
302.85* Trouble de l'identité sexuelle NS

[1] L'expression anglaise NOS: Not Otherwise Specified, «Non spécifié par ailleurs» ou «Sans Autre Indication» (SAI) a systématiquement été traduite ici par NS (Non Spécifié). L'expression SAI figure en revanche dans l'annexe E consacrée à la CIM-9 dans la mesure où elle correspond à la traduction française officielle de la neuvième révision de la Classification Internationale des Maladies (N.d.T.).

Tics (Troubles) (77)

307.23 Maladie de Gilles de la Tourette
307.22 Tic moteur ou vocal chronique
307.21 Tic transitoire
spécifier: épisode isolé ou récurrent
307.20 Tic NS

Troubles des conduites excrémentielles (80)

307.70 Encoprésie fonctionnelle
spécifier: type primaire ou secondaire
307.60 Énurésie fonctionnelle
spécifier: type primaire ou secondaire
spécifier: exclusivement nocturne, exclusivement diurne, ou nocturne et diurne

Troubles de la parole non classés ailleurs (81)

307.00* Langage précipité
307.00* Bégaiement

Autres troubles de la première et de la deuxième enfance ou de l'adolescence (82)

313.23 Mutisme électif
313.82 Trouble de l'identité
313.89 Trouble réactionnel de l'attachement de la première ou de la deuxième enfance
307.30 Stéréotypies/Comportements répétitifs (Trouble)
314.00 Trouble déficitaire de l'attention, indifférencié

TROUBLES MENTAUX ORGANIQUES (87)

Démences débutant dans la sénescence et le présenium (95)

Démence dégénérative primaire de type Alzheimer débutant dans la sénescence
290.30 avec delirium
290.20 avec idées délirantes
290.21 avec dépression
290.00* non compliquée
(N.B.: coder 331.00 la maladie d'Alzheimer sur l'axe III)
Coder au 5e chiffre: 1 = avec delirium; 2 = avec idées délirantes; 3 = avec dépression; 0* = non compliquée
291.1x Démence dégénérative primaire de type Alzheimer débutant dans le présenium __
(N.B.: coder 331.00 la Maladie d'Alzheimer sur l'axe III)
291.4x Démence par infarctus multiples __
290.00* Démence sénile NS
spécifier: l'étiologie sur l'axe III si elle est connue
290.10* Démence présénile NS
spécifier: l'étiologie sur l'axe III si elle est connue (p. ex. Maladie de Pick, Maladie de Jakob-Creutzfeldt)

Troubles mentaux organiques induits par des substances psycho-actives (98)

Alcool (98)
303.00 Intoxication
291.40 Intoxication idiosyncrasique
291.80 Sevrage alcoolique non compliqué
291.00 Delirium du sevrage
291.30 État hallucinatoire
291.10 Trouble amnésique
291.20 Démence associée à un alcoolisme

Amphétamine ou sympathomimétiques d'action similaire (101)
305.70* Intoxication
292.00 Syndrome de sevrage
292.81* Delirium
292.11* Trouble délirant

Caféine (104)
305.90* Intoxication

Cannabis (104)
305.20* Intoxication
292.11* Trouble délirant

Cocaïne (106)
305.60* Intoxication
292.00* Syndrome de sevrage
292.81* Delirium
292.11* Trouble délirant

Hallucinogènes (108)
305.30* État hallucinatoire
292.11* Trouble délirant
292.84* Trouble de l'humeur
292.89* Trouble des perceptions post-hallucinogènes

Inhalation d'une substance psycho-active (110)
305.90* Intoxication

Nicotine (111)
292.00* Syndrome de sevrage

Opiacés (112)
305.50* Intoxication
292.00* Syndrome de sevrage

Phencyclidine (PCP) ou arylcyclohexylamine d'action similaire (113)
305.90* Intoxication
292.81* Delirium
292.11* Trouble délirant
292.84* Trouble de l'humeur
292.90* Trouble mental organique NS

Sédatifs, hypnotiques ou anxiolytiques (116)
305.40* Intoxication
292.00* Syndrome de sevrage aux sédatifs, hypnotiques ou anxiolytiques, non compliqué
292.00* Delirium du sevrage
292.83* Trouble amnésique

Substances psycho-actives autres ou non spécifiées (119)
305.90* Intoxication
292.00* Syndrome de sevrage
292.81* Delirium
292.82* Démence

292.83* Trouble amnésique
292.11* Trouble délirant
292.12 État hallucinatoire
292.84* Trouble de l'humeur
292.89* Trouble anxieux
292.89* Psycho-syndrome organique
292.90* Trouble mental organique NS

Troubles mentaux organiques associés à des affections ou à des troubles physiques de l'Axe III ou d'étiologie inconnue (87)

293.00 Delirium (87)
294.10 Démence (88)
294.00 Trouble amnésique (91)
293.81 Trouble délirant organique (91)
293.82 État hallucinatoire organique (92)
293.83 Trouble thymique organique (92)
spécifier: maniaque, déprimé, mixte
294.80* Trouble anxieux organique (92)
310.10 Psycho-syndrome organique (93)
spécifier: si type explosif
294.80* Trouble mental organique NS

TROUBLES LIÉS À L'UTILISATION DE SUBSTANCES PSYCHO-ACTIVES (123)

Alcool
303.90 Dépendance
305.00 Abus

Amphétamine ou sympathomimétiques d'action similaire
304.40 Dépendance
305.70* Abus

Cannabis
304.30 Dépendance
305.20* Abus

Cocaïne
304.20 Dépendance
305.60* Abus

Hallucinogènes
304.50* Dépendance
305.30* Abus

Inhalation de substances psycho-actives
304.60 Dépendance
305.90* Abus

Nicotine
305.10 Dépendance

Opiacés
304.00 Dépendance
305.50* Abus

Phencyclidine (PCP) ou arylcyclohexylamine d'action similaire
304.50* Dépendance
305.90* Abus

Sédatifs, hypnotiques ou anxiolytiques
304.10 Dépendance
305.40* Abus
304.90* Dépendance à plusieurs substances
304.90* Dépendance à une substance psycho-active NS
305.90* Abus d'une substance psycho-active NS

SCHIZOPHRÉNIE (129)

Coder au 5e chiffre: 1 = subchronique; 2 = chronique; 3 = subchronique avec exacerbation aiguë; 4 = chronique avec exacerbation aiguë; 5 = en rémission; 0 = non spécifiée

Schizophrénie
295.2x catatonique ___
295.1x désorganisé ___
295.3x paranoïde ___
spécifier si type stable
295.9x indifférencié ___
295.6x résiduelle ___
spécifier si début tardif

TROUBLE DÉLIRANT (PARANOÏAQUE) (137)

297.10 Trouble délirant (paranoïaque)
spécifier le type: érotomaniaque
mégalomaniaque
à type de jalousie
à type de persécution somatique
non spécifié

TROUBLES PSYCHOTIQUES NON CLASSÉS AILLEURS (141)

298.80 Psychose réactionnelle brève
295.40 Trouble schizophréniforme
spécifier: sans caractéristiques de bon pronostic ou avec caractéristiques de bon pronostic
295.70 Trouble schizo-affectif
spécifier: type bipolaire ou type dépressif
295.30 Trouble psychotique induit
298.90 Trouble psychotique NS (Psychose atypique)

TROUBLES DE L'HUMEUR (145)

Coder au 5e chiffre l'état actuel de la Dépression majeure et du Trouble bipolaire:

1 = léger
2 = moyen
3 = sévère, sans caractéristiques psychotiques
4 = avec caractéristiques psychotiques (*spécifier*: congruentes ou non congruentes à l'humeur)
5 = en rémission partielle
6 = en rémission complète
0 = non spécifié

Pour les épisodes dépressifs majeurs, *spécifier* s'ils sont chroniques et *spécifier* s'ils sont de type mélancolique.

Pour le Trouble bipolaire, le Trouble bipolaire NS, la Dépression majeure récurrente et le Trouble dépressif NS, *spécifier* s'il existe un caractère saisonnier.

Troubles bipolaires (153)

Trouble bipolaire
296.6x mixte ___

296.4x maniaque __
296.5x dépressif __
301.13 Cyclothymie
296.70 Trouble bipolaire NS

Troubles dépressifs (156)

Dépression majeure
296.2x épisode isolé __
296.3x récurrente __

300.40 Dysthymie (ou Névrose dépressive)
spécifier: type primaire ou type secondaire
spécifier: à début précoce ou à début tardif
311.00 Trouble dépressif NS

TROUBLES ANXIEUX (États névrotiques anxieux et phobiques) (161)

Trouble panique
300.21 avec agoraphobie
spécifier l'intensité actuelle de l'évitement phobique
spécifier l'intensité actuelle des attaques de panique
300.01 sans agoraphobie
spécifier l'intensité actuelle des attaques de panique
300.22 Agoraphobie sans antécédents de Trouble panique
spécifier: avec ou sans attaques paucisymptomatiques
300.23 Phobie sociale
spécifier si type généralisé
300.29 Phobie simple
300.30 Trouble obsessionnel-compulsif (ou Névrose obsessionnelle-compulsive)
309.89 État de stress post-traumatique (Trouble)
spécifier si le début est différé
300.02 Anxiété généralisée (Trouble)
300.00 Trouble anxieux NS

TROUBLES SOMATOFORMES (175)

300.70* Trouble: peur d'une dysmorphie corporelle
300.11 Trouble de conversion (ou névrose hystérique de type conversif)
spécifier: épisode isolé ou récurrent
300.70* Hypocondrie (ou névrose hypocondriaque)
300.81 Somatisation (Trouble)
307.80 Trouble somatoforme douloureux
300.70* Trouble somatoforme indifférencié
300.70* Trouble somatoforme NS

TROUBLES DISSOCIATIFS (ou Névroses hystériques de type dissociatif) (181)

300.14 Personnalité multiple
300.13 Fugue psychogène
300.12 Amnésie psychogène
300.60 Dépersonnalisation (Trouble) (ou Névrose de dépersonnalisation)
300.15 Trouble dissociatif NS

TROUBLES SEXUELS (185)

Paraphilies (185)

302.40 Exhibitionnisme
302.81 Fétichisme
302.89 Frotteurisme
302.20 Pédophilie
spécifier: même sexe, sexe opposé, même sexe et sexe opposé
spécifier: type exclusif ou non exclusif
302.83 Masochisme sexuel
302.84 Sadisme sexuel
302.30 Transvestisme fétichiste
302.82 Voyeurisme
302.90* Paraphilie NS

Dysfonctions sexuelles (189)

spécifier: exclusivement psychogène ou psychogène et biogène (N.B.: si exclusivement biogène, coder sur l'axe III)
spécifier: de tout temps ou acquise
spécifier: généralisée ou situationnelle

Troubles du désir sexuel
302.71 Baisse du désir sexuel (Trouble)
302.79 Aversion sexuelle (Trouble)

Troubles de l'excitation sexuelle
302.72* Trouble de l'excitation sexuelle chez la femme
302.72* Trouble de l'érection chez l'homme

Troubles de l'orgasme
302.73 Inhibition de l'orgasme chez la femme
302.74 Inhibition de l'orgasme chez l'homme
302.75 Éjaculation précoce

Troubles sexuels douloureux
302.76 Dyspareunie
306.51 Vaginisme
302.70 Dysfonction sexuelle NS

Autres troubles sexuels (193)

302.90* Trouble sexuel NS

TROUBLES DU SOMMEIL (195)

Dyssomnies (195)

Insomnie (Trouble)
307.42* liée à un autre trouble mental (non organique)
780.50* liée à un facteur organique connu
307.42* Insomnie primaire

Hypersomnie (Trouble)
307.44 liée à un autre trouble mental (non organique)
780.50* liée à un facteur organique connu
780.54 Hypersomnie primaire
307.45 Trouble du rythme veille-sommeil
spécifier le type: avec avance ou retard de phase, type désorganisé, type avec changements répétés

Autres dyssomnies
307.40* Dyssomnie NS

Parasomnies (199)

307.47 Rêves d'angoisse (cauchemars)
307.46* Terreurs nocturnes (Trouble)
307.46* Somnambulisme (Trouble)
307.40* Parasomnie NS

TROUBLES FACTICES (203)

Trouble factice
301.51 avec symptômes physiques
300.16 avec symptômes psychologiques
300.19 Trouble factice NS

TROUBLES DU CONTRÔLE DES IMPULSIONS NON CLASSÉS AILLEURS (205)

312.34 Trouble explosif intermittent
312.32 Kleptomanie
312.31 Jeu pathologique
312.33 Pyromanie
312.39* Trichotillomanie
312.39* Trouble du contrôle des impulsions NS

TROUBLES DE L'ADAPTATION (209)

Trouble de l'adaptation
309.24 avec humeur anxieuse
309.00 avec humeur dépressive
309.30 avec perturbation des conduites
309.40 avec perturbation mixte des émotions et des conduites
309.28 avec caractéristiques émotionnelles mixtes
309.82 avec plaintes somatiques
309.83 avec retrait social
309.23 avec inhibition au travail (ou dans les études)
309.90 Trouble de l'adaptation NS

FACTEURS PSYCHOLOGIQUES INFLUENÇANT UNE AFFECTION PHYSIQUE (213)

316.00 Facteurs psychologiques influençant une affection physique *spécifier* l'affection physique sur l'axe III

TROUBLES DE LA PERSONNALITÉ (215)
(PERSONNALITÉS PATHOLOGIQUES)

N.B. = À coder sur l'axe II

Groupe A (215)

301.00 Paranoïaque
301.20 Schizoïde
301.22 Schizotypique

Groupe B (218)

301.70 Antisociale
301.83 Limite (borderline)
301.50 Histrionique
301.81 Narcissique

Groupe C (224)

301.82 Évitante
301.60 Dépendante
301.40 Obsessionnelle-compulsive
301.84 Passive-agressive

301.90 Trouble de la personnalité NS

CODE V POUR LES SITUATIONS NON ATTRIBUABLES À UN TROUBLE MENTAL, MOTIVANT EXAMEN OU TRAITEMENT (229)

V62.30 Problème scolaire ou universitaire
V71.01 Comportement antisocial de l'adulte

V40.00 Fonctionnement intellectuel limite (Borderline) (N.B.: À coder sur l'axe II)

V71.02 Comportement antisocial de l'enfant ou de l'adolescent
V65.20 Simulation
V61.10 Problème conjugal
V15.81 Non-observance du traitement médical
V62.20 Problème professionnel
V61.20 Problème parent-enfant
V62.81 Autre problème interpersonnel
V61.80 Autres situations familiales spécifiées
V62.89 Problème en rapport avec une étape de la vie ou autre problème situationnel
V62.82 Deuil non compliqué

CODES ADDITIONNELS (237)

300.90 Trouble mental non spécifié (non psychotique)
V71.09* Absence de diagnostic ou d'affection sur l'axe I
799.90* Affection ou diagnostic différé sur l'axe I

V71.09* Absence de diagnostic ou d'affection sur l'axe II
799.90* Affection ou diagnostic différé sur l'axe II

SYSTÈME MULTIAXIAL

Axe I Syndromes cliniques Codes V
Axe II Troubles du développement. Troubles de la personnalité
Axe III Affections et Troubles physiques
Axe IV Sévérité des facteurs de stress psychosociaux
Axe V Évaluation globale du fonctionnement

Échelles de sévérité des facteurs de stress psychosociaux: adultes

Code	Terme	Exemples de facteurs de stress	
		Événements aigus	**Circonstances durables**
1	**Aucun**	Absence d'événement aigu susceptible d'être en rapport avec le trouble	Absence de circonstance durable susceptible d'être en rapport avec le trouble
2	**Léger**	Rupture sentimentale, début ou fin de la scolarité, départ d'un enfant du foyer	Conflits familiaux, insatisfaction professionnelle, habitat dans un environnement de grande délinquance
3	**Moyen**	Mariage, séparation, perte d'emploi, retraite, fausse couche	Conflit conjugal, problèmes financiers importants, difficultés avec un supérieur, parent célibataire
4	**Sévère**	Divorce, naissance d'un premier enfant	Chômage, pauvreté
5	**Extrême**	Mort d'un conjoint, diagnostic d'une maladie physique grave, victime d'un viol	Maladie chronique grave personnelle ou chez un enfant, traumatismes sexuels ou physiques répétés
6	**Catastrophique**	Mort d'un enfant, suicide du conjoint catastrophe naturelle	Situation d'otage, expérience de camp de concentration
0	**Information inutilisable ou sans changement**		

Échelles de sévérité des facteurs de stress psychosociaux: enfants et adolescents

Code	Terme	Exemples de facteurs de stress	
		Événements aigus	**Circonstances durables**
1	**Aucun**	Absence d'événement aigu susceptible d'être en rapport avec le trouble	Absence de circonstance durable susceptible d'être en rapport avec le trouble
2	**Léger**	Rupture sentimentale, changement d'école	Vie dans un quartier surpeuplé, conflits familiaux
3	**Moyen**	Renvoi de l'école, naissance d'un frère ou d'une sœur	Maladie chronique invalidante d'un parent, mésentente conjugale chronique
4	**Sévère**	Divorce des parents, grossesse non désirée, arrestation	Parents durs ou rejetants, maladie chronique engageant le pronostic vital chez un parent, placements nourriciers multiples
5	**Extrême**	Traumatisme sexuel ou physique, mort d'un parent	Traumatismes sexuels ou physiques répétés
6	**Catastrophique**	Décès des deux parents	Maladie chronique engageant le pronostic vital
0	**Information inutilisable ou sans changement**		

Source: ASSOCIATION AMÉRICAINE DE PSYCHIATRIE, *Mini DSM-III-R. Critères diagnostiques*, traduit par Julien Daniel GUELFI et collab., Paris, Éd. Masson, 1989, p. 5 à 23. © 1987 American Psychiatric Association et © Éd. Masson, pour la traduction française.

affirmée si les critères négatifs imposent de ne pas retenir le diagnostic envisagé. Le diagnostic est fixé à partir d'un premier axe, qui définit pour chaque item des critères positifs et négatifs. Un certain nombre de critères positifs doivent être réunis pour qu'on retienne le diagnostic. Les items correspondent à des troubles de comportement de l'adulte ou de l'enfant et non à des perspectives nosologiques, car on ne veut pas partir d'une idéologie mais d'une description de phénomènes. On ne retient pas le diagnostic de névrose ou de psychose, mais celui d'anxiété, d'autisme ou de troubles graves.

Ainsi, cette classification se veut neutre sur le plan théorique et vise à mettre en évidence la comparabilité du cas et, par conséquent, l'évaluation des résultats thérapeutiques.

La classification française

La particularité de la classification française est de répondre au DSM-III-R en s'adaptant aux enfants et aux adolescents «parce que l'évolutivité des troubles change leur description, que des processus stables ne peuvent être décrits à cette période de la vie, qu'enfin les modalités de contact avec le sujet désigné comme consultant et malade par sa famille et avec cette famille modifient le tableau clinique lui-même[21]». Cette classification se fonde sur des groupements symptomatiques; on compare leur signification et leur valeur pronostique, qui peuvent d'ailleurs changer avec l'évolution du trouble et l'âge.

La classification française des troubles de l'enfant et de l'adolescent est une classification statistique bi-axiale qui a été mise au point en 1990. Cette classification s'ordonne autour de l'opposition entre l'axe I – les catégories cliniques – et l'axe II– les facteurs antérieurs ou associés, qui tiennent compte à la fois des atteintes organiques et des conditions d'environnement. Une telle démarche évite de poser les diagnostics au moyen de la simple addition de symptômes superficiels. Elle s'inscrit dans une perspective dynamique et systémique en reconnaissant les potentialités évolutives (*voir le tableau 3.13*).

Les promoteurs de la classification française se sont aussi attachés à établir des équivalences avec la CIM (prochaine révision) afin de favoriser la communication sur le plan international. De plus, la classification française établit les liens entre le champ de la maladie et celui du processus de production des handicaps, dans une approche complémentaire et globale.

La classification française tient également compte du DSM-III-R, qui présente un énorme avantage du fait qu'il s'agit d'une classification

Tableau 3.13 Classification française des troubles mentaux de l'enfant et de l'adolescent

Axe I : Catégories cliniques de base

1. PSYCHOSES

- 1.00 Autisme infantile précoce type Kanner
- 1.01 Autres formes de l'autisme infantile
- 1.02 Psychoses précoces déficitaires
- 1.03 Dysharmonies psychotiques
- 1.04 Psychoses de type schizophrénique survenant dans l'enfance
- 1.05 Psychoses de type schizophrénique débutant à l'adolescence
- 1.06 Psychoses dysthymiques
- 1.07 Psychoses aiguës
- 1.08 Autres
- 1.09 Non spécifiée

2. TROUBLES NÉVROTIQUES

(Possibilité d'associer deux syndromes individualisés par les sous-catégories 2.00 à 2.08; dans ce cas, ne retenir que le 2e chiffre de la numération de chaque sous-catégorie, par exemple: les troubles névrotiques à dominante phobo-obsessionnelle seront codés 2.23)

- 2.00 Troubles névrotiques évolutifs à dominante anxieuse
- 2.01 Troubles névrotiques évolutifs à dominante hystérique
- 2.02 Troubles névrotiques évolutifs à dominante phobique
- 2.03 Troubles névrotiques évolutifs à dominante obsessionnelle
- 2.04 Troubles névrotiques évolutifs avec prédominance des inhibitions
- 2.05 Dépression névrotique
- 2.06 Caractères névrotiques, pathologies névrotiques de la personnalité
- 2.07 Troubles névrotiques avec perturbations prédominantes des fonctions instrumentales
- 2.08 Autres
- 2.09 Non spécifiés

3. PATHOLOGIES DE LA PERSONNALITÉ
(hors névroses et psychoses)

- 3.00 Troubles de la personnalité et/ou comportement pris dans une dysharmonie évolutive
- 3.01 Pathologie narcissique ou/et anaclitique, dépressions chroniques, abandonnisme
- 3.02 Organisations de type caractériel ou psychopathique
- 3.03 Organisations de type pervers
- 3.04 Troubles de l'identité sexuelle
- 3.08 Autres
- 3.09 Non spécifiées

4. TROUBLES RÉACTIONNELS

Classer ici les troubles définis par l'apparition récente, le lien avec une cause précise, l'intégrité de la personnalité. Ne peuvent être maintenus dans ce cadre que les troubles qui répondent favorablement à une intervention thérapeutique précocement instaurée.

- 4.00 Dépression réactionnelle
- 4.01 Manifestations réactionnelles diverses (quel que soit le mode d'expression mental, comportemental, scolaire, social)
- 4.09 Non spécifiés

5. DÉFICIENCE MENTALES
(arriérations, débilités mentales, démences)

Ne classer ici comme catégorie principale que les formes où la déficience mentale constitue l'élément central. Les autres formes sont à classer par priorité en 1, 2 ou 3 d'après la nature de la pathologie dominante, la déficience mentale n'apparaissant que comme catégorie complémentaire.

Indiquer **à la fois** la catégorie de la déficience et le niveau mental (selon les classes de Q.I. utilisées par l'OMS). Une déficience harmonique avec le quotient intellectuel à 40 sera codée 5.15.

Quotient intellectuel		*Catégorie*	
5.0x	50 - 69	5.x5	Déficience harmonique
5.1x	35 - 49	5.x6	Déficience dysharmonique
5.2x	20 - 34	5.x7	Déficience avec polyhandicap sensoriel et/ou moteur
5.3x	< à 20		
5.4x	Non spécifié	5.x8	Démence
		5.x9	Non spécifiée

6. TROUBLES DES FONCTIONS INSTRUMENTALES

Ne classer ici comme catégorie principale que les troubles des fonctions instrumentales ne s'inscrivant pas dans une pathologie qui doit être classée par priorité dans les rubriques 1 à 5. Dans les autres cas, ne faire apparaître les troubles instrumentaux que comme catégorie complémentaire.

- 6.00 Retard du langage
- 6.01 Troubles isolés de l'articulation
- 6.02 Troubles complexes du langage oral
- 6.03 Troubles lexicographiques
- 6.04 Dyscalculie
- 6.05 Troubles du raisonnement
- 6.06 Bégaiement, achoppement
- 6.07 Mutisme électif
- 6.08 Hyperkinésie, instabilités psycho-motrices
- 6.09 Hyperkinésie associée à des mouvements stéréotypés
- 6.10 Retard psychomoteur
- 6.11 Autres troubles psychomoteurs
- 6.12 Tics isolés
- 6.13 Maladie de Gilles de la Tourette
- 6.14 Intrication de troubles psychomoteurs et du langage
- 6.15 Autres
- 6.19 Non spécifiés

7. TROUBLES LIÉS A L'USAGE DE DROGUES ET D'ALCOOL

Ne classer ici comme catégorie principale que les formes où la conduite toxicomaniaque est au premier plan, quelle que puisse être la pathologie sous-jacente. Les autres formes sont à classer par priorité en 1, 2, 3, 4 d'après la nature de la pathologie dominante, la toxicomanie n'apparaissant que comme catégorie complémentaire. Identifier **à la fois** l'usage et le produit utilisé. L'usage occasionnel de cocaïne sera codé 7.16.

Usage

- 7.0x Continu
- 7.1x Occasionnel
- 7.2x En rémission
- 7.3x En sevrage
- 7.9x Non spécifié

Produit utilisé

- 7.x0 Alcool
- 7.x1 Tabac
- 7.x2 Hypnotiques et tranquillisants
- 7.x3 Morphiniques
- 7.x4 Cannabis
- 7.x5 Hallucinogènes
- 7.x6 Psychostimulants dont amphétamines, cocaïne, caféine
- 7.x7 Solvants
- 7.x8 Polytoxicomanie
- 7.x9 Autres produits et non spécifiés

8. TROUBLES À EXPRESSION SOMATIQUE ET/OU COMPORTEMENTALE

Ne classer ici comme catégorie principale que les troubles à expression somatique et/ou comportementale ne s'inscrivant pas dans une pathologie qui doit être classée **par priorité** dans les rubriques 1 à 5. Dans les autres cas, ne faire apparaître les troubles à expression somatique et/ou comportementale que comme catégorie complémentaire.

- 8.00 Affections psychosomatiques
- 8.01 Troubles psychofonctionnels
- 8.02 Anorexie mentale
- 8.03 Boulimie sans obésité
- 8.04 Boulimie avec obésité
- 8.05 Autres troubles des conduites alimentaires
- 8.06 Énurésie
- 8.07 Encoprésie
- 8.08 Troubles du sommeil
- 8.09 Tentative de suicide
- 8.10 Troubles isolés du comportement
- 8.11 Retard de croissance psychogène
- 8.12 Autres
- 8.19 Non spécifiés

9. VARIATIONS DE LA NORMALE

- 9.00 Angoisse, rituels, peurs
- 9.01 Moments dépressifs
- 9.02 Conduites d'opposition
- 9.03 Conduites d'isolement
- 9.04 Difficultés scolaires non classables dans les catégories précédentes
- 9.05 Retards ou régressions transitoires
- 9.06 Aspects originaux de la personnalité
- 9.08 Autres
- 9.09 Non spécifiés

Axe II: Facteurs associés ou antérieurs éventuellement étiologiques

1. *FACTEURS ORGANIQUES*

(Retenir si besoin plusieurs numéros de code)

10. PAS DE FACTEURS ORGANIQUES RECONNUS

11. FACTEURS ANTE-NATAUX D'ORIGINE MATERNELLE

- 11.0 Atteinte infectieuse ou parasitaire (rubéole, cytomégalie, herpès, toxoplasmose, listériose, syphilis, etc.)
- 11.1 Atteinte toxique (médicaments, alcool, drogues, irradiation)
- 11.2 Atteinte liée à une maladie maternelle (diabète, néphropathie, malformation cardiaque, malnutrition sévère, etc.)
- 11.3 Autres

12. FACTEURS PÉRINATAUX

- 12.0 Prématurité, dysmaturité
- 12.1 Souffrance cérébrale périnatale
- 12.2 Incompatibilité sanguine fœto-maternelle
- 12.3 Autres

13. ATTEINTES CÉRÉBRALES POST-NATALES

- 13.0 Atteinte cérébrale post-natale d'origine infectieuse (virale, bactérienne) ou parasitaire
- 13.1 Atteinte cérébrale post-natale d'origine toxique
- 13.2 Atteinte liée à un traumatisme cérébral
- 13.3 Tumeurs cérébrales
- 13.4 Autres

14. MALADIES D'ORIGINE GÉNÉTIQUE ET CONGÉNITALE

- 14.0 Trisomie 21 ou Mongolisme
- 14.1 Autre maladie liée à une anomalie chromosomique autosomique
- 14.2 Maladie liée à une maladie chromosomique gonosomique (syndrome du chromosome X fragile, dysgénésies gonadiques, etc.)
- 14.3 Phénylcétonurie
- 14.4 Autres maladies métaboliques
- 14.5 Hypothyroïdies congénitales
- 14.6 Neuro-ectodermoses congénitales (sclérose tubéreuse de Bourneville, etc.)
- 14.7 Malformations cérébrales congénitales (micro ou macrocéphalie, encéphalocèle, hydrocéphalie)
- 14.8 Autres

15. INFIRMITÉS ET AFFECTIONS SOMATIQUES INVALIDANTES

- 15.0 Déficits sensoriels
- 15.1 Atteinte motrice d'origine cérébrale (IMC)
- 15.2 Atteinte neurologique d'origine non cérébrale
- 15.3 Affections musculaires (myopathie, etc.)
- 15.4 Malformations congénitales autres que cérébrales (spina bifida, pseudo-hermaphrodisme, etc.)
- 15.5 Séquelles d'accident physique sans atteinte cérébrale
- 15.6 Déficit immunitaire congénital ou acquis (SIDA)
- 15.7 Hémophilie
- 15.8 Maladie somatique à long cours (hémopathie chronique autre, cancer, diabète, cardiopathie, affection broncho-pulmonaire, mucoviscidose, affection rénale, métabolique ou endocrinienne, etc.)
- 15.9 Autres

16. CONVULSIONS ET ÉPILEPSIES

- 16.0 Épilepsie idiopathique
- 16.1 Encéphalopathie épileptique évolutive et épilepsies sévères (syndrome de West, de Lennox-Gastaut)
- 16.2 Autres épilepsies symptomatiques
- 16.3 Manifestations convulsives non épileptiques
- 16.4 Autres

17. ANTÉCÉDENTS DE MALADIES SOMATIQUES DANS L'ENFANCE

18. AUTRES

19. PAS DE RÉPONSE POSSIBLE PAR DÉFAUT D'INFORMATION

2. *FACTEURS ET CONDITIONS D'ENVIRONNEMENT*
(retenir si besoin plusieurs numéros de code)

20. PAS DE FACTEURS D'ENVIRONNEMENT À RETENIR

21. TROUBLES MENTAUX OU PERTURBATIONS PSYCHOLOGIQUES AVÉRÉES DANS LA FAMILLE

- 21.0 Psychose puerpérale
- 21.1 Dépression maternelle dans la période post-natale
- 21.2 Dysfonctionnement interactif précoce
- 21.3 Discontinuité des processus de soins maternels dans la première année
- 21.4 Autre trouble important des relations précoces
- 21.5 Troubles mentaux d'un ou des parents (autres que classables en 21.0 ou 21.1)
- 21.6 Troubles mentaux d'un autre membre de la famille
- 21.7 Alcoolisme ou toxicomanie parentale
- 21.8 Perturbations psychologiques sévères et actuelles dans le réseau familial
- 21.9 Autres

22. CARENCES AFFECTIVES, ÉDUCATIVES, SOCIALES, CULTURELLES

- 22.0 Carences affectives précoces
- 22.1 Carences affectives ultérieures
- 22.2 Carences socio-éducatives
- 22.3 Autres

23. MAUVAIS TRAITEMENTS ET NÉGLIGENCES GRAVES

- 23.0 Sévices et violences physiques
- 23.1 Négligences sévères
- 23.2 Abus sexuels
- 23.3 Autres

24. ÉVÉNEMENTS ENTRAÎNANT LA RUPTURE DES LIENS AFFECTIFS

- 24.0 Hospitalisation ou séjour institutionnel prolongé ou répétitif de l'enfant
- 24.1 Rupture itérative des modes de garde
- 24.2 Hospitalisation ou séjour institutionnel prolongé ou répétitif d'un ou des parents
- 24.3 Décès d'un ou des parents
- 24.4 Décès d'un ou des grands-parents
- 24.5 Décès dans la fratrie
- 24.6 Abandon parental
- 24.7 Autre

25. CONTEXTE SOCIO-FAMILIAL PARTICULIER

- 25.0 Gémellité
- 25.1 Enfant actuellement placé
- 25.2 Enfant adopté
- 25.3 Enfant de parents divorcés
- 25.4 Enfant élevé par les grands-parents
- 25.5 Famille mono-parentale
- 25.6 Famille immigrée ou transplantée
- 25.7 Maladie organique grave d'un parent
- 25.8 Milieu socio-familial très défavorisé
- 25.9 Autre

26. ENFANT NÉ PAR PROCRÉATION ARTIFICIELLE

28. AUTRES

29. PAS DE RÉPONSE POSSIBLE PAR DÉFAUT D'INFORMATION

Source : R.MISE et N. QUEMADA, *La classification française des troubles mentaux de l'enfant et de l'adolescence*, Paris, CTNERHI, 1990, p.13-26.

critériée. Les autres classifications ne prennent pas en compte deux données fondamentales de la psychiatrie de l'enfant: d'une part, l'aspect aléatoire des plaintes des parents (ou de ceux qui s'occupent des enfants) et des symptômes pour lesquels ils recourent à la consultation; d'autre part, l'évolutivité des troubles, qui les fait changer d'expression au fur et à mesure du développement de l'enfant, y compris dans leur expression comportementale.

Le processus de production des handicaps

Le concept de processus de production des handicaps a été développé par l'Organisation mondiale de la santé (*voir la figure 3.5*) et il a servi de cadre de référence pour les divers travaux et interventions de l'Office des personnes handicapées du Québec (OPHQ) depuis les années 80. Ce nouveau cadre conceptuel, de même que les classifications correspondantes, fournissent des outils précieux, dans une perspective systémique, tant pour la prévention, le diagnostic et l'intervention; ils peuvent servir à la compréhension et à l'analyse des différentes difficultés d'adaptation physiques, intellectuelles, psychiques, sociales.

Notons dès maintenant que le mot «handicap» n'a pas ici le même sens que dans le langage courant. Il nous semble important de préciser le sens du mot «handicap» dans l'optique du processus de production des handicaps. La nouvelle acception du mot implique que des maladies, des déficiences ou des limitations fonctionnelles ne conduisent pas nécessairement à des handicaps, mais que c'est à partir et à l'intérieur de certaines déficiences et incapacités (intellectuelles, motrices, sensorielles, psychiques) que nous retrouvons les personnes handicapées au sens de la loi québécoise.

Pour approfondir l'outil conceptuel qu'est le processus de production des handicaps, tant sur le plan théorique que concernant les diverses applications du processus de production des handicaps, nous recommandons aux lecteurs de consulter les numéros spéciaux, parus au cours de l'été 1991, de la revue *Réseau international CIDIH*, publiée par la Société canadienne et le comité québécois sur la CIDIH (Classification internationale des déficiences, incapacités et handicaps). Pour notre part, nous présenterons les classifications de l'OMS correspondant aux différentes étapes du processus de production des handicaps (*voir la figure 3.5*).

Figure 3.5 **Processus de production des handicaps et classifications correspondantes**

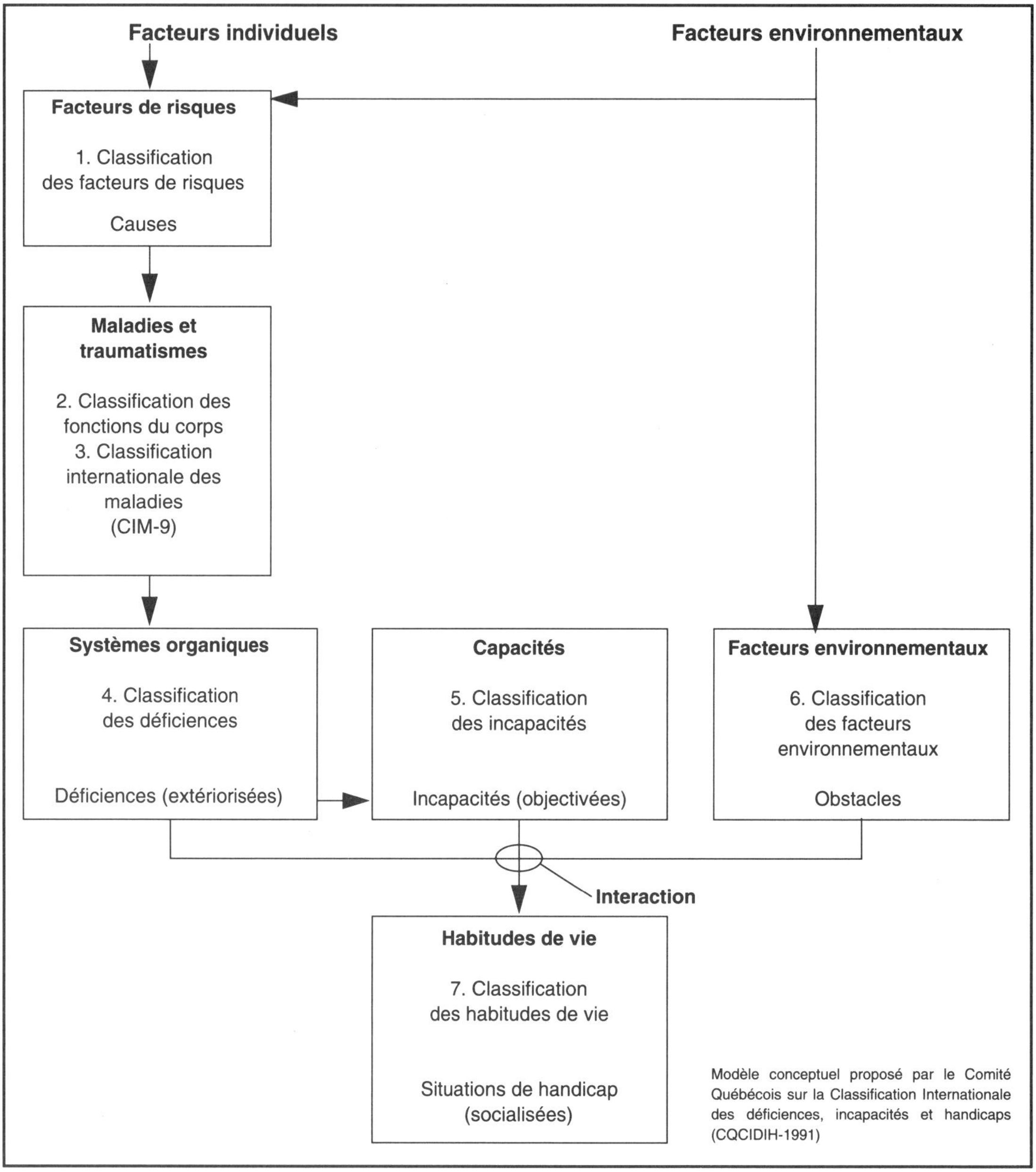

Facteurs individuels

Facteurs environnementaux

Facteurs de risques

1. Classification des facteurs de risques

Causes

Maladies et traumatismes

2. Classification des fonctions du corps
3. Classification internationale des maladies (CIM-9)

Systèmes organiques

4. Classification des déficiences

Déficiences (extériorisées)

Capacités

5. Classification des incapacités

Incapacités (objectivées)

Facteurs environnementaux

6. Classification des facteurs environnementaux

Obstacles

Interaction

Habitudes de vie

7. Classification des habitudes de vie

Situations de handicap (socialisées)

Modèle conceptuel proposé par le Comité Québécois sur la Classification Internationale des déficiences, incapacités et handicaps (CQCIDIH-1991)

Adapté du schéma conceptuel publié par la revue *RÉSEAU INTERNATIONAL CIDIH,* «Le processus de production des handicaps», vol. 4, n° 3, août 1991, p. 13.

Il est donc important de constater que certaines personnes peuvent devenir des personnes handicapées parce que l'environnement ne leur est pas favorable et parce qu'à leurs limitations fonctionnelles s'ajoutent «[...] d'autres troubles associés, en particulier une organisation progressive de la personnalité qui est défectueuse. L'addition de problèmes peut constituer des difficultés insurmontables. Par exemple, déficience intellectuelle avec demi-cécité, atrophie d'un membre chez un enfant vivant dans une famille monoparentale pauvre au sein d'une communauté où il y a peu de sources d'aide[22] ».

> «Selon la loi assurant l'exercice des droits des personnes handicapées, une personne handicapée ou un handicapé désigne toute personne limitée dans l'accomplissement d'activités normales et qui, de façon significative et persistante, est atteinte d'une déficience physique ou mentale ou qui utilise régulièrement une orthèse, une prothèse ou tout autre moyen pour pallier à [*sic*] un handicap[23] .»

Ainsi, les personnes ayant des déficiences ou des incapacités temporaires ou moins significatives ne sont pas concernées par cette loi. En fonction de cette définition légale, certains jeunes ayant des problèmes de mésadaptation socio-affective ou certaines personnes âgées seront considérés comme des personnes handicapées s'ils présentent une déficience physique ou psychique persistante et significative les limitant dans l'accomplissement des habitudes de vie associées à leur âge.

Un handicap est donc une limite ou un empêchement découlant d'une déficience ou d'une incapacité de jouer, dans son milieu, les rôles sociaux assumés par les autres individus. La notion de handicap fait référence aux valeurs du milieu ; elle se caractérise par la différence entre une performance individuelle et les attentes des groupes dont l'individu fait partie.

> «Un handicap est un désavantage social pour une personne, résultant d'une déficience ou d'une incapacité et qui limite ou interdit l'accomplissement de ses rôles sociaux (liés à l'âge, au sexe, aux facteurs socioculturels) [...] Classer les handicaps, ce n'est pas classer les personnes mais les facteurs de production du handicap afin d'intervenir sur le milieu et l'organisation des ressources pour corriger cette violence sociale envers la différence[24] .»

Cette conception vise donc à l'intégration sociale en agissant sur les conditions d'intégration, sur les obstacles écosociaux ou les désavantages.

La notion de handicap correspond à la déficience ou à l'incapacité, mais elle inclut également les désavantages ou les obstacles écosociaux qui limitent les activités des personnes.

La classification des facteurs de risque

La classification des facteurs de risque est le point de départ, car elle concerne l'étude des facteurs potentiels d'inadaptation à l'origine des maladies et des traumatismes (*voir le tableau 3.14*). Les facteurs de risque sont regroupés en quatre catégories : l'organisation sociale et environnementale, le comportement individuel, les accidents, les facteurs biologiques. Cette classification concerne l'étude des facteurs jouant un rôle dans la genèse des difficultés.

Tableau 3.14 **Classification des facteurs de risque**

Causes	Facteurs de risque
1. **Organisation sociale et environnementale**	1.1 facteurs socio-économiques 1.2 environnement physique 1.3 salubrité des logements et urbanisme 1.4 organisation des services 1.5 poste de travail
2. **Comportement individuel (social, culturel)**	2.1 risques sociaux, culturels 2.2 risques familiaux 2.3 violence 2.4 nutrition 2.5 tabagisme, alcoolisme, toxicomanie 2.6 sédentarité 2.7 hygiène
3. **Accident**	3.1 accidents du travail 3.2 accidents de la route 3.3 accidents domestiques 3.4 accidents dans les sports et les loisirs
4. **Biologie**	4.1 risques génétiques 4.2 risques périnataux 4.3 agents infectieux 4.4 risques organiques

Source : *RÉSEAU INTERNATIONAL CIDIH*, « Le processus de production des handicaps », vol. 4, n° 3, août 1991, p. 14.

La classification des fonctions du corps

Plusieurs facteurs causals ont des répercussions sur les fonctions du corps. Ces fonctions sont en lien direct avec le système nerveux, qui joue un rôle essentiel puisqu'il est chargé des liaisons avec le monde extérieur. Parti des centres nerveux (cerveau, cervelet, tronc cérébral, moelle épinière, ganglions du système nerveux végétatif) et y retournant, un incessant courant d'influx nerveux coordonne toutes les réactions de l'organisme aux modifications de l'univers qui l'entoure, gouverne la motricité, assure la satisfaction des besoins organiques et exécute les ordres du psychisme.

L'OMS, par l'intermédiaire de la revue *Réseau international CIDIH*, propose une classification des fonctions du corps: les fonctions physiologiques, les fonctions sensorielles, les fonctions motrices et les fonctions psychiques. Cette proposition est présentée au tableau 3.15. Ainsi, chaque période d'inadaptation altère à des degrés variables une ou plusieurs de ces fonctions.

Tableau 3.15 **Classification des fonctions du corps (Comité Québécois sur la CIDIH-1989)**

<table>
<tr>
<td>Les catégories proposées sont générales. Elles contiennent un ou plusieurs niveaux plus détaillés qui devront être précisés une fois les catégories générales validées.

1. Fonctions physiologiques
1.1 Fonction respiratoire
1.2 Fonction cardio-vasculaire
1.3 Fonction digestive
1.4 Fonction d'excrétion
1.5 Fonction de reproduction
1.6 Fonction de protection
1.6.1 Tolérance à la température
1.6.2 Tolérance à des caractéristiques climatiques
1.6.3 Tolérance à d'autres facteurs de l'environnement
1.7 Fonction de résistance générale</td>
<td>2. Fonctions sensorielles
2.1 Fonctions intéroceptives
2.2 Fonctions proprioceptives
2.3 Fonctions extéroceptives
2.3.1 Fonction visuelle
2.3.2 Fonction auditive
2.3.4 Fonction gustative
2.3.4 Fonction olfactive
2.3.5 Fonction tactile

3. Fonctions motrices
3.1 Maintien d'une position globale
3.2 Mouvements actifs
3.2.1 Réflexes
3.2.2 Mouvements volontaires
3.3 Déplacements
3.3.1 Changements de position
3.3.2 Déplacements en position horizontale
3.3.3 Déplacements en position verticale</td>
<td>3.4 Activités manuelles
3.4.1 Préhensions
3.4.2 Gestes
3.5 Activités faisant appel à tout le corps
3.6 Parole

4. Fonctions psychiques
4.1 Conscience et état de veille
4.1.1 Vigilance
4.1.2 Sommeil/veille
4.1.3 Conscience de la réalité
4.2 Instincts
4.3 Fonctions supérieures
4.3.1 Gnosies
4.3.2 Praxies
4.3.3 Phasies
4.3.4 Mnésies
4.3.5 Fonctions intellectuelles
4.4 Fonctions volitionnelles
4.5 Fonctions affectives
4.6 Fonctions comportementales</td>
</tr>
</table>

Source: *RÉSEAU INTERNATIONAL CIDIH*, vol. 2 nº 1, hiver 1989, p. 28.

Tableau 3.16 Classification internationale des maladies selon l'OMS

I. Maladies infectieuses et parasitaires

Maladies infectieuses intestinales, tuberculose, anthropozoonoses bactériennes, autres maladies bactériennes, poliomyélite et autres maladies à virus du système nerveux central non transmises par les arthropodes, maladies à virus avec exanthème, maladies à virus transmises par les arthropodes, autres maladies à virus et à chlamydia, rickettsioses et autres maladies infectieuses transmises par les arthropodes, syphilis et autres maladies vénériennes, autres infections à spirochètes, mycoses, helminthiases, autres maladies infectieuses et parasitaires, séquelles des maladies infectieuses et parasitaires.

II. Tumeurs

Tumeurs malignes des lèvres, de la cavité buccale et du pharynx, tumeurs malignes d'autres parties de l'appareil digestif et du péritoine, tumeurs malignes de l'appareil respiratoire et des organes thoraciques, tumeurs malignes des os, du tissu conjonctif, de la peau et du sein, tumeurs malignes des organes génito-urinaires, tumeurs malignes de sièges autres et sans précision, tumeurs malignes des tissus lymphatiques et hématopoïétiques, tumeurs bénignes, carcinome *in situ,* tumeurs à évolution imprévisible, tumeurs de nature non précisée.

III. Maladies endocriniennes, de la nutrition et du métabolisme, et troubles immunitaires

Troubles du corps thyroïde, maladies des autres glandes endocrines, état de carence, autres troubles du métabolisme et troubles immunitaires.

IV. Maladies du sang et des organes hématopoïétiques

V. Troubles mentaux

États psychotiques organiques, autres psychoses, troubles névrotiques, de la personnalité et autres non psychotiques, retard mental.

VI. Maladies du système nerveux et des organes des sens

Maladies inflammatoires du système nerveux central, affections héréditaires et dégénératives du système nerveux central, autres maladies et syndromes du système nerveux central, maladies du système nerveux périphérique, maladies de l'œil et de ses annexes, maladies de l'oreille et de l'apophyse mastoïde.

VII. Maladies de l'appareil circulatoire

Rhumatisme articulaire aigu, cardiopathies rhumatismales chroniques, maladies hypertensives, cardiopathies ischémiques, troubles de la circulation pulmonaire, autres formes de cardiopathie, maladies vasculaires cérébrales, maladies des artères, artérioles et capillaires, maladies des veines et des vaisseaux lymphatiques et autres maladies de l'appareil circulatoire.

VIII. Maladies de l'appareil respiratoire

Affections aiguës des voies respiratoires, autres maladies des voies respiratoires supérieures, pneumonie et grippe, maladies pulmonaires obstructives chroniques et affections connexes, pneumoconioses et autres maladies pulmonaires dues à des agents externes, autres maladies de l'appareil respiratoire.

IX. Maladies de l'appareil digestif

Maladies de la cavité buccale, des glandes salivaires et des maxillaires, maladies de l'œsophage, de l'estomac et du duodénum, appendicite, hernie abdominale, entérite et colite non infectieuses, autres maladies de l'intestin et du péritoine, autres maladies de l'appareil digestif.

X. Maladies des organes génito-urinaires

Néphrite, syndrome néphrotique et néphrose, autres maladies de l'appareil urinaire, maladies des organes génitaux de l'homme, affections du sein, affections inflammatoires des organes pelviens de la femme, autres affections des organes génitaux de la femme.

XI. Complications de la grossesse, de l'accouchement et des suites des couches

Grossesse aboutissant à l'avortement, complications liées principalement à la grossesse, accouchement normal et autres indications de soins au cours de la grossesse, du travail et de l'accouchement, complications survenant principalement au cours du travail et de l'accouchement, complications des suites des couches.

XII. Maladies de la peau et du tissu cellulaire sous-cutané

Infections de la peau et du tissu cellulaire sous-cutané, autres affections inflammatoires de la peau et du tissu cellulaire sous-cutané, autres maladies de la peau et du tissu cellulaire sous-cutané.

XIII. Maladies du système ostéo-articulaire, des muscles et du tissu conjonctif

Arthropathie et affections apparentées, affections des régions du plan dorsal, rhumatisme abarticulaire, à l'exclusion des affections du plan dorsal, ostéopathies, chondropathies et malformations acquises du système ostéo-musculaire.

XIV. Anomalies congénitales

XV. Certaines affections dont l'origine se situe dans la période périnatale

XVI. Symptômes, signes et états morbides mal définis

Symptômes, constatations anormales non spécifiques, causes mal définies et inconnues de la morbidité et de la mortalité.

XVII. Lésions traumatiques et empoisonnements

Fractures du crâne, fractures du cou et du tronc, fractures du membre supérieur, fractures du membre inférieur, luxations, entorses, traumatismes intracrâniens non associés à des fractures du crâne, traumatismes internes du thorax, de l'abdomen et du bassin, plaies de tête, du cou et du tronc, plaies du membre supérieur, plaies du membre inférieur, traumatismes des vaisseaux sanguins, séquelles des traumatismes, empoisonnements, effets nocifs de substances toxiques et autres causes externes, traumatismes superficiels, contusions avec intégrité de la surface cutanée, écrasements, conséquences de la pénétration d'un corps étranger par un orifice naturel, brûlures, traumatismes des nerfs et de la moelle épinière, diverses complications des traumatismes et traumatismes sans précision, intoxications par médicaments et produits biologiques, intoxications par des substances essentiellement non médicales à l'origine, effets nocifs de causes extérieures autres ou non précisées, complications dues à des actes chirurgicaux et à des soins non classés ailleurs.

Source : ORGANISATION MONDIALE DE LA SANTÉ, *Classification internationale des maladies. Manuel de la classification statistique internationale des maladies, traumatismes et causes de décès*, vol. 1, 9e révision (1975), Genève, 1977, p. 3 à 26.

La classification internationale des maladies

Certains facteurs de risque atteignent des fonctions particulières du corps humain et peuvent entraîner des traumatismes ou des maladies. Précisons ici que la CIM-9 est une classification statistique des maladies et non une nomenclature des maladies. Une classification statistique indique les relations entre les catégories diagnostiques et doit se limiter à un nombre restreint de rubriques, lesquelles englobent l'éventail complet des maladies et des états morbides (*voir le tableau 3.16*).

La CIM-9 est une classification pragmatique susceptible d'être utilisée avec des objectifs variés. Elle s'attarde surtout aux symptômes en considérant moins les réactions de la personne et de son environnement. Les symptômes ne recouvrent pas des entités d'inadaptation distinctes et ne rendent pas compte à eux seuls de l'inadaptation qu'ils paraissent exprimer.

La classification des déficiences

Une déficience physique, motrice, sensorielle ou mentale se rapporte à une perte, une malformation ou une anomalie d'un organe, d'une structure ou d'une fonction mentale, psychologique, physiologique ou anatomique. C'est la résultante d'un état pathologique objectif, observable, mesurable et pouvant faire l'objet d'un diagnostic.

La qualité de vie et le fait que chaque personne ait une résistance et une vulnérabilité différentes font qu'un ensemble de facteurs biologiques, environnementaux et psychodéveloppementaux peuvent agresser l'organisme, causer une maladie ou un traumatisme. En général, le stresseur entraîne peu de conséquences pour la personne. On peut dire, par exemple, que les maladies infectieuses comme la grippe ou la varicelle n'ont pas de conséquences significatives. Il en va de même pour de légers problèmes d'adaptation chez des enfants, qui ne sont que la manifestation de la diversité des modes d'apprentissage.

Toutefois, la sévérité et l'interaction de différents facteurs influencent et augmentent les chances d'apparition d'une déficience. Parfois, des complications, un traumatisme aigu, un environnement pathogène, des caractéristiques organiques ou le mode de développement de la personne entraînent une déficience temporaire qu'une intervention précoce peut corriger. C'est le cas, par exemple, d'une fracture ou d'un choc psychologique pouvant entraîner une dépression mineure.

Dans des cas beaucoup plus rares (environ 7 % de la population québécoise), des stresseurs provoquent des maladies dont les conséquences les plus immédiates sont des déficiences physiques ou psychiques significatives et persistantes. Les déficiences se rapprochent des maladies telles qu'elles sont classifiées dans la CIM-9 dans la mesure où elles sont conçues comme des phénomènes de seuil (*voir le tableau 3.17*). La question est de juger pour chaque catégorie si on peut considérer qu'il s'agit ou non de déficience.

Tableau 3.17 **Classification des déficiences selon l'OMS**

Catégories	Sous-catégories
1. Déficiences intellectuelles	Déficience de l'intelligence Déficience de la mémoire Déficience de la pensée
2. Autres déficiences du psychisme	Déficience de la conscience et de l'état de veille Déficience de la perception et de l'attention Déficience des fonctions émotives et de la volonté Déficience du comportement
3. Déficiences du langage et de la parole	
4. Déficiences auditives	Déficience de l'acuité auditive Autre déficience de l'audition ou de l'appareil auditif
5. Déficiences visuelles	Déficience de l'acuité visuelle Autre déficience de la vision et de l'appareil oculaire
6. Déficiences des autres organes	
7. Déficiences motrices	Déficience des régions de la tête Déficience du squelette et de l'appareil de soutien Déficience mécanique et motrice des membres Altération des membres (amputations)
8. Déficiences esthétiques	
9. Autres déficiences fonctionnelles, sensorielles et multiples	

Source: OFFICE DES PERSONNES HANDICAPÉES DU QUÉBEC, *À part... égale. L'intégration sociale des personnes handicapées: un défi pour tous*, Québec, 1984, p. 32.

La structure taxonomique du code de classification des déficiences est comparable à celle de la CIM dans la mesure où elle est hiérarchisée et où sa signification est conservée même si le code est utilisé de façon abrégée. Le principal aspect à considérer dans les prochaines années aura probablement trait aux critères d'identification et à leur relation avec la sévérité de la déficience.

La classification des incapacités

Une incapacité est une restriction ou un manque d'habileté pour accomplir une activité à l'intérieur des limites considérées comme normales par un être humain. Elle provient de la déficience et de la réaction de chaque individu par rapport à cette déficience dans un type d'activité précis. Ainsi, il peut y avoir des incapacités ou des limitations fonctionnelles par rapport aux activités et comportements généralement considérés comme des éléments essentiels. Cela comprend, par exemple, des perturbations

Tableau 3.18 **Classification des incapacités selon l'OMS**

Catégories	Sous-catégories
1. Incapacités concernant le comportement	concernant la conscience concernant les relations
2. Incapacités concernant la communication	concernant la communication orale concernant l'écoute concernant la vision
3. Incapacités concernant les soins corporels	concernant les fonctions excrétrices concernant l'hygiène corporelle concernant l'habillage concernant la nutrition et autres soins corporels
4. Incapacités concernant la locomotion	concernant la déambulation entraînant une restriction dans les déplacements
5. Incapacités concernant l'utilisation du corps dans certaines tâches	concernant les tâches domestiques concernant les mouvements du corps
6. Maladresses	concernant les activités quotidiennes concernant les activités manuelles
7. Incapacités révélées par certaines situations	concernant la dépendance et la résistance liées à l'environnement physique

Source: OFFICE DES PERSONNES HANDICAPÉES DU QUÉBEC, *À part... égale. L'intégration sociale des personnes handicapées: un défi pour tous*, Québec, 1984, p. 33.

affectant le comportement, les soins corporels, l'accomplissement des autres activités de la vie quotidienne et la locomotion.

L'incapacité est caractérisée par une réduction, partielle ou totale, et par une perturbation, par excès ou par défaut, dans l'accomplissement d'une activité ou d'un comportement. Ces limitations fonctionnelles, présentées au tableau 3.18, peuvent être temporaires ou permanentes, réversibles ou irréversibles, progressives ou régressives.

Une incapacité peut être la conséquence directe d'une déficience, ou encore, une réponse physiologique et psychologique de l'individu à une déficience physique, sensorielle ou autre. L'incapacité représente l'objectivation d'une déficience et, comme telle, reflète les perturbations touchant la personne elle-même.

La classification des facteurs environnementaux

Les désavantages ou obstacles écosociaux sont constitués par des facteurs naturels ou par des facteurs sociaux qui empêchent les personnes ayant des limitations fonctionnelles de s'épanouir et d'exercer les droits reconnus à tous les citoyens.

Nous présenterons ici la classification des facteurs environnementaux telle que proposée par la revue *Réseau international CIDIH*, section Québec. Cette classification permet de repérer, parmi les facteurs environnementaux, ceux qui constituent des obstacles à la réalisation d'habitudes de vie d'une personne. De plus, cette classification inclut une échelle de sévérité des obstacles qui n'évalue pas les facteurs en eux-mêmes mais par rapport à chaque personne ayant une déficience ou une incapacité (*voir le tableau 3.19*).

Les facteurs environnementaux ne constituent pas toujours des obstacles en eux-mêmes. Cependant, ils peuvent devenir des freins à l'épanouissement individuel parce qu'ils constituent des obstacles difficiles à surmonter pour certaines personnes ayant des déficiences et des incapacités physiques, intellectuelles et psychiques persistantes et significatives.

La classification des habitudes de vie

Durant une période d'inadaptation, une ou plusieurs des habitudes de vie d'une personne sont modifiées à des degrés variables. Les habitudes de vie sont les activités de la vie quotidienne, de la vie domestique ainsi que les rôles sociaux habituellement rencontrés dans le fonctionnement des êtres humains vivant en société quels que soient l'âge, le sexe ou la culture.

Tableau 3.19 **Classification des facteurs environnementaux ou obstacles écosociaux et échelle de sévérité (Comité Québécois sur la CIDIH-1989)**

1. FACTEURS SOCIAUX	2. FACTEURS ÉCOLOGIQUES
1.1 Services Cette catégorie contient les différentes structures que l'on rencontre dans les sociétés. 1.1.1 Services gouvernementaux: comprend les services relevant d'une administration gouvernementale. 1.1.2 Services communautaires: comprend les services relevant d'une association volontaire telle que les groupes sociaux, les mouvements de défense des droits, les associations, les organismes de promotion, les organismes de loisirs, les organismes scientifiques et culturels. 1.1.3 Services privés: comprend les services des entreprises privées et les autres organismes qui ne peuvent être classés dans les deux catégories, services gouvernementaux (1.1.1) et services communautaires (1.1.2), comme les institutions bancaires, hospitalières privées, scolaires privées, les commerces.	**2.1 Nature** Cette catégorie contient les éléments naturels qui ne sont pas, de façon générale, influencés par l'être humain. 2.1.1 Géographie: comprend les éléments physiques tels que les montagnes, les pentes abruptes, les forêts, les plaines, les déserts, les distances, les cours d'eau, etc. 2.1.2 Climat: comprend les éléments du climat tels que les saisons, la pluie, la neige, les tempêtes, la chaleur, le froid, etc. 2.1.3 Temps: comprend les éléments du temps en terme de durée.
1.2 Règles sociales Cette catégorie comprend les idéologies, les conceptions, les opinions, les philosophies, les jugements, etc. 1.2.1 Droit: comprend les législations, les règlements et les statuts sociaux formels tels que les lois, conventions collectives, statut d'assisté social, etc. 1.2.2 Valeurs et attitudes: comprend la morale, les philosophies, les coutumes, les croyances et les comportements qui en découlent.	**2.2 Aménagements** Cette catégorie contient les aménagements dus à l'influence directe de l'être humain sur son environnement. 2.2.1 Architecture: comprend les bâtiments. 2.2.2 Aménagement du territoire: comprend les aménagements urbains et ruraux.
1.3 Ressources Cette catégorie contient les ressources économiques et les revenus. 1.3.1 Financement: comprend les programmes de financement et les subventions. 1.3.2 Revenus: comprend les revenus de la personne.	**2.3 Technologie** Comprend les autres aménagements de l'être humain comme: l'ameublement, les équipements techniques et la technologie en général.

ÉCHELLE DU DEGRÉ DE SÉVÉRITÉ DES OBSTACLES ENGENDRÉS PAR LES FACTEURS ENVIRONNEMENTAUX	
0 .0	Pas d'obstacle
0 .1	Obstacle entravant légèrement la réalisation des habitudes
0.2	Obstacle entravant sévèrement la réalisation des habitudes
0.3	Obstacle infranchissable

Source: *RÉSEAU INTERNATIONAL CIDIH*, «Consultation, proposition d'une révision du 3e niveau de la CIDIH: le handicap», numéro spécial, vol. 2, nº 1, hiver 1989.

> «Les habitudes de vie sont celles qui assurent la survie et l'épanouissement d'une personne tout au long de son existence. Ce sont les activités quotidiennes et domestiques ainsi que les rôles sociaux valorisés par le contexte socio-culturel pour une personne selon son âge, son sexe et son identité sociale et personnelle. La notion d'habitude de vie a été choisie pour son sens très large. Elle évite le recours à la notion de normalité et est compatible au respect du relativisme socio-culturel. Les habitudes de vie diffèrent selon les appartenances de la personne, son identité et les diverses sociétés[25].»

Dans sa proposition d'une classification des habitudes de vie, le comité québécois de la CIDIH/OMS identifie 13 segments de vie pouvant être perturbés durant une période d'inadaptation, plus particulièrement pour les personnes ayant des limitations fonctionnelles importantes. Le tableau 3.20 présente cette proposition. L'échelle de sévérité permet de mesurer pour chacune des personnes concernées quelles habitudes de vie sont affectées et à quel degré.

Ces habitudes de vie sont la nutrition, les soins personnels, la communication, l'habitation, les déplacements, les responsabilités, les relations de parenté, les relations conjugales, les autres relations interpersonnelles, la communauté, l'éducation, le travail, les loisirs et autres habitudes.

Les diverses classifications correspondant aux différentes étapes du processus de production des handicaps peuvent avoir plusieurs applications. Elles constituent des outils précis, systémiques et adaptés à la situation particulière d'une personne à telle période de sa vie. La figure 3.6 présente un exemple possible de l'utilisation de ces classifications, lesquelles peuvent servir tant pour le diagnostic que pour l'intervention auprès de la personne ou de son environnement.

Tableau 3.20 **Classification des habitudes de vie et échelle de sévérité (Comité Québécois sur la CIDIH-1989)**

1. Nutrition

Cette catégorie contient les habitudes entourant la consommation de la nourriture.

1.1 Alimentation:

comprend le choix de la nature, de la qualité et de la quantité des aliments constituant le régime alimentaire d'un individu.

1.2 Préparation des aliments:

comprend les habitudes entourant la préparation des repas telles que la conservation et la transformation des aliments, impliquant l'utilisation d'accessoires entourant ces activités.

1.3 Repas:

comprend les habitudes entourant la prise des repas telles que l'utilisation des accessoires pour boire et manger (assiettes, verres, couteaux, fourchettes, etc.), ainsi que les manières de table en général.

2. Soins personnels

Cette catégorie contient les habitudes d'une personne lui assurant le bien-être corporel.

2.1 Hygiène:

comprend les habitudes liées à la propreté corporelle telles que se laver, se coiffer, se brosser les dents, etc.

2.2 Hygiène excrétrice:

comprend les habitudes liées aux fonctions excrétrices telles que l'usage des équipement sanitaires, etc.

2.3 Habillement:

comprend les habitudes liées au choix de ses vêtements, à l'habillage incluant les maquillages, les bijoux et les parures.

2.4 Soins de santé:

comprend les habitudes liées à la prévention, au maintien et au recouvrement de la santé personnelle telles que la prise de médicaments, les pansements, l'utilisation de matériel thérapeutique, etc. Cette catégorie exclut les habitudes concernant l'activité physique (2.5) et les services de soins de santé compris dans la catégorie communauté (10).

2.5 Condition physique:

comprend les habitudes entourant la prévention, le maintien et le recouvrement de la condition physique telles que les exercices physiques, la relaxation, etc. Cette catégorie exclut les soins de santé (2.4) et d'hygiène (2.1) et les habitudes sportives (13).

3. Communication

Cette catégorie contient les habitudes permettant à une personne de transmettre des messages et d'en recevoir de la part d'autres individus, ainsi que de la société.

3.1 Expression d'information:

comprend les habitudes de communication reliées à l'expression orale et écrite et tout autre moyen d'entrer en communication avec autrui tels que le langage parlé, l'utilisation du téléphone et des autres appareils de communication électronique, l'écriture, les communications non verbales.

3.2 Réception d'information:

comprend les habitudes de communication qu'une personne utilise afin de recevoir de l'information telles que l'utilisation des médias (journaux, télévision, radio), la signalisation routière, etc.

4. Habitation

Cette catégorie contient les habitudes d'une personne liées à sa résidence.

4.1 Domicile:

comprend les habitudes liées à l'acquisition d'un lieu de résidence et la possibilité d'y demeurer, telles que la recherche d'un lieu de résidence adéquat (maison, appartement, centre d'hébergement, etc.), la bâtisse et ses aménagements, etc.

4.2 Entretien ménager:

comprend les habitudes relatives à l'entretien du logis et de ses abords tels le ménage, les travaux lourds, la lessive et les travaux extérieurs, etc.

4.3 Ameublement et autres équipements utilitaires:

comprend les habitudes d'utilisation des meubles et des autres équipements de la maison qui ne sont pas classées dans d'autres catégories telles que nutrition (1), soins personnels (2), communication (3) ainsi que domicile (4.1) et entretien ménager (4.2), etc.

5. Déplacements

Cette catégorie contient les habitudes relatives à la mobilité d'une personne.

5.1 Déplacements restreints:

comprend les habitudes relatives aux déplacements sur de petites distances et aux changements de position du corps (assis, couché, debout) dans une situation précise.

5.2 Transports:

comprend les habitudes d'utilisation de moyens de transport d'une personne tels que transport pédestre, bicyclette, automobile, autobus, bateau, avion, train, animaux, etc.

6. Responsabilités

Cette catégorie contient les habitudes d'une personne relatives à la prise de ses responsabilités.

6.1 Responsabilités financières:

comprend les habitudes relatives à l'établissement d'un budget et à son respect, ainsi que la responsabilité face aux dettes et aux autres obligations financières.

6.2 Responsabilités civiles:

comprend les habitudes relatives au respect d'autrui, à la responsabilité civique (citoyen), à la prise en charge de la personne par elle-même ou par une autre personne, ainsi que la prise en charge d'individus par la personne tels que ses enfants ou un membre de sa famille, etc. Cette catégorie exclut les soins parentaux.

7. Relation de parenté

Cette catégorie contient les habitudes entourant les relations existant entre les enfants et leurs parents ou ceux considérés socialement comme leurs substituts, ainsi qu'entre les autres membres de la famille.

7.1 Affectivité parentale:

comprend les habitudes entourant l'ensemble des phénomènes de la vie affective entre parents et enfants et autres membres de la famille.

7.2 Soins parentaux:

comprend les habitudes permettant aux parents de prendre soin des enfants et de les élever. Cette catégorie exclut les activités éducatives préscolaires (11.1).

7.3 Autres relations parentales:

comprend les autres habitudes entourant les relations parents-enfants et autres membres de la famille, non comprises dans les catégories affectivité parentale (7.1) et soins parentaux (7.2), telles que les soins des parents âgés ou handicapés assurés par les enfants, etc.

8. Relations conjugales

Cette catégorie contient les habitudes entourant les relations existant entre conjoints ou celles socialement considérées comme leurs équivalents.

8.1 Relations conjugales sexuelles:

comprend les habitudes sexuelles entre conjoints.

8.2 Relations conjugales affectives:

comprend les habitudes entourant l'ensemble des phénomènes de la vie affective entre conjoints.

8.3 Autres relations conjugales:

comprend les habitudes relatives à la vie conjugale, excluant les catégories relations sexuelles conjugales (8.1) et relations affectives conjugales (8.2), ainsi que la catégorie responsabilité (6).

9. Autres relations interpersonnelles

Cette catégorie contient les habitudes entourant les relations avec toute autre personne que les conjoints, les enfants, les parents, les autres membres de leur famille.

9.1 Autres relations sexuelles:

comprend les habitudes sexuelles autres que conjugales (8.1).

9.2 Autres relations affectives:

comprend les habitudes liées à l'ensemble des phénomènes de la vie affective tels que les liens amicaux.

9.3 Autres relations sociales:

comprend les habitudes liées aux relations qu'entretient une personne avec son entourage tels ses voisins, ses compagnons de travail, ses camarades d'école, etc.

10. Communauté

Cette catégorie contient les habitudes d'une personne relatives à la consommation de biens et de services de la communauté qui ne sont pas d'ordre éducatif, du travail et des loisirs.

10.1 Biens et services gouvernementaux:

comprend les habitudes liées à la consommation de biens et de services des différents niveaux de gouvernement tels que pays, État, province, département, ville, cité, municipalité, etc.

10.2 Biens et services non gouvernementaux:

comprend les habitudes liées à la consommation de biens et de services privés et non gouvernementaux telles les institutions bancaires, commerciales, hospitalières privées, etc.

10.3 Associations volontaires:

comprend les habitudes de participation d'une personne au sein d'une organisation sociale telle que club social, groupe de défense des droits, parti politique, etc.

10.4 Groupes religieux:

comprend les habitudes reliées à la pratique religieuse d'une personne.

11. Éducation

Cette catégorie contient les habitudes relatives au développement psychomoteur, intellectuel, social et culturel d'une personne.

11.1 Préscolaire:

comprend les habitudes liées à l'éducation pendant la petite enfance (0-5 ans).

11.2 Scolaire:

comprend les habitudes liées à l'apprentissage scolaire de base.

11.3 Professionnelle:

comprend les habitudes concernant l'apprentissage d'un métier ou d'une profession tels les relations maître-apprentis, les écoles de métier, les collèges, universités et autres enseignements professionnels.

11.4 Autres formations:

comprend les habitudes concernant les cours de formation générale et non classables dans les autres catégories préscolaire (11.1), scolaire (11.2) et professionnelle (11.3).

12. Travail

Cette catégorie contient les habitudes relatives à l'occupation principale d'un individu adulte. Cette occupation est généralement rémunératrice.

12.1 Orientation:

comprend les habitudes relatives au choix, à l'orientation ou à la réorientation d'une carrière.

12.2 Recherche d'un emploi:

comprend les habitudes entourant la recherche et l'obtention d'une occupation.

12.3 Emploi:

comprend les habitudes entourant l'exécution d'un travail rémunéré.

12.4 Occupation compensatrice:

comprend les habitudes concernant une occupation principale non rémunérée.

13. Loisirs et autres habitudes

Cette catégorie contient les habitudes entourant les temps libres et les loisirs d'une personne.

13.1 Sport:

comprend les habitudes sportives d'une personne.

13.2 Jeux:

comprend les habitudes ludiques d'une personne.

13.3 Arts:

comprend les habitudes artistiques d'une personne.

13.4 Culture:

comprend les habitudes culturelles et les loisirs scientifiques.

13.5 Autres habitudes:

comprend les autres habitudes non classables dans les autres catégories.

Échelle de réalisation des habitudes de vie:

.0 Habitude réalisée sans difficulté de compensation.
.1 Habitude réalisée sans difficulté avec compensation.
.2 Habitude réalisée avec difficulté sans compensation.
.3 Habitude réalisée avec difficulté avec compensation.
.4 Habitude partiellement réalisée sans difficulté et sans compensation.
.5 Habitude partiellement réalisée sans difficulté avec compensation.
.6 Habitude partiellement réalisée avec difficulté sans compensation.
.7 Habitude partiellement réalisée avec difficulté et avec compensation.
.8 Habitude non réalisée.

Source: *RÉSEAU INTERNATIONAL CIDIH*, vol. 2, n° 1, hiver 1989, p. 23-25.

Figure 3.6 **Exemple possible d'utilisation du processus de production des handicaps**

Roger, 53 ans, travaille depuis 15 ans comme opérateur de cisailleuse pour une compagnie de production de feuilles métalliques. Il a acquis une surdité neurosensorielle importante.

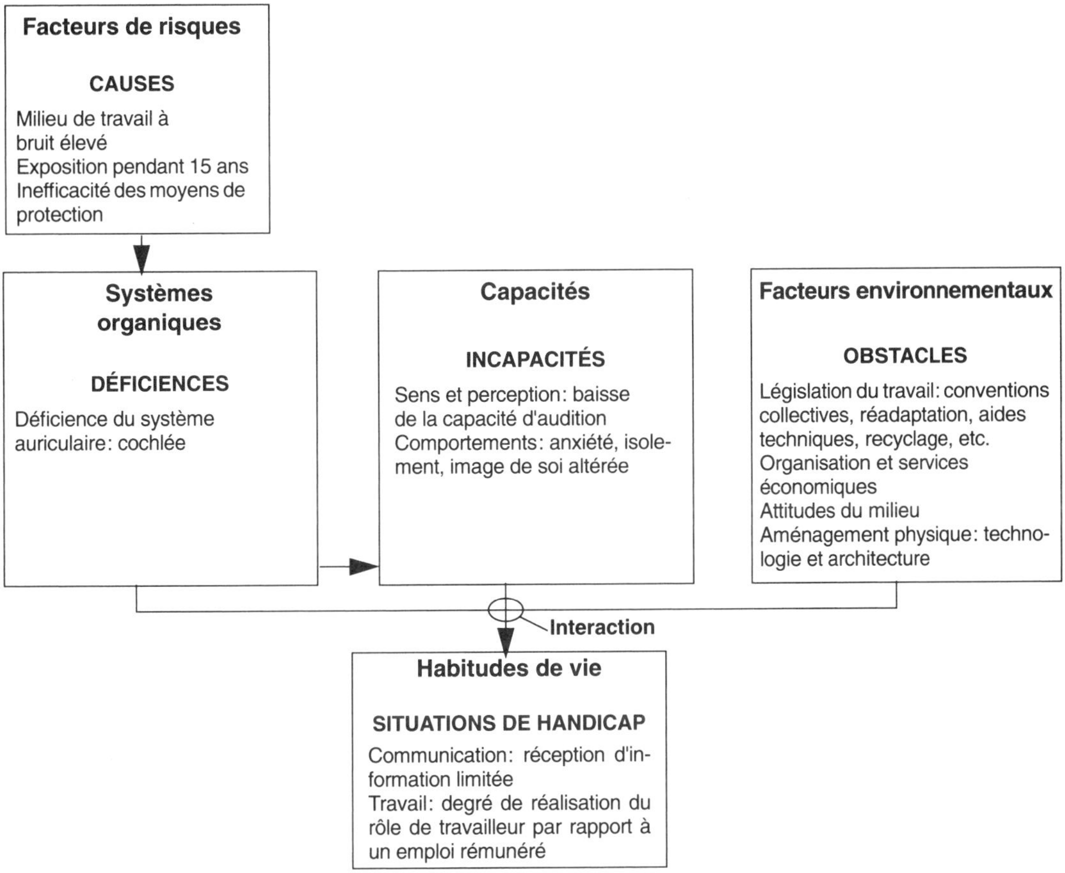

FACTEURS DE RISQUE

CAUSES

Organisation sociale et environnementale: poste de travail

Roger est exposé depuis 15 ans à un niveau de bruit élevé et continu, en milieu de travail. La protection dont il dispose contre le bruit environnant est inadéquate.

SYSTÈMES ORGANIQUES

DÉFICIENCES

Système auriculaire:

Cette exposition à un bruit élevé et continu a entraîné une atteinte du système auriculaire au niveau de la cochlée, à savoir la destruction de cellules sensorielles et la dégénérescence de fibres nerveuses.

Ces déficiences ont entraîné plusieurs incapacités, à des degrés divers.

CAPACITÉS

INCAPACITÉS

• Reliées aux sens et à la perception:

La capacité d'audition de Roger a diminué de façon très importante de même que sa capacité à percevoir les sons et à les discriminer.

• Reliées aux comportements:

Roger est anxieux et irritable. Il a tendance à s'isoler. Son estime de soi, son sentiment de sécurité personnelle et son degré de sociabilité ont diminué de façon importante.

FACTEURS ENVIRONNEMENTAUX

OBSTACLES

Organisation et services économiques:

Roger ne peut plus effectuer son travail à cause de la diminution importante de ses fonctions auditives, ce qui entraîne des problèmes de sécurité au travail. La législation et les politiques existantes prévoient qu'il peut obtenir des services d'un organisme gouvernemental en santé et sécurité au travail entre autres, pour l'obtention d'aides techniques, l'adaptation de postes de travail et la sécurité du revenu.

Droit:

Les règles internes de fonctionnement limitent Roger aux plans de sa mobilité professionnelle à l'intérieur de l'entreprise et de ses possibilités de reclassement professionnel. En effet, la convention collective ne prévoit pas de mesures spécifiques en ce qui a trait à l'adaptation des postes de travail ou au recyclage professionnel.

Valeurs et attitudes:

À cause du risque qu'il présente au plan de la sécurité, Roger est perçu de façon négative par un nombre important de ses collègues de travail. Ses relations avec eux sont plus difficiles, sa capacité de communiquer avec eux étant restreinte en raison de ses limitations au plan auditif.

Technologie et architecture:

Les aménagements qu'il a été possible d'effectuer à son poste de travail sont limités. Bien qu'il ait été possible de modifier le contenu fréquentiel des signaux avertisseurs sonores, le bruit à la source n'a pu être réduit.

HABITUDES DE VIE

SITUATIONS DE HANDICAP

Communication et travail:

Trois **facteurs environnementaux** sont ici générateurs d'obstacles pour Roger:

- ☐ droit: mobilité professionnelle prévue par la convention collective;
- ☐ technologie et architecture: adaptation du poste de travail;
- ☐ valeurs et attitudes: perception par ses collègues de travail.

Même si Roger a été en mesure de conserver son emploi après l'adaptation de son poste de travail et qu'il a obtenu les aides techniques appropriées, la possibilité de réalisation de ses habitudes de vie relatives à son rôle de travailleur demeurent limitées. En effet, la convention collective en vigueur et son poste de travail adapté le limitent dans ses possibilités d'avancement professionnel. Il s'agit donc ici d'une **première situation de handicap**.

Comme nous venons de le mentionner, Roger a obtenu des aides techniques pour compenser ses incapacités au plan de l'audition. Cependant, à cause du niveau de bruit présent à son lieu de travail, il ne peut les utiliser. L'impossibilité d'utiliser ses aides auditives entrave donc la réalisation de ses habitudes de vie relatives à la réception d'informations, notamment de la part de ses collègues de travail. Il s'agit donc ici d'une **deuxième situation de handicap**.

Advenant le cas où le bruit aurait pu être éliminé à la source et que le niveau de bruit à son lieu de travail aurait été rendu acceptable, Roger aurait pu bénéficier d'une mobilité professionnelle accrue. Il aurait par ailleurs pu porter ses aides auditives en milieu de travail, ce qu'il ne peut faire dans un environnement bruyant. La communication avec ses collègues aurait été de meilleure qualité et Roger aurait ainsi été moins isolé.

De toute façon, la condition objective de Roger, à savoir la nature de ses déficiences et de ses incapacités au niveau des sens et de la perception, ne change pas. C'est l'interaction entre celles-ci et les obstacles découlant des facteurs qui crée des situations de handicap. En éliminant les obstacles environnementaux, on élimine du même coup les situations de handicap.

Il est intéressant ici de noter que le fait de ramener le bruit à un niveau acceptable aurait non seulement éliminé la situation de handicap, mais encore contribué à diminuer l'incapacité comportementale de Roger. [...]

Source: *RÉSEAU INTERNATIONAL CIDIH*, vol. 4, nº 3, août 1991, p. 34-38.

NOTES

1. Hans SELYE. *Stress sans détresse*, Montréal, Éditions La Presse, 1983, p. 28-29.
2. *Ibid.*, p. 51.
3. *Id. Le stress de ma vie*, Montréal, Éditions Alain Stanké, 1976, p. 54.
4. *Ibid.*, p. 57.
5. Joël de ROSNAY. *Le macroscope social. Vers une vision globale*, Paris, Éditions du Seuil, 1975, p. 116.
6. René DUBOS. *L'homme et l'adaptation au milieu*, Paris, Payot, coll. «Sciences de l'homme», 1973, p. 249.
7. Anna FREUD. *Le moi et les mécanismes de défense*, Paris, Presses universitaires de France, 6e édition, 1972, p. 163.
8. Guy ROCHER. *Introduction à la sociologie générale*, tome 1: *L'action sociale,* Montréal, Éditions Hurtubise HMH, 1969, p. 62.
9. *Ibid.*, p. 63-64.
10. M. FRÉCHETTE et M. LEBLANC. *Délinquance et délinquants*, Chicoutimi, Gaëtan Morin éditeur, 1987, p. 174.
11. Donna C. AGUILERA et Janice M. MESSICK. *Intervention en situation de crise*, Toronto, The C.V. Mosby Company, 1976, p. 6.
12. CAPLAN. «Principles of Preventive Psychiatry», p. 40-41 dans Donna C. AGUILERA et Jenice M. MESSICK, *op. cit.,* p. 67.
13. ASSOCIATION AMÉRICAINE DE PSYCHIATRIE. *DSM-III-R. Manuel diagnostique et statistique des troubles mentaux*, traduit par Julien Daniel GUELFI, Paris, Éd. Masson, 1989, 624 p.
14. E. James ANTHONY et C. KOUPERNIK. *L'enfant dans la famille*, Paris, Masson et Cie Éditeurs, 1970, 448 p.
15. Léon-Maurice LAROUCHE. «Troubles psychiatriques reliés au stress» dans LALONDE, GRUNBERG et collab., *Psychiatrie clinique: approche bio-psycho-sociale,* Montréal, Gaëtan Morin éditeur, 1988, p. 185.
16. Hans SELYE. *Stress sans détresse*, Montréal, Éditions La Presse, 1983, p. 49.
17. ASSOCIATION AMÉRICAINE DE PSYCHIATRIE. *Op. cit.*, p. XXX.
18. Dr Michel LEMAY. Notes manuscrites.
19. Guy ROCHER. «Éléments d'une anti-sociologie de l'exceptionnalité» dans *Le Québec en mutation*, chapitre 8, Montréal, Éditions Hurtubise HMH, 1973, p. 189 à 202.
20. Chiva MATTY. *Débiles normaux, débiles pathologiques,* Suisse, Éditions Delachaux et Niestlé, 1973, p. 196.
21. MINISTÈRE DES AFFAIRES SOCIALES ET DE LA SOLIDARITÉ. *Classification française des troubles mentaux de l'enfant et de l'adolescent. Présentation générale et mode d'utilisation*, Paris, publié par le CTNERHI, Diffusion P.U.F., 1990, p. VIII.
22. Dr Michel LEMAY. Notes manuscrites.
23. OFFICE DES PERSONNES HANDICAPÉES DU QUÉBEC. *À part... égale. L'intégration sociale des personnes handicapées: un défi pour tous*, Gouvernement du Québec, 1984, p. 35.
24. *Loc. cit.*
25. *RÉSEAU INTERNATIONAL CIDIH*, vol. 2, no 1, p. 22.

EN BREF

La souffrance inhérente à la condition humaine constitue la trame de fond de toute période d'inadaptation. Une première conséquence des facteurs causals concerne les réactions de stress, qui entraînent une **période de déséquilibre**. Pour contrer ce déséquilibre, la personne et son environnement réagissent par différents moyens biologiques, psychologiques, sociaux. Les mécanismes de régulation (axe biologique) interviennent surtout lorsque des changements importants ou imprévus font vivre des difficultés sur le plan de la santé physique. Les mécanismes de défense (axe psychodéveloppemental) constituent des recours inconscients utilisés par la personne afin de se protéger contre l'anxiété mettant à l'épreuve sa santé mentale. Les mécanismes de socialisation et de contrôle social (axe environnemental) fournissent, d'une part, des modèles communs guidant l'orientation des comportements individuels par le processus de socialisation et exercent, d'autre part, une pression pour contraindre les personnes à se conformer aux normes en vigueur en utilisant les mécanismes de contrôle social.

Il y a des niveaux et des gradations dans les inadaptations. La perspective systémique conduit à analyser les différentes variables qui interagissent pour déterminer si la conséquence des facteurs causals sera une **inadaptation provisoire** ou une **inadaptation durable**. Ces variables sont les antécédents personnels, le degré de sévérité des stresseurs, les mécanismes d'adaptation, l'interprétation de la situation, les soutiens situationnels, les mécanismes de résolution de problèmes. La question du normal et du pathologique est complexe, mais importante pour mieux comprendre le phénomène de l'inadaptation.

Un **panorama des principales difficultés d'adaptation** met l'accent, d'une part, sur des types de difficultés auxquelles font face les êtres humains au cours de leur vie et, d'autre part, sur des types de difficultés plus particulières qui demandent souvent des mesures spéciales. Le panorama regroupe ces types de difficultés en quatre catégories: les difficultés de la vie, les problématiques spéciales, les déficiences, les déviances sociales.

Tout **système de classification** présente des avantages et des inconvénients. Depuis une vingtaine d'années, une évolution des connaissances et des mentalités a permis un passage de classifications statiques à des classifications plus dynamiques. Cette évolution s'est traduite par une transformation de la terminologie, qui, tout en considérant les limitations des personnes et de leur environnement, met davantage l'accent sur l'identification des forces et des possibilités d'adaptation. La classification française, la classification de l'Association américaine de psychiatrie et la classification de l'Organisation mondiale de la santé figurent parmi les grands systèmes de classification des difficultés humaines.

Questions

Vrai Faux

☐ ☐ 1. Le mot « stress » est synonyme de « dépression nerveuse ».

☐ ☐ 2. Lorsqu'il y a présence d'un ou de plusieurs facteurs causals, le déséquilibre est inévitable.

☐ ☐ 3. Les mécanismes de régulation interviennent sur le plan biologique.

☐ ☐ 4. Les mécanismes de socialisation et de contrôle social interviennent sur le plan psychodéveloppemental.

☐ ☐ 5. Nous constatons des différences importantes dans les conséquences des stresseurs quant à la notion de durée de la période d'inadaptation.

☐ ☐ 6. Une personne est en situation d'inadaptation provisoire lorsque les méthodes habituelles de résolution des problèmes lui permettent de faire face aux difficultés et aux défis.

☐ ☐ 7. Selon l'interaction des conditions en présence, la personne peut être amenée soit à la maîtrise de la situation, soit à un échec.

☐ ☐ 8. On parle de « crise » quand un ou plusieurs stresseurs déclenchent, chez une personne, un afflux d'excitation dépassant le seuil de tolérance de son appareil physique, psychique et social.

☐ ☐ 9. Selon le DSM-III-R, on parle de difficultés « légères » quand il y a plusieurs symptômes en plus de ceux qui sont requis pour le diagnostic et que les conséquences des symptômes sont importantes pour le fonctionnement professionnel, les activités sociales habituelles ou les relations avec autrui.

☐ ☐ 10. Il est en général facile de prédire avec exactitude les répercussions de tel ou tel facteur sur une personne, de même que ses réactions face à telle ou telle situation.

☐ ☐ 11. Certaines conséquences des facteurs causals sont réversibles et la personne peut retrouver plus facilement l'équilibre antérieur.

☐ ☐ 12. Les concepts de « normal » et de « pathologique » sont relatifs, car ils ne valent que par rapport à un système de référence déterminé.

☐ ☐ 13. Les difficultés reliées aux étapes de croissance font partie des problématiques spéciales.

☐ ☐ 14. Les difficultés reliées à la violence font partie des déviances sociales.

☐ ☐ 15. Les difficultés reliées aux toxicomanies font partie des difficultés de la vie.

☐ ☐ 16. Depuis une vingtaine d'années, une évolution des mentalités et des valeurs a permis de passer de classifications statiques à des classifications dynamiques.

☐ ☐ 17. L'Organisation mondiale de la santé s'est dotée d'un nouvel outil de classification, la CIDIH.

☐ ☐ 18. Le DSM-III-R est une classification des maladies physiques et mentales.

☐ ☐ 19. La particularité de la classification française est de s'adapter à l'évolutivité des troubles chez les enfants et les adolescents.

☐ ☐ 20. La classification des facteurs environnementaux, proposée par le Réseau international CIDIH, section Québec, permet d'identifier lesquels parmi ces facteurs constituent des obstacles à la réalisation d'habitudes de vie d'une personne.

RÉPONSES :

1. F 3. V 5. V 7. V 9. F 11. V 13. F 15. F 17. V 19. V

2. F 4. F 6. V 8. V 10. F 12. V 14. F 16. V 18. F 20. V

À TITRE DE RÉFLEXION

Les problèmes personnels sont inévitables parce que l'homme reste très sensible aux exigences constamment variables de la vie. Ces changements constituent un défi que même les êtres jouissant d'une grande capacité d'adaptation ne sauraient toujours facilement relever. Personne n'est tout à fait préparé à affronter une crise sérieuse.

MICHAËL J. MAHONEY

Nous sommes amenés tout au long de notre voyage terrestre à vivre de nombreux changements. À peine pensons-nous être parvenus à conquérir une certaine stabilité que la vie en décide autrement et nous sommes bousculés et ébranlés dans nos sécurités.

ISABELLE DELISLE

Ce qui donne à une rencontre humaine son authenticité, c'est qu'à un moment ou un autre, les barrières protectrices que nous édifions autour de notre moi sont percées. L'autre m'annonce ma réalité cachée, et j'accepte d'accueillir cette annonce.

ANDRÉ DE PERETTI

La folie n'est souvent qu'une stratégie particulière qu'une personne invente pour supporter une situation insupportable.

RONALD LAING

Le malheur, c'est la différence entre le rêve et la réalité; il s'agit de combler cette différence.

JACQUES BREL

J'ai flanché [...] je me sentais totalement vidée, moralement surtout. Je n'acceptais pas de me retrouver «en bas de la pente», moi qui avais lutté si fort durant la maladie de mon conjoint, pourquoi je n'arrivais pas à m'en sortir? [...] J'avais tout pour me raccrocher à la vie: stabilité financière, une jolie maison, une famille unie, en harmonie, de bons amis, une sœur [...] qui savait m'écouter [...] mais je décrochais de jour en jour. J'en étais au point de me «tasser» dans un fauteuil à longueur de journée. Je ne voulais plus continuer, je ne voulais plus penser, réagir; j'avais perdu momentanément la capacité de puiser dans ma force intérieure.

ADÈLE MALO

Il ressort qu'une définition rigoureusement logique de la notion de pathologie n'est guère possible ni même souhaitable, à moins de préférer la paille des mots au grain des choses. En revanche, cette notion apparaît pleine de substance et supporte des limites suffisamment définissables selon une orientation axiologique.

GABRIEL DEHAIES

Mais bien sûr, que vous avez peur. Vous ne savez pas où vous allez, ni ce que vous allez affronter ni ce qu'on attend de vous. Vous êtes en droit d'avoir peur.

ISAAC ASIMOV

Deux situations sont rarement identiques dans tous leurs aspects.

ALBERT COHEN

Lorsque nous avons quelques ennuis dans le cœur, nous nous imaginons, pauvres fous que nous sommes, que personne avant nous n'avait senti cette douleur.

ALFRED DE MUSSET

4 LA PÉRIODE D'ADAPTATION (De l'inadaptation à l'adaptation)

«J'ai appris à vivre avec ce qui me restait et non avec ce qui me manquait.»

Richard Lapierre

NOUS AVONS DÉCRIT AU PREMIER CHAPITRE le concept d'adaptation psychosociale en insistant sur sa relativité et en dénonçant le mythe d'une adaptation réussie une fois pour toutes. En effet, tout développement humain suppose conflit, changement, déséquilibre puis découverte d'un autre équilibre, lui aussi à remettre potentiellement en cause ultérieurement. Le contenu des mots «inadaptation» et «adaptation» ne peut être ni universellement, ni définitivement déterminé; par contre, si ces concepts sont trop largement définis, on nuit à l'opérationnalisation et s'ils sont trop étroitement circonscrits, on déforme une réalité complexe.

Le contenu de ces mots ne peut être figé dans l'abstrait puisque leurs critères d'application diffèrent selon les normes et l'histoire du groupe considéré de même que selon les aspirations et les besoins de chaque personne. Ils n'ont donc de sens que si on les définit sous l'angle d'une personne donnée, fonctionnant dans un environnement donné. C'est pourquoi toute description des étapes d'une période d'adaptation est sujette aux variabilités des situations particulières.

Dans le quatrième chapitre, nous décrivons d'abord l'interaction et l'impact des conditions en présence au moment de la recherche d'un nouvel équilibre, nous analysons ensuite la dynamique de l'adaptation et nous présentons enfin les cheminements adaptatifs possibles.

À LA RECHERCHE D'UN NOUVEL ÉQUILIBRE

Dans une perspective systémique, l'analyse des différentes conditions en présence nous permet de comprendre pourquoi certaines personnes réussissent à s'en sortir après une période d'inadaptation provisoire alors que d'autres se retrouvent dans une situation de crise ou d'inadaptation durable. L'interaction des conditions en présence fait toute la différence entre une inadaptation provisoire et une inadaptation durable. Dans certains cas, les conditions sont défavorables à l'adaptation et contribuent à engendrer, à maintenir ou à prolonger la période d'inadaptation. Dans d'autres cas, elles sont favorables à l'adaptation et permettent un retour à l'équilibre partiel ou global. C'est à partir des six variables définies au chapitre précédent que nous avons dégagé les conditions défavorables et les conditions favorables à l'adaptation.

Les conditions défavorables à l'adaptation

Une difficulté d'adaptation peut commencer, se maintenir ou s'aggraver dans le contexte d'une ou de plusieurs conditions défavorables. La présence d'une ou de plusieurs de telles conditions peut empêcher la solution d'une situation problématique, du moins à court terme. Ces conditions défavorables, présentées au tableau 4.1, sont les antécédents personnels désavantageux, les stresseurs sévères, l'utilisation inadéquate des mécanismes d'adaptation, l'irréalisme dans l'interprétation de la situation, l'absence de soutiens situationnels appropriés et l'inadéquation des mécanismes de résolution de problèmes.

Les antécédents personnels désavantageux

Chacun, chacune de nous est un acteur, avec un passé et une situation actuelle particuliers. Les événements antérieurs influencent la situation actuelle. S'ils sont négatifs, ils peuvent être nuisibles pour la période d'adaptation. Des stresseurs liés à des facteurs héréditaires, à des facteurs prénatals, périnatals et postnatals précoces peuvent entraîner des séquelles. Ainsi, chez le jeune enfant, un stresseur est considéré comme sévère quand la constitution de l'enfant est «très anormale», ou encore, lorsque les circonstances de l'expérience stressante contrecarrent substantiellement le progrès spécifique des phases cruciales de développement.

Plusieurs séquelles peuvent s'amoindrir avec le temps, mais d'autres fragilisent progressivement la personne, l'affaiblissent et risquent en

Tableau 4.1

Conditions défavorables à l'adaptation

Variables à considérer	Conditions défavorables
Antécédents personnels	Antécédents personnels désavantageux
Degré de sévérité des stresseurs	Stresseurs sévères
Mécanismes d'adaptation	Utilisation inadéquate des mécanismes d'adaptation
Interprétation de la situation	Irréalisme dans l'interprétation de la situation
Soutiens situationnels	Absence de soutiens situationnels appropriés
Mécanismes de résolution de problèmes	Inadéquation des mécanismes de résolution de problèmes
	Inadaptation durable

retour d'aggraver le déséquilibre. Par exemple, des relations précoces inadéquates entre un enfant et son entourage peuvent entraîner des conséquences susceptibles de compromettre le développement ultérieur. La négligence, les abus physiques, les abus sexuels, la carence affective privent souvent l'enfant des apprentissages de base intellectuels, psychologiques et sociaux nécessaires à l'établissement subséquent de relations adéquates avec les autres.

> «Les frustrations précoces semblent jouer un rôle incontestable dans certaines structures caractérielles pathologiques, telles que l'excessive dépen-

> dance à autrui de ceux qui, toujours assoiffés d'affection, ont notamment besoin de se faire donner des preuves d'amour[1].»

Le jeune qui a été exposé à plusieurs facteurs, comme la discorde entre parents, un statut social peu élevé, le surpeuplement de la maison, une mère atteinte d'une maladie mentale, un père criminel, un séjour en famille d'accueil ou en institution, est souvent moins en mesure de surmonter les situations difficiles qui se présentent au cours des autres étapes de son histoire personnelle. Quand l'enfant est assailli de toutes parts et qu'il doit simultanément faire face à plusieurs stresseurs, il est plus difficile pour lui de rassembler ses forces. Les risques qu'il soit perturbé augmentent considérablement.

D'autres stresseurs sévères surviennent plus tardivement dans l'histoire personnelle. Ils entraînent la plupart du temps une demande d'énergie psychique et dépassent, en raison de leur répétition, les limites habituelles de résistance émotionnelle.

Les stresseurs sévères

Certains stresseurs sont plus sévères que d'autres parce que leurs conséquences limitent l'individu dans son fonctionnement quotidien ou ralentissent son développement biopsychosocial. Les stresseurs sévères augmentent le risque de prolonger la période d'inadaptation. Ce sont, par exemple, les maladies chroniques, les conflits conjugaux, les décès, la violence familiale, les agressions sexuelles, les crises économiques. De tels stresseurs sont susceptibles de perturber beaucoup la vie quotidienne.

On rencontre divers types de stresseurs sévères ou événements traumatiques qui se situent dans la gamme des expériences humaines survenant de façon exceptionnelle. Les désastres naturels (p. ex., tremblement de terre), les catastrophes non voulues mais occasionnées par les êtres humains (p. ex., accidents de la route) et les désastres planifiés par les êtres humains (p. ex., armes chimiques) entrent dans cette catégorie.

> «Souvent le traumatisme [provoqué par un stresseur] s'accompagne de blessures physiques, comme c'est le cas des accidents de voiture, des agressions sexuelles, etc., mais il comporte toujours une composante psychologique, par exemple des sentiments de peur intense, d'impuissance, une perte de contrôle et une menace d'annihilation[2].»

Les stresseurs d'ordre déprivatif, tels la carence affective, l'isolement social, l'aliénation personnelle, peuvent être tout aussi dévastateurs sur le plan psychologique que les stresseurs d'ordre agressif, tels un bombardement, un vol, un viol, un incendie, etc.

> «Un deuil est un événement brutal, isolé. La carence affective sera une longue période d'existence sans investissement positif et, dans le cas de la petite enfance, sans soutien d'objets internes permanents [...] Dans le cas de la carence, cela va entraîner un défaut de structuration alors que dans le cas d'un bombardement, nous sommes face à une peur réelle mais transitoire[3].»

L'utilisation inadéquate des mécanismes d'adaptation

Quand les mécanismes de régulation, les mécanismes de défense ainsi que les mécanismes de socialisation et de contrôle social – mécanismes présentés au chapitre précédent – sont insuffisants ou utilisés de manière inadéquate, l'individu devient plus vulnérable sur les plans biologique, psychologique ou social, ce qui risque de ralentir son cheminement adaptatif. Les réactions inadéquates du corps, du psychisme ou de l'environnement peuvent compromettre un retour à l'équilibre sur un ou plusieurs plans.

L'irréalisme dans l'interprétation de la situation

Minimiser ou maximiser un problème constituent des déformations qui peuvent être nuisibles si elles se prolongent trop longtemps. Il en découle souvent une attitude de refus de la réalité, ce qui entraîne une tension interne et perturbe les relations interpersonnelles. Notons, cependant, que plusieurs déformations et interprétations irréalistes peuvent être associées à certaines déficiences physiques, sensorielles, intellectuelles et psychiques.

Si la situation est déformée, ou encore, si ses conséquences sont diminuées ou exagérées, la personne n'établit pas les bons liens entre le facteur causal, l'inadaptation et les possibilités d'adaptation. Dans certains cas, tout se passe comme si un événement ayant une signification très stressante pour un individu apparemment normal touchait une zone particulièrement vulnérable de sa personnalité. L'interprétation irréaliste d'une situation augmente le risque de prolonger la période d'inadaptation.

L'absence de soutiens situationnels appropriés

L'absence de soutiens situationnels appropriés comprend, d'une part, l'absence de soutiens situationnels et, d'autre part, la présence de soutiens situationnels non appropriés. Si une personne est dans une position de plus grande vulnérabilité, l'absence de soutiens situationnels appropriés peut maintenir ou aggraver son déséquilibre, compromettre ou ralentir son cheminement adaptatif.

Dans certaines circonstances, c'est l'entourage immédiat qui est incapable d'avoir des comportements appropriés face aux situations difficiles que traverse l'un ou l'une des leurs. De cette façon, l'entourage renforce les réactions de repli sur soi et d'isolement social. Le sarcasme et la moquerie sont la plupart du temps inappropriés. Ainsi en est-il des préjugés – encore présents malgré les progrès réalisés au cours des dernières années – concernant la différence et l'étrangeté, qui conduisent au rejet, à la curiosité ou à la pitié face aux personnes aux prises avec des limitations fonctionnelles.

Dans d'autres circonstances, les soutiens situationnels peuvent être présents, mais jugés non significatifs par la personne qui rencontre des difficultés d'adaptation. Elle se retrouve alors isolée, vit un sentiment d'insécurité et a du mal à s'intégrer dans les groupes habituels.

Se supportant mal, la personne supporte mal les autres et devient plus agressive à leur égard. Les autres comprennent mal son agressivité, son ressentiment; ils deviennent de moins en moins tolérants et disponibles. Cela peut prendre la forme d'un cercle vicieux, qui débouche sur un isolement très réel ou sur un malaise relationnel important. C'est ce que S. Lebovici appelle la «spirale interactive[4]». Cet aspect explique pourquoi les personnes isolées physiquement, psychologiquement et socialement sont plus vulnérables aux stresseurs: le recours aux soutiens situationnels leur est plus difficile.

L'inadéquation des mécanismes de résolution de problèmes

Les mécanismes inadéquats de résolution de problèmes peuvent être liés à une constitution anormale, à une grande vulnérabilité psychologique ou sociale, ou encore, à des étapes de développement non suffisamment assumées. Ils compliquent les prises de décision et ralentissent le cheminement adaptatif. Ces mécanismes se manifestent par des comportements de fuite devant les difficultés, par le recours à des expédients nuisibles, par une perte de contrôle de la situation, par la détérioration de l'image de soi, par un manque d'adaptabilité à des situations changeantes, par une lenteur dans la résolution des problèmes, par de l'ambivalence et des tergiversations. Ainsi, plusieurs décisions inadéquates se révèlent à long terme coûteuses et compromettent sérieusement le processus d'adaptation.

Les conditions favorables à l'adaptation

Certaines conditions sont reconnues pour influencer positivement le retour à l'équilibre. Ce sont les antécédents personnels avantageux, les stresseurs moins sévères, l'utilisation adéquate des mécanismes d'adaptation, le réalisme dans l'interprétation d'une situation, la présence de soutiens situationnels appropriés et l'adéquation des mécanismes de

Tableau 4.2
Conditions favorables à l'adaptation

Variables à considérer	Conditions défavorables	Conditions favorables
Antécédents personnels	Antécédents personnels désavantageux	Antécédents personnels avantageux
Degré de sévérité des stresseurs	Stresseurs sévères	Stresseurs moins sévères
Mécanismes d'adaptation	Utilisation inadéquate des mécanismes d'adaptation	Utilisation adéquate des mécanismes d'adaptation
Interprétation de la situation	Irréalisme dans l'interprétation de la situation	Réalisme dans l'interprétation de la situation
Soutiens situationnels	Absence de soutiens situationnels appropriés	Présence de soutiens situationnels appropriés
Mécanismes de résolution de problèmes	Inadéquation des mécanismes de résolution de problèmes	Adéquation des mécanismes de résolution de problèmes
	Inadaptation durable	**Inadaptation provisoire**

résolution des problèmes. Le tableau 4.2 décrit ces conditions favorables à l'adaptation. La présence d'une ou de plusieurs de ces conditions ainsi que leur interaction dynamique peuvent raccourcir une période d'inadaptation et faciliter le cheminement adaptatif si elles opèrent au moment où un événement vient altérer le style de vie et le développement d'une personne.

Les antécédents personnels avantageux

Les antécédents personnels avantageux font référence à l'axe psychodéveloppemental et aux défis relevés adéquatement aux différents stades de développement. Une personne tend d'ordinaire à répéter les expériences qui lui procurent des sensations de bien-être et de satisfaction tandis qu'elle cherche à éviter celles qui lui apportent frustrations et malaises. Certaines personnes réussissent parce la vie les a favorisées. L'enfant qui a été exposé à des modèles positifs (parents, adultes significatifs, pairs), lesquels lui ont appris à faire face aux frustrations, tirera plus facilement parti d'une situation difficile. En relevant des défis à sa portée, il aura appris qu'il peut influencer le cours des choses et exercer un contrôle sur sa vie.

D'autres enfants moins favorisés par les circonstances réussissent toutefois à accumuler une histoire personnelle positive. Plusieurs études ont relevé des «facteurs amortisseurs» qui réduisent les effets des événements stressants (Rutter, 1984; Garmezy, 1983; Anthony, 1974[5]). Le psychiatre britannique Michael Rutter (1984) a étudié des groupes d'enfants élevés dans des milieux très défavorisés et exposés quotidiennement à de nombreux stresseurs. Il a constaté avec surprise qu'un nombre important de ces enfants, souvent brutalisés, devenaient des adultes normaux, équilibrés, fonctionnels. Il a donc tenté de déterminer les facteurs qui aidaient ces enfants, «enfants incassables», «*superkids*», «*unbreakable children*», à passer à travers des situations stressantes. Le premier facteur qui semble d'une importance capitale est le sentiment qu'a l'enfant, et par extension l'adulte, d'exercer un certain contrôle sur ce qui lui arrive. Cet enfant a déjà eu des expériences de succès qui lui permettent de conserver l'estime de soi. Tout en prenant conscience du stress, il a intégré l'importance d'un sentiment de réussite pour surmonter des situations stressantes. Ainsi, des succès rencontrés dans divers domaines souvent considérés comme secondaires (par exemple, le sport ou la musique) peuvent contribuer à atténuer les effets d'une vie familiale pénible. Ou encore, un mariage heureux peut compenser des relations difficiles vécues en bas âge.

Ces résultats de recherche ne signifient évidemment pas que ce qui survient au cours de la vie d'un enfant n'a pas d'importance. En général, les enfants qui ont des antécédents difficiles ont plus de mal à s'adapter que ceux qui sont issus d'un milieu favorable. Mais l'aspect encourageant de ces résultats tient à la constatation que ce qui se produit durant l'enfance ne détermine pas fatalement le cours de la vie d'une personne.

Les stresseurs moins sévères

Notons que moins un stresseur est sévère, moins il risque de prolonger une période d'inadaptation; le retour à l'équilibre a alors des chances d'être plus facile et plus rapide. L'impact positif ou négatif de ces stresseurs dépend, cependant, de la façon dont ils sont perçus, de l'attitude personnelle, des réactions environnementales et des mécanismes de résolution de problèmes.

Les petits stresseurs chroniques ou quotidiens proviennent de la personne elle-même ou de l'environnement. Ce sont des événements répétés qui créent des tensions jour après jour et qui, additionnés, constituent une des charges les plus lourdes pour l'organisme humain. L'addition des stresseurs semble en effet un facteur d'inadaptation très important. Les stresseurs moins sévères comprennent les sollicitations, les frustrations, les compétitions, les agressions bénignes, les critiques, les altercations, les conflits, etc. Ils affectent plusieurs aspects de la vie quotidienne et de la personnalité. Ils constituent des facteurs d'usure et de surcharge physique ou psychologique, et imposent à la personne une dépense énergétique non négligeable. Ces demandes sont très nombreuses étant donné la vie trépidante dans nos sociétés modernes.

L'utilisation adéquate des mécanismes d'adaptation

L'utilisation adéquate des mécanismes de régulation, des mécanismes de défense ainsi que des mécanismes de socialisation et de contrôle social joue elle-même un rôle de mécanisme d'adaptation et sert, dans plusieurs cas, de moyen pour amorcer un équilibre dynamique. Les divers moyens de contrer le risque de déséquilibre ont été étudiés au chapitre précédent. Rappelons ici que si la constitution de l'individu est normale et qu'il a relevé adéquatement les défis à chaque stade de développement, ses réponses immunologiques et psychologiques adéquates, de même que les réponses de son entourage, lui permettront de faire face à l'agent stresseur si celui-ci n'est pas trop sévère.

Le réalisme dans l'interprétation de la situation

Le réalisme dans l'interprétation de la situation problématique permet à une personne de surmonter le plus rapidement et le plus harmonieusement possible ses difficultés, favorisant ainsi un retour à l'équilibre. L'individu reconnaît la relation entre l'agent stresseur et les conséquences réelles, et celles-ci ne sont ni déformées, ni minimisées, ni exagérées.

La solution d'une situation problématique peut tendre de façon adéquate à réduire la tension plus efficacement si la personne ou son entourage ont le sentiment d'exercer un certain contrôle sur ce qui leur arrive. Les attitudes déterminent notre perception, notre interprétation et la façon dont nous décidons de notre réaction en rapport avec une situation donnée. En fait, les attitudes face à la vie constituent un facteur très important en matière humaine. Dans certains cas, on peut mettre en valeur le présent immédiat sans négliger l'importance des étapes antérieures du développement, mais également sans tomber dans une préoccupation excessive du passé.

Si les conséquences de l'agent stresseur sont très graves ou s'il n'y a aucun moyen pour les éviter ou les modifier, l'acceptation, sans amertume ni révolte, se révèle une attitude adéquate, quelle que soit l'injustice réelle ou apparente, quelque pénibles qu'en soient les conséquences. Un tel réalisme, malgré des circonstances difficiles, s'appuie sur des attitudes mentales comme la maîtrise de soi, l'estime de soi, la vie intérieure, un sens à la vie.

Ainsi, le chercheur Hendin (1983)[6] a analysé un sous-groupe de soldats qui n'ont jamais développé de syndrome de stress post-traumatique, même après avoir vécu des conditions de combat extrêmement pénibles pendant de longues périodes. Il a observé chez ces soldats un sens de la maîtrise, une estime de soi et un sens de la dignité humaine supérieurs à la moyenne. Ils étaient capables de donner un sens humain à des expériences qui seraient vécues comme déshumanisantes par la plupart des gens. Ces soldats se comparent aux «*superkids*» dans ce sens qu'ils se développent de façon admirable dans des conditions nettement défavorables, traumatisantes pour la majorité.

Victor E. Frankl[7], psychiatre autrichien célèbre pour ses travaux sur les camps de concentration, a observé que les Juifs déportés qui ont survécu dans les camps de concentration et ceux qui ont eu la conduite la plus «adaptée» ont été souvent ceux qui avaient donné un sens à leur vie, ceux qui avaient eu conscience d'être irremplaçables et qui avaient poursuivi un dialogue intérieur avec des êtres aimés.

Nous ignorons plusieurs des mécanismes par lesquels l'esprit agit sur le corps. Toutefois, le rôle joué par les phénomènes psychiques dans les réactions de l'être humain à l'ensemble de son environnement ne doit pas être négligé. Tous ceux et celles qui se sont penchés sur la nature humaine savent que l'esprit et le corps s'influencent mutuellement. C'est pourquoi la guérison psychique fait souvent intervenir des aspects intangibles, comme la volonté de vivre, et leur pouvoir d'influencer les mécanismes naturels de guérison du corps. L'expérience des placebos, observée par Dubos, en témoigne:

> «[L'] esprit a souvent, autant que le médicament ou le stimulus le plus puissant, le pouvoir de mobiliser ou d'influencer les processus organiques, tant pour le meilleur que pour le pire[8].»

Les recherches de Hendin, Frankl et Dubos nous permettent d'inclure dans le réalisme certains phénomènes psychiques souvent énigmatiques que la science commence à investiguer. Des indices de plus en plus nombreux semblent montrer que diverses méthodes peuvent jouer un rôle dans la mobilisation des remarquables forces régénératrices du corps et de l'esprit. Dans les quelques cas connus de guérison spectaculaire, les personnes avaient confiance en leur rétablissement et témoignaient d'une volonté bien arrêtée de vivre, deux facteurs sur lesquels on met de plus en plus l'accent pour favoriser le cheminement adaptatif. Depuis longtemps, on sait qu'un état d'esprit positif est un allié vital dans la mobilisation des mécanismes de guérison et d'adaptation.

La présence de soutiens situationnels appropriés

La présence de soutiens situationnels appropriés comprend l'accessibilité et l'adéquation des services, des personnes-ressources et des aides techniques. L'enfant qui a généralement une bonne relation avec ses parents, ou qui, à défaut de cela, entretient un rapport étroit avec au moins un de ses parents, un autre membre de la famille ou un autre adulte significatif, développe davantage sa confiance en lui-même et son ouverture aux autres. Plus l'enfant est jeune, plus il est crucial que les adultes en relation avec lui puissent lui fournir l'occasion de vivre des expériences de maîtrise et de succès. Le jeune enfant dépend de l'action des autres pour survivre et pour assurer son développement biologique, intellectuel, affectif et social.

Cela est également vrai pour une personne qui, indépendamment de l'âge chronologique, présente une vulnérabilité dans un domaine ou l'autre de sa vie. Le cheminement adaptatif est favorisé par l'influence positive de groupes de support et d'entraide du type Alcooliques anonymes. Lorsqu'une personne traverse une période d'inadaptation, les membres de son entourage deviennent aidants s'ils l'intègrent le plus possible, en tenant compte de ses limitations dans toutes les sphères de la vie quotidienne. Ainsi, le support permet à la personne d'éviter un phénomène de retrait ou d'isolement social. Des interventions efficaces de la part de l'entourage peuvent ainsi diminuer la durée ou l'intensité de la période d'inadaptation, et permettre un retour partiel ou global de l'équilibre.

Un milieu d'intervention adéquat relié à des besoins situationnels favorise également le cheminement adaptatif. Ainsi, un membre de l'entourage immédiat ou un intervenant professionnel peuvent participer étroitement au défi de la personne qui traverse une période d'inadaptation. Ils contribuent alors efficacement à la gestion des tâches adaptatives en supportant la personne en difficulté.

L'adéquation des mécanismes de résolution de problèmes

L'adéquation des mécanismes de résolution de problèmes concerne les aptitudes d'une personne à interagir positivement avec les autres pour relever les défis de la vie ou pour trouver des réponses satisfaisantes aux difficultés qu'elle rencontre. Dans la majorité des situations de la vie quotidienne, la plupart des personnes ne prennent pas conscience qu'elles suivent un enchaînement défini et logique de raisonnements et d'actions quand elles ont à prendre des décisions. Tout au plus, elles remarquent qu'elles ont de la facilité à trouver une solution dans certaines situations alors qu'elles éprouvent plus de difficultés à le faire dans d'autres situations. En effet, plusieurs habitudes de vie, variant selon les personnes, exigent rarement un long raisonnement compliqué. Plus souvent qu'autrement, la question se pose et la réponse se trouve sans aucun effort conscient.

Il est fréquent, cependant, que les situations problématiques se détériorent et qu'on doive à la longue utiliser des procédés beaucoup plus radicaux que ceux auxquels on aurait pu recourir si on s'y était pris à temps. Il est alors nécessaire de suivre un processus de résolution de problèmes qui comprend les étapes suivantes: prise de conscience d'un malaise, identification de la difficulté, interrogation-délibération, recherche de solutions possibles, analyse des solutions, choix d'une solution, application de la solution choisie, acceptation des conséquences. La figure 4.1 présente ces étapes.

Figure 4.1
Étapes cognitives vers la solution de problèmes personnels

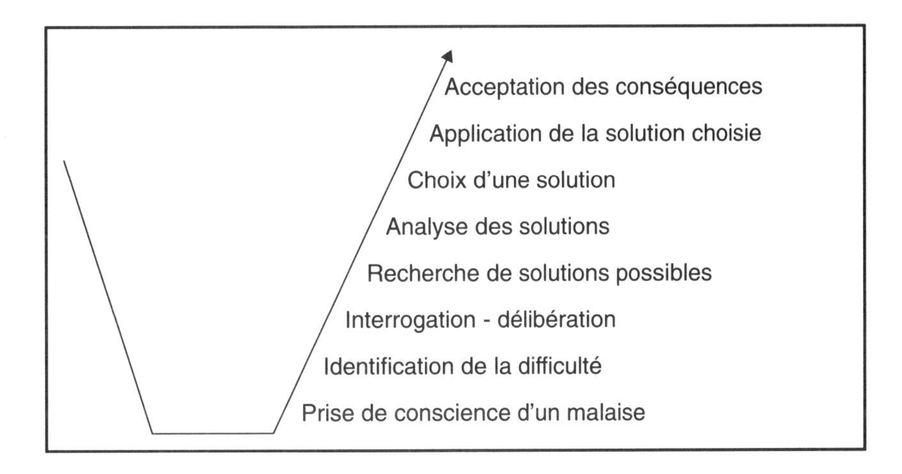

Le processus de résolution de problèmes comprend un ordre structuré et logique de plusieurs étapes, chacune dépendant du résultat de la précédente. Il implique rigueur de pensée, objectivité, formulation et vérification d'hypothèses, utilisation de techniques éprouvées. Celles-ci demeurent cependant des moyens et sont soumises au but visé par la personne ou par le groupe. Les facteurs de réalité tels que le temps, les divers aspects de la problématique, les relations interpersonnelles, les structures d'autorité, le cadre légal, etc., doivent être pris en considération.

> «La solution d'un problème exige l'application d'une suite logique de raisonnements à une situation dans laquelle une question exige une réponse et pour laquelle n'existe pas de source immédiate de renseignements certains. Ce processus peut se passer soit consciemment ou inconsciemment. D'ordinaire, la difficulté de la solution rend plus fort le besoin de trouver une réponse ou une solution[9].»

L'interaction des conditions en présence

C'est l'interaction des conditions en présence, individuelles et environnementales, qui permet d'évaluer l'expérience totale de la personne et d'apporter ainsi des éléments de réponse à certaines questions de départ. En effet, la présence d'une ou de plusieurs conditions défavorables ou favorables est directement reliée à la durée de la période d'inadaptation, au fonctionnement de la personne; elle influence positivement ou négativement un retour partiel ou global à l'équilibre (*voir la figure 4.2*).

Figure 4.2 **Interaction des conditions favorables et des conditions défavorables à l'adaptation**

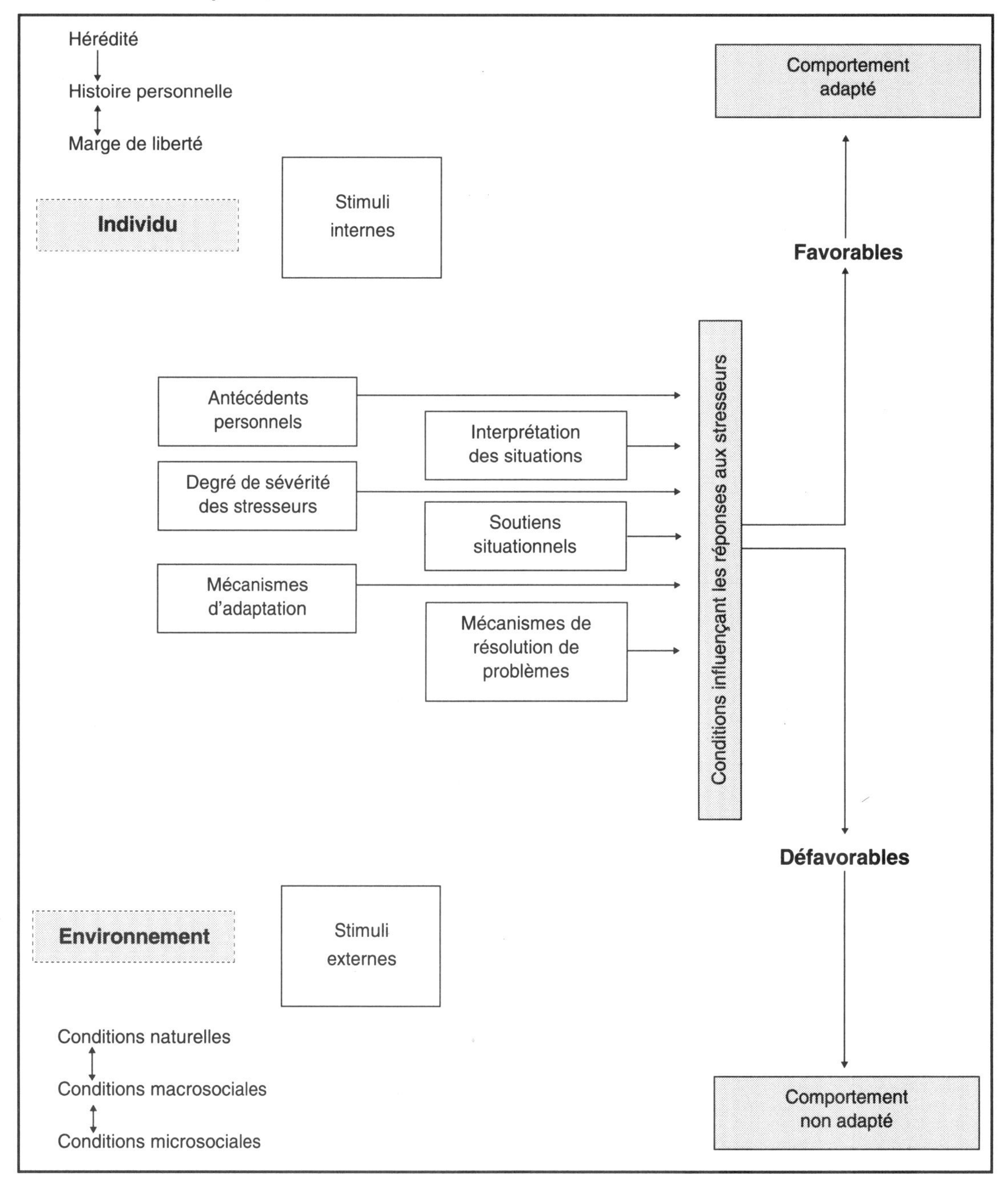

À mesure que se complète notre connaissance de la personne qui tente de retrouver un nouvel équilibre, à mesure que s'éclairent son histoire personnelle, son présent et ses perspectives d'avenir, nous pouvons envisager la problématique de l'adaptation biopsychosociale sous un angle d'analyse qui touche aussi à la subjectivité et à l'intersubjectivité, élargissant ainsi le cadre des symptômes et des stresseurs. Les symptômes ne peuvent être que difficilement coupés et isolés de l'ensemble d'un contexte, et il importe de les saisir en eux-mêmes dans cet enchâssement. L'analyse interactive des conditions permet de décrire sinon l'origine, du moins le maintien ou l'aggravation des problèmes d'adaptation de même que les différents cheminements adaptatifs.

LA DYNAMIQUE DE L'ADAPTATION

L'adaptation peut être décrite comme un état physique, psychologique et social relativement exempt de difficultés majeures, permettant à une personne de fonctionner aussi efficacement que possible dans l'environnement où le hasard ou le choix l'ont placée. Il s'agit donc du pouvoir de mener une vie pleine, qui permet à la personne de devenir tout ce qu'elle est capable d'être à chacune des étapes de sa vie. Les valeurs spécifiques de l'existence d'une personne concernent la réalisation de ses possibilités, sa capacité d'assurer sa subsistance par le travail, son aptitude à l'épanouissement de ses relations interpersonnelles, le sens qu'elle donne à sa vie. «[...] Ainsi la conduite qui assurerait une adaptation satisfaisante pour soi-même et pour les autres serait celle qui actualiserait nos potentialités de travail, de coopération, de communication et d'amour[10].»

Les progrès dans les sciences ont permis d'analyser les phénomènes complexes du développement humain et social. L'être humain est un organisme qui représente avant tout une structure ayant une unité interne et des réactions globales. L'organisme humain possède une qualité interne due justement au fait qu'il y a autre chose que le seul agencement des parties qui le constituent.

L'adaptation est l'aptitude à exercer efficacement les diverses fonctions requises dans un environnement donné, lequel ne cesse d'évoluer. C'est un processus continuel auquel une personne doit faire face chaque jour. Au cours de son existence, chacun traverse des périodes d'adaptation pour franchir avec succès les épreuves de la vie et s'ouvrir à de nouvelles voies. L'adaptation psychosociale implique donc différents changements qui, vécus positivement, permettent à une personne de gagner en vitalité, de prendre de l'expérience et de traverser harmonieusement les diverses étapes.

L'adaptation doit être considérée comme un processus dynamique parce que l'être humain est constamment soumis à des situations nouvelles qui l'amènent à reconsidérer ses actions, ses attitudes, ses engagements, le sens donné à la vie. Ainsi, une personne peut être très bien adaptée à des conditions de vie à une époque de son existence, puis brusquement ne plus pouvoir assimiler les données nouvelles ni s'accommoder à elles.

La maximalisation du potentiel d'adaptation

Le livre de notre vie nous est remis à notre naissance. Quelques pages y sont déjà écrites. Il y a cependant de nombreuses pages blanches qui seront graduellement écrites par notre environnement et nous. La société dans laquelle nous vivons et nos parents ont écrit les premiers chapitres et on peut aimer ou ne pas aimer ce qui y est écrit. Cependant, à mesure que nous vieillissons, nous sommes, dans la majorité des cas, de moins en moins obligés de continuer à écrire notre vie comme ils ont commencé à le faire.

En tournant la page aujourd'hui, nous pouvons commencer à écrire nous-mêmes la deuxième partie de notre histoire personnelle. Cependant, pour aborder cette part de pouvoir que nous avons face au déroulement de notre vie, nous devons envisager quels sont les limites et les déterminismes biologiques, psychiques et sociaux, et situer notre marge de liberté individuelle à l'intérieur de la marge collective.

En ce qui concerne la marge de liberté individuelle, l'être humain ne détient pas une liberté complètement développée ni une capacité de choix illimitée, et ce, du début à la fin de sa vie. En effet, les limites de la nature humaine, l'hérédité, l'éducation première, les conditions familiales, le contexte social, etc., introduisent plusieurs conditionnements souvent inconscients qui viennent sérieusement restreindre notre marge de liberté individuelle. Ainsi, il est important d'éviter de transformer certaines de ces influences en déterminismes.

> «Pour le neurophysiologiste, la liberté est une propriété du cerveau humain, la possibilité pour un cerveau normal de maîtriser ses déterminismes, de

choisir entre eux, d'inventer une conduite mieux adaptée : elle résulte de la physiologie de la conscience réfléchie qui donne à l'homme le pouvoir de se juger. La liberté n'est pas dans les fissures inexistantes des déterminismes, elle est un déterminisme supérieur [...]. Pour libérer l'homme, il faut d'abord lui donner un cerveau normal apte à la liberté, lui enseigner ensuite ce qu'il faut faire pour ne pas la perdre[11]. »

Il en est ainsi en ce qui concerne la marge de liberté collective : la création sociale est une réaction et une lutte contre des attitudes et des opinions courantes, contre un état de choses admis. Elle est en opposition avec ce que le langage courant appelle « l'ordre établi ».

« La vie et l'action sociale présentent un certain déterminisme. Il nous est en effet bien plus aisé d'admettre sans critique l'existence de la liberté humaine que de reconnaître l'existence des limites psychiques et sociales de la liberté[12]. »

Il est donc important d'admettre un certain déterminisme individuel, d'apprendre aussi à reconnaître les fondements et les différents aspects de l'ordre social. La compréhension du mouvement, du changement, de l'innovation, de l'élan créateur en sera ultérieurement plus riche, car les individus sauront situer ces phénomènes dans le contexte d'inhibition, de résistance et d'opposition qu'ils rencontreront toujours et dont ils émergent. D'où la contrainte qu'imposent à une personne les manières collectives d'agir. Les forces dites « socioculturelles » sont désormais aussi puissantes que les forces biologiques et contribuent à orienter l'évolution de notre genre de vie.

« Plus haut les organismes se situent dans l'échelle des êtres évolués, plus nombreux et variés sont les types de réactions dont ils disposent, et plus ils possèdent, d'autre part, la capacité de choisir des aspects bien précis du milieu, afin d'y réagir. Les types de réaction les plus évolués sont les processus d'adaptation sociale, par lesquels l'individu et le groupe modifient soit leur milieu, soit leurs habitudes, soit l'un et les autres, afin d'adopter un genre de vie mieux adapté à leurs besoins et à leurs préférences[13]. »

À chaque étape de sa vie, l'individu doit maximaliser son potentiel d'adaptation. Cela signifie que, malgré la diversité des êtres humains, chacun de nous, avec ses forces et ses limites passées, actuelles ou futures, possède un potentiel d'adaptation. Même s'il y a des différences entre les êtres humains sur les plans physique, intellectuel, affectif, social et spirituel, cela ne veut pas dire qu'il y a plusieurs catégories d'êtres et que les mieux «nantis» sont «adaptés» et que les plus «démunis» sont «inadaptés». Il n'y a pas d'êtres de seconde zone sur le plan de l'adaptation humaine.

Le potentiel humain concernant les performances biopsychosociales n'est pas partagé également chez tous les individus. Cependant, quels que soient le potentiel de départ ou à un temps donné du parcours humain, ce potentiel peut se développer, se maximaliser. Chacun peut faire un bouquet avec les fleurs qu'il a en mains et cela n'est réalisable qu'en faisant appel au maximum de possibilités du moment. La figure 4.3 illustre cette notion.

Figure 4.3
Maximalisation du potentiel d'adaptation

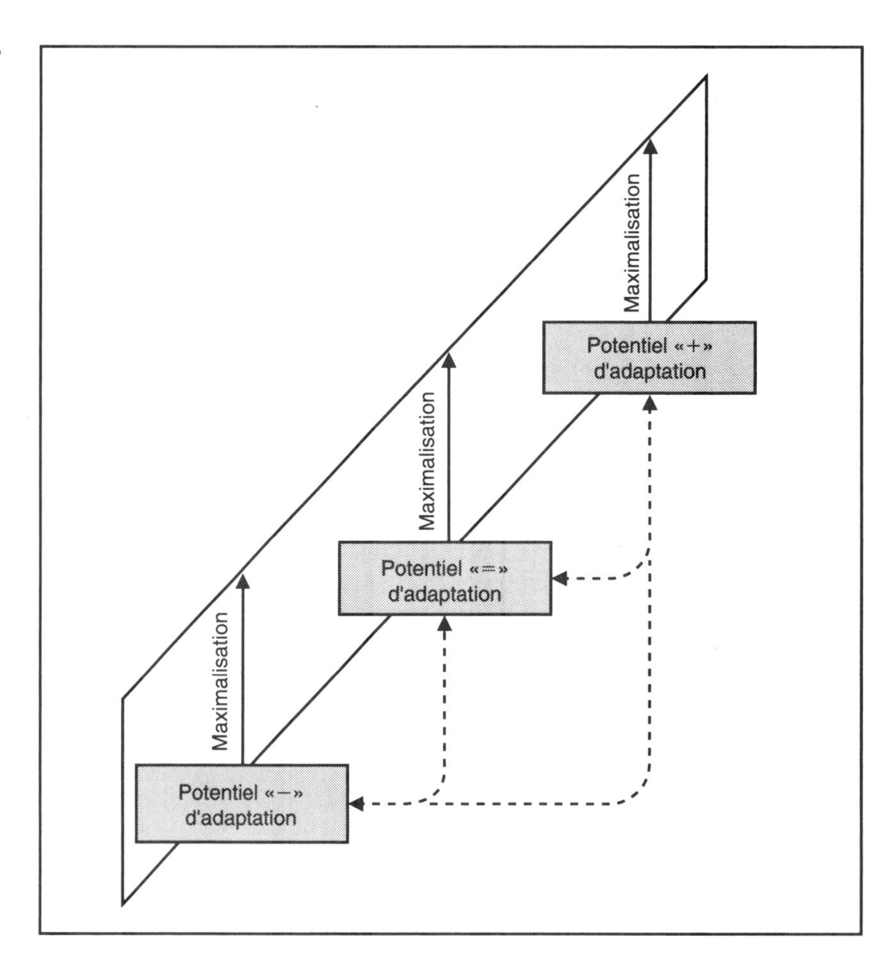

La notion de maximalisation du potentiel d'adaptation prend tout son sens lorsque nous pensons aux personnes en difficulté d'adaptation et surtout aux plus démunies parmi elles. L'important, pour un individu, ne consiste pas à atteindre des comportements uniformes pour tous, mais de faire le maximum, d'aller le plus loin possible avec ce que l'on est et avec ce que l'on a à tel moment précis de notre vie. Il s'agit, en fait, de trouver le moindre mal selon les circonstances. Cela signifie de vivre avec ce qui nous reste et non avec ce qui nous manque. Ajoutons, cependant, que c'est là une tâche souvent difficile, surtout dans nos sociétés qui, fondées sur la compétition, créent tout de même des citoyens de «seconde zone» dès qu'une déficience surgit.

L'état d'adaptation et le pouvoir d'adaptation

L'état d'adaptation concerne l'adaptation au présent et renvoie à un aspect plus statique du changement humain. Ainsi, je peux prendre plusieurs mois à m'adapter à un nouveau milieu de vie sans nécessairement utiliser cette expérience pour d'autres situations ultérieures: c'est un état d'adaptation. Il en est également ainsi d'une personne qui utilise un expédient ou un palliatif pour faire face à une situation difficile. L'expédient est une solution temporaire qui risque d'être avantageuse à court terme, mais désavantageuse à long terme.

Le pouvoir d'adaptation concerne l'adaptation au futur et se rapporte donc à un aspect plus dynamique du changement humain. Ainsi, je peux prendre quelques mois à m'adapter à un nouveau milieu de vie et me servir de cette expérience pour «apprivoiser» ma solitude, pour apprendre comment créer de nouveaux liens, pour expérimenter des loisirs nouveaux. C'est dans ce sens qu'on dit que plusieurs malheurs sont sources d'apprentissage. L'analyse de mon adaptation actuelle favorisera mon adaptation future dans des situations analogues. J'aurai alors développé mon pouvoir d'adaptation.

Ainsi, les conflits intrapsychiques et interpersonnels ont souvent un rôle formateur parce que leur résolution permet le dépassement des expériences primitives, une graduelle conquête de l'autonomie ainsi que l'acquisition d'une plus grande marge de liberté interne et externe. Le pouvoir d'adaptation fait référence aux capacités de penser, d'aimer, de vouloir, de rire, d'imaginer, de créer, de planifier, de parler, de réfléchir, de choisir, de persévérer, de critiquer, de guérir, de donner, de recevoir, d'agir, d'améliorer, de vivre, de bien mourir, etc.

L'adaptation humaine se doit d'être envisagée davantage comme un pouvoir que comme un état, en fonction de la réalité interne et de la réalité externe; le pouvoir de faire face à des situations renouvelées, en conservant le sentiment de sa propre situation dans le temps et en évitant les dangers d'une trop grande adaptabilité.

Le changement adaptatif est peut-être difficile, mais il est possible, surtout si nous avons appris à développer notre pouvoir d'adaptation et si nous n'attendons pas que le changement se fasse de lui-même. Toute expérience nous enseigne quelque chose. Ce qui importe durant ce voyage qu'est notre vie, c'est de bien profiter de nos expériences pour faire des apprentissages en vue de mieux comprendre le sens de l'existence.

Dans la perspective du pouvoir d'adaptation, la créativité occupe une place importante puisqu'il n'existe pas de solution toute faite dans la vie. Il est important que l'être humain confère à ce qu'il fait une marque originale. Cette créativité personnelle, familiale et sociale, plus large que la créativité artistique, implique cependant le même processus intuitif dans les différentes étapes et dans les différents secteurs de la vie humaine.

Le pouvoir d'adaptation, en plus d'être à la base du développement de l'être humain, est un antidote qui permet de faire face le plus adéquatement possible aux difficultés individuelles et collectives. Nous désirons atteindre notre capacité maximale dans le présent et dans le futur parce que nous gardons une lueur d'espoir face à un avenir plus prometteur.

Par contre, cet espoir, cet optimisme se doit d'être réaliste pour qu'on évite le mirage de l'adaptation parfaite véhiculé en particulier par certains colporteurs d'illusions, professionnels ou non. Il est préférable que chaque être humain se garde de trop utiliser certaines de ses couvertures de sécurité.

Les obstacles inhérents aux efforts d'adaptation

Tout cheminement adaptatif implique la présence d'obstacles inhérents aux efforts d'adaptation. Si les conditions sont favorables, la personne surmonte plus facilement ces obstacles; mais si elles sont défavorables, elle oppose des résistances. Ces dernières apparaissent souvent liées lors de l'intervention faite auprès d'une personne dans le but de l'amener à des prises de conscience ou à des changements de comportement.

Tous les obstacles présentés ici se situent du côté de la personne qui amorce un changement adaptatif. Cela ne doit cependant pas nous faire oublier tous les freins créés par l'environnement qui, lui aussi, s'est adapté à certaines manières d'être et se montre souvent réticent au changement tout en le désirant. La figure 4.4 résume les effets parfois positifs, parfois négatifs des efforts d'adaptation, aspects formulés par Favez Boutonnier[14]. Dans un premier cas, la personne en ressort enrichie après une phase passagère d'inadaptation. Dans un deuxième cas, il y a régression parce que la personne n'a pas réussi à surmonter l'obstacle.

Figure 4.4 **Effets parfois positifs, parfois négatifs des efforts d'adaptation**[1]

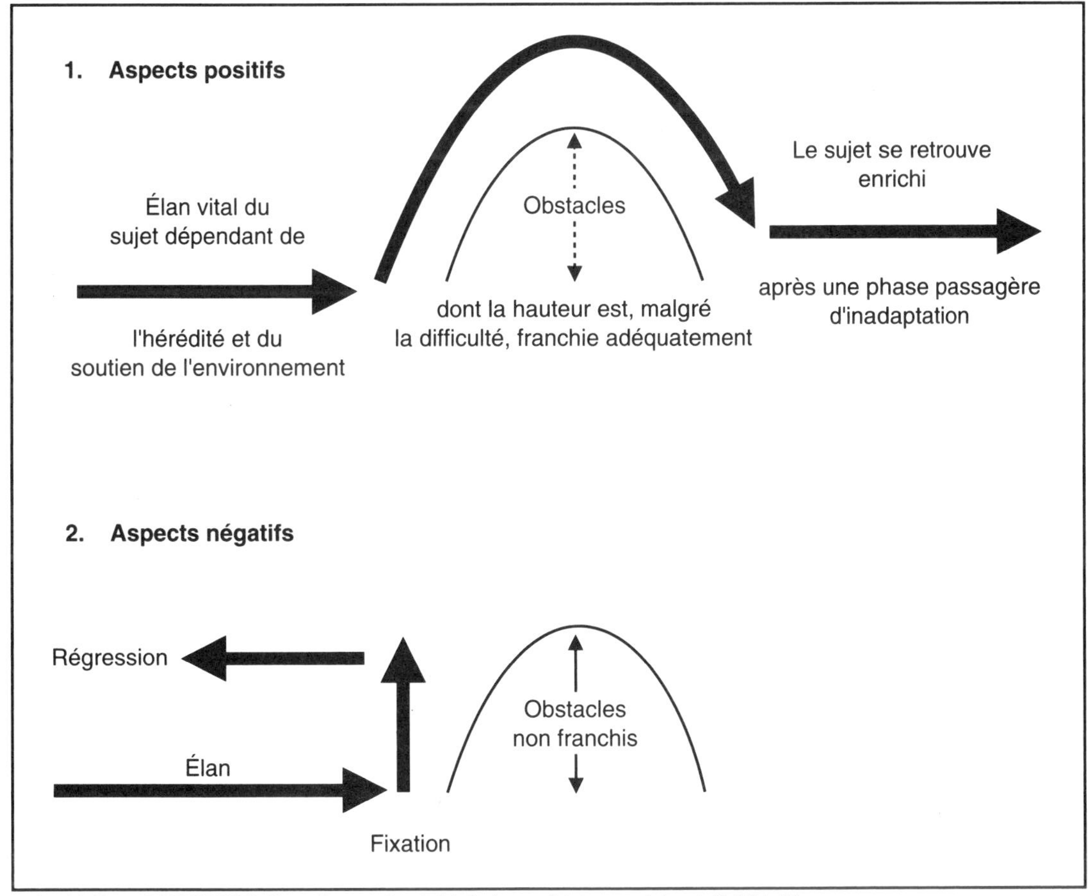

[1] Adapté de Favez BOUTONNIER, Notes de cours donnés à la Sorbonne. Schéma suggéré par le Dr Michel Lemay.

Un cheminement adaptatif est une sorte de transition qui commence par la fin de quelque chose. Tout individu a souvent à modifier une ancienne manière de penser et d'agir avant d'être capable d'accepter, d'accueillir une nouvelle manière de le faire. Pour qu'il y ait changement adaptatif, la personne doit voir, compte tenu des diverses circonstances, plus d'avantages que d'inconvénients à changer. Constance Lamarche a étudié les effets négatifs ou positifs d'un enfant handicapé sur les familles (*voir le tableau 4.3*). Pour que les effets deviennent à la longue positifs, celles-ci doivent dépasser les obstacles: intégrer une adaptation, c'est prendre un nouveau départ.

Tableau 4.3

Effets potentiels d'un enfant handicapé sur les familles

Effets négatifs		Effets positifs
	1. *Au plan personnel*	
- Blessure narcissique - Dévalorisation - Perte d'estime de soi et de confiance - Perturbations émotives		- Dépassement - Fierté - Détermination - Maturité - Force morale
	2. *Au plan conjugal*	
- Conflits de valeurs - Méfiance, culpabilité		- Communication positive - Consolidation ou développement des liens affectifs
- Mésententes sexuelles - Attachement exagéré à l'enfant au détriment du conjoint		- Partage des responsabilités parentales - Équilibre et stabilité émotionnelle
	3. *Au plan familial*	
- Attachement exagéré à l'enfant au détriment des autres enfants - Réactions des autres enfants: crainte d'abandon, régression - Phénomène du bouc émissaire		- Réorganisation du mode de vie et répartition équitable des tâches - Réorganisation du noyau familial - Développement d'une plus grande maturité affective chez les autres enfants
	4. *Au plan social*	
- Retrait, isolement, marginalisation - Activisme social		- Remise en question de certaines valeurs - Reconnaissance de droits de l'enfant et de sa famille - Développement d'une conscience sociale - Réintégration sociale et affirmation de soi

Source: Constance LAMARCHE, *L'enfant inattendu. Comment accueillir un enfant handicapé et favoriser son intégration à la vie familiale et communautaire*, Montréal, Les Éditions du Boréal Express, 1987, p. 117.

Un **premier obstacle** apparaît dans le fait qu'un changement peut être un processus plus ou moins lent selon les difficultés d'adaptation rencontrées. Cette lenteur demande aux personnes concernées une grande dépense d'énergie physique et psychique afin d'atteindre de nouveaux objectifs, surtout dans les périodes les plus creuses, où l'espoir n'est pas présent. L'attitude qui consiste à ne rechercher que des résultats immédiatement agréables et efficaces conduit plusieurs personnes à croire pendant des années qu'il leur suffit de vouloir un résultat pour qu'il se produise et que l'effort est trop difficile à long terme.

Un **deuxième obstacle** réside dans le fait que le choix des solutions les plus adéquates n'est pas toujours évident ni facile à faire. La personne, son entourage ou les intervenants manquent souvent de connaissances, de moyens, de distance par rapport aux situations présentes et de clairvoyance par rapport aux situations futures.

Un **troisième obstacle** concerne la crainte de prendre des risques. Plusieurs personnes redoutent les périodes de crise, qu'elles perçoivent comme des calamités, des expériences qu'il faut éviter à tout prix – comme si toutes les difficultés parsemées sur notre route ne comportaient que des inconvénients. Tout changement implique des risques parce que la réussite est rarement garantie. Il est difficile pour une personne de tenir compte à la fois d'elle-même et de son environnement. Inconsciemment, la tentation est souvent forte de revenir à un malaise ou un problème connu, plutôt que de se diriger vers une solution inconnue. Entreprendre de changer d'emploi ou de rompre une relation est souvent très pénible pour un certain temps, par exemple. Plusieurs personnes craignent de tout perdre si elles abandonnent une situation ou une personne. Elles se refusent ainsi la possibilité d'une vie plus heureuse parce qu'elles n'ont pas la certitude de réussir.

Un **quatrième obstacle** est relié à l'anxiété, qui empêche de voir les apprentissages et les avantages possibles à long terme. Cet état d'insécurité face aux difficultés de la vie est comme un brouillard qui fait osciller la personne entre des besoins de stabilité et de sécurité, d'une part, et des besoins de stimulation et d'exploration, d'autre part; plus une personne satisfait les premiers aux dépens des seconds, plus elle tend à résister au changement de ses comportements.

Un **cinquième obstacle** est le refus d'abandonner une habitude. Quand un changement surgit et oblige une personne à renoncer à une habitude, cela équivaut souvent à lui demander de laisser tomber un comportement relativement facile et économique pour en adopter un plus difficile, qui demandera un effort de réflexion plus important. Il existe aussi une tendance à « s'installer » dans les modèles de comportement qui nous ont permis de réussir. Par conséquent, il faut un certain temps pour se laisser convaincre d'utiliser une autre façon de faire.

Un **sixième obstacle** concerne la tendance à la polarisation, qui consiste à sélectionner les informations ou les événements pour ne retenir que ceux qui confirment les impressions, les comportements ou les opinions. Ce mécanisme fait en sorte que la personne a tendance, en face d'une situation entraînant un changement menaçant, à retenir surtout les faits et données qui démontrent les avantages de la situation antérieure ou qui mettent en relief les difficultés et faiblesses de la situation présente ou à venir.

La réussite de l'adaptation

La principale caractéristique d'une adaptation réussie concerne la recherche constante d'équilibre ou d'équilibration dynamique sur les plans biologique, psychologique et social. Ainsi conçue, l'adaptation humaine est synonyme d'ajustement de l'être humain à son environnement, ajustement essentiellement dynamique, qui lui permet de demeurer le même au sein d'un environnement changeant.

> « Il n'y a pas d'équilibre nerveux ou psychique stable ou statique ; l'équilibre est un état instable, une lutte constante contre le déséquilibre, une autorégulation fatigante facile à dérégler[15]. »

À l'instar du cycliste qui est amené, pour progresser sur sa bicyclette, à réaliser par des mouvements adéquats une rééquilibration constante, toute personne doit veiller à ne pas se placer en situation de déséquilibre pouvant compromettre son action, son comportement, son intégrité.

> « À toute variation de son milieu susceptible d'entraîner une modification de ses normes, de ses équilibres, l'organisme répond en opposant une réaction compensatrice. "La normalité de l'organisme" est alors une "normalité active". Ce dynamisme est du côté de la stabilité, de la normalité. Il n'est de stabilité que dynamique. Une stabilité statique n'est pas stabilité[16]. »

L'adaptation apparaît ainsi comme un processus vital de l'organisme, lequel compose continuellement avec l'environnement car il est de la nature de l'adaptation de n'être jamais terminée. L'équilibre n'est donc pas un acquis définitif mais plutôt une série d'adaptations successives résultant d'un effort ininterrompu de la personne, effort fait de perpétuels ajustements et réajustements.

> « Tout, dans la vie, est fluctuation, oscillations incessantes autour d'un équilibre moyen. La fixité, c'est la mort [...] Ce qui caractérise donc l'être vivant par rapport au monde inorganique, c'est cette instabilité constante, mais cependant manifestement contrôlée par un régulateur[...][17] »

L'équilibre qui est atteint n'est jamais stable, car il nécessite des corrections continuelles; il est semblable à l'équilibre instable du funambule. L'être humain est ainsi amené à cohabiter avec le changement, à vivre avec lui, à changer, à s'adapter, s'il ne veut pas basculer dans la pathologie, la marginalité ou la mort. Dans son effort d'adaptation, il se heurtera à des difficultés d'ordre matériel, mais sera également aux prises avec les réalités de la vie en société, avec la complexité de celle-ci et son caractère changeant.

On pourrait ainsi définir l'équilibre optimal comme celui qui, tout en préservant la personnalité authentique de l'individu, lui assure les meilleures relations possibles avec l'environnement et satisfait ainsi ses besoins fondamentaux. Dans la réalité de tous les jours, cet équilibre demeure un idéal rarement atteint de façon tout à fait satisfaisante.

Cet équilibre implique la présence simultanée d'une adaptation interne et d'une adaptation externe, lesquelles sont en interaction dynamique. Ainsi, une adaptation réussie serait celle qui maintiendrait à moindres frais les échanges entre la personne et son environnement à la condition qu'il n'y ait pas de régression, ou encore, que les conséquences ne soient pas trop dommageables pour le développement. Une adaptation non réussie serait celle qui imposerait à l'organisme une restructuration onéreuse et, à la limite, catastrophique par une assimilation insuffisante.

L'équilibre est atteint grâce à l'influence de deux processus, l'assimilation et l'accommodation, décrits par Piaget. La conduite adaptative se caractérise davantage comme un processus dynamique mettant en jeu tour à tour ou simultanément ces processus, qui, loin de s'opposer, apparaissent comme indissociables et étroitement complémentaires. Cela revient à définir ainsi l'adaptation:

> «[...] un équilibre entre l'assimilation et l'accommodation, c'est-à-dire un équilibre des échanges entre le sujet et les objets[18].»

D'un côté, il s'agit pour la personne d'intégrer, d'incorporer l'objet, c'est-à-dire l'environnement, à son propre système, de le transformer, en un mot, de l'assimiler. Le développement de l'autonomie favorise la prise en charge personnelle du cheminement adaptatif en aidant l'individu à fonctionner correctement dans des conditions nouvelles. D'un autre côté, l'environnement offre en quelque sorte une résistance et peut influer en retour sur le sujet. Il s'agit alors pour ce dernier de modifier son comportement, son action propre sur l'environnement, c'est-à-dire de se changer lui-même.

Yves Saint-Arnaud[19] propose cinq critères, d'ordre psychologique, permettant d'identifier un processus d'adaptation réussie chez une personne dans ses rapports avec son environnement physique ou social: 1) reconnaître correctement ses besoins et les voir sans peur, sans honte, sans culpabilité et sans dégoût; 2) percevoir correctement la réalité extérieure ou du moins corriger ses perceptions; 3) reconnaître ses limites personnelles et celles de l'environnement; 4) se reporter à un lieu interne d'évaluation et adopter une attitude critique à l'égard des normes extérieures en se servant de celles-ci comme d'un moyen et non comme d'une fin; 5) agir sur son environnement et l'utiliser pour répondre à ses besoins fondamentaux. Ces critères peuvent servir de guide sur la voie d'un idéal recherché, mais peu fréquemment atteint. En effet, rares sont les personnes qui ont ces caractéristiques à toutes les étapes et dans tous les secteurs de leur vie.

L'interaction dynamique de la personne avec son environnement constitue une véritable dialectique continue. Cette relation implique tout autant l'action modifiante de la personne sur son environnement que celle de l'environnement sur la personne. C'est le sens de la formule de Jean Piaget, selon qui l'adaptation constitue «[...] un équilibre entre les actions de l'organisme sur le milieu et les actions inverses[20].»

L'individu est amené à tenir compte constamment des changements de l'environnement et cette nécessaire recherche d'un équilibre harmonieux avec la réalité externe favorise des changements novateurs, certes, mais qui, trop importants, pourraient être dangereux. En même temps, l'environnement subit des modifications ou tentatives de modification de la part de l'individu. C'est dans ce sens que l'adaptation est « [...] la rencontre permanente, dans la durée et l'espace, de plusieurs histoires : celle de l'individu, celle de sa lignée, celle de la société et des groupes de la société auxquels il appartient[21] ».

Les dimensions de l'adaptation

On reconnaît une certaine hiérarchie des adaptations en faisant référence au principe d'économie et de rendement. Le *feed-back* social agit comme fonction régulatrice assurant l'adaptation de la personne à son environnement et peut-être de plus en plus, espérons-le, l'adaptation de l'environnement à la personne afin que celle-ci puisse protéger son intégrité propre.

L'idée d'adaptation biopsychosociale évoque donc la recherche d'une certaine finalité, rarement atteinte complètement, laquelle fait ressortir des valeurs que l'individu s'efforce de mettre en pratique par ses comportements. Ces valeurs ne résident pas nécessairement dans les normes des groupes sociaux auxquels la personne participe ni simplement dans la conservation de la vie, mais aussi dans les délibérations nées de la réflexion individuelle et collective. Dans ce contexte, l'adaptation biopsychosociale fait référence à deux dimensions essentielles : une prise en charge personnelle relevant de l'adaptation interne et un minimum de conformité sociale relevant de l'adaptation externe. La figure 4.5 illustre ces deux dimensions interactives de l'adaptation psychosociale.

Figure 4.5
Dimensions de l'adaptation psychosociale

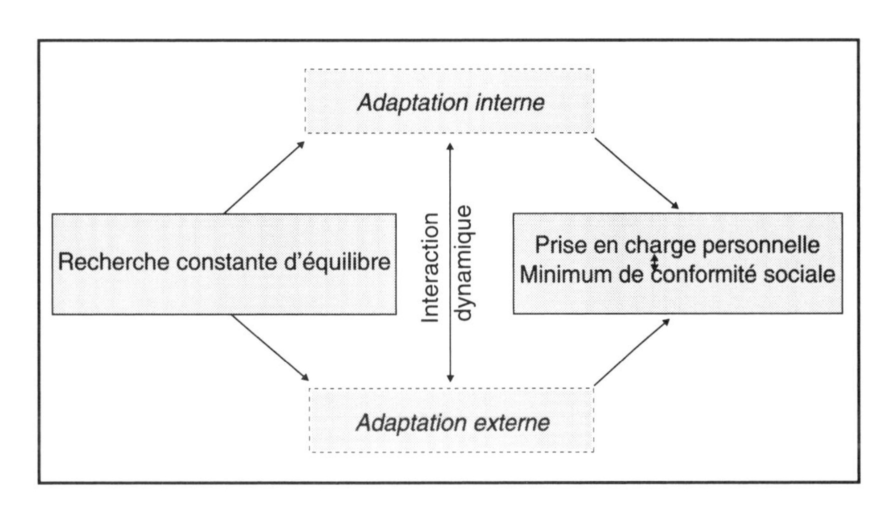

Une prise en charge personnelle (autonomie)

La première dimension de l'adaptation psychosociale est la prise en charge personnelle, qui concerne la recherche de l'adaptation interne. La personne évolue entre les deux pôles de la survie et du dépassement, lesquels ne s'excluent pas. Elle trouve l'adaptation interne lorsqu'elle atteint un mode de vie défini qui lui permet, d'une part, d'échapper aux menaces que l'environnement fait peser sur elle et, d'autre part, de relever les principaux défis des étapes de son développement.

L'analyse de l'axe psychodéveloppemental nous a permis de comprendre la conquête graduelle de l'autonomie personnelle, qui favorise une assez grande marge de liberté. À chaque étape de son développement, l'organisme évolue en assimilant plutôt qu'en juxtaposant. Toute adaptation particulière est reliée à plusieurs autres adaptations, en un réseau complexe organisé.

> «Toute adaptation consiste soit à maintenir un état d'équilibre (adaptation-état), soit à définir un nouvel état d'équilibre (adaptation-processus), non pas de manière statique, mais d'une manière dynamique. À vrai dire, il n'y a pas d'équilibre-état mais seulement d'équilibre-processus[22].»

Au-delà de sa survie, une personne atteint un degré d'autonomie et de prise en charge personnelle assurant graduellement son aptitude au changement et au dépassement. Elle s'efforce de trouver les solutions qui répondent le mieux à ses besoins. Cet effort d'adaptation interne peut échouer lorsque la personne voit sa qualité de vie diminuée ou épuise ses capacités d'adaptation. Souvent, des déficiences, des limitations fonctionnelles restreignent l'autonomie, la prise en charge personnelle.

La plupart du temps, la réaction ne consiste pas à ramener le milieu interne à son état de départ, mais à sélectionner, pour chaque cas qui se présente, une certaine réponse parmi plusieurs possibilités. C'est ici qu'il est important de:

> «[...] distinguer les états déficitaires (dans le sens de manques) et les éléments adaptatifs tantôt adéquats, tantôt inadéquats. Notons toutefois que très souvent, la réaction n'est même pas propre à assurer l'adaptation de la personne. Elle peut être excessive ou mal dirigée, et avoir ainsi pour conséquence que des stresseurs même modérés entraînent des préjudices pour cette personne. L'inadaptation est la manifestation de ces réactions inadéquates alors que l'adaptation est la manifestation de réactions adéquates tout en préservant l'intégrité individuelle[23].»

Un minimum de conformité sociale

La deuxième dimension de l'adaptation psychosociale est le minimum de conformité sociale. Elle concerne donc une recherche de l'adaptation externe. Le processus d'adaptation soulève la délicate question du degré de conformisme. Il convient de se demander à quelles normes il faut être socialement adapté, puisque la conformité aux normes n'est pas une fin en soi. L'adaptation psychosociale ne signifie pas automatiquement et totalement l'acquisition du comportement que les autres attendent de nous tant sur le plan macrosocial que sur le plan microsocial. Cela peut même être le contraire. Par exemple, la résistance active à un régime dictatorial accepté pourtant par une majorité de la population est pour ce régime une inadaptation qu'il faut supprimer ou traiter alors qu'elle est un mouvement sain.

Un minimum de conformité sociale est nécessaire sans qu'on confonde pour autant cette notion avec l'hyperconformisme, lequel empêcherait l'épanouissement personnel. Si l'environnement est nocif, s'adapter à un tel contexte peut contribuer à ralentir le cheminement adaptatif. Le minimum de conformité sociale fait référence au processus de socialisation et d'intégration sociale. Ici encore, les opinions sont partagées. Certains considèrent que la société est un tout et que l'individu doit se plier aux normes qu'elle fixe. D'autres, à l'inverse, placent en avant la personne et son total épanouissement individuel. C'est toute la question de croire soit à une identité collective, type «*kibboutz*» israélien, soit à une identité personnelle, type «*self made man*» américain.

Nous avons vu au chapitre précédent que l'intégration sociale est loin d'être une norme indiscutable, surtout quand on aborde la question du normal et du pathologique. L'adaptation ne consiste pas à se conformer aveuglément à certaines normes, qui ont toujours un caractère de relativité. La vie sociale implique cependant une base minimale d'accord, et partant un minimum d'adaptation, en dehors desquels toute société ne peut qu'éclater. C'est donc une question de normes relatives, de valeurs relatives, d'options relatives, de choix relatifs. Ainsi, l'adaptation externe «[...] n'est pas assimilable à un pur conformisme, ni surtout à un hyperconformisme qui actualiseraient, en fait, des tendances régressives[24]».

Parler de conformité sociale, c'est se reporter aux conduites et aux normes le plus généralement acceptées dans une collectivité donnée. Les normes sociales apparaissent comme le produit de multiples tensions entre l'innovation, la conformité et la liberté, entre les idéaux et les impulsions, entre les exigences de l'environnement social et celles de la personnalité individuelle, entre l'aspiration personnelle et l'obligation sociale.

La société et la culture offrent toujours le choix d'un certain nombre d'options entre des valeurs dominantes et des valeurs secondes, entre des modèles préférentiels et des modèles acceptés ou tolérés. Ainsi, l'adhésion à des normes et à des valeurs implique de la part des membres d'une société une certaine marge de décision et d'action.

La marge de liberté n'est cependant pas la même d'une collectivité à l'autre, ni la même à différentes époques de la vie collective. Les sociétés de même que les groupes à l'intérieur d'une société, ne requièrent pas tous de leurs membres une même adhésion aux normes établies ; certains sont plus tolérants que d'autres. Au sein d'une société donnée, la tolérance peut être très différente vis-à-vis des microsociétés.

Dans un type de société restrictive, tous les mécanismes de la socialisation tendent à favoriser l'adaptation sociale sous la forme d'une forte conformité, laquelle est soutenue et contenue par une sorte de moi et de surmoi collectifs. L'individu original, marginal ne peut pas y passer inaperçu et il risque d'encourir diverses sanctions.

Dans un type de société plus permissive, l'exigence de conformité s'allie à un degré plus ou moins grand d'autonomie dans les conduites individuelles et sociales. La tolérance y est plus grande concernant les attitudes, les opinions, le rythme de vie, les habitudes, les comportements. On recherche une sorte d'équilibre entre la conformité et l'autonomie personnelle.

Ajoutons que certains cas de déviance sont source de changement social. Ainsi, le processus de changement social exige, au point de départ, que des personnes et des groupes optent pour des idées, des attitudes et des actions que réprouve la société dont ils font partie.

LES CHEMINEMENTS ADAPTATIFS

Tout cheminement suppose un passage d'un état à un autre, une transformation, une modification. Le terme « cheminement adaptatif » renvoie au passage d'une situation d'inadaptation à une situation progressive d'adaptation. Puisque toute période plus ou moins longue et plus ou moins intense d'inadaptation place une personne, une famille ou un groupe en état de déséquilibre, la période d'adaptation consiste essentiellement dans la recherche et la mise en place d'un nouvel équilibre.

Pour mieux comprendre le cheminement adaptatif, nous devons considérer la personne elle-même, son état de maturation, son équilibre émotif, son degré d'autonomie, mais aussi son état de perpétuel devenir, son potentiel évolutif et dynamique sur les plans physiologique, intellectuel, affectif et social. Nous devons également tenir compte de son environnement familial, scolaire, social, qui lui aussi a un passé et des traditions, qui lui aussi se transforme et exige de la part de la personne de nouvelles facultés d'adaptation.

Les personnes peuvent manifester des comportements constants ou des dispositions à travers le temps, mais plusieurs de ces traits peuvent être acquis puis abandonnés à n'importe quelle période de la vie pour être remplacés par des modes de comportement nouveaux. Au cours d'un cheminement adaptatif, il y a une interaction entre les dispositions personnelles et les facteurs situationnels.

C'est la prise de conscience qui permet à l'individu de poursuivre son cheminement adaptatif. Pour une personne, accepter d'entrer dans un processus de conscientisation, c'est accepter de remettre en question non seulement son engagement, mais encore son existence même, l'ordre social établi, le type de société dont on est à la fois le produit et le support. L'un des aspects les plus importants de la conscientisation est le passage de la conscience naïve à la conscience critique, vis-à-vis de soi-même mais aussi vis-à-vis des normes, des valeurs, des représentations admises dans la société.

Une personne peut approfondir la conscience qu'elle a à la fois de la réalité socioculturelle qui modèle sa vie et de son aptitude à transformer cette réalité. Elle peut parvenir à percevoir la possibilité de transformer sa situation, à croire en ses capacités. Le changement des attitudes intérieures peut même influer sur les aspects extérieurs de la vie. À cet égard, la cécité de Milton, la surdité de Beethoven, la polio de Roosevelt, la pauvreté de Lincoln, le mariage tragique de Tchaïkovski, la cécité et la surdité d'Helen Keller, demeurent des cas significatifs. Ces exemples de déficience sensorielle, de déficience motrice ou d'événements circonstanciels ne doivent cependant pas nous faire oublier qu'un tel effort n'est pas à la portée des personnes aux prises avec des inadaptations plus grandes affectant le développement moteur, intellectuel ou psychique.

Par contre, un changement peut toujours être constructif s'il aide la personne à conquérir une autonomie qui lui permet d'être en plus grande possession de ses moyens, libre d'accepter ou de refuser; il motive à être créateur et à assumer les choix. En prenant conscience et en acceptant des éléments refoulés ou méconnus de lui-même à mesure qu'il avance dans la vie, l'individu parvient à un renouvellement de sa personnalité et à une plus grande authenticité. Devenir responsable de son existence, c'est être capable d'affronter les conflits et chercher des solutions personnelles. Le gagnant fait partie de la solution, le perdant fait partie du problème.

Au moment même où a lieu une action, il est difficile de distinguer les cheminements d'adaptation. C'est souvent le recul du temps qui donne la distance nécessaire pour porter un jugement plus pertinent. Un génie qui intuitionne les possibilités nouvelles d'un environnement et s'acharne à les découvrir peut être très souvent perçu comme inadapté par ses contemporains. Une personne qui continue, sans aucun lien avec la réalité, à faire pousser des plantes sur un bout de bois peut être perçue temporairement comme un génie. Même dans les situations les plus banales de la vie quotidienne, la question des critères se pose et présente une relative complexité.

L'équilibre parfait entre l'adaptation interne et l'adaptation externe dans toutes les situations données est impossible et dépasse les limites de l'être humain. Dans plusieurs circonstances, les efforts ou les tentatives d'adaptation sont réussis et les objectifs visés sont graduellement atteints. C'est surtout en s'intéressant aux échecs d'adaptation plutôt qu'aux succès que les biologistes, les psychiatres et les sociologues ont réussi à dégager les éléments d'une adaptation biopsychosociale.

Afin de maintenir son équilibre mental, une personne doit éviter deux écueils. Elle doit résister, premièrement, au désir de s'adapter à tout prix à son environnement en dissolvant son moi. Elle doit éviter, deuxièmement, de ne pas faire l'effort d'insertion convenable dans la société en devenant nuisible à son entourage.

D'une manière générale, nous pouvons distinguer trois cheminements possibles vers l'adaptation; ils sont illustrés à la figure 4.6. En plus d'un processus de maturation, le passage d'une situation d'inadaptation à une situation d'adaptation peut s'effectuer à partir d'un processus de réadaptation (adapter l'environnement à la personne) ou de rééducation (adapter la personne à son environnement). Malgré leurs traits parfois opposés, ces deux processus présentent des similitudes et sont souvent complémentaires. Cependant, quelles que soient les démarches d'adaptation entreprises, il faut noter qu'un échec est toujours possible, ce dont nous traiterons à la fin du présent chapitre.

Figure 4.6 **Cheminements adaptatifs**

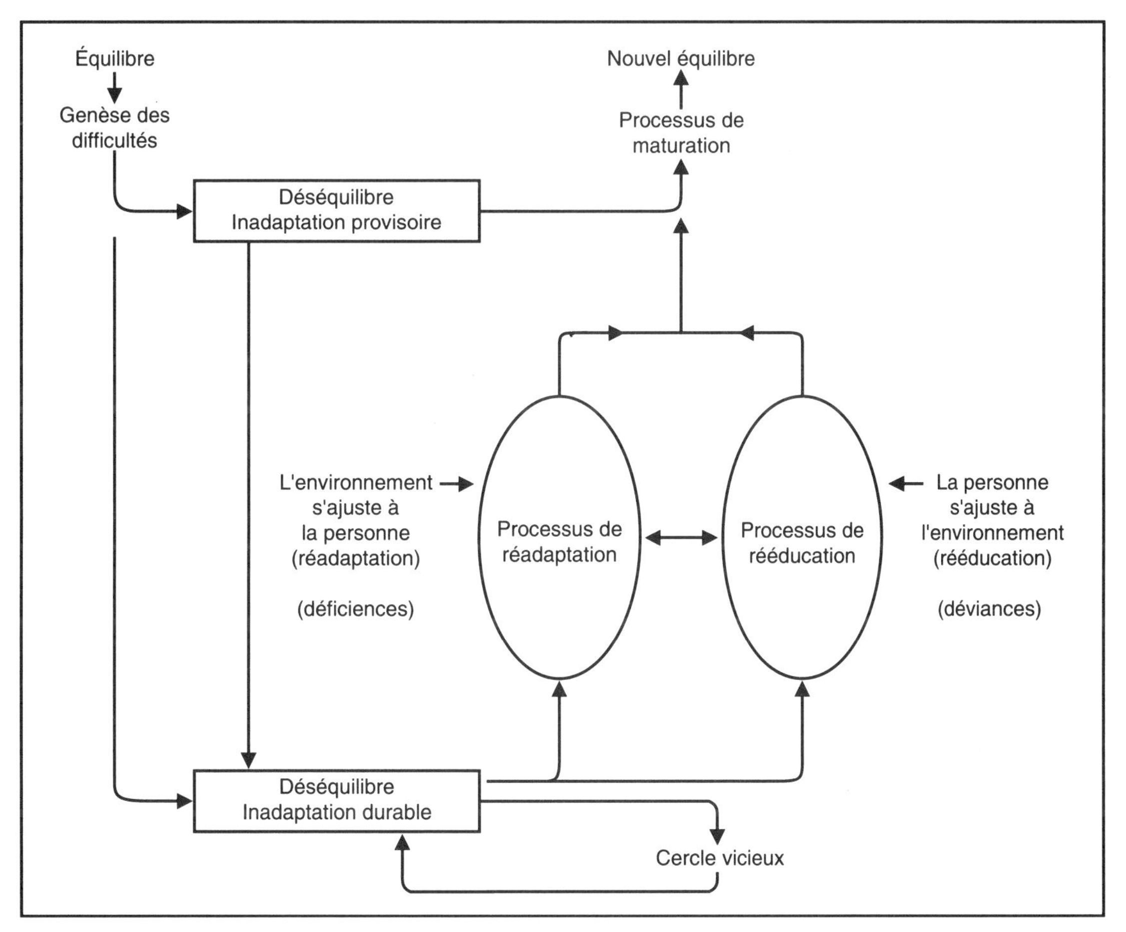

Le processus de maturation

Les diverses adaptations réussies dans un processus de maturation sont celles qui font partie du développement le plus harmonieux possible. Ce processus permet de surmonter les inadaptations inhérentes aux étapes du développement humain et à la condition humaine. Il concerne le difficile équilibre entre l'adaptation interne et l'adaptation externe, la nécessité d'être un acteur de son existence, la découverte inexorable des conflits et des risques, les écorchures inévitables mais potentiellement riches.

La recherche d'équilibre entre une autonomie personnelle active et un minimum de conformité aux normes sociales est souvent difficile. Le processus de maturation est jalonné d'une série de conjonctures bien déterminées qui relèvent autant d'une liberté intérieure que d'une liberté extérieure. Il touche principalement l'axe psychodéveloppemental «réussi» du développement humain, c'est-à-dire l'équilibre entre la subjectivité personnelle et la réalité objective. Dans cette perspective, il est important de se centrer davantage sur le processus plutôt que sur le contenu de l'expérience psychologique. De plus, il faut considérer la personne comme étant toujours en évolution et bien se rappeler que l'adaptation saine n'est pas statique, mais dynamique.

De même, il faut tenir compte du fait qu'il y a des différences intra- et interindividuelles, et que le fonctionnement de l'enfant est différent de celui de l'adulte. L'importance relative des caractéristiques physiques et psychiques internes de même que des caractéristiques de l'environnement varie selon les étapes du développement humain. Il est donc essentiel de leur donner une importance différente selon le moment de la croissance et les événements particuliers dans chacun des domaines en interaction.

Rappelons ici les modèles présentés au deuxième chapitre au moment de l'étude de l'axe psychodéveloppemental. Les stades de développement peuvent nous servir de guide pour reconnaître les besoins liés aux tâches et aux défis propres à une étape donnée. Cela peut se révéler utile pour trouver des indications sur le type de conditions à offrir à des personnes ou à des groupes précis. Ainsi, un certain environnement crée ou non des conditions adéquates pour favoriser le processus de maturation.

Cependant, les critères définis pour chacun des stades ne doivent pas être vus dans une perspective statique et normative, mais dans une perspective qui nous permette de reconnaître que telle personne, à tel moment de sa vie, se trouve ou non dans une période d'adaptation positive, en fonction de son âge et de sa situation particulière. Ils nous montrent de plus l'interaction entre les facteurs biologiques, psychodéveloppementaux et environnementaux. Le développement de la personne s'oriente vers une conscience plus aiguë du monde extérieur en même temps que se développe la conscience du monde intérieur ou de la dimension multiple de la personnalité humaine. Il y a graduellement une différenciation plus raffinée des réalités subjectives et objectives. Les problèmes de plus en plus complexes sont résolus; on va même jusqu'à tenter de résoudre l'ultime question du sens de la vie et de la mort.

Afin de parvenir à un plus grand épanouissement personnel tout en demeurant un acteur social positif, l'individu doit négocier certaines difficultés avec lui-même et avec les autres. Il est le premier acteur de son développement. Les principales tâches assumées par une personne au cours de sa maturation sont d'acquérir des compétences, de diriger ses émotions, de développer son autonomie, d'établir son identité, de rendre ses relations interpersonnelles plus dégagées, de clarifier ses buts et de développer son intégrité. Le tableau 4.4 décrit brièvement les principales tâches liées au processus de maturation.

La croissance est un mouvement vers l'expansion de soi qui implique une prise de conscience de l'identité personnelle et la capacité d'insérer ses expériences dans un cadre de vie significatif. Une personne peut assumer son passé, avec ses réussites et ses échecs, tout en s'interrogeant sur le sens de la vie et le mystère humain.

Se développer, c'est faire ses preuves, prendre des risques, vivre des conflits et donc passer par des difficultés parfois douloureuses. Certains risques ou dangers ne sont pas recherchés consciemment alors que d'autres le sont. Quoi qu'il en soit, ceux et celles qui s'en sortent ne regrettent rien, car, malgré les obstacles, ils ont relevé des défis et fait des apprentissages. Cela est vrai de l'enfant qui apprend à marcher, par exemple; il trébuche, tombe, pleure, se relève, repart, se fait des bosses et des égratignures car le sol est dur, etc. C'est vrai également de l'adolescent qui prend le risque de s'opposer à ses parents et au monde adulte, pour affirmer sa personnalité. Ses parents peuvent lui dire que telle route n'est pas convenable et la lui déconseiller; il sentira néanmoins le besoin de vivre son expérience personnelle.

Plusieurs inadaptations provisoires aident l'être humain à se développer, à être lui-même, à se révéler. Les écorchures inévitables de la vie sont porteuses d'une richesse potentielle. Une certaine souffrance permet

Tableau 4.4
Principales tâches liées au processus de maturation

1. Acquérir des compétences	Acquérir l'information, la pensée critique, l'articulation verbale, la confiance et le développement des habiletés quotidiennes, intellectuelles, techniques, physiques et sociales.
2. Diriger ses émotions	Devenir plus conscient de ses sentiments, les accepter comme des émotions humaines légitimes et les exprimer adéquatement.
3. Développer une autonomie	Atteindre une indépendance émotionnelle, fonctionnelle, économique tout en reconnaissant les rapports d'interdépendance.
4. Établir son identité	Acquérir le sens de son identité physique, sexuelle, intellectuelle, sociale et clarifier ses besoins.
5. Rendre ses relations interpersonnelles plus dégagées	Développer une plus grande confiance, une interdépendance, une individualité, une intimité, une tolérance.
6. Clarifier ses objectifs personnels	Intégrer ses objectifs personnels dans un style de vie satisfaisant les plans du travail, de l'amour, de la famille, des loisirs, des intérêts.
7. Développer son intégrité	Humaniser et personnaliser ses valeurs dans des comportements cohérents et être capable d'engagement personnel, professionnel et social.

à une personne de prendre toute la mesure de ses possibilités, de se dépasser elle-même et de s'ouvrir aux autres. Souvent, les épreuves renouvellent les forces, les énergies, les habiletés, les attitudes, les compétences.

L'adaptation biopsychosociale, par un processus de maturation, renvoie à l'équilibre mental qui est possible grâce à des rapports bien balancés entre le corps et l'esprit, mais aussi grâce à l'intégration de tous les éléments qui constituent la vie mentale. Plusieurs déséquilibres momentanés doivent donc être considérés comme normaux. «Être équilibré mentalement» ne signifie pas ne jamais perdre son équilibre, mais plutôt être capable d'utiliser le déséquilibre pour retrouver assez rapidement un nouvel équilibre en réorganisant les réponses aux besoins changeants mais également en traversant différentes étapes émotives.

Une réorganisation des réponses aux besoins

Une réorganisation des réponses aux besoins s'impose lorsqu'une personne subit des pertes sur divers plans. Jean Monbourquette a identifié différentes pertes (*voir le tableau 4.5*) qui peuvent survenir au cours d'une vie : les mini-pertes quotidiennes, les pertes toujours surprenantes, les pertes inévitables de la vie humaine, les grandes pertes d'un amour.

Tableau 4.5
Pertes inhérentes à la condition humaine

Les mini-pertes et les ennuis quotidiens	**Les pertes inévitables de la vie humaine**
Un achat manqué La découverte d'une carie dentaire Les insectes dans votre plante préférée Le chat qui n'est pas rentré ce soir Un rendez-vous raté La séparation momentanée d'un ami Etc.	Les illusions de l'enfant Les rêves de l'adolescence L'amour « fou » Les attraits passionnés Les séparations de la famille pour l'école Le changement d'emploi Les liens d'amitié de l'enfance jusqu'à l'âge adulte La perte de la fraîcheur de la jeunesse La perte des dents, des cheveux, de la vision La perte de l'énergie sexuelle (surtout si le goût subsiste) La ménopause Le départ du dernier enfant La vieillesse et ses handicaps Etc.
Les pertes toujours surprenantes	**Les grandes pertes d'un amour**
Un vol Une perte d'argent Un projet avorté Un congédiement inattendu La découverte d'une maladie grave Un idéal non réalisé La perte de la bouteille, pour un alcoolique La fin d'un travail qui enlève le sens de l'effort Le départ d'un voisinage aimé La perte d'une bonne réputation Etc.	La brisure d'une amitié La fin d'une relation intime Une séparation, un divorce La mort d'un être cher Etc.

Source : Jean MONBOURQUETTE, *Aimer, perdre et grandir. L'art de transformer une perte en gain*, Saint-Jean-sur-Richelieu, Les Éditions du Richelieu ltée, p. 11 et 13.

Durant la période d'inadaptation consécutive à une perte, plusieurs besoins sont insatisfaits parce qu'il y a un obstacle qui en empêche, du moins temporairement, la satisfaction. Les personnes aux prises avec des difficultés d'adaptation considèrent, pour elles ou pour l'une des leurs, qu'un ou plusieurs besoins ne sont pas suffisamment comblés. Ainsi, une personne affirme qu'elle a besoin de manger pour vivre; une autre prétend qu'elle a besoin d'être en amour pour être heureuse; une autre enfin dit qu'elle a besoin d'une moto. Le mot «besoin» a-t-il le même sens dans les trois exemples précédents?

Figure 4.7 **Grille des besoins humains**

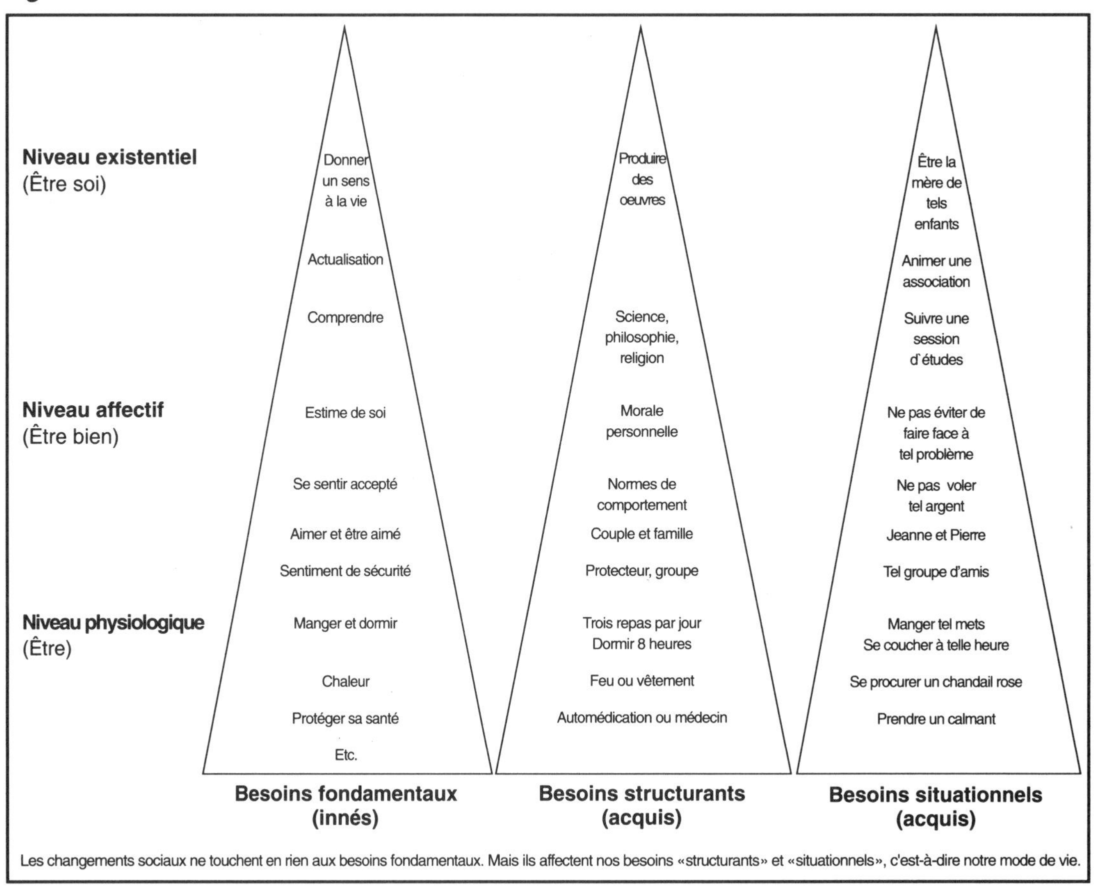

Source : Yves SAINT-ARNAUD, *La personne humaine*, Montréal, Les Éditions de l'Homme, 1974, p.41.

Le terme «besoin» a perdu graduellement de son sens et de sa précision parce qu'il a été employé pour désigner des dimensions fort diversifiées de la vie quotidienne. Plusieurs auteurs, dont Abraham H. Maslow[25] et Yves Saint-Arnaud[26], ont tenté de circonscrire davantage cette notion en établissant la pyramide des besoins fondamentaux, en montrant comment ces derniers se concrétisent en besoins structurants et en besoins situationnels (*voir la figure 4.7*).

La grille des besoins, ou pyramide des besoins de Maslow, met l'accent sur une hiérarchie des **besoins humains fondamentaux**, c'est-à-dire qui sont les mêmes chez tous les êtres humains de toutes les races et de toutes les époques. Parmi ces besoins, les besoins physiologiques sont prioritaires pour assurer la survie et un minimum de qualité de vie; s'ils ne sont pas satisfaits, ils peuvent compromettre la satisfaction des autres niveaux de besoins fondamentaux comme les besoins affectifs et les besoins existentiels.

Les **besoins structurants** concernent la manière dont une personne décide de se donner un cadre général pour répondre à ses besoins fondamentaux. On peut constater que chaque être humain a plusieurs structures possibles, plusieurs cadres, plusieurs voies l'amenant à la satisfaction d'un même besoin. Ainsi, pour répondre au besoin d'aimer et d'être aimé, les structures suivantes sont possibles: l'amour de ses enfants, l'amour d'un conjoint, l'amour de son travail, l'amitié, l'affection des plus démunis, etc.

Les **besoins situationnels** se rapportent aux moyens concrets utilisés par un individu pour satisfaire ses besoins fondamentaux, en rapport avec la structure utilisée. Ainsi, une personne qui a choisi de satisfaire son besoin d'être aimée (besoin fondamental) par une structure de vie de couple (besoin structurant) peut opter pour tel ou telle partenaire de vie (besoin situationnel).

La grille des besoins humains a l'avantage de nous faire mieux comprendre que les différentes difficultés d'adaptation affectent soit les besoins fondamentaux, soit les besoins structurants, ou encore, les besoins situationnels. Elle nous permet également de voir quel niveau de la hiérarchie des besoins est touché. Nous constatons que l'un ou l'autre des besoins est affecté par une difficulté potentielle d'adaptation. Nous constatons aussi qu'ils ne sont pas tous du même ordre et que certains sont «plus prioritaires» que d'autres en fonction des objectifs poursuivis (*voir la figure 4.8*).

Figure 4.8
Besoin et inadaptation

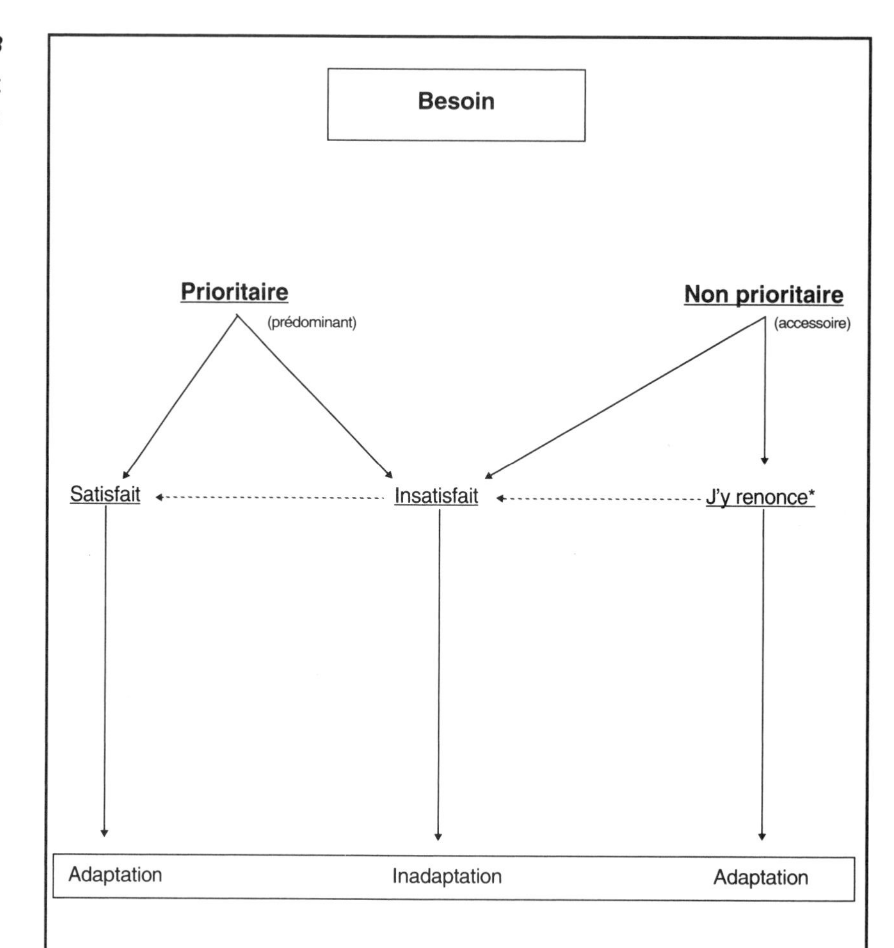

Quand un de mes besoins n'est pas comblé, trois comportements sont possibles si je veux m'adapter : je satisfais ce besoin, j'y renonce en arrêtant de désirer qu'il soit satisfait, ou je diminue le niveau du besoin en le satisfaisant partiellement. Il y a des gains et des pertes pour chacun de ces comportements dans certaines situations précises. Au cours d'un processus de maturation, une personne s'adapte plus rapidement si elle analyse les besoins sous-jacents à ses désirs et ses possibilités de les satisfaire. Il s'agit alors de bien identifier les besoins prioritaires et non prioritaires sans les amplifier ni les diminuer, de les cerner d'une manière précise, de les accepter, de les exprimer, de les satisfaire, avec de l'aide si nécessaire.

Si nous sommes dans une situation de conflit de besoins avec un membre de l'entourage, une communication adéquate peut être utile et solutionner le problème sans qu'il y ait de perdant. Les personnes en cause décrivent leurs besoins clairement, énumèrent des solutions possibles, choisissent une solution acceptable pour les deux, appliquent cette solution, vérifient la satisfaction des deux. Afin d'éviter la tendance à rendre les situations plus catastrophiques qu'elles ne le sont, il est important de ne pas confondre les désirs avec les exigences et de ne pas transformer les souhaits en nécessités.

Les étapes émotives

Lorsqu'une inadaptation survient, l'individu passe par différentes étapes émotives avant de retrouver un nouvel équilibre. Nous avons vu qu'au cours de ce passage de l'inadaptation à l'adaptation, un même événement peut causer une grande variété de réactions émotionnelles. Un stresseur susceptible de ne créer qu'une inquiétude mitigée chez une personne peut susciter un très haut degré d'anxiété chez une autre. La santé mentale de la personne est affectée temporairement sans qu'il soit nécessairement question de maladie mentale. Plusieurs spécialistes ont fait des liens entre les réactions émotives, les difficultés d'adaptation et les niveaux d'inadaptation. Ils ont tenté de définir les principales phases émotives à la suite de l'action de certains stresseurs.

Lindermann (1944), dans une étude sur les personnes ayant à vivre le deuil d'un être cher, a décrit les phases de choc, de désespoir et de libération affective. Elizabeth Kübler-Ross (1969), dans une analyse des personnes atteintes de cancer, a identifié les phases suivantes: choc, colère, marchandage, dépression, acceptation. John Bowlby (1961, 1980), en décrivant le cheminement par rapport à une perte, à un détachement ou à un deuil, a défini quatre étapes: stupeur; révolte et recherche du visage perdu; désorganisation et désespoir; réorganisation. Wallerstein (1980) a étudié les ruptures telles que la séparation ou le divorce et a relevé des phases de choc émotif, d'agressivité, de recherche de voies nouvelles, d'acceptation. Enfin, dans une étude sur les stresseurs extraordinaires comme les viols ou les guerres, Horowith (1976) décrit des phases de surprise, de déni, d'intrusion, de perlaboration.

Ces différentes études ont permis de déterminer des réactions émotionnelles prévisibles face aux stresseurs. Elles concernent davantage les troubles réactionnels typiques des inadaptations provisoires, caractérisées au départ par un refus de couper les liens avec la situation antérieure. Cependant, ces réactions varient selon les circonstances d'apparition du stresseur, l'âge de la personne, son histoire, sa situation familiale, ses années de scolarité, son mode de vie, son occupation, ses goûts, son tempérament, sa personnalité, ses croyances, le sens qu'elle donne à sa vie.

Au départ, la présence d'émotions désagréables entraîne une difficulté de communication même avec les proches, l'impression qu'il n'y a pas de solution à son problème, l'apitoiement sur son sort, une impression d'absence de pouvoir personnel, la recherche d'un responsable ou d'un coupable, un déséquilibre physique, psychologique ou social, la perte d'un espoir, un questionnement sur le sens de la vie, le manque de préparation pour faire face au problème, la perception des inconvénients de la situation, etc. Il est à noter que les réactions émotives d'une personne interfèrent avec les réactions émotives d'une autre.

Ces émotions sont mouvantes, difficiles à comprendre et à analyser, tant pour la personne concernée que pour son entourage. Une colère persistante cache souvent une blessure psychologique non reconnue tout comme une peur incontrôlable peut camoufler une fragilité intérieure et une souffrance anticipée. C'est souvent le cocktail émotif, la ronde folle où les sentiments s'entremêlent, les émotions alternent et amènent une instabilité dans le comportement. À la longue, on constate des retours en arrière brefs et moins fréquents avant la remontée.

Plusieurs comportements consécutifs aux émotions désagréables sont souvent considérés inadéquats et inefficaces. Cependant, ces mêmes comportements deviennent adéquats dans d'autres situations d'inadaptation parce qu'ils préparent les étapes émotives de la période d'adaptation. À titre d'exemple, une période dépressive peut être vue comme une préparation à perdre les objets aimés afin de faciliter le passage à l'acceptation. Surtout si la perte est grande, il est important de ne pas brûler les étapes, y compris celles de la période d'inadaptation, à la condition qu'elles ne deviennent pas excessives, dangereuses ou figées sur un point de continuum.

Souvent, les étapes émotives constituent un phénomène normal et positif qui permet à la personnalité de ne pas se désintégrer subitement, de prendre graduellement conscience des pertes et des limites engendrées par une difficulté. Elles aident la personne à retrouver peu à peu son équilibre. Les premières étapes sont des réactions émotives plus difficiles à vivre, qui reflètent un profond malaise intérieur. Elles constituent, du moins temporairement, des mécanismes de défense appropriés pour éviter une désorganisation profonde et pour faire face au choc émotionnel.

Le nombre d'étapes émotives varie, si l'on se rapporte aux chercheurs mentionnés précédemment. Pour notre part, nous retenons, pour la période d'inadaptation, les six étapes émotives suivantes: le choc, la négation, la culpabilité, la colère, le marchandage, le détachement. Pour la période d'adaptation, nous retenons les sept étapes émotives suivantes: l'acceptation, la peine profonde, l'anticipation, l'héritage, l'expansion, l'incorporation, l'autobienveillance (*voir la figure 4.9*).

Figure 4.9 **Étapes émotives vers l'adaptation**

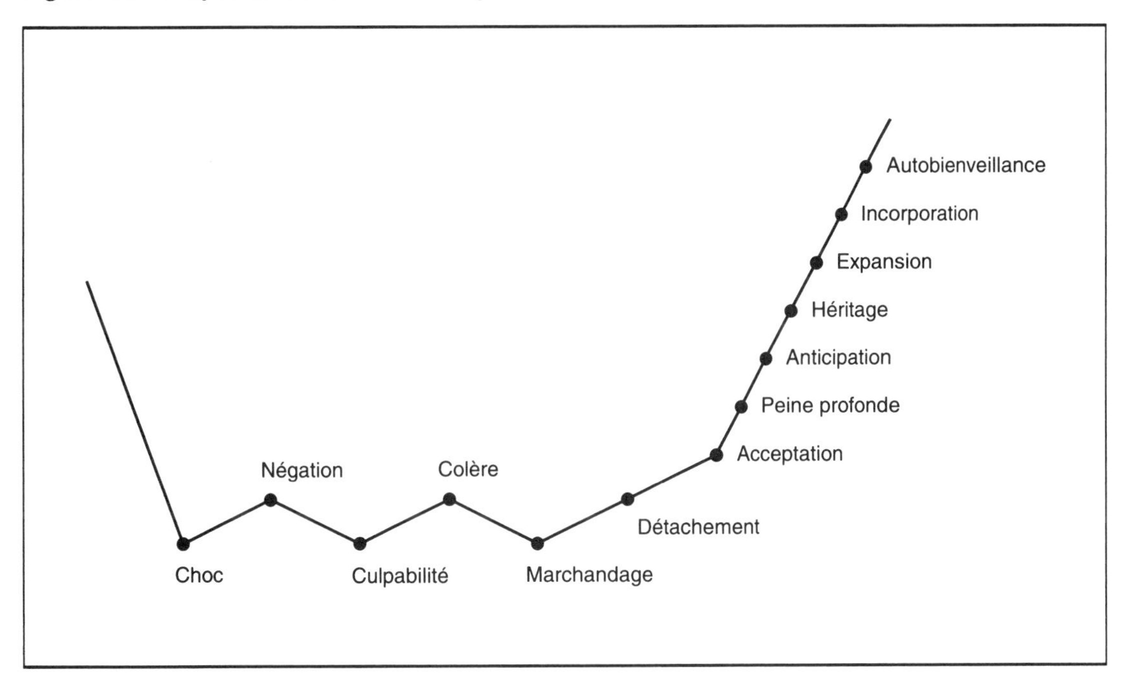

Ces étapes ne se suivent pas selon un programme rigoureux, car elles ont plutôt tendance à s'interpénétrer même s'il y a un ordre relatif de succession. Il est important de les considérer dans un continuum allant de l'inadaptation vers l'adaptation. C'est pourquoi nous présentons ici les étapes émotives d'une période d'inadaptation et celles d'une période d'adaptation. Ces étapes sont présentes lors de difficultés provisoires ou lorsqu'un proche est touché par une inadaptation temporaire ou durable, par exemple.

L'état de choc se manifeste lorsqu'un individu est placé devant un fait inattendu, appréhendé ou accompli, qui le contraint à se réorienter et à faire face à une nouvelle réalité. La personne elle-même ou les membres de son entourage sont sidérés, car il y a un anéantissement soudain des fonctions vitales sous l'effet du choc émotionnel. Les sentiments sont mêlés devant les bouleversements de la vie quotidienne. Quelle que soit la façon dont l'état de choc se manifeste – par une explosion émotive ou par une indifférence apparente –, on retrouve durant cette période des sentiments d'affolement, d'égarement et de confusion jumelés à une multitude d'interrogations. C'est une étape importante pour la personne, car celle-ci commence à laisser monter les craintes. Cette étape constitue une mesure de survie qui lui permet de continuer à fonctionner et empêche l'envahissement complet de son être en mettant en place de nouvelles énergies.

La négation, qu'on appelle aussi le déni, la protestation, la contestation ou la dénégation, est le refus d'admettre une difficulté. La personne cherche un diagnostic contradictoire, tente de se faire réconforter. «Non, ce n'est pas vrai, ça ne se peut pas.» «Je ne le crois pas.» «Ce n'est pas à moi que ça arrive.» «C'est un rêve, ce n'est pas vrai.» «Je ne peux y croire, ça ne peut pas m'arriver à moi.» Etc. Elle n'est pas encore capable de ressentir et de vivre sa souffrance. La négation lui sert de cuirasse protectrice en paralysant ou en anesthésiant cette douleur. L'individu recherche l'assurance que le problème n'existe pas, que c'est une situation unique ou exceptionnelle. C'est un refus anxieux dans l'espoir qu'il n'y ait pas de problème, que la souffrance disparaisse et que la réalité se transforme. C'est en général une défense temporaire normale et essentielle pour garder l'équilibre psychologique. Bref, en s'accrochant à l'espoir, on tente de se soustraire momentanément à l'inévitable en s'accordant un sursis. Ce va-et-vient de refus, de négation, d'espoir et d'optimisme aide à affronter la dure réalité.

La culpabilité est un sentiment qui apparaît quand on recherche des raisons et des facteurs personnels pour expliquer une difficulté. La personne s'isole, se marginalise et la souffrance prend alors une nouvelle tangente: l'auto-accusation. «J'ai couru après.» «J'aurais dû prévoir.» «Je n'aurais pas dû agir ainsi, j'ai été stupide.» «Je n'ai pas été habile.» «J'aurais dû être moins méchante.» Etc. Ce genre de dialogue intérieur, de *mea culpa*, d'auto-accusation est une tendance à prendre tout le fardeau sur ses épaules et à se comparer avec d'autres personnes moins malheureuses. On peut s'éloigner des autres pour commencer à réduire le nombre de stresseurs externes.

La colère est un autre mode d'expression de la souffrance intérieure. Elle se manifeste par des sentiments d'irritation, de rage, d'envie, de ressentiment, d'hostilité, d'agressivité, de révolte, d'impatience. La personne ressent un profond sentiment d'injustice et l'accusation, cette fois, se porte vers les autres. On recherche le ou les responsables extérieurs: «Il aurait dû faire cela.» «L'ambulance n'aurait pas dû arriver en retard.» «Cela ne devrait pas m'arriver.» «Il devrait être puni pour cela.» «Le même malheur devrait lui arriver.» Etc. La personne peut exercer un contrôle excessif sur son environnement en devenant très exigeante. Diverses accusations et récriminations sont formulées à l'entourage ou aux intervenants sociaux. Quelquefois, la vengeance est souhaitée contre ceux et celles qui sont perçus comme la cause du problème. La révolte peut s'installer durant une période plus ou moins longue. Cette phase est souvent difficile à assumer pour les membres de l'entourage immédiat parce que l'agressivité se projette dans toutes les directions, souvent au hasard et à partir de frustrations quelquefois anodines.

Le marchandage est une étape où la personne essaie de gagner du temps, espère changer le pronostic. Elle conclut des marchés, prend des engagements et fait des promesses, souvent dans le plus grand secret. Elle est prête à payer le gros prix pour éviter la perte. Il s'agit de demander une faveur, de faire un genre de supplication, de demander qu'un vœu soit exaucé pour services spéciaux. Le marchandage est en réalité une tentative en vue de retarder les événements en offrant une prime pour «bonne conduite». Un délai est alors fixé et quand celui-ci est passé, la personne demande une nouvelle échéance. Bien qu'il n'occupe que de courtes périodes, le marchandage est souvent une étape utile: il permet à la personne de s'installer dans une sorte d'accord qui renvoie à plus tard la perte inévitable. Le personne se donne un autre répit avant de prendre conscience de la perte.

Le détachement permet à une personne de prendre pleinement conscience de la perte en commençant à en relativiser et dédramatiser les conséquences. Il y a une distanciation et une capacité de prendre un certain recul. La personne commence à reconnaître certains aspects du problème, mais les émotions vécues restent ambivalentes, car elle s'interroge sur sa capacité de vivre et d'assumer ses difficultés. Cette étape est nécessaire pour qu'un travail de «digestion» se fasse, pour voir de manière plus réaliste les différents aspects reliés au stresseur et à ses conséquences réelles. Durant cette étape de distance psychologique, il y a pleine conscience de la perte et du vide existentiel, mais la personne réussit graduellement à atténuer sa souffrance en se faisant une raison malgré la peine ressentie et malgré un sentiment de vide, de creux, de solitude. Cette étape consiste en une récupération graduelle et progressive: l'individu fait son «travail de deuil», en se libérant progressivement des liens affectifs qu'il entretenait avec une autre personne. C'est l'établissement de nouveaux contacts avec le monde extérieur, la formation de liens affectifs, le retour à un rendement au travail et une reprise graduelle d'un fonctionnement à peu près normal.

L'acceptation est une étape de rétablissement et de réorganisation se caractérisant par une reconnaissance des difficultés, des limites et des contraintes dont est pavée la voie vers l'adaptation. On envisage des solutions réalistes afin de minimiser les inconvénients et de maximiser les avantages de la situation en trouvant le moindre mal dans les circonstances. L'acceptation n'est pas une résignation fataliste à une situation qu'on peut modifier partiellement, mais une détermination active en vue de se donner ou de donner à l'autre toutes les chances de se développer à l'intérieur des limites de la situation. Une de ces limites avec laquelle la personne ou son entourage doit composer est l'attitude des autres personnes non directement concernées par la difficulté. Les préjugés et les stéréotypes sociaux font partie de cette étape. Même si l'attitude générale s'est améliorée, il n'en demeure pas moins que souvent, on entretient des craintes et des résistances, des sentiments nuisibles au cheminement adaptatif.

La peine profonde est présente lorsque la personne s'accorde le droit de souffrir sans panique, sans désorganisation. Cela lui permet d'atténuer les émotions désagréables, car elle se sent assez forte pour faire face à la situation. Elle veut survivre, faire confiance à l'avenir. C'est une peine en général très féconde parce que l'individu se libère en accueillant sa souffrance et en s'accordant le droit d'être malheureux, tout en entrevoyant une lueur d'espoir au bout du tunnel. En ressentant et en exprimant cet état intérieur, il laisse tomber sa honte face à la souffrance et arrête de s'accuser ou d'accuser la «vie». Il s'interroge sur le sens de cette expérience dans sa vie et dans la vie de tous les êtres humains. Malgré la solitude, il se met intérieurement en contact avec d'autres qui ont eu ou auront leur lot de peine, de misère et de souffrance. Ce chagrin sert à préparer l'étape de la recherche d'un nouvel équilibre. Il comporte un aspect de réaction aux pertes passées, présentes et futures.

La phase d'anticipation permet de se préparer à affronter une transition. Plusieurs recherches ont permis de conclure qu'une personne bien préparée, à l'approche d'un changement, a une certaine capacité de prise en charge, dispose des compétences pour se débrouiller, est confiante, possède une image positive d'elle-même et de son environnement. Quand la difficulté est prévisible, celle-ci laisse un temps de préparation physique, psychologique ou sociale lui permettant d'y faire face plus adéquatement. Encore ici, la manière de réagir à des événements prévus ou non prévus varie énormément d'une personne et d'un milieu à l'autre. On ne pourrait dire que les difficultés non prévues sont plus difficiles à surmonter que celles qui sont prévues, car cela semblerait un «raccourci» ne reflétant pas la réalité. Cependant, la phase d'anticipation constitue une étape préparatoire importante dans le processus en vue de surmonter les difficultés d'adaptation.

L'héritage est une étape où il y a acceptation active de ce qu'on ne peut pas changer. La personne commence à transformer ses pertes en gains et à prendre conscience des avantages d'une situation sur laquelle elle n'a qu'un pouvoir relatif. Un des avantages reconnus est ce qu'une autre personne ou la situation ont laissé en souvenirs, en anecdotes, en affection, en projets, en biens, en apprentissages, en maturité, bref en héritage sur différents plans. Ce n'est pas encore le retour à la vie «normale», aux activités de la vie quotidienne, mais c'est un laps de temps et de «ressenti» par lequel la personne récupère l'énergie, l'amour, les qualités, l'expérience. C'est beaucoup plus tard qu'elle est capable d'apprécier le cheminement, la croissance, l'autonomie, la liberté intérieure que les expériences difficiles lui ont permis d'acquérir. La souffrance peut ouvrir à l'accueil, aviver les sens, faire voir la réalité sous un nouveau jour. Elle conduit à apprécier certains aspects de l'existence jusqu'alors moins considérés et à se dire que, malgré tout, «c'est beau, la vie!». L'individu réussit à se ressourcer auprès de choses ou de personnes qui passaient inaperçues ou qu'il ignorait avant.

La phase d'expansion permet l'émergence d'une certaine joie puisque la personne est dirigée vers un nouvel avenir. L'énergie s'intensifie, des possibilités se présentent. De nouveaux points d'appui surgissent à l'horizon et la force intérieure est plus grande. Souvent, la personne se met au service d'une entreprise ou d'une organisation pour éviter de songer à ses propres problèmes et essaie, par cette voie, de renforcer sa confiance en elle et en sa propre valeur. L'exemple d'une personne retraitée qui décide de faire du bénévolat montre comment le fait de rendre service aux autres peut aider à se dépasser. L'individu peut également sublimer certaines pulsions et les intégrer à sa personnalité. Il se lance dans une occupation qui lui plaît, entreprend des activités qu'il aime et réalise souvent de vieux rêves.

La phase d'incorporation en est une de repos et de calme au cours de laquelle la personne tente d'assimiler ce qui a changé dans sa vie et d'intégrer le sens de ces changements. Elle recharge sa «batterie» et la confiance en soi lui permet de continuer d'affronter les défis qui se présentent. Elle comprend la curiosité des autres et développe un relatif «sens de l'humour», lequel lui permet de supporter des épreuves qui, sans cette attitude, seraient intolérables. À moins d'avoir des échéances précises et obligatoires, il est alors prudent de remettre à plus tard des décisions importantes et de s'accorder un temps pour décanter et pour mûrir. Souvent, la décision la plus sage est ... de ne pas en prendre s'il n'y a pas nécessité et de se donner le droit de rechercher un réconfort, un support moral pour un certain temps sans se sentir diminué. Le temps est réparateur si la personne respecte son rythme et se «hâte lentement» pour passer à l'action.

L'autobienveillance est l'attitude qui consiste à s'accueillir soi-même et à accepter de ne pas être parfait. La personne respecte ses fragilités, elle investit dans des activités plus sécurisantes et évite celles qui pourraient être des occasions de surcharge émotionnelle. Elle protège sa vulnérabilité, économise ses énergies, apprécie le fait qu'elle remonte la pente et tente de laisser le moins de séquelles possible pour elle et pour les autres. Il y a retour de l'équilibre en évitant les extrêmes des balanciers émotifs. Cet équilibre se traduit par l'affirmation de soi, la responsabilité, les risques calculés, la valorisation de soi. La figure 4.10 illustre cet équilibre des balanciers émotifs.

La démarche vers l'adaptation ne s'accomplit pas par une progression constante. La conquête d'une liberté extérieure ou intérieure se présente plutôt comme une ligne brisée avec des variations imprévues. Il y a des remontées, des glissements, des plateaux, comme l'illustre la figure 4.11. Peu à peu, les retours en arrière se font moins profonds, moins fréquents.

***Figure 4.10* Équilibre des balanciers émotifs**

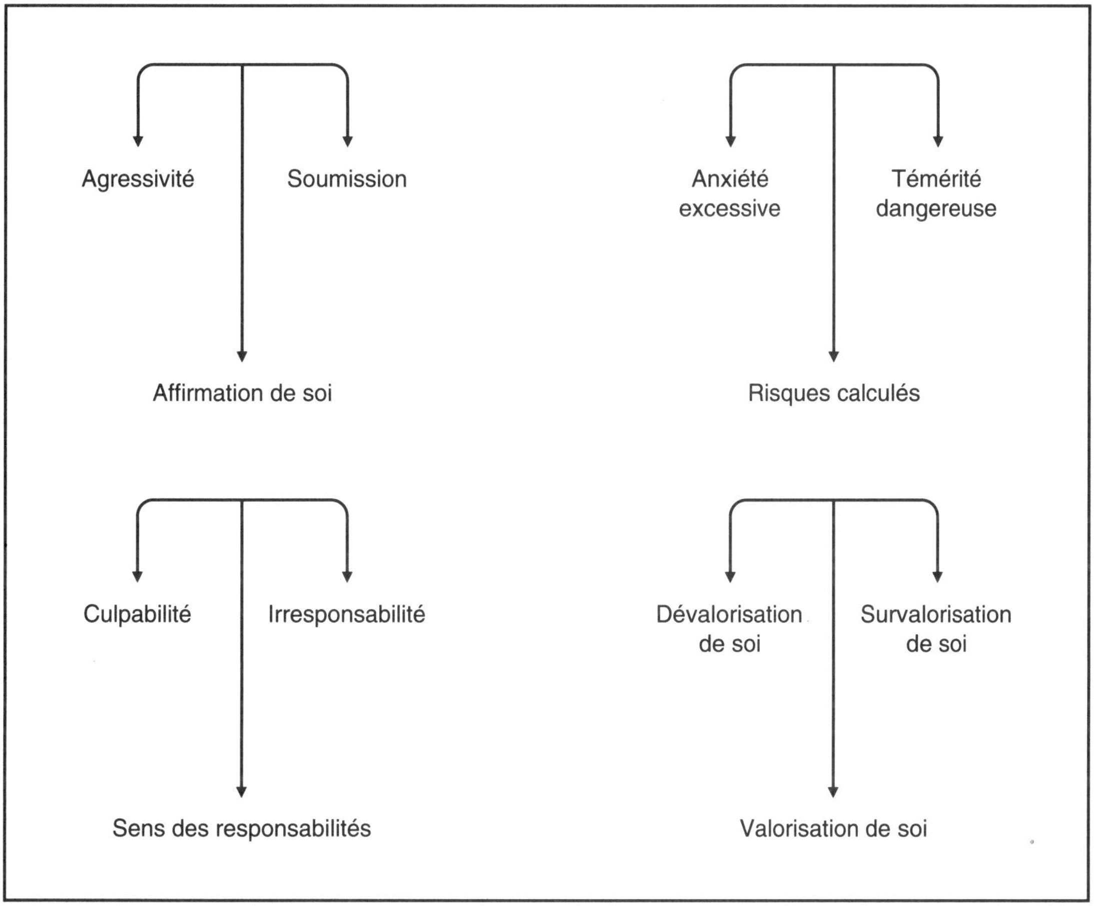

Agressivité	Soumission
Affirmation de soi	

Anxiété excessive	Témérité dangereuse
Risques calculés	

Culpabilité	Irresponsabilité
Sens des responsabilités	

Dévalorisation de soi	Survalorisation de soi
Valorisation de soi	

Le processus de réadaptation

Le cheminement de plusieurs personnes ne peut s'inscrire dans un tel processus de maturation, en particulier lorsque ce processus n'a pas permis d'aller plus loin dans le développement, ou encore, lorsque des stresseurs ont laissé des séquelles compromettant le développement ultérieur. En effet, bien des gens n'ont pas la marge de liberté intérieure ou extérieure suffisante ni l'autonomie nécessaire pour assumer leur développement personnel. C'est pourquoi il est important ici de considérer les individus qui, provisoirement ou d'une manière plus définitive, sont

Figure 4.11
Les hauts et les bas d'une remontée

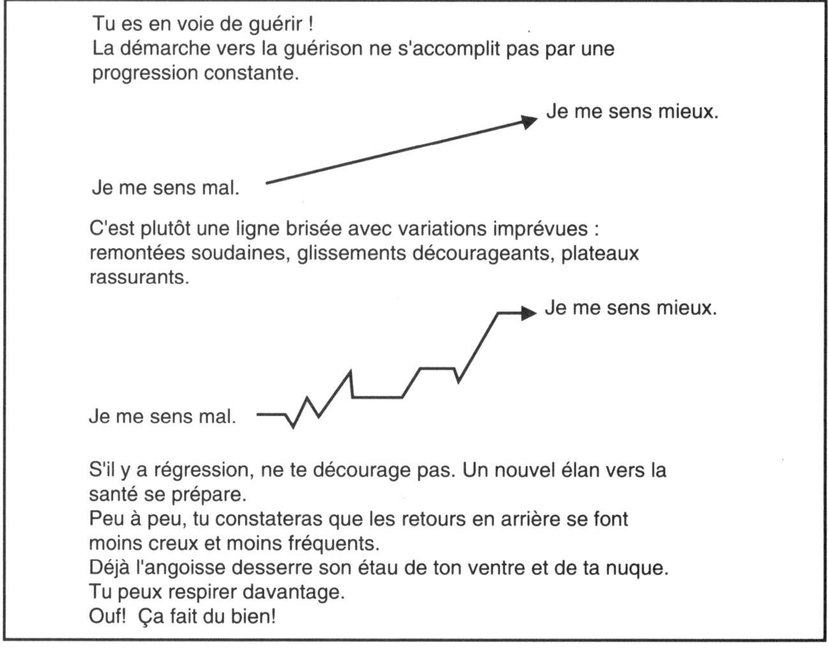

Source: Jean MONBOURQUETTE, *Aimer, perdre et grandir. L'art de transformer une perte en gain*, Saint-Jean-sur-Richelieu, Les Éditions du Richelieu ltée, p. 60.

incapables de suivre le rythme d'adaptation «normal», quelle que soit la nature de leurs difficultés.

C'est le cas, en particulier, de certaines personnes aux prises avec des déficiences, ou d'autres qui, dès leur jeune âge, vivent de façon permanente une situation sociofamiliale ne répondant pas à leurs besoins profonds. Très souvent, les séquelles limitent l'autonomie et imposent des conditions de vie particulières. Certaines limitations fonctionnelles découlant des déficiences physiques, sensorielles, intellectuelles, psychiques entraînent des inadaptations durables et diminuent le pouvoir d'adaptation à l'environnement dans lequel doivent vivre régulièrement un grand nombre de personnes. Ces dernières ne vivent pas dans des conditions régulières d'adaptation et nécessitent des mesures particulières, transitoires ou permanentes, pour que soit assurée leur intégration adéquate dans la collectivité à un moment ou à un autre de leur vie.

Le processus de réadaptation se rapporte surtout à la dimension de l'adaptation psychosociale qui concerne l'adaptation de l'environnement aux personnes présentant des déficiences. En plus du cadre de référence social nécessaire à l'intégration sociale, il est essentiel d'offrir un climat, une atmosphère, des scénarios leur permettant de s'intégrer adéquatement dans le respect des limites individuelles en mettant l'accent sur leurs forces. Cela signifie respecter davantage l'individualité et l'apport de la personne concernée dans son propre développement afin d'augmenter sa marge de liberté intérieure et extérieure, son autonomie et de favoriser son renoncement à une résignation inappropriée.

L'adaptation active, par un processus de réadaptation, est plus positive et ouverte. Elle consiste dans l'effort fait par l'environnement pour aider la personne à maximaliser son potentiel d'adaptation. Comment cela peut-il se faire ? Soit en améliorant les possibilités et les habiletés de l'individu, soit en agissant pour améliorer les conditions naturelles, macrosociales et microsociales.

Par ce processus dynamique de réadaptation, la personne, avec l'aide de son entourage ou des intervenants sociaux, non seulement prend conscience de ses difficultés, mais trouve en elle l'énergie nécessaire pour d'abord rechercher, puis explorer les meilleures solutions possibles compte tenu des circonstances. Dans ce sens, elle s'efforce d'adapter l'environnement en remettant en cause les normes mêmes qui font obstacle à son intégration sociale et à son autonomie.

C'est là l'optique des travaux et des interventions de l'Office des personnes handicapées du Québec, l'OPHQ, qui illustrent une volonté de déboucher sur une action éducative et environnementale plus efficace. L'évolution terminologique, entre autres, a permis de resserrer le champ de l'inadaptation afin d'avoir une meilleure maîtrise de ces problèmes, tout en n'enfermant pas les personnes concernées dans une appellation à caractère péjoratif. La question de l'adaptation biopsychosociale par un processus de réadaptation nous incite à clarifier en quels termes (littéralement) se présentent les diverses problématiques, en distinguant les limitations fonctionnelles des personnes ayant des déficiences psychiques (maladies mentales) de celles ayant des déficiences intellectuelles, physiques ou sensorielles.

On parle de « déficience psychique » ou de « maladie mentale » lorsqu'un déséquilibre s'installe et se prolonge dans le temps. Il faut noter, cependant, que la maladie mentale révèle elle-même un effort du psychisme en vue de retrouver son équilibre, effort qui a échoué. Il est important de considérer les autres manières de trouver un équilibre qui, par la société, sont souvent perçues comme inadéquates, mais qui constituent pourtant des efforts d'adaptation tout à fait remarquables.

> «Les carencés, les sujets ayant des troubles graves de l'étayage, les déprimés profonds, les psychotiques, etc., n'ont guère les forces décrites dans un processus de maturation. Ils cherchent pourtant eux aussi à s'adapter et, dans une certaine mesure, ils y parviennent, mais avec une évolution tout à fait différente: par exemple, pour beaucoup de sujets psychotiques, en obsessionnalisant leur univers et en se protégeant ainsi de stress trop nombreux[27].»

Plusieurs personnes aux prises avec des déficiences intellectuelles, physiques ou sensorielles arrivent à développer leur autonomie et à vivre normalement malgré des limitations fonctionnelles importantes. Ces réussites concernent le cheminement de ceux et celles qui font face à des difficultés d'adaptation sérieuses et qui finissent malgré tout par s'adapter positivement, sainement.

La réussite d'un processus de réadaptation s'inscrit comme une forme particulière d'un processus de maturation. Tout en demeurant réalistes face à leurs limites individuelles et aux limites environnementales, plusieurs personnes affrontent la vie en trouvant un équilibre dynamique entre l'adaptation externe et l'adaptation interne. Les institutions sociales doivent souvent mieux s'articuler pour leur faciliter une plus grande adaptation biopsychosociale. L'inadaptation peut se maintenir et s'aggraver lorsque la collectivité ne s'adapte pas elle-même aux exigences «normales» des personnes, soit parce que le niveau d'exigences de cette collectivité est trop élevé, soit parce qu'elle prend une attitude hostile ou agressive, ou encore, parce qu'elle n'a pas les moyens de satisfaire les exigences individuelles.

Les institutions et les ressources soucieuses de maximaliser le potentiel d'adaptation de chacun et chacune doivent éviter le plus possible les situations d'échec, veiller à développer les capacités individuelles en dissipant ressentiment et amertume. Pour cela, il est important de ne pas asservir les personnes à un conformisme étouffant, de les faire évoluer le plus possible dans un climat d'ouverture et de liberté en ce qui concerne les habitudes de vie.

Le problème de l'inadaptation est donc moins la déficience elle-même et les limitations fonctionnelles, que la façon dont la personnalité

Tableau 4.6 L'expérience de Claude St-Jean

Extraits du livre d'Arlette Cousture, *Aussi vrai qu'il y a du soleil derrière les nuages.* Montréal, Éditions Libre Expression, 1982, 185 p.

«Je n'avais pas osé demander de détails à mes parents au sujet de la maladie de ma sœur. Aborder ce sujet, c'était frapper de toutes ses forces sur une plaie vive. Une pudeur peut-être. Un malaise, sûrement. Un vague malaise parce que, même si j'étais trop jeune pour comprendre, j'avais l'intuition, mais peut-être l'avais-je entendu dire, que la maladie de ma sœur était une maladie de famille. Si c'était une maladie de famille, est-ce que ça voulait dire que moi aussi je pouvais l'attraper? Dans ce temps-là, il ne m'était jamais venu à l'idée qu'une maladie, ça ne s'attrapait pas nécessairement. J'étais loin de penser qu'une maladie pouvait naître en même temps qu'une vie.» p. 19

« OUI, JE SUIS FOU. Fou d'angoisse dans le ventre qui, non, ne me fait pas mal. Je n'en peux plus d'attendre. Donnez-moi une seule vérité. Une seule (p. 19)[...] Il y en a je ne sais combien de penchés sur moi. Ils se frottent tous qui une oreille, qui le front ou la tête. Et moi, comme un tas de chair, j'attends qu'on me la donne, cette vérité.» p. 22

«Je n'aurai jamais mal. Toute une compensation. Il faudra juste que je m'adapte à certains changements. Certains changements! Ma foi, ils rient de moi. Perdre l'usage de mes jambes, de mes mains, de mes bras, avoir de plus en plus de difficulté à parler. Être menacé par des problèmes auditifs, visuels, cardiaques, peut-être même sentir diminuer mes facultés intellectuelles. Ils appellent ça des changements! Moi, j'appelle ça MOURIR!» p. 23

«VIVRE? Comment vivre en mourant? Cette fois, c'est clair. Je l'ai, la fichue maladie de la famille. Il va falloir que je fasse l'effort d'en apprendre le nom. L'ataxie de Friedreich. C'est fait. Ces mots m'obsèdent. Ils ne me sortiront plus de l'esprit.» p. 25

«Je m'étais tellement laissé absorber par mon travail que je n'avais pas vu arriver la rentrée scolaire. Non, je n'aurais pas le courage d'affronter les rires et les sourires. Dans le fond, je n'avais plus le courage de sortir de chez moi. Et puis, encore plus au fond, je n'avais pas le courage de vivre, j'ai voulu mourir. Je n'ai pas voulu mourir vraiment. J'ai juste voulu me donner une bonne frousse qui m'aurait peut-être redonné le goût de vivre. Je pensais qu'en frôlant la mort, j'apprécierais peut-être la vie.» p. 33

«Endormir ma conscience: voilà ce que je voulais faire. Endormir ma lucidité; jouer à l'autruche; taire mon mal à tous et interdire à qui que ce soit de mentionner ne fût-ce que le mot ataxie devant moi. Pendant des mois et des mois, personne ne pouvait parler de maladie, de douleur, même d'un petit bobo sans que je réagisse. Tous ces mots devaient être bannis du langage. Moi, dans tout cela, je réussissais à croire que le jour viendrait où, par ma gigantesque collection de lettres, je trouverais la solution à mon mal. Ce n'était qu'une question de jour, je le savais. Demain, ou après-demain. Certitude aveugle que je n'aurais pas attendu vainement.» p. 34

«Il suffit de chercher un miracle pour découvrir qu'il y a plein de gens qui en proposent tantôt à bon prix, tantôt à grand prix. Je décide de tout acheter. Je vais acheter un régime végétarien auquel je me soumets de façon draconienne. Rien. Je vais faire de la méditation. Rien. Je fais du yoga. Rien. Je vais en acupuncture. Rien. Je vais chez le chiropraticien. Rien. Je me fais imposer les mains par un médium. Rien. Je porte un pendentif "curatif". Rien. Je bois des infusions miracles. Rien. (Je résiste par contre à l'envie de trouver un sorcier indien.) À travers ces démarches, je vois quand même quelques médecins traditionnels. Rien...» p. 35

«À défaut des Philippines, je décide d'aller jeûner dans une clinique du Texas. Il fait chaud et j'ai soif. Le jeûne ne donne rien, si ce n'est que je laisse à la clinique quelques kilos de mon moral.» p. 37

«J'énumère toutes ces démarches à une vitesse folle. Mais il faut dire que chaque fois que j'en ai entrepris une, c'était toujours la tête et le cœur gonflés d'espoir. On aurait dit qu'à chacune de mes déceptions, je m'acharnais à devenir mon propre bourreau.» p. 35

«Et je ne parlerai pas de toutes les fois qu'on m'a demandé mes papiers ou conduit au poste de police pour ivresse sur la voie publique. Si au moins j'avais bu! Mais non.» p. 37

«Le pont de la Concorde est toujours suspendu. Et moi je suis dessus, accroché à ma nausée. J'ai perdu mon emploi. Ce n'est pas parce que je travaillais mal. C'est que je devais comprendre, le public ne sait pas que j'ai une maladie qui fait que j'ai l'air en état d'ivresse. Les gens n'aiment pas ça voir quelqu'un qui donne l'impression de tout échapper à chaque instant.» p. 35

«La mort. Vivement la mort. Il n'y a personne au monde qui va réussir à me faire croire qu'il peut y avoir une vie devant soi. Je me retrouve exactement au même point. Je suis sur le pont de la Concorde avec une peur épouvantable. J'ai l'ataxie depuis deux ans, et tout ce que j'ai réussi à faire, ça a été de tourner en rond. Dans tous les sens du terme.» p. 38

«Non! Pas d'illusions pour les ataxiques: "C'est une maladie qui évolue lentement et qui à plus ou moins long terme provoque des complications cardiaques ou respiratoires"...» p. 40

«J'essaie par tous les moyens de me trouver des raisons d'être. Je me trouve un leitmotiv: demain pourrait être pire... Je voudrais avoir ce sens de l'humour, mais j'en suis incapable.» p. 44

«J'ai réussi. J'ai réussi à communiquer ma folie. Ma mère martèle la porte. J'entends vaguement qu'elle m'appelle. Je veux mourir, cette fois c'est vrai. [...] Et moi, je crois que ce soir-là, j'ai atteint le fond d'un autre gouffre: celui de la folie.» p. 45-46

«Il faut que je sorte d'ici. Je ne suis pas fou. Oui, je suis fou, mais pas de cette folie-là. Je ne suis qu'un fou de peur et de douleur. Je ne suis qu'un fou condamné. Au secours!» p. 47

«L'écoute se révélera le premier remède efficace. Je n'ai pas l'impression de radoter. Marie, au moins, ne m'a jamais entendu parler de toutes ces histoires. Enfin, elle prend la parole. Elle me parle de la réalité.[...] Je sais qu'il y a quelqu'un qui est prêt à m'écouter chaque fois que j'aurai besoin de me faire entendre.» p. 48

«Je vais m'en occuper. Je vais m'occuper d'autres choses que de mes chagrins. Maintenant, on a trop de chagrins pour n'en considérer qu'un seul. Je vais abattre les murs de l'ignorance et les murs de l'indifférence. On nous condamne à être impuissants. Qu'à cela ne tienne, on va devenir forts...» p. 54

«Notre ennemi, Luc, c'est beaucoup plus que l'ataxie. Notre grand ennemi, c'est l'inconnu.[...] Agir au lieu de réagir. Agir dans une direction et cesser de m'épivarder. M'asseoir et penser au lieu de m'agiter comme un coq dans un poulailler.» p. 55

«Maintenant, c'est moi qui vais mener l'attente...J'avais atteint le fond de l'abîme. Maintenant, je commence à faire surface.» p. 56

«Une certitude. Une conviction profonde que les choses vont commencer à bouger. Les choses. Facile à dire. Dans le fond, si les choses commencent à bouger, c'est parce que moi j'ai commencé à bouger.» p. 58

«Boule de neige. En quelques mois, l'ataxie devient une sujet hot, comme on dit dans les termes du métier de journaliste. Une interview dans un journal, une autre, et puis c'est mon grand coup de pot. Je vais paraître à la télé.» p. 61

«Mais nous sommes nombreux, tellement nombreux que c'en est effrayant. Par ma simple présence, je les fais sortir de l'anonymat. Une espèce de fraternité est sur le point de se créer.» p. 62

«On vient de mettre au monde un beau bébé. 14 décembre 72, fondation de l'Association canadienne de l'ataxie de Friedreich (Fondation Claude St-Jean)[...] Sortir de l'anonymat me laisse un sentiment d'ambivalence. Je suis flatté, c'est certain.» p. 65-66

«En deux semaines, j'étais devenu tellement pris par ma nouvelle vie, que déjà je ne trouvais plus de temps à consacrer à mes anciennes amours: la tristesse et le désespoir...Ces anciennes amours s'estompaient comme une route s'estompe dans la brume, au point de frôler l'irréel.» p. 69

«D'une maladie pire peut-être que l'ataxie: la maladie frontière entre une raison d'être et une raison de non-être. Tout ce qui arrivait prenait de plus en plus l'allure d'une qualité de vie.» p. 72

«Quelle dure leçon de réalisme! Je pensais naïvement qu'à partir de l'instant où deux ou trois médecins décideraient de découvrir la cause et la cure de l'ataxie, on pouvait dire Abracadabra et qu'on me guérirait dans les jours suivants. Quelle blague!» p. 73

«Presque à plat au début, je me régénère à même mon action. Quelle découverte! La force engendre la force.» p. 78

«Il y a une chose que je refuse de perdre, c'est ma capacité d'émotion. C'est mon privilège et je le garde.» p. 119

«Cinq ans déjà. Et mon ataxie qui, elle, a onze ans. Voilà onze ans qu'elle me tiraille sans arrêt mais je refuse avec toute l'énergie dont je dispose de lui donner de la corde. Elle m'en vole déjà beaucoup trop.» p. 129

«C'est ce genre d'implication des gens qui nous donne le courage de continuer.» p. 143

les intègre. Les limitations fonctionnelles ne sont qu'un des aspects à considérer. D'où l'importance de mettre davantage l'accent à la fois sur les ressources individuelles et sur les ressources environnementales. On aide ainsi la personne à vivre avec ses limitations, à s'adapter normalement malgré sa pathologie, à s'actualiser le plus possible comme une «personne à part entière». Il s'agit d'une coresponsabilité des différents partenaires.

Tout processus de réadaptation implique une double nécessité: d'une part, celle d'une prise de conscience par la personne du problème qui est le sien, première étape en vue d'une participation et d'une prise en charge de son cheminement adaptatif; d'autre part, la nécessité d'une coopération entre elle et les divers intervenants.

> «[...] cela peut aussi conduire à une réaction de défi positive, où, recherchant une performance qui peut sembler plus difficile dans son cas, la personne est valorisée et finit par "s'ajuster" à sa situation et à mener une vie intéressante[28].»

Ainsi, la recherche de compensation peut être un comportement constructif pour l'autoréalisation. La voie la plus satisfaisante est de s'engager à ne poursuivre que des activités que l'on peut réaliser et pour lesquelles on a du goût. Le tableau 4.6 illustre cette dimension à partir de l'expérience de Claude St-Jean, expérience qui peut être considérée comme un processus de réadaptation psychosociale réussi.

Le processus de rééducation

Le processus de rééducation se rapporte en particulier à la dimension de l'adaptation psychosociale qui concerne un minimum de conformité sociale. Ici, on cherche surtout à adapter la personne à son environnement parce qu'elle ne répond pas ou peu aux normes sociales minimales. On l'amène à intégrer et à considérer ces normes, l'obligeant souvent à changer elle-même son optique, sa façon d'être, ses comportements antisociaux parce que ces derniers portent préjudice à d'autres membres de la collectivité. Les personnes en situation de déviance ont souvent besoin d'un cadre de référence organisé leur permettant d'approcher, de décoder, de comprendre la norme sociale afin de mieux saisir leurs droits individuels, mais également leurs responsabilités sociales. On trouve dans

***Figure 4.12* Dépendance de l'alcool et guérison**

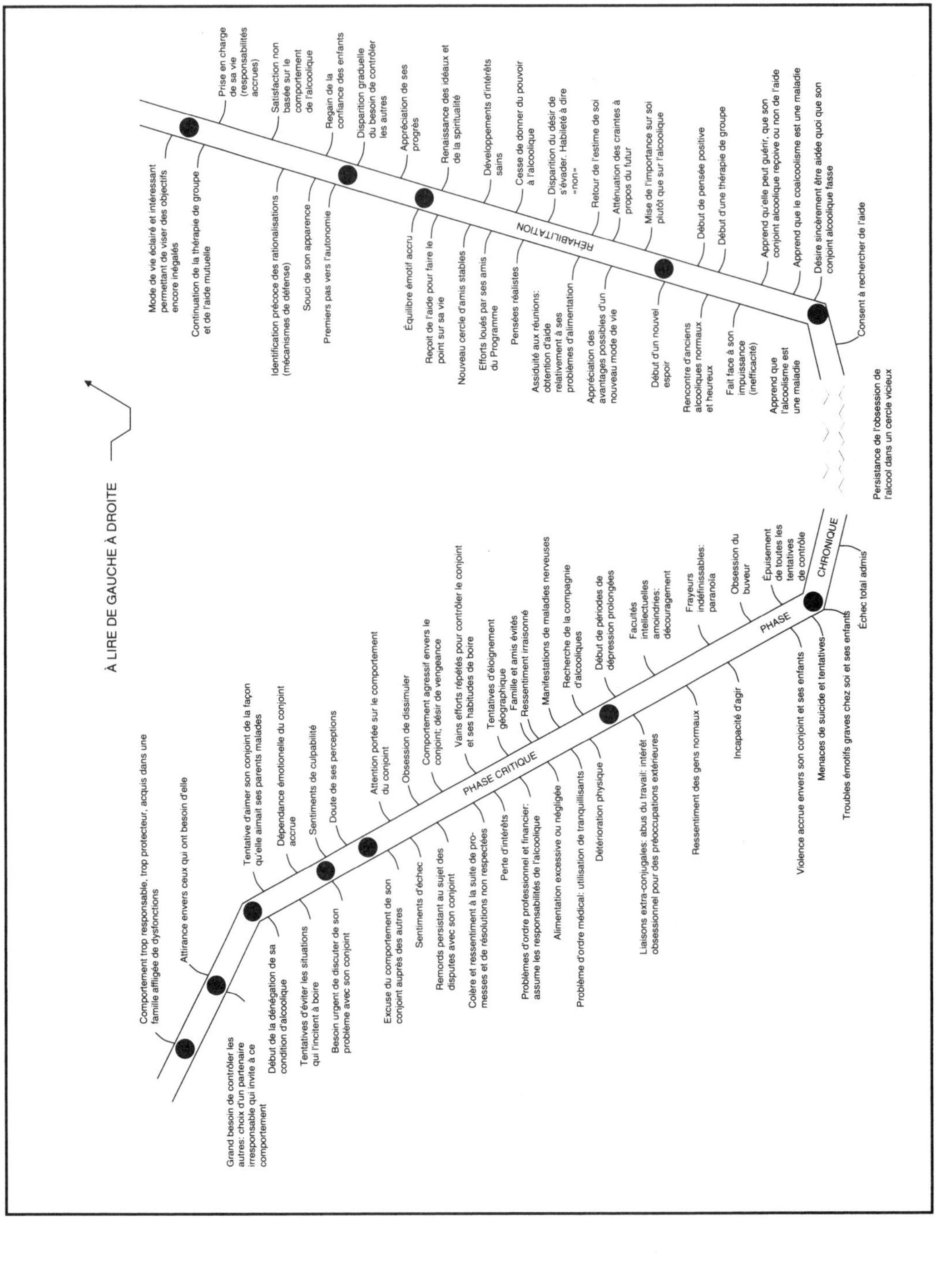

À LIRE DE GAUCHE À DROITE

Comportement trop responsable, trop protecteur, acquis dans une famille affligée de dysfonctions
Attirance envers ceux qui ont besoin d'elle
Grand besoin de contrôler les autres: choix d'un partenaire irresponsable qui invite à ce comportement
Tentative d'aimer son conjoint de la façon qu'elle aimait ses parents malades
Début de la dénégation de sa condition d'alcoolique
Dépendance émotionelle du conjoint accrue
Tentatives d'éviter les situations qui l'incitent à boire
Sentiments de culpabilité
Besoin urgent de discuter de son problème avec son conjoint
Doute de ses perceptions
Attention portée sur le comportement du conjoint
Excuse du comportement de son conjoint auprès des autres
Sentiments d'échec
Obsession de dissimuler
Comportement agressif envers le conjoint; désir de vengeance
Remords persistant au sujet des disputes avec son conjoint
Vains efforts répétés pour contrôler le conjoint et ses habitudes de boire
Colère et ressentiment à la suite de promesses et de résolutions non respectées
PHASE CRITIQUE
Perte d'intérêts
Tentatives d'éloignement géographique
Famille et amis évités
Ressentiment irraisonné
Problèmes d'ordre professionnel et financier: assume les responsabilités de l'alcoolique
Manifestations de maladies nerveuses
Alimentation excessive ou négligée
Recherche de la compagnie d'alcooliques
Problème d'ordre médical: utilisation de tranquillisants
Détérioration physique
Début de périodes de dépression prolongées
Liaisons extra-conjugales: abus du travail: intérêt obsessionnel pour des préoccupations extérieures
Facultés intellectuelles amoindries: découragement
Ressentiment des gens normaux
Frayeurs indéfinissables: paranoïa
Incapacité d'agir
Obsession du buveur
PHASE CHRONIQUE
Épuisement de toutes les tentatives de contrôle
Violence accrue envers son conjoint et ses enfants
Menaces de suicide et tentatives
Troubles émotifs graves chez soi et ses enfants
Échec total admis
Persistance de l'obsession de l'alcool dans un cercle vicieux
Consent à rechercher de l'aide
Désire sincèrement être aidée quoi que son conjoint alcoolique fasse
Apprend que l'alcoolisme est une maladie
Apprend que le coalcoolisme est une maladie
Apprend qu'elle peut guérir, que son conjoint alcoolique reçoive ou non de l'aide
Fait face à son impuissance (inefficacité)
Début d'une thérapie de groupe
Rencontre d'anciens alcooliques normaux et heureux
Début de pensée positive
Début d'un nouvel espoir
Mise de l'importance sur soi plutôt que sur l'alcoolique
Atténuation des craintes à propos du futur
Appréciation des avantages possibles d'un nouveau mode de vie
Retour de l'estime de soi
RÉHABILITATION
Assiduité aux réunions: obtention d'aide relativement à ses problèmes d'alimentation
Disparition du désir de s'évader. Habileté à dire «non»
Pensées réalistes
Cesse de donner du pouvoir à l'alcoolique
Efforts loués par ses amis du Programme
Développements d'intérêts sains
Nouveau cercle d'amis stables
Reçoit de l'aide pour faire le point sur sa vie
Renaissance des idéaux et de la spiritualité
Équilibre émotif accru
Appréciation de ses progrès
Disparition graduelle du besoin de contrôler les autres
Premiers pas vers l'autonomie
Regain de la confiance des enfants
Souci de son apparence
Identification précoce des rationalisations (mécanismes de défense)
Satisfaction non basée sur le comportement de l'alcoolique
Prise en charge de sa vie (responsabilités accrues)
Continuation de la thérapie de groupe et de l'aide mutuelle
Mode de vie éclairé et intéressant permettant de viser des objectifs encore inégalés

Source: M. M. GLATT, M. D. D. P. M. *The British Journal of Adduction*, vol. 54, n° 2.

toute société des conduites variantes et des conduites déviantes, qui sont tolérées à divers degrés.

> «Selon le type de conduite déviante, la tolérance est différente. Si je réagis par une organisation névrotique, j'ai droit à l'assurance maladie. Si je réagis par la délinquance, j'ai droit à la prison[29].»

La variance est le choix dont bénéficient les membres d'une société entre des modèles permis. La déviance est le recours à des modèles qui se situent à la limite de ce qui est permis ou en dehors de ce qui est permis. La déviance sociale, caractérisée par certaines conduites antisociales – en particulier, les activités délinquantes graves – est une forme d'inadaptation extrême et beaucoup moins acceptée que la variance. C'est pourquoi l'adaptation psychosociale suppose l'utilisation adéquate de la marge de liberté ou d'autonomie qu'accorde l'environnement social à une personne à la condition que cette dernière respecte minimalement les normes de conduite.

Il nous semble important de ne pas confondre «variance» et «déviance» avec «non-conformité». D'une part, adopter des valeurs et des conduites variantes ou déviantes ne signifie pas, pour tous ceux et celles qui le font, une rupture identique avec les valeurs dominantes ou les modèles préférentiels. À titre d'exemple, pensons aux activités délinquantes selon que l'on provient d'un milieu délinquant (dans lequel les conduites délinquantes font partie des valeurs dominantes) ou d'un milieu non délinquant (dans lequel ces conduites n'en font pas partie). D'autre part, la variance et la déviance sont rarement individuelles. On les retrouve généralement dans des milieux de sous-culture ou dans des sous-groupes d'appartenance, dans lesquels se retrouve un nouveau conformisme. La variance et la déviance dépendent aussi beaucoup de l'âge (par exemple, l'adolescence).

Une conduite ou des comportements jugés variants ou déviants du point de vue d'un groupe sont en même temps conformistes du point de vue d'un autre. Paradoxalement, on peut retrouver beaucoup de conformisme dans l'anticonformisme de certains groupes. D'une manière générale, on constate que le conformisme à l'égard des normes d'une microsociété ne garantit nullement l'adaptation à la société globale. Un motard peut se conformer aux normes de son groupe sans que ce groupe ne se conforme nécessairement aux normes de la société. Le même phénomène existe dans certaines sectes religieuses. Ainsi:

« [...] on peut retrouver, dans les milieux de non-conformisme et d'anticonformisme, la même gradation de stricte conformité, de tolérance ou de reconnaissance de la liberté et de l'innovation que dans tout autre milieu[30]. »

« Sur le plan psychologique, on reconnaît que les mécanismes de la socialisation et du contrôle social laissent place à des modalités variées d'adaptation sociale. De plus, la socialisation n'a pas nécessairement comme résultat de produire la conformité ou le conformisme. Le conformisme le plus strict n'est pas nécessairement une exigence de la société. Il ne l'est que de certaines sociétés données, de certaines collectivités ou de certains groupes. Et on peut dire la même chose de la conformité dans la déviance. Certains groupes déviants imposent une plus stricte conformité à leurs normes que d'autres[31]. »

Notons que la déviance, sauf dans certains cas exceptionnels, consiste la plupart du temps pour une personne à recourir à des modèles qui ne sont pas acceptés par la société globale, mais qui sont proposés par un groupe marginal. La personne qui se prostitue, la personne clocharde, le jeune *skinhead* se conforment à certaines normes que leur propose ou impose, parfois brutalement, le « milieu » auquel ils appartiennent. La déviance est donc, en général, un mode inversé de conformité. Elle est conformité à une manière de vivre anticonformiste ou antisociale.

Un processus de rééducation devient nécessaire lorsque les aspirations et besoins personnels dépassent les possibilités sociales de les satisfaire, ou encore, lorsque les comportements d'une personne compromettent l'équilibre des autres ou de la collectivité. Notons, cependant, que le processus de rééducation ne consiste pas à « mouler » ces personnes pour qu'elles se conforment à un modèle social uniforme. Il consiste à les rendre plus sensibles à leurs propres besoins, à les aider à y répondre d'une façon satisfaisante pour elles, à tenter de diminuer les tensions entre elles-mêmes et leur environnement. Il s'agit de les rendre plus sensibles aux besoins de leur environnement en leur permettant d'intégrer les normes minimales d'une vie de groupe ou d'une vie en société. La figure 4.12 illustre la situation par l'exemple de l'alcoolisme.

Les cercles vicieux ou les échecs d'adaptation

Toutes les personnes n'arrivent pas à retrouver un équilibre par les trois cheminements adaptatifs décrits plus haut et nous sommes, dans plusieurs cas, face à des échecs d'adaptation d'une manière transitoire ou permanente. En effet, malgré leurs efforts, un grand nombre de personnes sont dans un cercle vicieux qui maintient ou aggrave les difficultés d'adaptation et qui empêche, du moins temporairement, la reprise d'un cheminement adaptatif. Il devient essentiel alors de saisir ce qui a pu dégénérer en cercle vicieux avant d'amorcer graduellement un processus de réadaptation ou de rééducation. Il est de plus important de bien comprendre les résistances de la personne qui, d'un côté, est «inadaptée», mais qui, d'un autre côté, tend à le rester puisqu'elle a trouvé une «adaptation inadéquate».

Si plusieurs conditions sont défavorables et si les émotions désagréables sont présentes longtemps et à une forte intensité, la personne risque de «maintenir» ou d'«empirer» les obstacles; elle élargit ainsi l'écart entre les attentes et la réalité plutôt que de le diminuer. C'est le cercle vicieux de plusieurs inadaptations.

La loi du silence est un exemple de cercle vicieux. Face à une situation d'inceste paternel, par exemple, le silence est la solution choisie par la fille qui a peur des représailles ou des pertes. Plus elle a peur, moins elle parle et plus la situation d'inceste se prolonge. Plus elle a honte ou se sent coupable, moins elle parle. Le silence continue et la situation se détériore. C'est la solution choisie, le silence, qui a aggravé le problème. Plus elle garde le secret, le silence, plus cela devient un cercle vicieux, et la difficulté vécue va en s'amplifiant, en se détériorant.

L'alcoolisme peut aussi servir à illustrer cette notion. Pour apaiser son anxiété ou sa culpabilité, un individu consomme une grande quantité d'alcool; cette conduite vise l'adaptation, c'est-à-dire: être à l'aise avec soi et les autres en diminuant l'anxiété ou la culpabilité. L'adaptation est temporaire puisqu'elle disparaît à mesure que l'effet de l'alcool s'estompe. Les obstacles augmentent et l'écart s'agrandit plutôt que de diminuer. L'objectif visé n'est pas atteint sans alcool et l'adaptation, à la longue, n'est pas réussie. Cela conduit la personne à tenter de s'adapter en recourant à l'alcool, continuant ainsi à renforcer le cercle vicieux. Peele a fourni d'autres exemples de cercle vicieux, qu'il a appelé «cycle de l'assuétude» (*voir la figure 4.13*). Il montre comment l'utilisation répétée des mêmes expédients peut aggraver une situation. Ces expédients deviennent progressivement des solutions inadéquates qui mettent en échec les efforts d'adaptation.

***Figure 4.13* Cercle vicieux**[1]

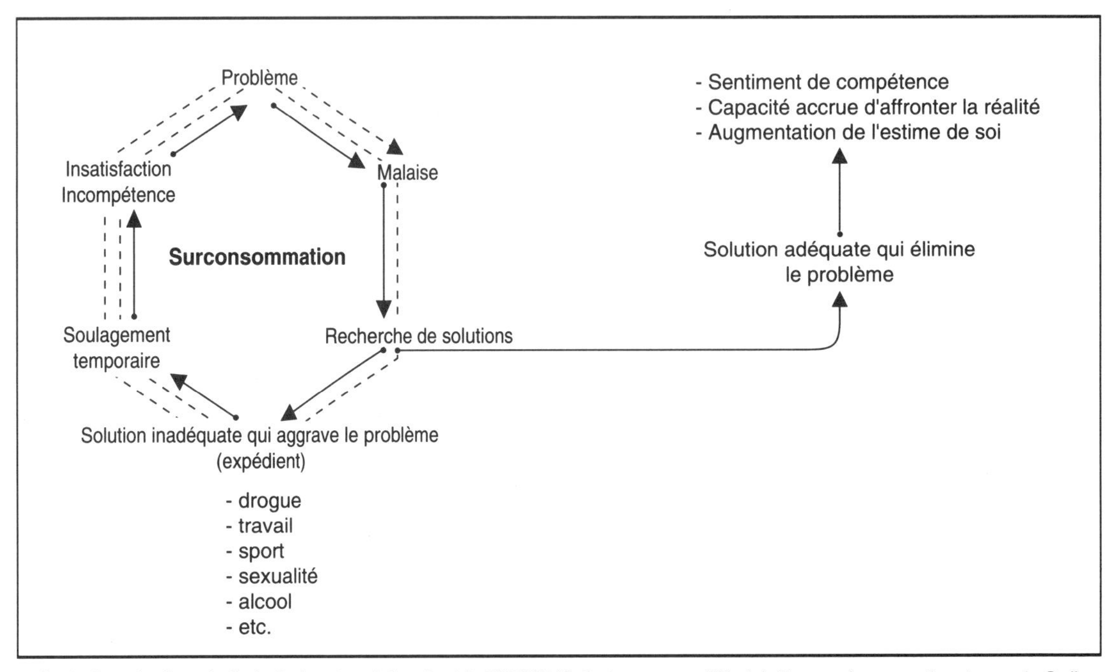

[1] D'après le cycle d'assuétude de Peele présenté dans Patricia HANIGAN, *La jeunesse en difficulté. Comprendre pour mieux intervenir,* Québec, Presses de l'Université du Québec, 1990, p. 75.

Il en est ainsi pour plusieurs tentatives d'adaptation qui, à long terme du moins, aggravent les problèmes plutôt que de les diminuer. «Plus de la même chose» ou «quand le problème, c'est la solution choisie» sont des expressions de Watzlawick, Weskland et Fish, illustrant que nous sommes alors en présence d'un mode inadéquat de résolution de problèmes.

> «On s'étonne de voir que, d'une part, l'absurdité de ce genre de solution devient évidente, tandis que de l'autre on essaie sans cesse d'y recourir, comme si ceux qui ont la responsabilité de faire les changements étaient incapables de tirer de l'histoire les conclusions qui s'imposent[32].»

Nous pouvons alors parler d'«inadaptation durable» ou «prolongée». Dans ce cas-ci, nous constatons que les échecs résident davantage dans les manières de penser et de réagir de la personne ou de son environnement que dans le problème qu'on voulait solutionner au départ. Il en est ainsi pour d'autres formes d'inadaptation comme le crime, la prostitution, la délinquance, le suicide. Dans d'autres cas, cependant, les tentatives inadéquates d'adaptation résultent de problèmes physiques ou mentaux. Ces formes inadéquates d'adaptation se répercutent souvent douloureusement sur l'environnement, d'où le maintien de cercles vicieux.

Certaines inadaptations provisoires peuvent ainsi se transformer en inadaptations durables et même en échecs d'adaptation précisément parce que la solution choisie est inadéquate.

> « [...] dans certaines circonstances, des problèmes apparaissent simplement comme résultats de tentatives mal dirigées pour modifier une difficulté réelle, et [qu']une telle genèse des problèmes peut se produire à tous les niveaux du fonctionnement humain-individuel, dyadique, familial, socio-politique, etc.[33] »

Ces problèmes deviennent des impasses, des escalades, des situations inextricables, des dilemmes difficilement supportables que l'on a créés et fait durer en aggravant des difficultés. Watzlawick a identifié trois types de solutions inadéquates, trois façons fondamentales de provoquer une telle aggravation : choisir une solution qui revient à nier qu'un problème est un problème ; s'efforcer de modifier une difficulté qui est inaltérable ou inexistante ; intervenir sur le mauvais plan comme exiger un changement d'attitude quand un changement de conduite suffirait.

Après avoir bien cerné le « cercle vicieux » de certaines inadaptations durables, on peut trouver, dans plusieurs cas, un nouveau cadre pour solutionner les problèmes difficiles. Cette prise de conscience peut aider la personne et son environnement à s'orienter vers des cheminements adaptatifs plus appropriés.

NOTES

1. S. LEBOVICI. La communication. p. 443-444.
2. Léon-Maurice LAROUCHE. « Troubles psychiatriques reliés au stress » dans LALONDE, GRUNBERG et collab., *Psychiatrie clinique, approche bio-psycho-sociale*, Montréal, Gaëtan Morin éditeur, 1988, p. 179.
3. Dr Michel LEMAY. Notes manuscrites.
4. Dr Michel LEMAY. Notes manuscrites.
5. Diane E. PAPALIA et Sally W. OLDS. *Le développement de la personne*, Montréal, Éditions Études vivantes, 3e édition, 1989, p. 316.

6. Léon-Maurice LAROUCHE. *Op. cit.*, p. 178.
7. Victor E. FRANKL. *Découvrir un sens à la vie*, Montréal, Les Éditions de l'Homme, 1988, 165 p.
8. René DUBOS. *L'homme et l'adaptation au milieu*, Paris, Payot, coll. «Sciences de l'homme», 1973, p. 253.
9. Donna C. AGUILERA et Janice M. MESSICK. *Intervention en situation de crise*, Toronto, The C.V. Mosby Company, 1976, p. 61.
10. Pierre BADIN. *Aspects psychosociaux de la personnalité. La psychologie de la vie sociale 1*, Paris, Éditions du Centurion, 1977, p. 177.
11. Paul CHAUCHARD. *Le cerveau et la conscience*, Paris, Éditions du Seuil, 1960, p. 182.
12. Guy ROCHER. *Introduction à la sociologie générale*. Tome 1: *L'action sociale,* Montréal, Éditions Hurtubise HMH, 1969, p. 48.
13. René DUBOS. *Op. cit.*, p. 248.
14. Favez BOUTONNIER. Notes de cours donnés à la Sorbonne, référence suggérée par le Dr Michel LEMAY.
15. Paul CHAUCHARD. *Op. cit.*, p. 176.
16. Dr SAGET. *Cours de psycho-pathologie*, Université de Reims, avril 1972, Département de philosophie. Cité par R. MORIN, «Adaptation et inadaptation» dans *Les cahiers de l'enfance inadaptée*, no 267, décembre 1983, p. 13.
17. Paul TOURNIER. *Le personnage et la personne*, Neuchâtel, Delachaux et Niestlé, 1955, p. 73. Cité par Florian SARTORIO, «La vie, une recherche constante d'équilibre», *Vie et Santé*, p. 11.
18. Jean PIAGET. *Psychologie de l'intelligence*, Paris, Armand Colin, 1967, édition de 1973, p. 14. Cité par R. MORIN, *op. cit.*, p. 14.
19. Yves SAINT-ARNAUD. Conférence de clôture. Actes du Congrès C.Q.E.E., p. 40.
20. Jean PIAGET. *Loc. cit.*
21. R. LAFON. «L'enfance inadaptée» dans *Encyclopedia Universalis*, tome VI, p. 225 et 226. Cité par R. MORIN, *op. cit.*, p. 13.
22. F. MEYER. «Le concept d'adaptation» dans F. BRESSON, Ch. F. MARX, F. MEYER et collab., *Les processus d'adaptation. Symposium de l'Association de psychologie scientifique de langue française*, Paris, P.U.F., 1967, p. 12.
23. Dr Michel LEMAY. Notes manuscrites.
24. Pierre BADIN. *Op. cit.*, p. 177.
25. Abraham H. MASLOW. *Vers une psychologie de l'être*, Paris, coll. «L'expérience psychique», Fayard, 1972, p. 23 à 50.
26. Yves SAINT-ARNAUD. *Devenir autonome. Créer son propre modèle*, Montréal, coll. «Actualisation», Le jour éditeur, 1983, chapitres 5 et 6, et *La personne humaine. Introduction à l'étude de la personne et des relations interpersonnelles*, Montréal, Les Éditions de l'Homme, 1974, chapitre 3.
27. Dr Michel LEMAY. Notes manuscrites.
28. OFFICE DES PERSONNES HANDICAPÉES DU QUÉBEC (OPHQ). *En famille et en société*, volumes 5 et 6, 1988, p. 9.
29. Dr Michel LEMAY. Notes manuscrites.
30. Guy ROCHER. *Op. cit.*, p. 133.
31. *Ibid.*, p. 135.
32. Paul WATZLAWICK, John WEAKLAND, Richard FISH. *Changement, paradoxes et psychothérapie*, Paris, Éditions du Seuil, 1975, p. 51.
33. *Ibid.*, p. 54.

EN BREF

Dans une perspective systémique, **l'analyse des différentes conditions en présence** permet de comprendre pourquoi certaines personnes réussissent à s'adapter après une période d'inadaptation provisoire alors que d'autres se retrouvent dans une situation de crise ou d'inadaptation durable. Dans certains cas, les conditions sont défavorables à l'adaptation et contribuent à engendrer, à maintenir ou à prolonger la période d'inadaptation. Dans d'autres cas, les conditions sont favorables à l'adaptation et permettent un retour à l'équilibre partiel ou total. L'interaction entre les conditions en présence est directement reliée à la réussite de l'adaptation.

L'adaptation biopsychosociale doit être considérée comme **un processus dynamique** parce que l'être humain est constamment soumis à des situations nouvelles. La marge de liberté individuelle varie selon les personnes et selon les situations auxquelles elles font face. À chaque étape de sa vie, une personne aura à maximaliser son potentiel d'adaptation en vivant davantage avec ce qui lui reste qu'avec ce qui lui manque. Le changement adaptatif est peut-être difficile, mais il est possible si chaque personne apprend à développer surtout son pouvoir d'adaptation dans un optimisme réaliste. Plusieurs obstacles sont inhérents aux efforts d'adaptation. Quand une personne surmonte les obstacles, elle en ressort enrichie; quand elle ne peut surmonter les obstacles, elle peut régresser. La principale caractéristique d'une adaptation réussie concerne la recherche constante d'équilibre dynamique sur les plans biologique, psychologique et social. L'adaptation biopsychosociale fait référence à deux dimensions essentielles: une prise en charge personnelle relevant d'une adaptation interne et un minimum de conformité sociale relevant d'une adaptation externe.

Le terme «**cheminement adaptatif**» renvoie au passage d'une situation d'inadaptation à une situation progressive d'adaptation. La période d'adaptation consiste essentiellement dans la recherche et la mise en place d'un nouvel équilibre. D'une manière générale, nous pouvons distinguer trois cheminements adaptatifs possibles: le processus de maturation, le processus de réadaptation et le processus de rééducation. Cependant, ces processus ne fonctionnent pas dans le cas où nous sommes en présence de cercles vicieux, qui maintiennent ou aggravent les difficultés d'adaptation.

QUESTIONS

Vrai Faux

☐ ☐ 1. Certains stresseurs sont en eux-mêmes plus sévères que d'autres.

☐ ☐ 2. Les stresseurs d'ordre déprivatif sont moins dévastateurs sur le plan psychologique que les stresseurs d'ordre agressif.

☐ ☐ 3. Plusieurs séquelles peuvent s'amoindrir avec le temps, mais d'autres fragilisent progressivement la personne, l'affaiblissent et risquent en retour d'aggraver le déséquilibre.

☐ ☐ 4. Un jeune qui a été exposé à plusieurs facteurs d'inadaptation est souvent plus en mesure de surmonter les situations difficiles qui se présentent dans les autres étapes de son histoire personnelle.

☐ ☐ 5. Devant les stresseurs, les réactions adéquates du corps, du psychisme ou de l'entourage peuvent compromettre un retour à l'équilibre sur un ou plusieurs plans.

☐ ☐ 6. Minimiser ou maximiser un problème constituent des déformations qui peuvent être nuisibles si elles se prolongent trop longtemps.

☐ ☐ 7. La présence de soutiens situationnels non appropriés est une condition défavorable à l'adaptation.

☐ ☐ 8. Selon Rutter, les enfants élevés dans des milieux très défavorisés et exposés quotidiennement à de nombreux stresseurs deviennent toujours des adultes présentant de nombreux problèmes.

☐ ☐ 9. L'inadéquation des mécanismes de résolution des problèmes concerne les aptitudes d'une personne à trouver des réponses satisfaisantes aux difficultés qu'elle rencontre.

☐ ☐ 10. L'analyse de l'interaction des conditions défavorables et favorables permet d'évaluer l'expérience totale de la personne.

☐ ☐ 11. La notion de maximalisation du potentiel d'adaptation signifie que tous les êtres humains possèdent un potentiel d'adaptation égal.

☐ ☐ 12. Le pouvoir d'adaptation concerne l'adaptation au présent et se rappporte à un aspect plus statique du changement humain.

☐ ☐ 13. Les conflits intrapsychiques et les conflits interpersonnels ont souvent un rôle formateur.

☐ ☐ 14. Tout cheminement adaptatif implique la présence d'obstacles qui sont inhérents aux efforts d'adaptation.

☐ ☐ 15. Une personne se retrouve enrichie quand la hauteur d'un obstacle est, malgré la difficulté, franchie adéquatement.

☐ ☐ 16. Une des dimensions de l'adaptation psychosociale est la prise en charge personnelle, qui concerne la recherche de l'adaptation externe.

☐ ☐ 17. Un processus de maturation permet de surmonter les inadaptations inhérentes aux étapes du développement humain et à la condition humaine.

☐ ☐ 18. Une personne qui s'adapte facilement ne vit pas d'émotions désagréables lors du cheminement adaptatif.

☐ ☐ 19. Le processus de rééducation se rapporte surtout à la dimension de l'adaptation psychosociale qui concerne l'adaptation de l'environnement aux personnes présentant des déficiences.

☐ ☐ 20. La présence d'un cercle vicieux peut, à long terme du moins, aggraver les problèmes plutôt que les diminuer.

RÉPONSES

1. V 3. V 5. F 7. V 9. F 11. F 13. V 15. V 17. V 19. F

2. F 4. F 6. V 8. F 10. V 12. F 14. V 16. F 18. F 20. V

À TITRE DE RÉFLEXION

La maturité, c'est la capacité de vivre dans l'incertitude.

JOHN FINLAY

Hâtez-vous lentement.

BENJAMIN FRANKLIN

J'ai appris à aimer quelqu'un pour ce qu'il est et non pour ce que je voudrais qu'il soit.

LA MÈRE D'UN ENFANT TRISOMIQUE

Toute nouvelle vie commence par une prise de conscience. L'action est authentique quand la connaissance qu'elle apporte fait l'objet d'une réflexion critique.

PAULO FREIRE

Les échecs de la plupart des gens proviennent de ce qu'ils ne sont pas éveillés et ne voient pas quand ils se trouvent à un embranchement et qu'ils doivent décider.

ERICH FROMM

Si l'on sait bien ce qui perd les gens, on ne comprend pas toujours clairement ce qui les rescape.

JACQUE CIMON

Le fonctionnement le plus satisfaisant serait celui dans lequel l'individu aurait la capacité de réaliser toutes ses potentialités, à condition qu'il sache les reconnaître et qu'il en accepte les limites.

ISABELLE DELISLE

La capacité de profiter autant de la solitude que de la compagnie des autres est essentielle à l'équilibre émotif. L'incapacité d'apprécier l'un ou l'autre de ces états vous emprisonne dans l'autre.

MARTIN SHEPARD

Qu'est-ce que ça donne de se bercer d'illusions ? Rien que du chagrin. La vérité est peut-être plus difficile à accepter, mais elle est tellement moins cruelle que le leurre.

CLAUDE ST-JEAN

À qui prend la mer sans décider de son port de destination, le vent n'est jamais favorable.

MONTAIGNE

5 L'INTERVENTION BIOPSYCHOSOCIALE

« J'ai dormi et rêvé que la vie était un plaisir. Je me suis réveillé et j'ai vu qu'elle était un devoir. J'ai travaillé et j'ai constaté que le devoir était un plaisir. »

Friedrich Nietzsche

L'ANALYSE DES TROIS ÉTAPES du processus d'adaptation, dans les chapitres précédents, nous a fait prendre conscience de la complexité inouïe des interactions entre une multitude de niveaux d'analyse, d'actions et d'acteurs. Le cadre de référence proposé dans ce volume nous permet d'esquisser maintenant les grandes lignes de l'intervention biopsychosociale. Si l'on adopte ce type d'intervention en cohérence avec l'interaction des diverses composantes de l'être humain, on considère une personne, un groupe ou une collectivité comme un circuit d'interactions dans lequel chacun agit sur le système et reçoit l'influence de celui-ci par l'intermédiaire de transactions et de rétroactions.

Dans le domaine de l'intervention, on est de plus en plus sensibilisé à la perspective systémique qui, d'une part, met l'accent sur une approche globale de la personne et, d'autre part, permet de briser l'isolement des intervenants et la sectorisation des interventions tout en situant les différentes actions dans le champ plus vaste d'une société donnée. Les personnes sont « attachées socialement » les unes aux autres et elles ont besoin de se donner des règles de fonctionnement pour favoriser l'équilibre individuel aussi bien que social. L'objectif de la maximalisation du potentiel d'adaptation doit donc inclure l'équilibre entre la satisfaction des attentes individuelles, microsociales et macrosociales. Pour atteindre cet objectif, les intervenants et les programmes ont comme rôle de mettre en place les conditions d'adaptation le plus favorables possible dans différents secteurs et à différents niveaux.

L'analyse de l'intervention implique un regard critique sur ses dimensions sociales, en particulier sur le rôle joué par les intervenants.

En effet, malgré les progrès réalisés, plusieurs interrogations et controverses subsistent, et de nombreux défis restent à relever. Dans le présent chapitre, nous nous proposons d'abord de situer l'intervention dans un cadre général de société, d'indiquer ensuite quelques jalons concernant les pratiques actuelles et de lancer enfin quelques pistes de réflexion sur une philosophie de l'adaptation et de l'intervention.

LE CADRE GÉNÉRAL DE L'INTERVENTION

Une intervention est une action accomplie par une ou plusieurs personnes dans le but de modifier une situation, un comportement, une attitude. Vouloir influer sur le déroulement d'une situation en cours, vouloir agir, dans une certaine mesure, sur la croissance et le développement des personnes, c'est intervenir. Par ailleurs, toute intervention repose sur certains principes, privilégie des pratiques et détermine la nature de l'influence exercée dans un contexte donné par rapport à un individu, à un groupe, à une société. Les diverses interventions sont faites par un ou plusieurs acteurs, qu'on appelle « agents sociaux » ou « intervenants sociaux ».

Intervenir comporte donc la recherche d'effets et l'utilisation de stratégies, d'outils s'inspirant des principes et croyances issus d'une conception du développement de la personne, de l'adaptation et de l'intervention. À la fois science et art, l'intervention biopsychosociale est rapidement passée, depuis quelques décennies, de la charité à la justice, du privé au public, du sens commun à l'analyse scientifique, de la causalité linéaire à la causalité circulaire, de l'unidimensionnel au multidimensionnel, de l'individu au groupe, de l'improvisation à la planification, du biologique au biopsychosocial, de l'unisectoriel au multisectoriel.

Puisque l'intervention biopsychosociale s'inscrit dans le cadre culturel d'une société à une époque donnée, elle s'analyse dans une perspective historique. Un rappel de l'évolution des conceptions de l'intervention ainsi que de l'évolution des lois et mesures sociales nous permettra de mieux faire ressortir les dimensions sociales reliées à l'intervention dans le contexte québécois de la fin du XXe siècle. Les conditions sociales ont changé, les conditions d'inadaptation et d'adaptation se sont modifiées en conséquence et les conditions d'intervention se sont ajustées.

L'évolution des conceptions de l'intervention

Dans les pays occidentaux, les pouvoirs publics se sont davantage penchés sur la problématique de l'inadaptation à partir du milieu du XIXe siècle, en particulier avec la révolution industrielle. On a utilisé un vocabulaire très varié depuis pour désigner les différentes formes d'inadaptation.

> « On hésite à affirmer que cette prolifération est seulement liée à un souci d'explication, car en effet, il ne nous paraît pas plus commode de définir tel terme plutôt que tel autre. S'agit-il d'une sorte de phénomène d'usure sémantique entraînant l'abandon de ces appellations l'une après l'autre, au profit d'une nouvelle dont le caractère plus moderne, plus neuf, ne comporte pas encore de résonance péjorative ? Faut-il y voir la volonté, par la recherche de termes plus adéquats et moins abrupts, de ne pas provoquer de traumatisme au niveau des individus concernés, ou encore de les revaloriser aux yeux de ceux, parents ou professionnels, qui ont la responsabilité de les éduquer ou de les rééduquer[1] ? »

Au cours du XXe siècle, l'intervention n'a pas échappé à l'influence du passage d'une culture traditionnelle à une culture moderne. Les systèmes traditionnels clos ont éclaté et le rôle joué par l'intervenant a pris différentes orientations. Les conceptions, approches et techniques d'intervention auprès des diverses clientèles et problématiques se sont profondément transformées au Québec depuis les années 60. Elles représentent des manières différentes d'analyser une même réalité biopsychosociale. Chacune d'elles fait la promotion d'un certain nombre de valeurs directement reliées à la conception que l'on se fait du développement de la personne humaine et de la conception de la problématique de l'adaptation.

Quelles que soient l'époque ou la société de référence, ceux qu'on appelle généralement les « marginaux », les « inadaptés », les « exceptionnels » ou les « exclus » posent problème. Une des craintes a trait à l'accroissement du nombre de personnes en situation d'inadaptation. Ainsi, avant l'industrialisation – et d'une certaine manière, de façon paradoxale –, le degré de tolérance de la société faisait en sorte que plusieurs de ces personnes étaient souvent convenablement adaptées. Depuis lors, cependant, la promulgation de la fréquentation scolaire obligatoire et la nécessité d'une main-d'œuvre plus qualifiée ont mis en évidence de nouvelles problématiques plus cruciales dans les sociétés technologiques et technocratiques.

Les conceptions de l'intervention ont évolué grâce à l'apport de différentes sciences et disciplines ; elles ont, dans l'ensemble, suivi l'interprétation des facteurs causals. La croyance dans la prédominance de l'hérédité ou, au contraire, pour ce qui concerne celle de l'environnement dans la genèse des inadaptations, a conduit à de nombreux débats et recherches autour de l'inné ou de l'acquis, de l'hérédité ou du milieu. C'est « l'éternelle querelle entre les partisans de la fatalité génétique et ceux de la cire vierge[2] ».

Roland Morin[3] présente trois conceptions principales de l'intervention qui se sont affrontées régulièrement. La prépondérance de l'une ou de l'autre a influencé l'évolution des approches et des techniques d'intervention. La conception « héréditariste » affirme la primauté de l'hérédité non seulement biologique, mais également psychique. La conception « environnementaliste » privilégie l'influence du milieu social. La conception « interactionniste » insiste sur l'interaction de l'hérédité et de l'environnement. Le tableau 5.1 donne un aperçu de ces conceptions de l'intervention biopsychosociale. Pour chacune d'elles, nous présenterons très schématiquement quelques notions de base ainsi que son influence sur un modèle d'intervention.

Tableau 5.1
Conceptions de l'intervention

Conception héréditariste	Conception environnementaliste
Primauté de l'hérédité déterminant notre intelligence et notre personnalité	Primauté de l'environnement déterminant notre intelligence et notre personnalité
Inadaptation dans la personne	Inadaptation autour de la personne
Postulat de l'inégalité de naissance	Postulat de l'égalité de naissance

Conception interactionniste
Interaction des facteurs liés à l'hérédité et des facteurs liés à l'environnement
Transmission des potentialités héréditaires extériorisées par l'environnement
Complémentarité et liaison indissoluble entre ces deux ordres de facteurs

La conception héréditariste

La conception héréditariste met l'accent sur la primauté de l'hérédité et postule l'inégalité de naissance. Le patrimoine génétique différencie chaque individu du voisin et détermine, pour la suite de l'histoire personnelle, le biologique, l'intelligence et la personnalité. Selon cette conception, on attribue à l'hérédité la quasi-totalité de nos aptitudes mentales en minimisant l'influence de l'environnement. On suppose que les inadaptations ont commencé très tôt et qu'elles sont en somme constitutives de la personnalité. Par exemple, la qualité intellectuelle d'une personne, d'un groupe social, d'une ethnie ou d'une race serait due à la transmission héréditaire des gènes. On affirme ainsi que l'inadaptation est dans la personne, que les problèmes sont inhérents à l'individu et qu'ils sont, par surcroît, irréversibles.

Sur le plan de l'intervention, cette conception a eu comme conséquence principale une psychomédicalisation du diagnostic et du traitement, en particulier dans le domaine de la psychiatrie où un courant, fondé sur la théorie de la dégénérescence de Magnan, a été très fortement lié à l'hérédité. À l'instar du modèle médical d'alors, on traite davantage le symptôme, vu comme le produit d'un déficit et non comme un « langage », signe d'autre chose. On tente de soulager les symptômes et on fait de plus en plus confiance à l'institution pour aider la personne à développer ce qui, en elle, reste intact, pour l'amener en quelque sorte à trouver des compensations.

La conception environnementaliste

La conception environnementaliste renverse le point de vue précédent. Elle s'inscrit dans la montée des idées égalitaristes et du mouvement marxiste, qui ont influencé tous les autres secteurs d'activité. On met ici l'accent sur la primauté du milieu social et culturel pour ce qui touche la genèse des inadaptations et l'intervention. Les tenants de cette conception montrent l'influence déterminante du milieu social – en particulier de l'éducation considérée comme le facteur fondamental du développement du cerveau, de la maturation psychologique et des manifestations de l'intelligence.

Par exemple, on affirme qu'un même potentiel intellectuel est présent chez tous à la naissance et que seules les conditions environnementales décident de l'avenir intellectuel d'un individu. Les inadaptations sont attribuables à une conjonction de facteurs socio-économiques et socioculturels défavorables. C'est le règne du modèle antipsychiatrique : les explications sont dans la société et les solutions résident dans le changement des structures sociales.

Ce renversement de point de vue n'est pas sans entraîner des changements importants dans l'état d'esprit des intervenants ainsi que dans la gestion des ressources humaines et matérielles. Dans ce contexte, on se demande dans quelle mesure les institutions créées pour réduire l'inadaptation n'assurent pas au contraire sa permanence, en reproduisant les facteurs causals. Et on conclut souvent en ce sens. On accuse les structures traditionnelles qui sous-tendent l'accueil et la prise en charge des personnes dites « inadaptées ». À la notion de traitement, se substituent de plus en plus celles de prévention, de normalisation et d'intégration dans des communautés de vie ordinaires.

La conception interactionniste

La conception interactionniste met l'accent sur l'interaction des facteurs héréditaires et des facteurs environnementaux. Selon cette conception, on transmet héréditairement des potentialités, des virtualités, des prédispositions, qui sont ensuite exprimées, extériorisées par l'environnement. Ni la transmission génétique, ni l'environnement ne peuvent, chacun isolément, conditionner le développement physique, intellectuel, psychologique et social. Leur interaction est indispensable parce que les gènes et l'environnement ne commandent pas des processus simplement parallèles, mais plutôt complémentaires.

> « L'hérédité n'assure probablement pas la transmission de caractéristiques psychologiques ou morales toutes faites, comme on le pense communément. Il est sans doute plus correct de penser que ce qui se transmet, ce sont des dispositions, des sensibilités ou des insensibilités, qui permettent l'acquisition au cours de la vie de certaines facilités ou de certaines caractéristiques de comportement. [...] Peut-être faut-il rappeler qu'en réalité, organisme et milieu sont en interaction continuelle, et que, selon les caractéristiques du milieu, certaines propensions héréditaires seront non seulement autorisées, mais favorisées, se réalisant donc en aptitudes ou en traits de caractère, alors que d'autres seront inhibées et n'apparaîtront par conséquent que de façon détournée, et que d'autres enfin ne seront jamais éveillées, les réactions concomitantes ne se constituant donc jamais[4]. »

Ainsi, le tenant de la conception interactionniste n'oppose pas les influences de l'hérédité et de l'environnement, ni n'essaie de chiffrer leur part respective dans le comportement ou les aptitudes des êtres humains. À ces deux ordres de facteurs complémentaires et indissolublement liés dans toute histoire personnelle, il en ajoute un troisième : les réactions individuelles.

> « [...] dans le programme génétique qui sous-tend les caractéristiques d'un animal un peu complexe, il y a une part fermée dont l'expression reste stric-

tement fixée et une autre ouverte qui donne à l'individu une certaine liberté de réponse[5]. »

La conception interactionniste a entraîné des réaménagements importants en matière d'intervention. Le modèle psychodynamique a été un pionnier dans ce domaine; on lui doit plusieurs apports révolutionnaires tels que l'importance du milieu familial sur les prédispositions héréditaires au cours des premières année de la vie, une certaine continuité entre le normal et le pathologique, et le sens de certains symptômes. Notons, cependant, que ce modèle a donné lieu à des abus comme l'hypertrophie de la vie psychique durant les premières années de la vie et la seule validité de l'intervention sur l'inconscient.

D'autres modèles, comme le modèle systémique et le modèle écologique, se sont développés dans le cadre de la conception interactionniste en élargissant l'analyse à d'autres composantes. Accorder une importance à cette interaction signifie tenir compte à la fois des facteurs contextuels, extérieurs, sociaux, en addition aux facteurs intrapsychiques internes et aux facteurs héréditaires. C'est l'interaction des facteurs qui influence le processus d'adaptation et, par conséquent, le processus d'intervention.

L'évolution des lois et des mesures sociales

L'évolution des conceptions de l'intervention ainsi que l'évolution des lois et des mesures sociales se sont faites parallèlement dans notre société. On ne peut négliger leur impact ni leur influence sur l'adaptation biopsychosociale des individus. Fort différentes dans le temps et dans l'espace, perçues parfois comme contraignantes pour certains et comme facilitantes pour d'autres, elles sont en général le fruit de diverses pressions. Peu de sociétés sont parvenues à concilier les intérêts divergents des individus et des groupes puisque la concertation et la cohérence reposent souvent sur des compromis rendant l'équilibre quelquefois précaire.

En théorie, il existe plusieurs systèmes intégrés favorisant la reconnaissance de tous les droits. Dans la pratique, une telle reconnaissance semble plus difficile, car les lois et mesures sociales subissent le contrecoup des secteurs économique et politique. Le Québec et le Canada se classent parmi les premiers pays au monde pour le nombre et la qualité

Tableau 5.2 Histoire des mesures gouvernementales au Québec

1879	Loi régissant les asiles d'aliénés
1909	Loi sur les accidents du travail
	Outre ces deux premières mesures législatives, les soins et services aux personnes handicapées sont financés soit par les personnes concernées et leurs familles, soit par les organismes privés et ecclésiastiques
1921	Loi sur l'assistance publique : seule mesure étatique qui a permis, pendant 40 ans, aux personnes handicapées sans ressources de bénéficier de soins de santé
1944	Création des allocations familiales fédérales
1945	Loi instituant la Curatelle publique au Québec
1961	Loi sur la gratuité des soins hospitaliers
1962	Loi sur les hôpitaux : cette loi crée un système de contrôle des actes professionnels. La gestion des établissements, confiée à des administrateurs, est peu à peu abandonnée par les communautés religieuses.
1962	Rapport Bédard-Lazure -- Commission d'étude sur les hôpitaux psychiatriques
1963	Rapport Boucher -- Comité d'étude sur l'assistance publique
1964	Création du ministère de l'Éducation, à la suite du rapport Parent, qui recommandait la mise sur pied de services éducatifs pour les enfants handicapés
1966	Loi sur l'assistance médicale
1967	Création des allocations familiales du Québec
1969	Loi de l'aide sociale
1970	Loi créant la Régie de l'assurance-maladie; les soins médicaux sont gratuits pour toute la population
1970	Création du ministère des Affaires sociales
1971	Loi sur les services de santé et les services sociaux : à la suite du rapport de la Commission d'enquête sur la santé et le bien-être social, on réorganise l'ensemble des services de santé et des services sociaux
1972	Loi sur la protection du malade mental
1973	Les services à l'enfance : mémoire de programme du ministère des Affaires sociales
1976	L'éducation de l'enfance en difficulté d'adaptation et d'apprentissage au Québec (Rapport COPEX)
1977	Création de la Régie de l'assurance-automobile
1977	Livre blanc -- Proposition de politique à l'égard des personnes handicapées
1977	Loi de la protection de la jeunesse
1978	Énoncé de politique et plan d'action sur l'enfance en difficulté d'adaptation et d'apprentissage, ministère de l'Éducation
1978	Loi assurant l'exercice des droits des personnes handicapées : elle crée l'Office des personnes handicapées du Québec et modifie un ensemble de lois existantes pour favoriser l'intégration sociale, scolaire et professionnelle des personnes handicapées
1979	Création de la Commission de la santé et de la sécurité du travail
1980	Loi instituant le nouveau code civil et portant sur la réforme du droit de la famille
1981	Conférence socio-économique sur l'intégration de la personne handicapée
1982	À nous de jouer -- Pour une politique du loisir à l'intention des personnes handicapées, ministère du Loisir, de la Chasse et de la Pêche

Source : OFFICE DES PERSONNES HANDICAPÉES DU QUÉBEC, *À part...égale. L'intégration sociale des personnes handicapées : un défi pour tous*, Québec, 1984, p. 20-21.

des lois, des mesures, des programmes, des services de santé, des services sociaux et des services juridiques.

Malgré le fait que l'intervention auprès des personnes en difficulté d'adaptation soit une question importante à l'ordre du jour de nos sociétés modernes, il demeure incontestable que sa complexité est bien loin d'entraîner des réponses ou des solutions simples, définitives ou judicieuses, surtout lorsqu'il s'agit de trouver un équilibre entre les intérêts individuels et les intérêts collectifs. L'histoire des mesures gouvernementales au Québec, présentée au tableau 5.2, illustre les efforts fournis pour tenter de circonscrire le champ des difficultés d'adaptation, pour mieux délimiter les besoins des diverses clientèles et pour mieux définir les paramètres de l'intervention.

Plusieurs rapports gouvernementaux ont contribué à nous faire mieux comprendre les problématiques reliées à l'intervention; ils ont proposé différentes solutions en fonction d'une conception interactionniste et d'une vision plus systémique. Le rapport COPEX (1976) et les importants travaux de l'OPHQ (1980) nous serviront d'exemples pour mieux cerner les orientations qui ont servi de base pour l'élaboration de lois et de mesures dans différents secteurs de l'adaptation biopsychosociale. Les principes essentiels véhiculés dans ces rapports sont la reconnaissance des droits des personnes en difficulté, la maximalisation du potentiel d'adaptation, l'intégration sociale, la normalisation, la concertation, l'approche globale, le décloisonnement, la cohérence.

Le rapport COPEX

Le rapport COPEX[6] fait le point sur la situation des services éducatifs destinés à l'enfance en difficulté d'adaptation et d'apprentissage au Québec. La préoccupation majeure des auteurs est l'adéquation entre les droits et les besoins de ces enfants ainsi que la quantité et la qualité des services offerts dans le système public d'éducation.

La première partie du rapport présente un bilan descriptif et analytique de la situation de l'enfance en difficulté d'adaptation et d'apprentissage. Ce bilan fait état des aspects positifs nombreux depuis la réforme des années 60, qui donnait priorité à l'accessibilité et à la démocratisation, entre autres pour le secteur de l'« enfance inadaptée ». On y constate également les aspects négatifs et les lacunes, notamment l'absence d'une politique officielle d'intégration des jeunes en difficulté d'adaptation et d'apprentissage.

La deuxième partie du rapport COPEX est consacrée à une prospective dont le pilier central est une politique officielle visant le développe-

Figure 5.1 **Système en cascade (rapport COPEX)**

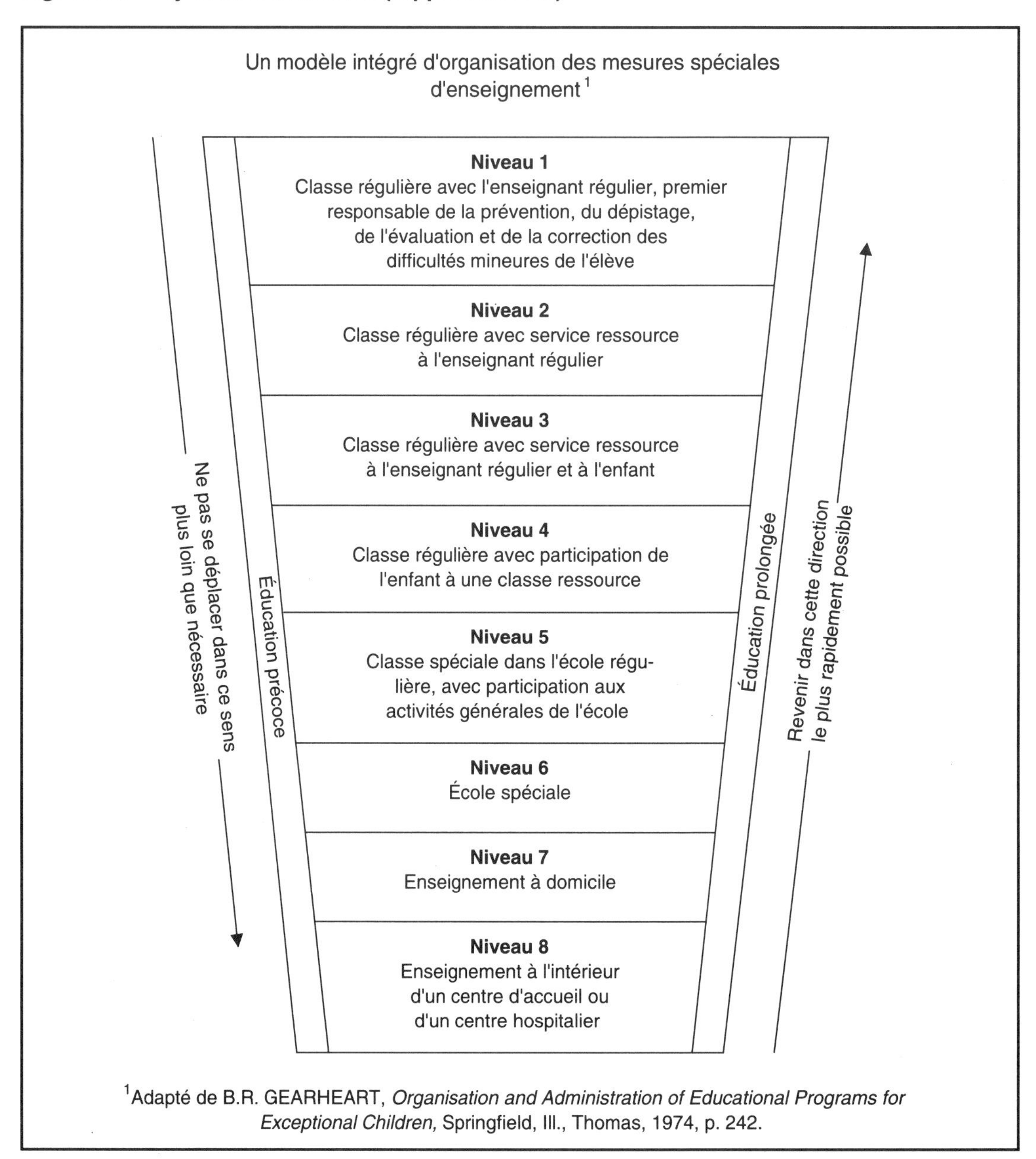

Source: *L'éducation de l'enfance en difficulté d'adaptation et d'apprentissage au Québec*, rapport du Comité provincial de l'enfance inadaptée (COPEX), Ministère de l'Éducation, 1976, p. 595.

ment optimal de l'enfant en difficulté d'adaptation et d'apprentissage ainsi que son intégration dans le milieu le plus normal possible. On propose un « système en cascade » qui est un modèle intégré d'organisation des mesures spéciales d'enseignement (*voir la figure 5.1*). Ce modèle repose sur les jalons suivants : l'enfant en difficulté et son droit à l'éducation optimale, l'intervention éducative auprès de cet enfant, la responsabilité du secteur régulier à son égard, l'organisation des mesures spéciales, les ressources humaines requises, les collaborations nécessaires.

L'enfant en difficulté peut être affecté dans son développement par la nature de ses limitations. Cependant, il est très important d'éviter de considérer cet enfant exclusivement selon sa difficulté temporaire ou permanente, réversible ou irréversible. Au contraire, il est essentiel de mettre l'accent sur ses capacités et ses potentialités, sur ses forces vives et positives, sur ses talents et ses aptitudes. L'enfant en difficulté d'adaptation et d'apprentissage requiert des interventions spécifiques, des conditions ambiantes ainsi que des attitudes positives et appropriées, pour que les obstacles environnementaux ne deviennent pas une entrave à son éducation optimale.

Les travaux de l'OPHQ

Une autre étape importante dans l'évolution des mesures gouvernementales est celle des travaux de l'OPHQ durant les années 80. Ces travaux sont fondés sur les propositions mises de l'avant par l'Organisation mondiale de la santé concernant la *Classification internationale des déficiences, incapacités et handicaps*. Le processus de production des handicaps se révèle un outil permettant l'utilisation d'un langage commun en réadaptation.

> « La confusion règne dans les définitions. Chaque établissement, chaque réseau de services, chaque profession utilise sa propre terminologie selon son approche et ses besoins [...] Il est essentiel d'harmoniser la terminologie pour recueillir des données utiles sur les populations concernées, leurs besoins individuels et collectifs et proposer les interventions nécessaires[7]. »

Les personnes ayant des limitations fonctionnelles importantes ou des problèmes chroniques à long terme constituent un défi important pour une intégration sociale satisfaisante. L'état clinique doit être mis en parallèle avec le contexte dans lequel l'individu vit et les ressources dont il dispose. De plus, la multidimensionnalité des problèmes liés aux limitations fonctionnelles à long terme doit susciter l'évaluation de l'ensemble des besoins et des ressources nécessaires. Dans un tel contexte, la formulation de programmes d'aide et l'identification d'objectifs prioritaires sont des tâches complexes qui nécessitent une grande concertation des intervenants en réadaptation.

Selon les auteurs du document *À part... égale*[8], il est important pour les milieux d'intervention recevant des clientèles ayant des « déficiences », de bien connaître les concepts relatifs au processus de production des handicaps – présenté ici au chapitre 3 – et les diverses classifications correspondantes. L'utilisation adéquate de ces concepts constitue une condition préalable essentielle à l'établissement d'un profil clinique clair et concis ainsi qu'à l'orientation de la démarche d'équipe multidisciplinaire répondant aux priorités de la personne.

La majorité des centres de réadaptation du Québec ont souscrit aux objectifs poursuivis et la plupart ont également reconnu la nécessité d'une approche par objectifs tant pour ce qui concerne les programmes d'intervention que les plans d'intervention individualisés à partir des principes directeurs. Ces principes ont trait notamment à l'autonomie de la personne présentant une déficience, à sa participation active au processus de réadaptation, à l'approche globale biopsychosociale, à la normalisation et à l'intégration sociale, au maintien dans le milieu le plus naturel possible, à la suppression des obstacles environnementaux.

Les dimensions sociales de l'intervention

Toute intervention biopsychosociale se situe dans un cadre macrosocial défini en termes socio-économiques, en termes de groupes d'âge, de sexe, de clientèles en difficulté. La pratique quotidienne n'est ni morcelée, ni simple, et c'est souvent là que se vivent des tiraillements entre les différentes écoles de pensée et les diverses approches théoriques ou méthodologiques. Les conflits idéologiques rendent souvent difficile la compréhension mutuelle, ne serait-ce qu'en raison du vocabulaire utilisé.

Les conceptions des interventions elles-mêmes et les cadres organisationnels de la pratique – institutions, professions, division du travail – interagissent entre eux et avec l'intervenant lui-même. Il y a, en outre, interaction de cet ensemble socioculturel et de l'histoire professionnelle de chacun. Tout intervenant fait référence aux cadres sociaux de sa pratique afin de donner un sens à son travail. Notons, de plus, que les conditions mêmes de la pratique transforment les intervenants.

Robert Sévigny[9] explore huit dimensions sociales par rapport auxquelles chaque intervenant est appelé à se situer : la référence à la lourdeur de la clientèle pour délimiter le champ d'intervention, la représentation du processus d'adaptation biopsychosociale, la responsabilité accordée au client, le choix entre des modèles pour la valeur accordée à l'inadaptation, la similitude entre le client et l'intervenant, le sens accordé à la souffrance, la tendance à l'action ou à l'*insight*, l'importance accordée à la tâche ou au vécu personnel (*voir le tableau 5.3*).

Tableau 5.3

Dimensions sociales reliées à la pratique de l'intervention selon Robert Sévigny

1. La référence à la lourdeur de la problématique pour délimiter le champ d'intervention
2. La représentation du processus d'adaptation biopsychosociale
3. La responsabilité du client
4. Le choix entre des modèles pour la valeur accordée à l'inadaptation
5. La similitude entre le client et l'intervenant
6. Le sens accordé à la souffrance
7. La tendance à l'action ou à l'*insight*
8. L'importance accordée à la tâche ou au vécu personnel

La **première dimension** est la référence à la lourdeur de la problématique comme délimitation socioculturelle du champ d'intervention. Les intervenants distinguent en général deux catégories : les cas lourds et les cas légers. Cette notion est un raccourci pour faire allusion à bien des dimensions sociales de l'intervention auxquelles le discours psychologique laisse peu de place. Quels que soient leur cadre théorique, leur appartenance professionnelle ou leur lieu de travail, les intervenants se rapportent à ces catégories soit pour expliquer que les « cas lourds » sont au centre de leur pratique et de leurs préoccupations, soit, au contraire, pour expliquer comment leur pratique et leur discours ne concernent pas les « cas lourds ».

> « Même si en apparence cette catégorie n'est pas très sociologique, elle n'est pas étrangère à bien des facteurs sociaux : les "cas lourds" sont l'affaire de certaines institutions et pas d'autres ; [...] selon son *(sic)* appartenance professionnelle, certains intervenants ont la possibilité de choisir de travailler ou de ne pas travailler avec ce genre de clientèle, mais d'autres n'ont pas

cette possibilité de choix; les liens avec le statut socio-économique se présentent de façon fort différente pour les cas " lourds" et " légers" [...] Enfin, l'image même de " lourdeur " fait sans doute allusion au " poids " que les difficultés psychologiques représentent pour les " autres " (parents, amis, employeurs, thérapeutes, etc.) autant que pour les personnes directement impliquées[10]. »

La **deuxième dimension** est la représentation du processus d'adaptation, qui s'exprime par la façon de nommer une clientèle ou de définir la société à laquelle tout individu inévitablement s'adapte. De plus en plus d'intervenants caractérisent leur clientèle en termes de catégories sociales : gais, femmes, enfants, hommes violents, familles monoparentales, délinquants, adolescents, obèses, pauvres, etc. Même si cela n'est pas toujours explicite, tout intervenant conserve à l'esprit un modèle de société ou un modèle de ce qu'est l'adaptation sociale. Les modèles diffèrent, mais les clients sont toujours définis en fonction d'un tel cadre. Pour certains, la société est un tout homogène, monolithique et, dans ce type de structure, on est « adapté » ou on ne l'est pas. Pour d'autres, on évalue l'adaptation non en fonction de LA société ou du modèle dominant, mais en fonction de certains sous-groupes ou sous-cultures. La façon de comprendre ou d'interpréter l'expérience d'une personne atteinte du sida, par exemple, est beaucoup fonction du modèle de société adopté par l'intervenant.

La **troisième dimension** est la notion de responsabilité accordée au client dans la relation individu/société. La limite n'est pas toujours facile à déterminer entre la responsabilité et la non-responsabilité. La plupart des intervenants dans le champ de l'adaptation biopsychosociale considèrent qu'un client peut être « responsable » tout en ne se conformant pas à la norme prédominante à l'égard de la responsabilité. Mais les intervenants eux-mêmes ne peuvent pas toujours s'en tenir à cette conception psychologique de la responsabilité. Dans certains cas, en effet, le rôle social de thérapeute est intimement lié au rôle de gardien de l'ordre établi, de la loi. Le psychiatre à qui on demande de porter un jugement sur la « dangerosité » de tel client, par exemple, agit en fonction d'un cadre juridique autant qu'en fonction d'un cadre thérapeutique. Les notions d'acceptation inconditionnelle d'autrui, de rôle d'une enfance malheureuse dans la genèse d'un acte criminel, ou encore, celle de respect du client dans la question du suicide sont des exemples qui nous montrent les limites et les contradictions inhérentes à ces concepts dans la relation individu/société.

La **quatrième dimension** est le choix entre différents modèles pour la valeur accordée à l'inadaptation. Dans le champ particulier de la santé mentale, nous nous trouvons ainsi en face de deux modèles extrêmes par rapport à la valeur accordée à la folie. Selon le premier modèle, la maladie mentale est éminemment indésirable parce qu'elle est en dehors du champ social; elle signifie exclusion, enfermement, aliénation, non-être, non-existence. Selon le deuxième modèle, lequel est à la base de l'antipsychiatrie, la maladie mentale prend une valeur positive, étape vers une plus grande humanité, une plus grande croissance, un refus de l'aliénation sociale. Selon Sévigny, à l'exception de certaines institutions alternatives, très peu d'intervenants s'identifient totalement à l'un ou l'autre de ces modèles, mais la plupart y renvoient pour prendre position *in situ* dans le champ des valeurs.

La **cinquième dimension** est la similitude perçue entre le client et l'intervenant. Cette relation est au cœur de toutes les interventions biopsychosociales. Le rapport de similitude n'est pas fait ici à propos de la méthode d'intervention elle-même, mais plutôt à propos de la définition même de ce qu'est le client: est-il ou non semblable à moi ? Les intervenants expriment souvent un sentiment de similitude et chacun d'entre eux est amené à répondre à la question de savoir jusqu'à quel point ses clients sont semblables à lui-même. C'est autour de ce thème que se situe aussi le débat pour savoir quelle personne est la mieux placée pour aider : celle qui a vécu elle-même un problème ou celle qui a étudié dans ce même domaine. Encore ici, on se retrouve souvent dans les extrêmes du balancier. D'aucuns prétendent que le « vécu » est primordial et nécessaire, alors que d'autres rétorquent, par exemple, que le fait d'avoir connu une difficulté d'apprentissage ne donne pas le pouvoir de l'empêcher chez les autres.

La **sixième dimension** est la référence faite par les intervenants à la notion de la souffrance ressentie par les personnes en difficulté d'adaptation pour justifier leur action et pour prendre de la distance par rapport à leur travail. Beaucoup d'intervenants semblent tiraillés entre deux modèles. Selon un premier modèle, l'intervenant aide directement, soulage la souffrance, à la limite « aide à la guérir ». Selon un deuxième modèle, il se limite à « aider », à accompagner, à donner du support, à prendre le risque que le patient ou le client souffre davantage ou plus longtemps pour mieux « respecter » le propre rythme de ce dernier.

La **septième dimension** concerne la place accordée par le client à l'action et à l'*insight*. Par exemple, plusieurs personnes valorisent l'analyse de soi, le regard intérieur, l'introspection ou l'exploration du vécu. D'autres veulent au contraire des solutions pour être efficaces et fonctionner dans leur vie quotidienne. Il y a ainsi deux courants dans l'intervention : celui centré sur le problème, qui amène l'action ; celui centré sur la personne, qui amène l'*insight*. La pratique permet parfois à un même intervenant de participer à ces deux courants.

La **huitième dimension** concerne la place accordée par l'intervenant à la tâche ou au vécu personnel dans l'accomplissement de son rôle professionnel. Dans la majorité des groupes d'intervention, on reconnaît la présence de deux types de participants : ceux orientés d'abord vers l'expérience personnelle ou la solidarité affective et ceux orientés vers la tâche, perçue souvent comme extérieure à la personne. Cette polarisation incite certains critiques à dénoncer le sociologisme de notre société qui introduirait partout des critères d'objectivation, de rendement, de mesure des tâches. Mais cette polarisation permet à d'autres de dénoncer le psychologisme de cette même société, où l'on donnerait partout la priorité au vécu personnel, à l'univers des significations, à celui de la compréhension de soi.

LE PROCESSUS D'ADAPTATION ET L'INTERVENTION

Le choix d'une perspective systémique pour l'étude de l'adaptation humaine oblige, sur le plan de l'intervention, à faire appel à tous les processus utilisés par une personne et par son environnement pour maintenir un équilibre dynamique entre l'adaptation interne et l'adaptation externe dans des situations souvent critiques. Le champ de l'inadaptation biopsychosociale est vaste et complexe, et la cohérence dans l'intervention devient nécessaire si l'on veut éviter l'improvisation, les modes passagères et le gaspillage, surtout à grande échelle.

Les enjeux, les choix sont importants, et la recherche de cohérence constitue une démarche stimulante malgré qu'elle soit une pratique difficile qui nous questionne dans nos gestes et dans notre quotidien. Si l'intervention est fondamentalement une influence, la planification est, quant à elle, la volonté de donner une direction à cette influence. La cohérence est la condition pour augmenter les probabilités d'une influence positive réelle pour les individus et les collectivités.

Comprendre le processus d'adaptation ne se résume pas seulement à décrire et à mesurer les déficiences ou les déviances, mais également à trouver un cadre de référence pour les différents programmes et services. Il s'agit d'intervenir à un niveau relationnel pris au sens large d'échange et de communication au sein d'un environnement micro et macrosocial. Cela suppose de comprendre non seulement la personne, mais aussi la société dans laquelle elle évolue.

Les grandes lignes que l'on peut dégager sur le plan de l'intervention concernent cinq éléments : les types d'intervention selon les étapes du processus d'adaptation ; les rôles respectifs de la personne et de l'intervenant ; la spécificité et la complémentarité des intervenants ; le processus d'intervention ; la compétence des intervenants et la question de la formation du personnel.

Les types d'intervention selon les étapes du processus d'adaptation

L'intervention dépasse les problèmes individuels pour s'étendre à l'environnement dans lequel les personnes évoluent. Le cadre de référence du processus de production des handicaps utilisé par l'OPHQ dans son

Tableau 5.4
Types d'intervention

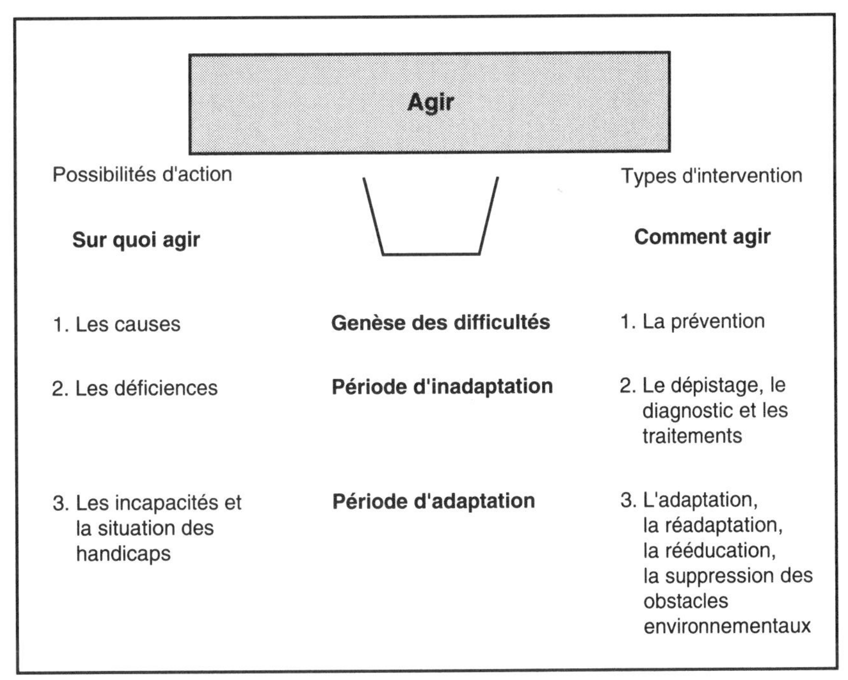

Adapté de *À part...égale. L'intégration sociale des personnes handicapées, un défi pour tous*, Office des personnes handicapées du Québec, 1984, p. 40.

document *À part... égale*[11] met en évidence l'importance de circonscrire les types d'intervention à partir des possibilités d'action. Le tableau 5.4 indique, d'une part, les possibilités d'action (sur quoi agir) et, d'autre part, les types d'intervention (comment agir) en montrant les liens avec les étapes du processus d'adaptation. La prévention concerne la genèse des difficultés. Le dépistage, le diagnostic et les traitements concernent la période d'inadaptation. La réadaptation, la rééducation et la suppression des obstacles environnementaux concernent la période d'adaptation.

Ces types d'intervention tentent de répondre aux besoins fondamentaux de la personne en s'actualisant dans les milieux qui constituent le tissu social : le milieu familial, le milieu éducatif ou scolaire, le milieu socio-économique, le milieu sociopolitique, le milieu religieux, le milieu

Figure 5.2
Ouverture du milieu comme structure d'ensemble

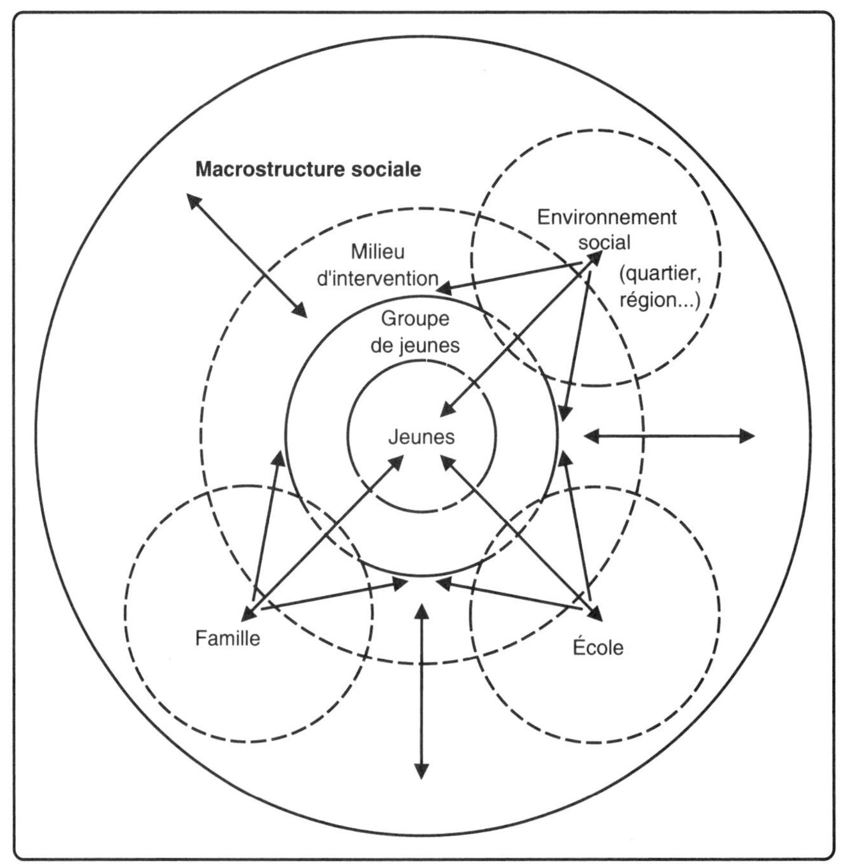

Source : Gilles GENDREAU, *L'intervention psycho-éducative, solution ou défi ?* Paris, Éditions Fleurus, collection « Pédagogie psychosociale », 1978, p. 83.

récréatif, le milieu social, le milieu de la santé et des affaires sociales, le milieu de la justice, etc. L'intervenant est rattaché à un milieu, où interagissent diverses composantes. Le milieu, considéré comme un tout, a ses propriétés d'ensemble distinctes de celles des composantes ; c'est un ensemble dynamique : une modification d'une des composantes influence les autres composantes ou l'ensemble du milieu lui-même. Ainsi, chacune des composantes doit être définie en elle-même dans la réalité et mise en relation avec les autres (*voir la figure 5.2*).

Les interventions axées sur la prévention

Le concept de prévention est relativement nouveau et il repose sur le postulat qu'il vaut mieux prévenir que guérir. Quand on croit qu'à toute difficulté d'adaptation correspondent un ou plusieurs facteurs causals, il devient logique de vouloir soustraire de leur influence néfaste des victimes éventuelles. La vaccination est un exemple d'interventions de prévention. Celles-ci sont intimement liées à la recherche sur les facteurs causals biologiques, environnementaux et psychodéveloppementaux. Notons, toutefois, qu'identifier une cause ou un facteur de risque n'équivaut pas automatiquement à savoir comment prévenir son effet. La prévention a ses limites, car il y a une différence entre un traitement étiologique et un traitement symptomatique.

La recherche génétique occupe une place importante dans la prévention des facteurs biologiques. Elle s'est développée autour de deux axes. Le premier vise l'étude des maladies héréditaires qui ont une origine génétique certaine comme la dystrophie musculaire, la dystrophie myotonique, la fibrose kystique, la mucoviscidose. Le second, plus récent, vise à mettre en évidence la contribution génétique (terrain défavorable, prédisposition génétique ou susceptibilité génétique) dans l'apparition de maladies physiques comme le diabète, les cancers, l'hypertension et de maladies mentales comme le trouble bipolaire ou la schizophrénie. La prévention des facteurs causals s'est élargie quand on a cherché à contrer plusieurs maladies infectieuses par la mise au point des vaccins et les programmes publics de vaccination.

Pour ce qui est des accidents de toutes sortes et des facteurs liés aux habitudes de vie, des campagnes de sensibilisation et d'information visent à en réduire les effets négatifs. Avec une vision interactionniste, il devient plus difficile d'identifier des agents pathogènes précis et incontestables. Certains facteurs de risque peuvent conduire à des inadaptations mais n'y aboutissent pas nécessairement. Les interventions se révèlent quelquefois délicates puisque tout dans la vie est d'une certaine façon un facteur de risque. Par exemple, interdirons-nous les relations sexuelles pour éviter les maladies transmises sexuellement ? La rationalité de la prévention peut occasionnellement produire des effets d'entraînement contraires à ceux qu'on espérait.

La prévention des facteurs environnementaux est plus récente; elle est passée des facteurs microsociaux aux facteurs macrosociaux et s'oriente, de plus en plus, vers les facteurs naturels et physiques. La prévention axée sur les conditions micro et macrosociales se réalise au moyen de planification, de counseling et d'information. Les interventions sont faites tant auprès des individus qu'auprès des groupes avant que les difficultés ne se manifestent. On trouve des exemples de ces activités dans les programmes de counseling avant le mariage, dans les cours aux parents qui attendent un enfant, dans les services de guidance des enfants et dans les programmes touchant d'autres groupes ou individus aux prises avec des changements majeurs de style de vie ou d'espace vital.

Nous dépendons des ressources de l'environnement pour notre bien-être quotidien et nous avons tout intérêt à préserver un air propre, de l'eau à la fois nette et abondante ainsi qu'un écosystème sain en nous assurant que nos activités n'exercent pas de contraintes indues sur ces éléments. La surveillance de l'état de l'environnement et des contraintes que nos activités exercent sur les systèmes naturels est cruciale parce qu'elle fournit les informations nécessaires pour préparer les mesures permettant de contrecarrer les changements non désirés. Au Canada, un bon nombre d'organismes des gouvernements fédéral, provinciaux et municipaux sont engagés dans des activités de recherche et de surveillance environnementales, étant donné la dégradation accélérée de l'environnement naturel. Par conséquent, certaines mesures doivent être prises pour modifier les contraintes ainsi créées. Ces mesures peuvent comprendre la modification du procédé industriel ou un changement dans la façon d'éliminer les déchets, par exemple.

La prévention des facteurs psychodéveloppementaux vise, d'une part, à identifier les personnes vulnérables qui ont besoin d'une intervention plus précoce et plus intensive et, d'autre part, à diminuer les facteurs pathogènes – par exemple, la succession des « placements » pour un jeune enfant. Une intervention anticipée permet à la personne d'augmenter ses capacités, de faire face à de nouvelles expériences dans la vie et de s'y adapter adéquatement. La connaissance des conditions favorables au cheminement adaptatif permet de trouver des techniques de prévention en s'attachant à l'intervention anticipée. Ce type d'intervention a pour but de prévenir les difficultés appréhendées qui pourraient dépendre de réactions inadéquates au moment où les personnes tentent de retrouver leur équilibre.

Les interventions axées sur le dépistage, le diagnostic et le traitement

Les interventions qui permettent d'établir des diagnostics et d'effectuer des traitements, si cela est possible ou nécessaire, commencent par le dépistage, qui se fait généralement à l'aide de tests ou d'examens.

La thérapie génétique se développe beaucoup actuellement, mais elle requiert d'infinies précautions. Elle consiste d'abord à localiser et à dépister les gènes tarés pour ensuite, par une forme de manipulation génétique, soigner des maladies héréditaires ou des accidents dans le développement des gènes. Les difficultés pratiques sont considérables et les résultats, pour l'instant, sont encore incertains. On n'a guère identifié jusqu'à présent qu'un peu plus de 3 000 gènes. Or, le génome humain en compte entre 50 000 et 100 000.

D'autres interventions de dépistage visent à contrôler le mieux possible des maladies (phénylcétonurie, galactosémie, hypothyroïdie, diabète) et des déficiences (motrices, sensorielles, physiologiques, intellectuelles, psychiques) afin d'intervenir le plus précocement possible. Dans certaines situations, on peut éliminer les séquelles; dans d'autres, on peut soulager la souffrance; dans d'autres encore, on peut réduire la gravité des conséquences. Mentionnons les suivantes, à titre d'exemple : la détection *in utero* chez le fœtus, posant tout le problème des avortements préventifs, ou les interventions *in utero* comme le changement de sang du fœtus; le diabète, qui peut être sinon guéri, du moins équilibré par l'insuline; l'hémophilie, qui peut être combattue par les transfusions. Dans le cas de maladies métaboliques, comme la phénylcétonurie, un dépistage et un régime précoce sont essentiels, car on évite ainsi une déficience intellectuelle et d'autres séquelles importantes.

Exemple de la phénylcétonurie

La phénylcétonurie (P.K.U.), maladie relativement rare qui atteint un enfant sur 10 000, bloque la dégradation de la phénylalanine, l'un des acides aminés contenus dans les aliments. Les déchets toxiques qui s'accumulent dans le liquide céphalo-rachidien lèsent le cerveau pendant son développement et condamnent le sujet à la déficience intellectuelle. Or, si le mal est détecté à la naissance, il suffit de veiller à ce que l'alimentation de l'enfant ne contienne pas, ou très peu, de phénylalanine. Il pourra se développer normalement et même, par la suite, s'alimenter comme tout le monde. En France, où le test est maintenant pratiqué systématiquement sur tous les nouveau-nés, la phénylcétonurie a disparu.

Des interventions de dépistage et de diagnostic se développent de plus en plus dans le domaine des inadaptations biopsychosociales. On tente de trouver les indices permettant de détecter les enfants violentés ou victimes d'abus sexuels, les personnes suicidaires, les sous-cultures de pauvreté, les sous-cultures déviantes. Il est important d'identifier les groupes à risque avant que les difficultés ne soient trop graves et d'amorcer rapidement un cheminement adaptatif grâce à une aide anticipée. La plupart des conditions microsociales et macrosociales qui freinent l'intégration des personnes et leur cheminement adaptatif sont de plus en plus dénoncées par des campagnes de sensibilisation visant à diminuer les préjugés, les discriminations de toutes sortes et les attitudes défavorables.

Les interventions axées sur l'adaptation, la réadaptation et la rééducation

Les interventions axées sur l'adaptation, la réadaptation, la rééducation concernent les différents programmes d'aide individuels et de groupe. Certains sont centrés sur l'individu par rapport à ses symptômes ou cherchent à modifier l'organisation de sa personnalité. D'autres programmes sont axés sur des changements dans les milieux considérés comme inadéquats ou pathogènes. Ces interventions sont nécessaires quand les difficultés d'adaptation sont devenues plus significatives et qu'elles ont des répercussions négatives sur les « habitudes de vie » d'une personne, d'un groupe ou d'une collectivité.

Les interventions de réadaptation visent à développer les capacités fonctionnelles et les possibilités d'autonomie de la personne dans les différentes habitudes de vie en modifiant les obstacles écosociaux entravant le cheminement adaptatif. Les interventions de rééducation, quant à elles, visent à modifier certains comportements déviants afin que les personnes concernées développent un minimum de conformité sociale.

Des interventions dans le cadre de communautés thérapeutiques s'organisent également à l'intérieur ou à l'extérieur des réseaux officiels. Les interventions des groupes d'entraide se font souvent par des personnes aux prises avec un même problème, qui se rencontrent sur une base régulière afin de se soutenir mutuellement. Le mouvement des Alcooliques anonymes constitue l'exemple type : l'aide apportée se fait au moyen d'un système de parrainage et principalement par des rencontres de groupe.

Les interventions axées sur la suppression ou la diminution, des obstacles écosociaux ou environnementaux visent d'abord à agir sur les conditions naturelles, en particulier pour diminuer les barrières architecturales, pour favoriser l'accessibilité aux édifices publics et privés de même que pour rendre plus fonctionnel l'aménagement des lieux de vie. Elles visent ensuite à éliminer les préjugés qui freinent l'intégration sociale des personnes présentant des limitations fonctionnelles.

Plusieurs de ces programmes ont comme objectif principal de faire participer la famille où s'insère la réalité quotidienne de la personne en difficulté. Cette conception de l'intervention s'inscrit dans une perspective systémique qui, au lieu de se centrer uniquement sur la personne, agit sur les conditions microsociales. Par exemple, on évite de fragmenter le système famille. Le soutien à la famille aide au maintien de la structure familiale elle-même. Le développement individuel vise à maximaliser le potentiel d'adaptation des membres afin que chacun puisse en arriver à se personnaliser dans ce contexte. Notons qu'il y a maintenant des écoles de pensée bien distinctes quant à l'approche familiale[12].

Les rôles respectifs de la personne et de l'intervenant

La personne aux prises avec des difficultés d'adaptation, provisoires ou durables, est au cœur de toute intervention et c'est vers son mieux-être que tendent à converger les actions des divers intervenants. Ces derniers sont ceux qui, dans un contexte donné, agissent ou s'abstiennent d'agir pour influencer cette personne qui, volontairement ou involontairement, consciemment ou inconsciemment, « reçoit » cette influence.

Le couple intervenant/client, aidant/aidé, travailleur/bénéficiaire vit une relation qui varie selon les situations et les contextes. L'objet de l'intervention, délimité dans le temps et dans l'espace, flexible ou rigide, n'est pas immuable mais fait partie d'un processus. L'ensemble des conditions en présence favoriseront ou non la qualité de l'intervention, qui se vit dans la mouvance et dans la dynamique des rapports entre les personnes.

La notion de maximalisation du potentiel d'adaptation biopsychosociale donne tout son sens au travail de plusieurs intervenants sociaux. Chaque être humain peut atteindre son maximum même si le maximum de l'un n'est pas nécessairement le maximum de l'autre, ni celui de la moyenne, ni celui de l'élite, ni celui correspondant à l'image véhiculée par notre société.

Tout en reconnaissant les limites et les différences des personnes aux prises avec des difficultés, les intervenants mettent l'accent sur les forces, les capacités fonctionnelles et les potentialités en créant les conditions favorables au cheminement adaptatif de la personne. Ils considèrent son état de perpétuel devenir, son potentiel évolutif et dynamique sur les divers plans physiologique, intellectuel, affectif, social et spirituel. De plus, ils tiennent compte de l'environnement familial, scolaire, social qui, lui aussi, a un passé, des traditions. Cet environnement se transforme également et exige, de la part de la personne vivant une difficulté, de nouvelles avenues d'adaptation.

Les effets réels d'une intervention s'observent par la capacité de la personne en difficulté de s'approprier les fruits de la démarche et par sa capacité de les intégrer à son cheminement. Les efforts des soutiens situationnels peuvent être minés par les réactions et les résistances de la personne, mais l'inverse peut également se produire.

Dans ce contexte, la personne devient le principal agent de son adaptation. Elle est le point de départ et la condition expresse de toute démarche vécue vers un changement potentiel. Le support apporté par les intervenants est relatif puisque, finalement, c'est toujours la personne concernée qui est le principal artisan de son adaptation. De plus, l'aide extérieure sera en général perçue comme aidante par la personne aux prises avec un problème dans la mesure où celle-ci sollicitera ou acceptera cette aide.

Toute intervention extérieure perçue comme non aidante demeurera stérile tant et aussi longtemps que la personne ne modifiera pas sa perception. La personne a des droits, mais également des responsabilités dans son cheminement adaptatif. Sa réceptivité à l'égard de l'intervenant est l'un des aspects fondamentaux de la probabilité d'une réussite. Ainsi, les rapports entre l'intervenant et la personne se trouvent marqués par le degré de signification qui s'établit. Si le climat est favorable, s'il permet de résoudre les tensions et les résistances inhérentes au changement, l'influence sera plus pénétrante.

Les modèles sont pertinents dans la mesure où ils fournissent des cadres de référence qui aident chaque intervenant à mieux discerner les fondements de sa pratique et à identifier ou saisir l'ensemble des gestes qui font partie de sa pratique quotidienne. De plus, notons qu'il existe une fluctuation dans les attitudes, lesquelles jouent un rôle essentiel sur la qualité de l'intervention. C'est par rapport aux actions de l'intervenant que la personne lui accorde, subjectivement, une crédibilité. Elle est très attentive aux variations de la cohérence de l'intervenant. Enfin, elle peut avoir choisi ou non l'intervenant et choisi ou non qu'on l'aide dans telle situation ou pour tel problème.

La qualité de l'intervention passe donc également par l'analyse des réactions de la personne aux sollicitations de l'aidant. Les enjeux sont multiples et les interconnexions entre les éléments nous donnent une diversité d'indicateurs pour procéder à une analyse évaluative rigoureuse de la qualité, analyse qui, dans ce domaine, reste nécessairement approximative.

La tradition sociale place certains intervenants en position d'autorité, morale ou réelle, par rapport aux personnes qui ont besoin d'aide. On confie à certains le pouvoir d'influencer ces personnes à partir des critères retenus au sujet de leurs difficultés d'adaptation et des buts généraux de l'intervention. Il y a encore à peine une trentaine d'années, l'intervenant était défini comme le gardien de certaines normes sociales. Ainsi, il devait influencer les individus afin que ces derniers se conforment aux attentes sociales et obéissent aux normes de la vie en société. Depuis les années 60, ce rôle s'est en bonne partie modifié, et on demande aux intervenants de favoriser l'adaptation réciproque de la personne et de son environnement pour en arriver à rétablir un équilibre « viable et dynamique » entre les deux.

Ainsi, l'intervenant peut agir sur les conduites individuelles lorsque ces dernières compromettent le développement social, et il peut agir sur les conditions environnementales lorsque ces dernières compromettent le développement de la personne. Reconnaître les lois de la vie et de l'adaptation biopsychosociale, c'est savoir utiliser adéquatement les conditions environnementales et les conditions individuelles pour maximaliser le potentiel d'adaptation des personnes, à chaque étape de leur développement.

La spécificité et la complémentarité des intervenants

Toute personne peut connaître elle-même une difficulté d'adaptation biopsychosociale ou faire partie des soutiens situationnels pour une autre personne aux prises avec une telle difficulté. La présence de soutiens est alors une des conditions favorables au cheminement adaptatif et les intervenants font partie de ces soutiens situationnels; ils forment un réseau dans lequel chacun peut avoir à jouer différents rôles selon les autres conditions en présence et les étapes du processus d'adaptation.

Le réseau des intervenants comprend les membres de l'entourage immédiat, les bénévoles, les communicateurs des médias d'information, les paraprofessionnels et les professionnels. La figure 5.3 présente ce réseau, qu'on peut visualiser en le comparant à un écran de radar. L'épicentre est la personne, avec ses caractéristiques individuelles, et le balayage se fait à travers tous ses milieux de vie.

Figure 5.3 **Intervenants dans l'adaptation biopsychosociale**

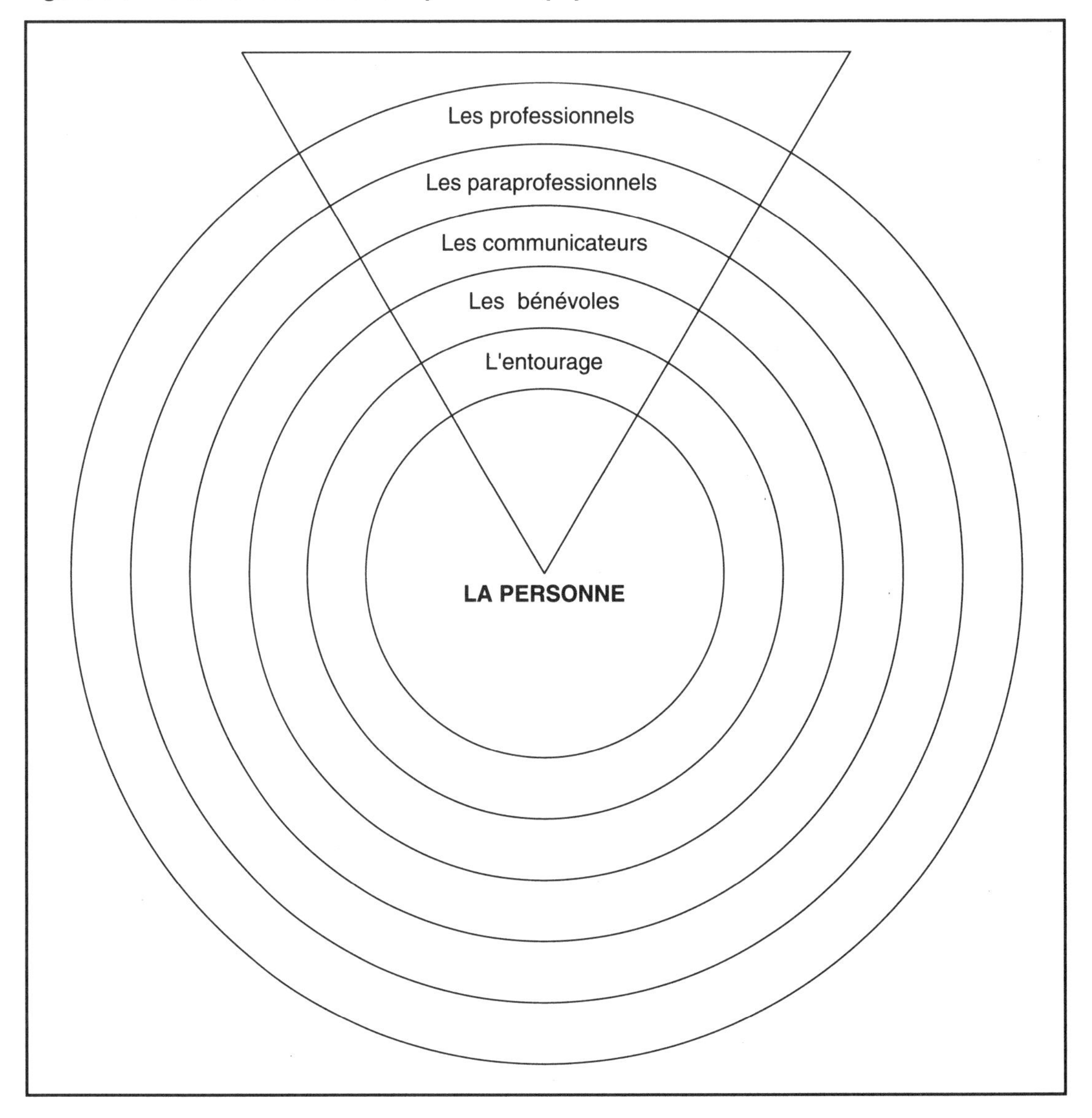

Les membres de l'entourage immédiat sont habituellement les premiers intervenants et constituent ce que l'on appelle le « réseau naturel d'aide », sauf dans les cas où le milieu est lui-même pathogène. Les difficultés d'adaptation vécues par une personne ont dans la majorité des cas des répercussions sur les membres de son entourage immédiat : enfants, parents, frères ou sœurs, parenté, amis, confrères, voisins. Cependant, lorsque la difficulté vécue par l'un des leurs est importante, leur accompagnement et leur support psychologique ou social sont essentiels dans toutes les situations quotidiennes afin d'établir une collaboration avec d'autres intervenants.

Les bénévoles œuvrant au sein d'organismes, de mouvements, d'associations, de comités, de campagnes de sensibilisation ou de souscription peuvent également favoriser le cheminement adaptatif d'une personne ayant une difficulté. Il n'est pas facile de déterminer d'une manière précise l'aide apportée puisque plusieurs de ces organismes poursuivent d'autres objectifs que l'aide individualisée. Les bénévoles peuvent intervenir à titre préventif ou curatif pour un grand nombre de personnes en leur servant de groupe de référence ou de groupe d'appartenance. Plusieurs nouveaux programmes ont été mis au point pour inclure ces bénévoles comme participants actifs ou auxiliaires des équipes d'intervention.

Les communicateurs des médias d'information jouent également un rôle en présentant quotidiennement des informations, des reportages, des analyses, des entrevues avec des personnes en difficulté, avec des intervenants ou avec des spécialistes dans des domaines spécifiques. On veut attirer l'attention du grand public et on veut rejoindre « à la maison » les personnes concernées par les problèmes d'adaptation. Certains reportages peuvent les aider à mieux comprendre leur problème, à le dédramatiser, à entrevoir des solutions possibles, à découvrir des ressources communautaires ou professionnelles, à briser la solitude et l'isolement. Cependant, l'influence des médias reste mitigée, parcellaire et difficilement contrôlable quant à ses effets sur les usagers. Les reportages à sensation peuvent sensibiliser, mais ils peuvent également « sursaturer », augmenter notre seuil de tolérance à la souffrance, diminuer notre seuil de sensibilité, entretenir un certain climat de pessimisme et de défaitisme, ou encore, avoir un effet d'entraînement.

Les paraprofessionnels sont représentés par le personnel de soutien et le personnel technique au sein des équipes d'aide. S'ils saisissent bien la problématique de la clientèle et les objectifs d'intervention, ils peuvent contribuer au mieux-être de la personne en difficulté. En effet, l'aide apportée par les « préposés » aux bénéficiaires, à l'entretien ménager, à la buanderie, à l'alimentation, au transport, à la sécurité, etc., est souvent indispensable à la qualité des relations affectives et au support physique, psychologique ou social.

Les intervenants professionnels ont comme fonctions de travail des tâches spécifiques d'intervention auprès des personnes aux prises avec des difficultés d'adaptation. L'aide professionnelle est utile, voire indispensable, pour certaines personnes ou dans le cas de difficultés particulières; par exemple, sous le coup de chocs brusques et inattendus, ou encore, quand une situation ou une relation se détériore depuis longtemps et que la personne ou l'entourage ne disposent pas de ressources nécessaires ou suffisantes pour favoriser le cheminement adaptatif. Certaines professions s'intéressent aux aspects biologiques de l'adaptation humaine alors que d'autres se consacrent plutôt aux aspects psychosociaux. On a assisté dans les années 60 à un rattrapage important et à une montée de l'intervention professionnelle.

Les professions reliées principalement aux aspects biologiques comprennent la médecine générale et les différentes spécialités : psychiatrie, anesthésie, cancérologie, cardiologie, chirurgie, dermatologie, gériatrie, gynécologie, neurologie, orthopédie, oto-rhino-laryngologie, pédiatrie, pneumologie, etc. Parmi ces spécialités, la psychiatrie occupe le champ particulier de la santé mentale touchant les aspects biopsychosociaux. Les différents professionnels font des interventions de dépistage, de diagnostic et de traitement. On retrouve dans ce secteur d'autres professions : soins infirmiers, ergothérapie, inhalothérapie, orthophonie, pharmacologie, etc.

Les professions reliées davantage aux aspects psychosociaux concernent le travail en service social, en psychologie, en psycho-éducation, en criminologie, en psychopédagogie, en orthopédagogie, en orthothérapie, en éducation spécialisée, etc. La formation est ici axée sur des interventions spécifiques concernant l'adaptation, la réadaptation ou la rééducation. Les champs d'intervention, les tâches de travail, les clientèles, les objectifs et les techniques sont spécifiques de chaque profession, tout en demeurant complémentaires. Les interventions psychothérapeutiques individuelles et de groupe se pratiquent selon plusieurs approches : la psychanalyse, le behaviorisme, l'humanisme, la thérapie de la réalité, l'analyse transactionnelle, la psycho-éducation, les thérapies cognitives, les étapes de maturité, l'intervention en situation de crise, etc.

Le processus d'intervention

Une perspective systémique de l'adaptation humaine implique des interventions sur les diverses composantes. La recherche de la cohérence suppose une démarche davantage concertée et rigoureuse qu'on appelle « processus d'intervention ». Ce processus s'inspire de la démarche scientifique utilisée dans les sciences exactes et adaptée aux sciences et techniques humaines. Il constitue un instrument de travail essentiel pour l'aide aux personnes qui traversent des difficultés d'adaptation. Il vise à aider les intervenants à communiquer et à se concerter davantage pour dispenser des services de qualité afin de mieux répondre aux différents besoins. Comme le processus d'adaptation, le processus d'intervention est un mouvement continuel et dynamique entre la personne et son environnement. Partant de la personne qui traverse une période d'inadaptation, provisoire ou durable, il s'élargit à la famille, à l'école, aux groupes communautaires, aux milieux de rééducation ou de réadaptation, à la société globale.

Quels que soient les types ou les sphères d'activités, à grande ou à petite échelle, les étapes du processus d'intervention sont sensiblement les mêmes : la cueillette des données, le bilan, la planification, l'expérimentation et l'évaluation des résultats. Ces cinq étapes, distinctes mais reliées, varient cependant selon les clientèles cibles, les besoins, les objectifs, les moyens, les niveaux, les intervenants, les milieux et les ressources. La figure 5.4 montre ces étapes du processus d'intervention. On y précise également, pour l'étape de la planification, les différentes sphères d'utilisation.

La cueillette des données

La cueillette des données est une méthode systématique pour amasser les informations objectives et subjectives qui permettent d'identifier les facteurs causals, les difficultés d'adaptation actuelles et potentielles ainsi que les conditions défavorables ou favorables au cheminement adaptatif. L'observation, directe ou indirecte, se fait à l'aide de tests, d'examens, d'entrevues, d'activités. On porte un regard sur les capacités physiques, intellectuelles, affectives, sociales des personnes en difficulté d'adaptation, dépendamment des limitations fonctionnelles, des obstacles environnementaux et de leurs répercussions sur les habitudes de vie de ces personnes.

Dans une perspective systémique, tous les éléments qui empêchent, ralentissent ou favorisent le cheminement adaptatif sont pris en compte,

Figure 5.4 **Étapes du processus d'intervention**

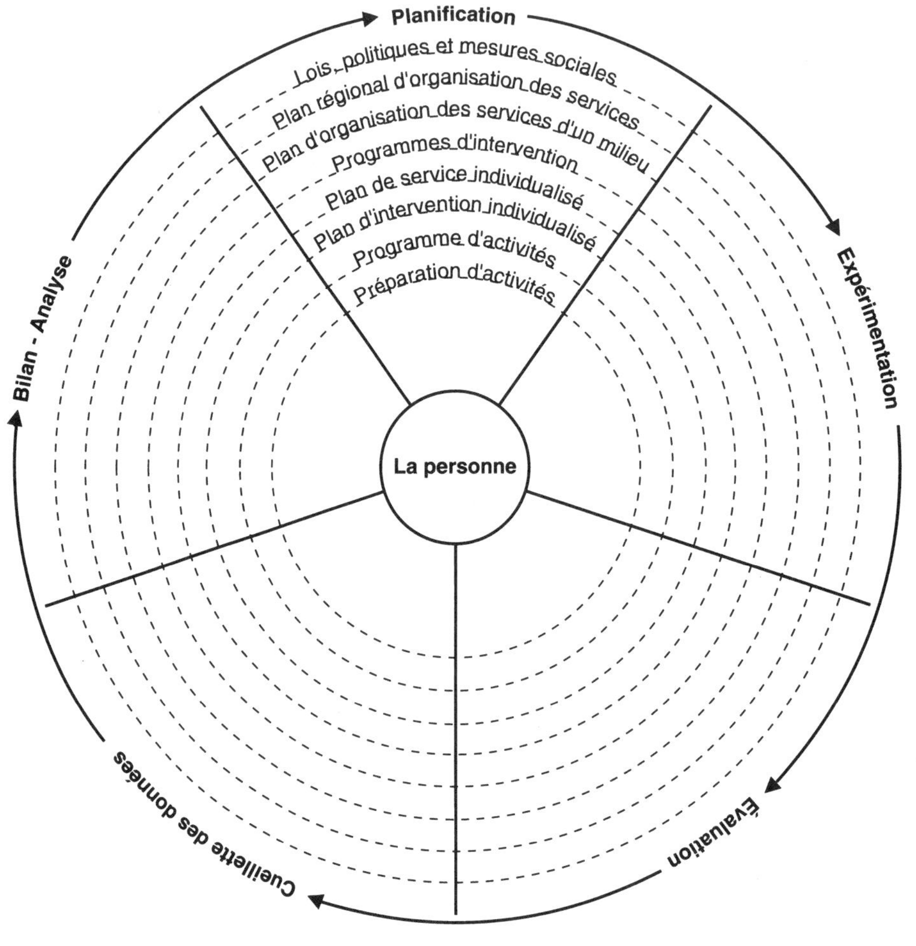

que ces éléments touchent la personne elle-même, sa famille, son milieu de travail, les préjugés, les barrières architecturales ou toute autre sphère de la vie quotidienne. Des difficultés sont toutefois liées au nombre, à la qualité et à la synthèse des outils de cueillette intra et interdisciplinaire, de même qu'à ce qui concerne leur utilisation sur les plans clinique et administratif.

Le bilan biopsychosocial

Les données recueillies ont besoin d'être synthétisées pour servir de base, partiellement ou complètement, à l'établissement d'un bilan biopsychosocial, c'est-à-dire à une analyse de la situation problématique et de l'interaction entre les conditions en présence. Un bilan est établi par les différents intervenants en fonction des aspects physiologique, moteur, perceptif, cognitif, affectif, comportemental, intellectuel, social. Ce bilan permet d'analyser toute la problématique vécue par une personne à telle étape de son cheminement adaptatif. Cependant, une difficulté existe encore en ce qui concerne l'utilisation des diverses terminologies et classifications, la reconnaissance de la spécificité de chaque intervenant et de chaque problématique. Une meilleure connaissance de la problématique de la personne et de son environnement ainsi qu'une analyse objective permettent une plus grande spécificité des diverses interventions.

La planification de l'intervention

La planification a trait à l'établissement de priorités d'intervention, afin de créer les conditions le plus favorables possible au cheminement adaptatif à l'une ou l'autre des étapes du processus d'adaptation. À partir des besoins à combler, on fixe plusieurs objectifs en précisant les zones de performance clinique et de responsabilité entre les intervenants et en établissant des priorités concernant les interventions professionnelles et la distribution des services. Cette planification s'applique à plus ou moins grande échelle, selon qu'elle concerne les lois et mesures sociales, le plan régional d'organisation des services, le plan d'organisation des services, les programmes d'intervention, les plans de service individualisé, les plans d'intervention individualisée, les programmes d'activités et la préparation des activités (*voir la figure 5.4*).

La planification permet de préciser les objectifs et leur voie de réalisation en fonction des besoins de la ou des personnes concernées. Elle peut être élaborée mentalement, exprimée oralement ou par écrit. En général, elle comprend les objectifs, les moyens, les résultats escomptés, l'échéancier et les responsabilités. Les objectifs sont des énoncés de ce vers quoi doivent tendre les interventions. Les moyens ont trait aux contenus des activités ou aux étapes prévues. Les résultats désirés correspondent généralement aux comportements attendus. L'échéancier est le calendrier de réalisation des activités ou des étapes. Les responsabilités recouvrent à la fois la liste des tâches à effectuer et la désignation des intervenants responsables de les réaliser avant, pendant ou après l'expérimentation. L'ouverture sur la planification multidisciplinaire pose, dans la pratique, des problèmes de coordination – de choix de « chef d'orchestre » surtout, dans certaines situations conflictuelles – entre le milieu naturel, les bénévoles, les intervenants paraprofessionnels et professionnels.

L'expérimentation L'expérimentation est l'intervention elle-même, qui se caractérise par le passage à l'action. Plus spécifiquement, c'est l'application des interventions planifiées à l'étape précédente. Elle se fait selon le champ spécifique d'un intervenant en vue d'atteindre les objectifs fixés au départ. À cette étape, l'intervenant utilise ses capacités intellectuelles, sa compétence technique et clinique, son sens éducatif, ses habiletés de communication et d'animation.

L'application doit se faire dans le respect de la personne, lequel suppose une intelligence dans l'intervention, une sagesse, un art, un équilibre. Patience, générosité, lucidité, vigilance, sens critique, sens autocritique, connaissance, intuition, ténacité, ingéniosité, espoir têtu sont des qualités essentielles. Des difficultés pratiques surgissent souvent à cause des facteurs suivants : la très grande diversité des approches et des techniques, la délimitation des spécificités et des « zone grises » professionnelles, les niveaux de formation, les tâches de travail, les conventions collectives, la continuité dans l'intervention, etc.

L'évaluation des résultats de l'intervention L'évaluation des résultats est l'examen critique de l'atteinte des objectifs fixés au départ, de la validité des données recueillies, de la pertinence des moyens utilisés et de la qualité des actions en fonction de la maximalisation du potentiel d'adaptation et des conditions en présence. Plusieurs de ces évaluations se font dans le cadre de réunions cliniques, où chacun des intervenants rend compte de son rôle spécifique et dégage des prospectives. L'évaluation fournit une rétroaction sur l'efficacité des interventions, qui peuvent s'interrompre lorsque les problèmes d'adaptation sont résolus ou se poursuivre à la lumière des dernières données.

Cette étape vise également à favoriser le développement de la recherche clinique, à faciliter le processus d'évaluation des programmes en fonction des résultats, à uniformiser le mode de communication entre les intervenants d'un même milieu et à rendre l'information accessible aux bénéficiaires.

La compétence des intervenants et la question de la formation du personnel

La complexité de l'intervention biopsychosociale selon une approche systémique pose l'épineuse question de la compétence et de la formation des intervenants. Pour trouver des éléments de réponse à cette question pertinente, même si elle peut paraître piégée et lourde de sens, nous nous servirons des idées émises par Jacques Grand'Maison[13] lors d'une conférence ayant pour thème : « Finalement... qui est compétent ? » En posant cette question, il a voulu, d'une part, lever certaines illusions en admettant qu'on est un peu tous dépassés par la problématique actuelle de l'adaptation humaine et, d'autre part, nous inciter à retrouver plus d'humilité professionnelle, plus de complémentarité, plus de sens critique, à mener une recherche plus rigoureuse et plus ouverte.

Le balancier est passé d'un extrême à l'autre dans le champ de l'intervention biopsychosociale en oscillant de la compétence exclusive du spécialiste à la compétence exclusive du client. Ces deux solutions extrêmes sont des illusions. Tout en resituant les diverses compétences dans le cadre d'une stratégie commune, décloisonnée, à la fois plus unifiée et plus diversifiée, on peut se demander, même si cela est souvent difficile, qui est le plus en mesure de poser tel ou tel geste. Souvent, tout se passe comme si les groupes professionnels, aussi bien que les groupes communautaires, les groupes d'entraide, les groupes de bénéficiaires, les gestionnaires, les technocrates, les politiciens au pouvoir, se comportaient comme des propriétaires des services publics. Il existe, en effet, des rivalités, des zones grises et des batailles de leadership entre ces différents groupes.

Il est important d'évaluer lucidement la compétence des intervenants dans la perspective d'offrir les meilleurs services possibles afin de dépasser un climat potentiel de disqualification mutuelle. On ne peut ignorer les jugements qui envoient tour à tour au banc des accusés les technocrates centralisateurs, les professionnels corporatistes, les parents irresponsables, les syndiqués maîtres chanteurs, les gouvernements indécis, les théoriciens rêveurs...

L'intervenant assiste la personne aux prises avec une difficulté provisoire ou durable, l'oriente et facilite un cheminement adaptatif. Est considéré comme compétent l'intervenant qui possède des habiletés professionnelles dans son domaine, qui analyse une situation et propose des solutions adéquates, qui partage son expérience, qui adapte ses interventions aux situations, qui fournit les ingrédients essentiels au développement de la vie, qui voit les limites de ses capacités, qui suscite l'enthousiasme. Dans cette matière, il devient essentiel de distinguer certains éléments : les qualités de base des intervenants, qui sont en partie innées mais qui s'apprennent, la spécificité de chacun d'entre eux, leur complémentarité, leur formation et leur perfectionnement.

Jacques Grand'Maison nous incite à discerner et à promouvoir la compétence partout où elle se trouve si l'on veut collaborer à la maximalisation du potentiel des personnes en difficulté d'adaptation. Il retient neuf dimensions pour analyser cette compétence chez les intervenants professionnels en faisant appel à une stratégie mieux orchestrée des ressources, des institutions, des talents, des formations. La compétence, tout en maintenant la spécificité des secteurs d'activités et des champs de spécialisation, peut s'acquérir et se développer dans les programmes de formation, par les expériences de travail et par divers projets de formation continue. Ces dimensions, présentées au tableau 5.5, sont les aspects suivants: proprement professionnel; «charisme»; «touche humaine»; pédagogique; social; administratif; politique; éthique et philosophique; «maturité».

Tableau 5.5
Dimensions reliées à la compétence professionnelle selon Jacques Grand'Maison

1. L'aspect proprement professionnel
2. L'aspect «charisme»
3. L'aspect «touche humaine»
4. L'aspect pédagogique
5. L'aspect social
6. L'aspect administratif
7. L'aspect politique
8. L'aspect éthique et philosophique
9. L'aspect «maturité»

L'aspect proprement professionnel concerne la maîtrise d'un champ d'intervention, la logique interne et externe de l'approche utilisée, les instruments cliniques, théoriques, pratiques. Le sens professionnel ne se réduit pas à un statut, à un poste de travail, à un emploi, à un chèque de paye. Il est l'une des bases de la dignité de soi, du respect des autres, de l'éthique individuelle et collective, de la dynamique sociale et politique, et aussi d'une certaine joie de vivre. Un sens professionnel très fort et la recherche de l'excellence sont particulièrement nécessaires dans l'intervention auprès des personnes qui éprouvent de sérieuses difficultés d'adaptation.

L'aspect « charisme » renvoie aux talents particuliers qui ne viennent pas de la compétence professionnelle comme telle et qui peuvent se développer au même titre que tout art. Ce peut être une capacité d'intuition, un flair, une inventivité féconde. Il concerne les connivences invisibles, impondérables de la vie, des êtres, des expériences. Ces connivences sont importantes. Elles permettent de mieux se comprendre et de se rejoindre entre professionnels et profanes. Le charisme permet à certaines personnes d'intervenir très adéquatement dans certaines situations, et encore plus si elles possèdent aussi une expertise valable et des techniques adéquates.

L'aspect « touche humaine » fait appel à une certaine dose de gratuité et de générosité pouvant avantageusement remplacer dans certaines situations et avec certaines personnes un type de professionnalisme moderne caractérisé par une bienveillance froide, savamment distancée, aseptisée et tamisée par un appareil complexe de filières administratives, de normes professionnelles et syndicales, voire de justifications scientifiques.

L'aspect pédagogique consiste à tenir compte des capacités des personnes à absorber et à digérer les nombreux changements proposés en vue de régler leurs difficultés. Le citoyen ordinaire (plus encore, la personne marginale, handicapée, analphabète) se sent souvent aliéné et se perd dans les dédales de l'administration. Plusieurs intervenants oublient que la personne à laquelle s'adressent les différentes réformes est toujours la même et qu'elle a des attitudes semblables à la maison, au travail, à l'école, à l'hôpital, à l'agence sociale, dans le bureau du médecin ou du conseiller en main-d'œuvre.

L'aspect social a trait à l'investissement personnel et à l'engagement social à développer pour améliorer la concertation et pour rendre efficace une équipe pluridisciplinaire. Ici encore, cela s'apprend. Animer une équipe pluridisciplinaire représente un défi souvent plus important que les défis d'ordre structurel, scientifique ou technique. Cet aspect concerne l'importance des enjeux sociaux, les coûts impliqués et la compréhension du système social. Un intervenant se doit d'avoir des relations humaines adéquates et des rapports sociaux actifs tout en s'attaquant aux causes structurelles, sociales et politiques des problèmes individuels et en développant un sens critique face au système social dont il est la courroie de transmission, d'adaptation et d'intégration.

L'aspect administratif concerne la compétence dans la compréhension de la fonction administrative : bien saisir les règles du jeu, les cadres de référence qui gouvernent les organismes, les structures particulières ou les structures d'ensemble. C'est là une fonction trop importante pour la laisser exclusivement aux mains des spécialistes, pourtant essentiels à l'exercice de ces tâches. Chaque intervenant doit se demander et discerner si ses démarches et ses exigences sont « administrables », car cela fait partie d'une compétence honnête et d'un réalisme minimal.

L'aspect politique, malgré le fait que le terme « politique » soit un fourre-tout, est lié à la capacité de situer son champ quotidien dans des ensembles plus larges comme la structure institutionnelle de son service et des services connexes, les divers milieux, les classes sociales, la ville, la région, la structure gouvernementale. Par exemple, la situation des personnes démunies ou handicapées devrait être une préoccupation majeure des diverses corporations sur l'échiquier social et politique, car c'est déjà là un problème politique. Or, tout le monde se renvoie la balle : gouvernements, syndicats, corporations professionnelles, administrations locales. Cela amène chez les uns et chez les autres une pratique journalière vidée de toute signification politique, et ralentit souvent plusieurs cheminements adaptatifs possibles.

L'aspect éthique et philosophique concerne le grand nombre de questions d'ordre moral auxquelles nous sommes de plus en plus confrontés individuellement, professionnellement et collectivement. On ne peut pas évacuer cette dimension de la compétence, surtout dans un champ humain qui véhicule d'énormes enjeux éthiques, des démarches et des décisions qui marquent souvent une vie entière. Que penser, par exemple, des situations où certains intervenants sont accusés d'abus physiques ou sexuels sur des enfants, sur des adolescents ou sur des adultes déjà psychologiquement vulnérables ? Plusieurs professionnels reculent pourtant devant des questions éthiques. Ne sachant pas toujours à quelles valeurs se rapporter ou se demandant s'ils ont le droit d'imposer les leurs, plusieurs se désintéressent de cet aspect au nom d'une certaine « solidarité professionnelle » ou pour éviter des ennuis. Soulever les questions éthiques peut cristalliser les opinions et présenter le risque que la personne retombe dans un moralisme obtus ou un dogmatisme dépassé. Mais il y a aussi un danger dans les références éthiques jamais exposées comme telles, les enseignes idéologiques camouflées, l'absence d'une philosophie critique judicieuse et cohérente : on risque de laisser se propager, sous le prétexte d'une liberté d'action, des abus non réprimés et un laxisme tout aussi nuisible.

L'aspect « maturité » renvoie à la crédibilité de base de l'intervenant dans son propre processus d'adaptation biopsychosociale. Son champ d'intervention exige peut-être plus de maturité que bien d'autres puisque la personne aux prises avec des difficultés d'adaptation a besoin de trouver sur sa route des intervenants « témoins » qui affichent un certain espoir d'être heureux. La question d'un nouvel engagement social redéfinit la maturité, le bonheur et l'aventure humaine. Les personnes en difficulté d'adaptation sont particulièrement marquées par la déstructuration et le non-remplacement des tissus sociaux de base.

L'ADAPTATION AU FUTUR

La conviction que les sociétés peuvent agir sur le destin des personnes aux prises avec des difficultés d'adaptation justifie l'effort de soulever et de résoudre les problèmes posés par l'intervention biopsychosociale dans une perspective systémique. En effet, cette conviction conduit à concevoir des projets de changement et des programmes d'intervention; cependant, il faut constater que plusieurs changements sont « relatifs », car, autant l'être humain a pu modifier rapidement son environnement par la civilisation technoscientifique, autant il lui est difficile de s'y adapter adéquatement.

Deux aspects incitent fortement à la vigilance dans la recherche des solutions possibles. D'une part, dans notre culture moderne, toute problématique doit rester ouverte sur l'imprévisible ou sur le surgissement incessant de nouveaux problèmes. D'autre part, on ne peut plus s'aventurer dans la résolution d'un problème sans interroger intensément le passé qui l'a engendré et l'avenir qui en dévoilera les séquelles, afin de mieux comprendre le présent qui l'actualise.

En fait, nous sommes engagés dans une dialectique où le phénomène observé et l'observateur sont tous les deux en mouvement. Un minimum de distanciation est nécessaire pour mieux saisir la complexité des choix individuels et collectifs dans un monde de plus en plus mobile. C'est pourquoi soulever les interrogations aujourd'hui prépare à entrevoir et à mesurer l'avenir. La capacité qu'a l'être humain de survivre à l'entassement, au malheur, à la pollution et aux autres dangers possibles, ne représente que l'un des nombreux aspects du problème de l'adaptation. Pour l'avenir, la notion d'adaptation réussie doit inclure, sur les plans individuel et collectif, non seulement les besoins du présent, mais également les limites imposées par le passé ainsi que les prévisions du futur.

Les interrogations soulevées par l'intervention

Chaque société s'est interrogée sur ses membres en difficulté d'adaptation. Ces questions de tous ordres – biologique, économique, social et moral – sont souvent génératrices d'inquiétude, aussi bien pour l'individu lui-même que pour la société, voire l'humanité entière, notamment lorsqu'elles débouchent sur l'intervention.

Les préoccupations d'ordre biologique concernent les progrès de la technologie, de la médecine et des autres institutions sociales. D'un côté, ces progrès permettent à l'être humain de vivre mieux, plus longtemps et de fonctionner plus efficacement dans le monde moderne, malgré ses difficultés d'adaptation. Il est certain que des personnes en grande difficulté d'adaptation ne survivraient pas longtemps dans des conditions dites « naturelles ». D'un autre côté, ces mêmes progrès risquent d'augmenter les maladies héréditaires, les maladies du vieillissement et les maladies environnementales, ce qui multiplie tout autant les possibilités d'intervention.

> « Par rapport au rôle potentiellement néfaste de la médecine, Hamburger[14] a traité magnifiquement cette idée dans *La puissance et la fragilité* : sur un plan individuel, dit-il, la médecine apporte de grandes améliorations ; sur le plan de la race, elle est peut-être le pire des fléaux puisqu'elle brouille tout le processus de la sélection naturelle[15]. »

Les préoccupations d'ordre socio-économique touchent les questions relatives à l'augmentation des coûts des différents services et programmes mis en place. Une surveillance biopsychosociale constante a des conséquences économiques et sociales graves qui soulèvent l'importante question de la gestion de besoins illimités avec des ressources limitées. Il est à prévoir que les coûts des services médicaux et psychosociaux continueront à grimper en flèche, car chaque nouvelle découverte entraîne le recours à un savoir-faire spécialisé ainsi qu'à des équipements complexes, des produits coûteux et des salaires élevés. Il existe certainement une limite aux ressources qu'une société peut consacrer à la prévention des problèmes d'adaptation et à l'intervention face à toutes les inadaptations.

Les préoccupations d'ordre social concernent l'évaluation du coût social de l'intervention et de la non-intervention et celle de l'adéquacité de l'intervention. La multiplicité des professionnels et des paraprofessionnels de l'intervention, le foisonnement des bénévoles, la spécialisation des tâches et la parcellisation administrative rendent souvent difficile une juste évaluation des interventions. Par exemple, nous avons perdu une certaine « sagesse populaire », ce qui rend plusieurs personnes de plus en plus dépendantes des services d'aide et d'assistance.

Même si les services sont orientés vers le mieux-être des personnes en difficulté, la pratique est parfois bien différente. Dans ce contexte, les accidents de l'intervention constituent une réalité bien concrète et les mécanismes qui permettraient d'éviter certaines erreurs se développent souvent après coup, alors qu'il serait possible, dans plusieurs cas, d'imaginer et de mettre en place des mécanismes de contrôle qui minimiseraient les conséquences de certaines erreurs professionnelles.

La trop grande professionnalisation comporte des risques, mais la déprofessionnalisation en comporte également. Ces dangers trouvent leur origine dans une absence de formation intégrée, un manque d'encadrement professionnel, des interventions souvent improvisées ou inadéquates, des modes d'action ne reposant pas sur des fondements solides, ou encore, non adaptés aux besoins spécifiques des personnes. Il se manifeste une inquiétude croissante face au manque de critères définis pour les différents niveaux de préparation scolaire, l'expérience requise et les qualités personnelles à exiger des personnes appelées à conduire les différentes interventions. Il y a un danger potentiel pour les clients si on omet d'exercer une surveillance constante des professionnels, des paraprofessionnels et des bénévoles.

Les préoccupations d'ordre moral se rapportent aux questions éthiques. Une de ces préoccupations touche, par exemple, la manière d'aborder la souffrance. Elle naît vraisemblablement de l'antagonisme apparent entre, d'une part, la lutte pour la vie et pour la qualité de vie et, d'autre part, le traitement de la douleur. Si l'une des responsabilités des intervenants est de lutter pour la survie des personnes, une autre responsabilité, reconnue de tout temps, est de soulager les personnes de leur souffrance. Déjà dans les années 30, Aldous Huxley, dans son livre *Le meilleur des mondes*, nous prévenait au sujet des questions éthiques auxquelles nous serions confrontés au tournant du XXIe siècle, en montrant jusqu'où peuvent nous conduire la fuite de toute douleur et la recherche immédiate de satisfaction, au point de compromettre la liberté. Actuellement, par exemple, le projet HUGO (projet de cartographie et de séquençage du génome humain) soulève un important débat éthique ; d'une part, le groupe MURS (Mouvement universel pour la responsabilité scientifique) affirme qu'il faut connaître parfaitement le génome humain pour maîtriser notre patrimoine génétique et utiliser ces connaissances seulement pour le bénéfice de l'être humain; d'autre part, les groupes comme GEL (Génétique et liberté) et, aux États-Unis, le *Council for Responsible Genetics* s'opposent au projet HUGO parce que celui-ci peut donner naissance à un nouvel eugénisme qui desservirait les individus.

Sur le plan éthique, une autre interrogation concerne la nécessité d'une relation de confiance entre un client et l'intervenant pour la réussite de l'intervention. Il est incontestable qu'une relation de confiance constitue un élément-clé de toute adaptation. Pour le client, il semble nécessaire, cependant, de manifester une volonté de guérir et une foi dans les thérapies mises en œuvre, sans se départir d'un sens critique nécessaire et d'une vigilance constante dans sa recherche. Même la personne la mieux intentionnée peut se tromper. La confiance raisonnée et fondée est d'ailleurs le meilleur hommage qu'on puisse rendre à un intervenant, beaucoup plus que la soumission aveugle et inconditionnelle dans la dépendance.

Enfin, un champ d'interrogation éthique est centré sur le problème de la confidentialité. Les dossiers, très souvent informatisés, constituent un instrument de travail essentiel pour les intervenants. Le secret professionnel sert à établir une relation de confiance entre eux et la personne qu'ils veulent aider. Par contre, dans d'autres situations, la confidentialité comporte des inconvénients. Enfin, l'informatisation des données présente aussi des risques de fuite.

Quoi que nous fassions pour améliorer nos conditions de vie, nous n'arriverons jamais à conjurer totalement les difficultés, la maladie, les accidents ou la mort ni à répondre à toutes les interrogations mentionnées précédemment d'une manière précise, complète et définitive. Cependant, lors de périodes difficiles, nous aimerions pouvoir trouver des intervenants compétents, efficaces et compréhensifs qui nous assistent dans nos efforts pour retrouver notre équilibre ou pour humaniser les derniers moments de notre vie.

Le système actuel est loin de nous garantir une qualité d'intervention optimale. On y trouve côte à côte le meilleur et le pire, le hasard se révélant trop souvent le déterminant majeur dans nos chances de tomber sur l'un ou sur l'autre. Il n'est certainement pas normal d'avoir à apprendre à se défendre pour survivre dans notre système. Les intervenants doivent favoriser la prise en charge maximale de l'adaptation biopsychosociale des personnes en difficulté par les groupes et les collectivités, sans pour autant négliger l'attention individuelle quand celle-ci est requise, sans « surprotection » ni « laisser-faire ».

Les dangers de l'adaptabilité et le pouvoir d'adaptation

L'adaptabilité est l'état de ce qui est adaptable, c'est-à-dire qui peut s'ajuster. Elle se retrouve dans la totalité du monde vivant, et c'est peut-être le seul attribut qui distingue de façon indiscutable la matière inerte de la matière vivante. Les organismes vivants ne se soumettent jamais passivement à l'action des forces de leur environnement. Même les plus primitifs d'entre eux réagissent par une adaptation, chacun à sa manière. Les caractéristiques de cette réaction concernent l'individualité de l'organisme et ce sont elles qui font que la personne conserve la santé ou devient malade dans une situation donnée.

L'adjectif « adaptatif » signifie « qui produit ou facilite une adaptation » ; par exemple, on parlera de « valeur adaptative » d'un mécanisme psychologique. La souplesse biologique et sociale de l'être humain explique la réussite spectaculaire et continue de son espèce. Dans *L'homme et l'adaptation à son milieu*, René Dubos démontre, dans un premier temps, la très grande adaptabilité de l'être humain tout en insistant, dans un deuxième temps, sur les dangers potentiels de cette faculté.

Les connaissances, les moyens techniques modernes, les médicaments, etc., ont certes permis à l'être humain d'augmenter son pouvoir sur la nature et sur l'intensité des stimuli qu'il reçoit de l'environnement. L'être humain possède un large éventail de possibilités sur le plan de l'adaptabilité.

> « La pollution des villes industrielles d'Europe septentrionale fournit un exemple frappant de la mesure dans laquelle l'homme moderne peut réussir à s'adapter, d'une façon ou d'une autre, à des milieux qui, à première vue, semblent exagérément hostiles tant à son corps qu'à son psychisme[16]. »

Cette faculté de l'être humain lui a permis de s'adapter, jusqu'à un certain point, à la surpopulation, à la pollution de l'environnement, aux tensions émotionnelles ainsi qu'à d'autres stresseurs organiques et psychiques.

Cependant, cette face de la médaille a son revers. Ici encore, l'adaptation à la pollution est un exemple qui nous montre les conséquences potentielles de l'adaptabilité, cette fois sur le développement de certains cancers, de maladies pulmonaires et de maladies cardiovasculaires. Trop souvent, les modifications biologiques et sociales qui permettent à l'humanité de surmonter les dangers du monde moderne se paient ensuite extrêmement cher. Il y a des adaptations dangereuses à longue échéance. Par exemple, il est tout à fait possible de s'adapter au bruit, mais à l'extrême, ce peut être à la condition de perdre une partie de ses facultés auditives positives. C'est donc là une forme d'adaptation qui est coûteuse pour la qualité de la vie.

Le fait même que les êtres humains aient une telle facilité d'adaptation constitue un aspect troublant du problème de l'adaptation. L'être humain peut, en effet, subsister malgré des situations et des habitudes qui, paradoxalement, finiront par condamner les valeurs les plus essentielles de la vie humaine. Le « milieu idéal » tend à devenir, dans notre société, celui dans lequel l'humain jouit du confort matériel, mais oublie peu à peu les valeurs qui donnaient tout son prix à la vie. Par contre, à l'autre extrême, l'exemple du pêcheur chinois qui s'adapte au milieu d'immondices comme à un milieu de vie est tout aussi significatif de cette adaptabilité humaine.

> « La vie dans les grandes villes modernes montre que l'homme s'est adapté à un ciel sans étoiles, des voies publiques sans arbres, des immeubles sans formes, un pain sans saveur, des fêtes sans joie, des plaisirs sans allégresse, une vie sans référence au passé, sans goût pour le présent et sans espoir en l'avenir[17]. »

Malgré ces constatations, René Dubos demeure d'un réalisme optimiste, car il pense que nous avons appris à reconnaître les dangers de certaines technologies. Les populations prennent conscience de la nécessité de prévenir un certain nombre d'accidents, de catastrophes écologiques. C'est une adaptation sociale, un type d'adaptation sur lequel il faut insister parce que l'adaptation biologique, qui s'étend sur des centaines de générations, n'est pas possible à l'échelle d'un seul être humain et des sociétés dans lesquelles il vit.

Il y a nécessité de créer certains mécanismes sociaux comme de petites unités humaines dans les grandes villes, des mouvements écologiques ou des groupes d'entraide. Même dans une situation peu favorable, l'être humain sait inventer ou réinventer des conditions propices à son épanouissement individuel et social.

Le grand problème de notre temps est de savoir et de décider à quoi nous devons refuser de nous adapter. À titre d'exemple, Dubos signale l'adaptation à la télévision. Le souci majeur dans ce cas n'est pas tant l'incitation à la violence que le pourcentage très élevé de gens qui ont perdu le goût, l'art et le plaisir de percevoir le monde extérieur par tous les sens. En remplaçant une perception directe par une perception à travers l'écran, il y a perte de l'habitude de saisir le monde en exerçant toutes ses facultés sensorielles, et c'est un énorme appauvrissement. Voir un arbre en fleurs à la télévision ne remplacera jamais la « sensation » du printemps.

Selon Dubos, il est important d'apprendre à connaître les potentialités de la nature humaine et à les cultiver dans l'environnement qui est le nôtre, car un organisme s'adapte en se transformant. Ainsi, quand une branche se casse, l'arbre ne guérit pas en la faisant repousser, mais en réorganisant toute sa structure. De même, un jeune homme très brillant qu'un diabète sévère a rendu aveugle a réussi, en moins d'un an, à réorganiser sa vie pour pouvoir continuer ses activités.

L'adaptation et le sens de la souffrance

Ce n'est pas le moindre paradoxe de la souffrance que de pouvoir être à la fois engendrée par l'être humain et pourchassée par lui. Tandis que des équipes médicales hautement spécialisées s'efforcent d'arracher à la mort des malades ou des blessés, des gens, un peu partout, vendent des armes, commettent des crimes, des agressions, des actes violents qui augmentent le lot de souffrance de l'humanité. D'autres, pour diverses raisons, détruisent leur santé en adoptant un style de vie qui les achemine prématurément vers la maladie, la souffrance et la mort.

L'être humain lutte contre les diverses inadaptations. Il progresse chaque jour en éliminant peu à peu de la surface du globe des maladies incurables, traquant les plus récalcitrantes et inventant sans cesse des médicaments, des prothèses, des techniques chirurgicales permettant de mieux soulager la souffrance. Grâce à son ingéniosité, à sa volonté de vivre et de mieux vivre, il élimine chaque jour un peu plus de souffrance des corps et des esprits.

Assurément, la douleur physique est un élément inévitable de la condition humaine. Sur le plan biologique, elle constitue un avertissement dont l'utilité n'est pas contestable. Ressentie dans le psychique humain, elle devient cependant disproportionnée à son utilité biologique et peut prendre une dimension telle qu'on souhaite l'éliminer à tout prix. Pourtant, même chez des personnes aux prises avec des problèmes sérieux, nous constatons que la lueur d'un espoir, d'une lumière au bout du tunnel, constitue le point tournant vers une démarche adaptative.

L'inadaptation n'est donc pas un mal absolu puisqu'elle peut être aussi à l'origine d'une vie plus pleine, plus intense, plus vraie et ouverte aux autres. La souffrance est souvent un point de départ ou un point tournant important dans la vie de plusieurs personnes. Il n'est certes jamais agréable de souffrir et cela peut briser l'individu, le déshumaniser. Mais cela peut aussi le transformer, le faire grandir. Reconnaître que l'inadaptation est inévitable, ce n'est pas affirmer qu'elle est souhaitable ni encore moins désirable. Quand on le peut, on supprime la souffrance et l'inadaptation, on les rend supportables ou on les soulage.

Pour plusieurs, la souffrance est quelquefois une compagne de vie. L'être humain a toujours eu du mal à la comprendre et à l'accepter, surtout lorsqu'il n'y a plus d'espoir. Faire reculer la souffrance, tout en l'assumant quand elle s'impose, est un des grands défis de l'être humain. Certains événements surgissent quelquefois d'une façon imprévisible et nous forcent en quelque sorte à accepter des réalités de la vie qu'on aurait souhaitées différentes. C'est une tentative de nous retrouver et d'être en accord avec nous-même tout en restant en relative harmonie avec les autres.

Les avantages et les inconvénients d'une situation peuvent parfois être inversés. Une allégorie peut nous permettre d'illustrer cela. Un très beau cerf admirait ses bois, mais détestait ses affreux sabots. Un jour, un chasseur est arrivé, et ce sont les affreux sabots du cerf qui lui ont permis de s'enfuir et de se mettre à l'abri. Un peu plus tard, ses bois magnifiques se sont pris dans les buissons et avant qu'il ne puisse s'échapper, il fut tué.

Vers une philosophie du possible

Nous savons que nous pouvons agir sur le futur, mais pas sur le passé. Nous pouvons connaître en partie le passé tandis que le futur apparaît enveloppé de l'incertitude de l'aléatoire, du virtuel. Il est nécessaire de distinguer les changements possibles, les changements probables, les changements souhaitables. On ne peut trouver de solution parfaite à tous les problèmes. Même en cherchant à améliorer notre vie et celle des gens qui nous entourent, on prend conscience que notre monde est peuplé d'êtres imparfaits, en changement continuel. Cela fait partie de la nature humaine et on ne peut pas modifier fondamentalement cette nature. Une philosophie du possible sera avant tout une philosophie réaliste fondée sur un possible personnel et un possible collectif.

Un possible personnel

Toutes les personnes ont des limites déterminées par leur potentiel inné et leur histoire propre. Pour certaines personnes, ces limites avoisinent le maximum alors que, pour d'autres, elles semblent le minimum. À l'intérieur de ces limites, on doit essayer d'agir de son mieux, en gardant un idéal sans idéaliser.

Afin de faciliter la maximalisation du potentiel d'adaptation pour soi et pour les autres, Hans Selye propose une éthique de l'égoïsme-altruiste qui peut nous aider à faire de notre vie une réussite, si l'on accepte moins dramatiquement le stress qu'elle implique, sans souffrir de détresse.

> « [...] les êtres humains sont motivés par une sorte d'impulsions, au rang desquelles l'une des plus importantes est le désir égoïste de demeurer en vie et d'être heureux. La satisfaction de nos poussées instinctives, le besoin de s'exprimer, celui d'accumuler la fortune et d'acquérir la puissance, le désir de faire une œuvre valable et de réaliser ce que nous considérons être notre but, tous ces motifs et beaucoup d'autres doivent être tenus pour responsables de nos actions[18]. »

Ce désir d'égoïsme est naturel puisque chacun de nous a ses propres ambitions et exigences. Ce désir s'oppose bien souvent à celui d'autrui et devient la cause majeure du stress interpersonnel ainsi que des conflits intra et intergroupes. La seule philosophie qui transforme nécessairement toute impulsion d'égoïsme agressif en altruisme, sans amoindrir sa valeur d'autodéfense, c'est l'égoïsme-altruiste. Cette façon de penser ne signifie pas qu'on rejette le principe « tu aimeras ton prochain comme toi-même » : on l'adapte pour qu'il soit en conformité avec les lois biologiques modernes et toujours compatible avec n'importe quelle religion ou croyance, tout en restant indépendant d'elles.

> « Je dirai pour exprimer cela en langage simple : tout comme la santé d'une personne dépend d'une conduite harmonieuse de tout son système interne,

> les relations entre individus, membres d'une même famille, tribus et nations, doivent être guidées par les émotions et les poussées d'égoïsme-altruiste qui assurent automatiquement une coopération paisible et suppriment tous motifs de révolutions et de guerre[19].»

Nous avons avantage à nous appuyer sur notre intérêt personnel conçu de façon intelligente au lieu d'opter pour la rébellion absurde contre les obligations morales perçues comme écrasantes. Ainsi, j'éviterai de voler mon voisin non pas parce que le vol est mauvais ou méchant en soi, mais parce que je ne veux pas que mon voisin me rende la pareille. Si je ne veux pas vivre dans un monde d'injustice parce que, tôt ou tard, ces phénomènes porteront atteinte à mon intérêt personnel, j'ai avantage à collaborer à un monde de justice. J'aiderai certaines personnes en difficulté non pas parce que c'est honorable de le faire, mais parce que j'aurai un jour moi aussi besoin d'aide.

Le but ultime de l'être humain est de s'épanouir le mieux possible, conformément à ses propres talents, et d'en tirer un sentiment de sécurité. Pour atteindre ce but, chacun doit d'abord découvrir son niveau de stress optimal, puis utiliser son énergie d'adaptation à un rythme et dans un sens conformes à ses aptitudes et à ses préférences en tentant d'éviter la frustration et l'humiliation de l'échec. Il est également important de rester réaliste en ne visant pas trop haut et en n'entreprenant pas un projet qui se situe au-delà de nos possibilités.

Un possible collectif

Sur le plan des attitudes sociales, il s'agit de reconnaître que tous ont des besoins fondamentaux et des droits individuels reconnus tant en théorie que dans la pratique. Il s'agit de maximaliser le potentiel d'adaptation. Les droits individuels comportent également des responsabilités, qui deviennent des droits collectifs. Cela suppose qu'on se débarrasse des attitudes nuisibles au développement et à l'autonomie des personnes aux prises avec des difficultés d'adaptation.

Les différentes catégories de clientèles en difficulté d'adaptation apporteront à la société une richesse nouvelle dans la mesure où il nous sera possible d'entendre leurs voix. L'adaptation au milieu environnant et aux autres personnes, l'acceptation de sa propre identité sociale, l'identification à des communautés ou à des groupes sont des exigences de la société qui ne cessent de soulever des problèmes toujours à résoudre. Pour une personne qu'on dit être « en difficulté d'adaptation », tous ces problèmes d'insertion dans la société sont multipliés du fait que des caractéristiques la rendent différente des autres. Dans son article « Éléments d'une anti-sociologie de l'exceptionnalité[20] », Guy Rocher décrit trois fonctions sociales de l'être exceptionnel.

L'exceptionnel remplit d'abord l'étrange rôle social de celui qui se tient au point de distinction entre l'humain et ce qui ne l'est plus. Il sert de « chien de garde » pour délimiter la définition de l'être humain et préciser les frontières qui le séparent de ce qui est infra-humain.

L'exceptionnel est un symbole vivant et toujours présent de la souffrance humaine, de la signification qu'elle porte et surtout des vertus auxquelles elle fait appel en l'être humain, qui engage avec elle une lutte dont il n'est jamais certain de sortir vainqueur ou vaincu. La souffrance fait appel à ce qu'il y a de plus fort en nous : le courage, la ténacité, l'endurance. Mais aussi, elle fait appel à des vertus plus passives : le silence, la résignation, la sublimation, le don de soi. La société attend de l'exceptionnel une résolution des contradictions que la souffrance soulève. On lui demande d'être à la fois courageux et résigné, fort et silencieux, tenace et abandonné.

L'exceptionnel est l'objet de multiples expériences dites « scientifiques », parfois à son avantage, parfois à son détriment. On parle beaucoup DE l'exceptionnel mais il n'est pas certain que, même avec la meilleure volonté du monde, on parle autant AVEC l'exceptionnel. Une partie de la connaissance de l'être humain est le fruit d'études qui ont porté sur les états pathologiques. À ce titre, l'exceptionnel a sans doute contribué involontairement et inconsciemment à une recherche dont il n'est pas nécessairement le premier bénéficiaire.

Une philosophie du possible sera une philosophie de la relativité. Tous les systèmes éthiques, philosophiques et politiques doivent refléter une double relativité. La première est de mettre en évidence le fait que les systèmes soient eux-mêmes relatifs. Tant qu'on ne saura pas tout de l'être humain, ce qui sera très longtemps le cas, tous les systèmes doivent être considérés comme provisoires. Ils doivent supporter la confrontation avec l'expérience et le risque que l'expérience vienne éventuellement les infirmer. Ils doivent entraîner une remise en question permanente.

La seconde relativité est celle de l'objet même de ces systèmes, c'est-à-dire l'être humain. Celui-ci est un être relatif, dans l'espace et dans le temps : dans l'espace, car la loi génétique entraîne une telle diversité des individus qu'une seule et même norme absolue ne saurait s'appliquer sans réserve à tous; dans le temps, car l'être humain est une réalité dynamique et évolutive. Toute vérité humaine ne doit donc être considérée que comme vérité à un temps « t » d'une histoire personnelle et collective. Une philosophie du possible se gardera donc de trop généraliser, de trop systématiser, de trop chercher des absolus et de trop dogmatiser. La plus grande erreur de toutes les idéologies a été de voir l'être humain comme il devrait être et non comme il est.

Il est essentiel, d'une part, de substituer le réalisme d'une maximalisation du potentiel d'adaptation au mythe de l'adaptation parfaite – laquelle est impossible – et, d'autre part, de développer une approche plus réaliste, plus critique, plus rigoureuse en évitant les généralisations et les dramatisations : ne pas surestimer les capacités d'une personne et ne pas non plus les sous-estimer en ne niant pas la réalité de certains déficits, déficiences ou atteintes tant organiques que mentaux, d'origine héréditaire, environnementale ou psychodéveloppementale.

L'optimisme le plus chaleureux ne pourra jamais modifier certaines conséquences limitatives. Il s'agit de considérer davantage la personne en difficulté d'adaptation, en lui donnant la possibilité de développer son potentiel au maximum dans un environnement favorable. En un mot, « penser globalement, agir localement », selon l'expression de René Dubos.

NOTES

1. Roland MORIN. « Adaptation et inadaptation » dans *Les cahiers de l'enfance inadaptée*, n° 267, décembre 1983, p. 26.
2. François JACOB. *Le Monde*, 12 février 1979, cité par R. MORIN, « L'inadaptation dans le débat hérédité-milieu » dans *Les cahiers de l'enfance inadaptée*, n° 270, mars 1984, p. 14.
3. Roland MORIN. « L'inadaptation dans le débat hérédité-milieu » dans *Les cahiers de l'enfance inadaptée*, n° 270, mars 1984, p. 13 à 15.
4. Paul OSTERRIETH. *Introduction à la psychologie de l'enfant*, P.U.F., 1971, p. 19, cité par R. MORIN, « L'inadaptation dans le débat hérédité-milieu » dans *Les cahiers de l'enfance inadaptée*, n° 270, mars 1984, p. 15.
5. François JACOB. *Le Monde*, 12 février 1979, cité par R. MORIN, « L'inadaptation dans le débat hérédité-milieu » dans *Les cahiers de l'enfance inadaptée*, n° 270, mars 1984, p. 16.
6. MINISTÈRE DE L'ÉDUCATION DU QUÉBEC. *L'éducation de l'enfance en difficulté d'adaptation et d'apprentissage. Rapport du Comité provincial de l'enfance inadaptée. Rapport COPEX*, deux tomes, Bibliothèque nationale du Québec, 1976, 693 p.

[7.] OFFICE DES PERSONNES HANDICAPÉES DU QUÉBEC (OPHQ). *À part... égale. L'intégration sociale des personnes handicapées, un défi pour tous*, Québec, 1984, p. 30.

[8.] OFFICE DES PERSONNES HANDICAPÉES DU QUÉBEC (OPHQ). *À part...égale. L'intégration sociale des personnes handicapées : un défi pour tous*, Québec, 1984, 350 p.

[9.] Robert SÉVIGNY. « La construction du champ de la santé mentale » dans *Santé mentale au Québec*, 1986, vol. XI, n° 2, p. 13 à 20.

[10.] *Ibid.*, p. 15.

[11.] OFFICE DES PERSONNES HANDICAPÉES DU QUÉBEC. *Op. cit.*

[12.] Michael NICHOLS. *Family Therapy, Concepts and Methods*, New York, Garner Press, 1984.

[13.] Jacques GRAND'MAISON. Conférence de clôture, congrès du Conseil québécois de l'enfance exceptionnelle (CQEE), devenu en 1988 le Conseil québécois pour l'enfance et la jeunesse (CQEJ).

[14.] Jean HAMBURGER. *La puissance et la fragilité. Vingt ans après*, nouvelle édition revue et augmentée, Paris, Flammarion, 1990, 209 p.

[15.] Dr Michel LEMAY. Notes manuscrites.

[16.] René DUBOS. *L'homme et l'adaptation au milieu*, Paris, Payot, collection « Science de l'homme », 1973, p. 258.

[17.] *Ibid.*, p. 263.

[18.] Hans SELYE. *Stress sans détresse*, Montréal, Éditions La Presse, 1983, p. 66.

[19.] *Ibid.*, p. 76.

[20.] Guy ROCHER. « Éléments d'une anti-sociologie de l'exceptionnalité » dans *Le Québec en mutation*, Montréal, Éditions Hurtubise HMH, 1973, p. 189 à 201.

EN BREF

Une **intervention** est une action ou un rôle assumés par une ou plusieurs personnes dans le but de modifier une situation, un comportement, une attitude. Elle permet de déterminer la nature de l'influence exercée par rapport aux personnes concernées, dans un contexte précis, à telle étape du processus d'adaptation. L'intervention peut être individuelle, microsociale ou macrosociale. Au cours du XXe siècle, l'intervention biopsychosociale n'a pas échappé à l'influence du passage d'une culture traditionnelle à une culture moderne. **Trois conceptions principales** de l'intervention se sont affrontées régulièrement : la conception héréditariste, la conception environnementaliste, la conception interactionniste. Les différentes **lois et mesures sociales** ont exercé une influence sur l'intervention auprès des personnes aux prises avec des difficultés d'adaptation. Le cheminement adaptatif a comme point de départ que la personne elle-même est l'artisan principal de son adaptation. Une perspective systémique conduit à situer les interventions et les intervenants dans le champ plus vaste d'une société donnée.

On confie à certains intervenants le rôle d'aide et de support pour favoriser le cheminement adaptatif d'une personne. L'intervenant peut agir sur les conduites individuelles lorsque ces dernières compromettent le développement social et il peut agir sur les conditions environnementales lorsque ces dernières compromettent le développement de la personne. L'intervenant agit dans un milieu donné et il utilise un **processus d'intervention** afin de mettre en place les conditions favorables au cheminement adaptatif de la personne concernée. On distingue habituellement **trois types d'interventions** : celles axées sur la prévention; celles axées sur le dépistage, le diagnostic et les traitements; celles axées sur l'adaptation, la réadaptation, la rééducation et sur la suppression des obstacles environnementaux. Le **réseau des intervenants** comprend les membres de l'entourage immédiat, les bénévoles, les communicateurs des médias d'information, les paraprofessionnels et les professionnels. L'intervention auprès des personnes en difficulté d'adaptation exige une compétence commune de base et des compétences spécifiques qui permettent aux divers intervenants de faciliter la maximalisation du potentiel d'adaptation des personnes.

L'intervention soulève des **interrogations d'ordre biologique, économique, social et moral**. La souplesse biologique et sociale de l'être humain explique la réussite spectaculaire et continue de son espèce. Cette **adaptabilité** est importante pour le développement des individus et des collectivités, mais elle comporte des dangers potentiels car les progrès ont leurs avantages, mais également leurs inconvénients. Faire reculer la souffrance, tout en l'assumant quand elle s'impose, est un des grands défis de l'être humain. On ne peut trouver de solutions parfaites à tous les problèmes. Une **philosophie du possible** permettra, sur le plan individuel comme sur le plan collectif, de distinguer les changements possibles, les changements probables et les changements souhaitables.

QUESTIONS

Vrai Faux

☐ ☐ 1. Intervenir comporte une recherche d'effets ainsi que l'utilisation de stratégies et d'outils.

☐ ☐ 2. « L'éternelle querelle entre les partisans de la fatalité et ceux de la cire vierge » renvoie au débat entre les conceptions héréditariste et interactionniste de l'intervention.

☐ ☐ 3. Les trois principales conceptions de l'intervention ont toujours cohabité ; elles ont donné naissance à des approches et des techniques semblables.

☐ ☐ 4. L'évolution des lois et des mesures sociales a influencé les types d'interventions auprès des clientèles en difficulté d'adaptation.

☐ ☐ 5. Les travaux de l'OPHQ ont comme préoccupation majeure l'adéquation entre les droits et les besoins des enfants en difficulté d'adaptation et d'apprentissage ainsi que la qualité des services offerts dans le système public d'éducation.

☐ ☐ 6. Dans une des dimensions sociales de l'intervention, les intervenants placent toutes les inadaptations au même niveau en faisant abstraction de la « lourdeur des cas ».

☐ ☐ 7. Chaque intervenant est appelé à se situer, dans sa pratique professionnelle, face à différents modèles d'adaptation, de société, d'intervention.

☐ ☐ 8. Les types d'intervention utilisés sont semblables quelles que soient l'étape du processus d'adaptation et la clientèle-cible.

☐ ☐ 9. Les interventions de prévention sont intimement liées à la recherche sur les facteurs causals.

☐ ☐ 10. Les interventions de réadaptation visent à modifier certains comportements déviants.

☐ ☐ 11. Les effets réels d'une intervention s'observent par la capacité de la personne en difficulté de s'approprier les fruits de la démarche et par sa capacité de les intégrer à son cheminement.

☐ ☐ 12. Le réseau des intervenants comprend uniquement les professionnels de l'intervention.

☐ ☐ 13. Le processus d'intervention est synonyme de l'expérimentation ou de l'action directe auprès d'une ou de plusieurs personnes aux prises avec des difficultés d'adaptation.

☐ ☐ 14. Une des dimensions reliées à la compétence professionnelle concerne l'apprentissage des aspects techniques d'un métier ou d'une profession.

☐ ☐ 15. Les progrès scientifiques nous permettent de croire que la souffrance et les difficultés peuvent disparaître chez les êtres humains.

☐ ☐ 16. Les préoccupations d'ordre économique touchent les questions relatives à l'augmentation des coûts des différents services et programmes en place.

☐ ☐ 17. La grande adaptabilité de l'être humain présente toujours des avantages.

☐ ☐ 18. Certaines adaptations peuvent être dangereuses à longue échéance.

☐ ☐ 19. Faire reculer la souffrance tout en l'assumant quand elle s'impose est un des grands défis de l'être humain.

☐ ☐ 20. Les droits individuels comportent également des responsabilités, qui deviennent des droits collectifs.

RÉPONSES

1. V 3. F 5. F 7. V 9. V 11. V 13. F 15. F 17. F 19. V

2. F 4. V 6. F 8. F 10. F 12. F 14. V 16. V 18. V 20. V

À TITRE DE RÉFLEXION

Comment pourrions-nous devenir plus sensibles au plaisir sans devenir, en même temps, plus sensibles à la douleur ? Notre conscience n'augmente qu'à ce prix.

ALAN WATTS

Je subissais alternativement et simultanément les influences du romantisme et du rationalisme, l'élan vers les ferveurs et la critique du doute, l'appel de la sagesse et l'appel de la destinée. Je vivais ces contradictions, tantôt croyant tout comprendre, tantôt ne comprenant plus rien.

EDGAR MORIN

Chacun est responsable de tout devant tous.

CROIX ROUGE

Sous prétexte d'effardochage vigoureux du chiendent, on déracine à l'aveuglette le pire, mais aussi le meilleur.

JACQUES GRAND'MAISON

L'intolérance aggrave les problèmes. Mais il y a une forme de tolérance qui les masque sans aider à les résoudre, car elle est une forme de cécité doublée d'indifférence.

INCONNU

J'avais envie de pleurer... parce que je n'avais pas de souliers... jusqu'à ce que dans la rue..., je rencontre une personne qui n'avait pas de pieds.

INCONNU

La souffrance n'est pas faite pour être comprise mais pour être combattue. La souffrance dans le monde est une invitation à retrousser nos manches. Ne pas chercher à ne pas souffrir ni à moins souffrir, mais à ne pas être altéré par la souffrance.

SIMONE WEIL

Le pessimiste se plaint du vent. L'optimiste espère que le vent va changer. Le réaliste ajuste ses voiles.

WILLIAM ARTHUR WARD

Il n'eut pas le temps de terminer sa phrase que la balle lui déchiqueta le visage, ne laissant qu'une plaie béante. – Mon Dieu, répétai-je bêtement, ce sont de vraies balles. J'essayais d'imaginer comment son visage pourrait se reconstituer, certaine, jusqu'à ce jour-là, que l'on pouvait tout réparer.

GAIL SHEEHY

Sur l'optimisme de l'ignorance, il faut faire prévaloir un optimisme raisonné.

RENÉ ZAZZO

CONCLUSION

«Une fois atteint, le but que nous nous étions fixé nous servira de nouveau départ.»

Carlyle

L'ITINÉRAIRE UTILISÉ dans ce livre vous a conduits, espérons-le, à mieux saisir la complexité de l'être humain et le mouvement dynamique de son adaptation à lui-même et au monde qui l'entoure. Nous avons tenté de cerner cette problématique avec rigueur, dans les limites de nos compétences en demeurant consciente de la modeste contribution de notre ouvrage sur le plan des connaissances. Sur le plan pédagogique, cependant, ce livre peut combler certaines lacunes importantes, et cette utilité en justifiait la mise en œuvre.

Le risque, avec un tel livre, est qu'il reste trop général, traitant la problématique en superficie. En touchant à tout, ne ferait-il qu'effleurer les grands sujets tout en n'approfondissant pas des problèmes spécifiques? Selon nous, il esquisse un portrait de vastes territoires, en développant certaines parties plus que d'autres, lesquelles pourront être davantage traitées dans les autres cours du programme de formation.

Chercher à donner une vision d'ensemble amène à poser de nouvelles questions et à se reporter à d'autres études touchant à plusieurs domaines: la biologie, la psychologie, la sociologie, la philosophie, l'histoire, l'éducation, etc. Nous avons tenté de replacer tous les éléments principaux dans les systèmes auxquels ils appartiennent et de les considérer les uns par rapport aux autres. Le cadre de référence proposé doit être vu comme un point de départ pour la réflexion et non un point d'arrivée. Il ne peut évoluer que par une confrontation et un aller-retour incessant entre les représentations que nous avons de la réalité et les actions qui modifient celle-ci.

Il est captivant et hasardeux de s'aventurer dans une «forêt dense» sans savoir de manière précise si les sentiers empruntés nous permettront de faire de nouvelles découvertes. En cours de route, la peur, le doute s'installent devant certains obstacles qui paraissent durant quelque temps insurmontables. Quand, après plusieurs jours de marche et de labeur, on aperçoit une éclaircie, alors on reprend espoir, on oublie la fatigue et on retrouve de nouvelles énergies. Le but fixé n'est pas tout à fait atteint que déjà de nouveaux projets surgissent. Ainsi s'est écrit ce livre. Ainsi peut-être va la vie.

Il serait intéressant de poursuivre la démarche en utilisant le cadre de référence pour l'étude de chacune des clientèles et problématiques. Quels sont les facteurs biologiques, environnementaux, psychodéveloppementaux qui entraînent des difficultés spécifiques? (Genèse des difficultés) Quelles sont les caractéristiques internes et externes généralement présentes durant la période d'inadaptation? (Période d'inadaptation) Quels sont les aspects essentiels de la démarche vers l'adaptation qui permettent de maximaliser le potentiel d'adaptation de chaque personne aux prises avec des difficultés d'adaptation particulières? (Période d'adaptation)

Une telle analyse nous amène à tenir compte de la diversité des cheminements adaptatifs et à mettre l'accent sur la maximalisation du potentiel d'adaptation biopsychosociale comme objectif de l'intervention, quelle que soit la difficulté rencontrée.

BIBLIOGRAPHIE

Actes du colloque *Génétique, procréation et droit*, Paris, Actes Sud, Hubert Nyssen, éditeur, 1985, 570 p.

ADLER, Dr Alfred. *Le sens de la vie. Étude de psychologie individuelle*, Paris, Petite Bibliothèque Payot, 1969, 217 p.

AGUILERA, Donna C. et MESSICK, Janice M. *Intervention en situation de crise, théorie et méthodologie*, Toronto, The C.V. Mosby Company, 1976, 169 p.

ALEXANDER, Franz. *La médecine psychosomatique. Ses principes et ses applications*, Paris, Petite Bibliothèque Payot, 1970, 243 p.

AMYOT, Arthur, LEBLANC, Jean et REID, Wilfrid. *Psychiatrie - psychanalyse*, Chicoutimi, Gaëtan Morin éditeur, 1985, 337 p.

ANTHONY, E. James et CHILAND, Colette. *Parents et enfants dans un monde de changement*, Paris, P.U.F., collection «Le fil rouge», 1983, 518 p.

ANTHONY, E. James et KOUPERNIK, C. *L'enfant dans la famille*, Paris, Masson & Cie, 1970, 448 p.

APFELDORFER, Dr Gérard. *Apprendre à changer*, Paris, Robert Laffont, collection «Réponses», 1980, 349 p.

APOLLON, Willy, BERGERON, Danielle et CANTIN, Lucie. *Traiter la psychose*, Québec, GIFRIC, collection «Nœud», 1990, 413 p.

ARMANDO, Antonello. *Freud et l'éducation*, Paris, Les Éditions E S F, collection «Science de l'éducation», 1974, 113 p.

ASSOCIATION AMÉRICAINE DE PSYCHIATRIE. *DSM-III-R. Manuel diagnostique et statistique des troubles mentaux*, traduit par Julien Daniel GUELFI, Paris, Éd. Masson, 1989, 624 p.

ASSOCIATION AMÉRICAINE DE PSYCHIATRIE. *Mini DSM-III-R. Critères diagnostiques*, traduit par Julien Daniel GUELFI, Paris, Éd. Masson, 1989, 373 p.

ASSOCIATION CANADIENNE-FRANÇAISE POUR L'AVANCEMENT DES SCIENCES. *L'utilisation du processus d'apparition du handicap. Approche conceptuelle dans la recherche*, communications présentées à un colloque organisé par l'Office des personnes handicapées du Québec à l'occasion du 57e Congrès de l'ACFAS, Montréal, 1990, 210 p.

ASSOCIATION DES CENTRES D'ACCUEIL DU QUÉBEC. *Rôle et orientations des centres d'adaptation et de réadaptation pour personnes ayant une déficience intellectuelle*, novembre 1987, 316 p.

ASSOCIATION QUÉBÉCOISE DE GÉRONTOLOGIE. *Le fonctionnement individuel et social de la personne âgée,* Actes du sixième colloque (Chicoutimi, 1985), Montréal, Association canadienne-française pour l'avancement des sciences, 1986, 444 p.

AUGER, Lucien. *S'aider soi-même. Une psychothérapie par la raison*, Montréal, Les Éditions de l'Homme, CIM, 1974, 167 p.

AUGER, Lucien. *S'aider soi-même davantage*, Montréal, Les Éditions de l'Homme, CIM, 1980, 133 p.

AUSLOOS, Guy, STIERLIN, Helm et collab. *Marginalité, système et famille. Relectures sur l'approche systémique en travail social*, Vaucresson, Centre de recherche interdisciplinaire, collection «Relecture», 1983, 257 p.

BADIN, Pierre. *Aspects psychosociaux de la personnalité. La psychologie de la vie sociale 1*, Paris, Éditions du Centurion, collection «Socioguides», 1977, 186 p.

BADIN, Pierre. *Aspects psychosociaux de la vie collective. La psychologie de la vie sociale 2*, Paris, Éditions du Centurion, collection «Socioguides», 1977, 190 p.

BARUK, Henri. *La psychiatrie sociale*, Paris, P.U.F., collection «Que sais-je?», 1969, 128 p.

BASTIDE, Roger. *Sociologie des maladies mentales*, Paris, Flammarion, collection «Nouvelle bibliothèque scientifique», 1965, 282 p.

BECH, P., KASTRUP, M. et RAFAELSEN, O. J. *Échelles d'anxiété, de manie, de dépression, de schizophrénie. Correspondance avec le DSM-III*, Paris, Éd. Masson, 1989, 76 p.

BEE, Helen et MITCHELL, Sandra K. *Le développement humain*, Montréal, Éditions du Renouveau pédagogique, 1986, 536 p.

BÉLANGER, Robert. *Vinaigre ou miel. Comment éduquer son enfant*, Ville St-Laurent, 1974, 192 p.

BENADOU, Charles et ABRAVANEL, Harry. *Le comportement des individus et des groupes dans l'organisation*, Chicoutimi, Gaëtan Morin éditeur, 1986, 597 p.

BERGEVET, Jean. *Personnalité normale et pathologique*, Paris, Dunod, 1974, 333 p.

BERGEVET, Jean. *Psychologie pathologique*, 2e édition, Paris, Masson, 1976, 325 p.

BERNARD, Jean. *L'enfant, le sang et l'espoir*, Paris, Éditions Buchet/Chastel, 1984, 294 p.

BERTHIAUME, François. *Introduction au behaviorisme*, Montréal, Les Presses de l'Université de Montréal, 1986, 255 p.

BETTELHEIM, Bruno. *Pour être des parents acceptables. Une psychanalyse du jeu*, Paris, Éditions Robert Laffont, collection «Réponses», 1988, 406 p.

BLOOMFIELD, Dr Harold. *Votre talon d'Achille. Transformez vos faiblesses en forces*, Montréal, Le Jour éditeur, 1987, 175 p.

BLUM, Rudolph. *Dimensions sociologiques du travail social*, Paris, Éditions du Centurion, 1970, 176 p.

BOUDREAU, Dr André. *Connaissance de la drogue*, Montréal, Éditions du Jour, 1972, 315 p.

BOZZI, Marie-Louise. *L'histoire de la vie*, Montréal, Les Éditions Paulines, 1984, 32 p.

BOZZI, Marie-Louise. *Les mécanismes de la vie*, Montréal, Les Éditions Paulines, 1984, p. 33 à 64.

BRESSON, F., MARX, Ch. H., MEYER, F. et collab. *Les processus d'adaptation. Symposium de l'Association de psychologie scientifique de langue française*, Paris, P.U.F., collection «Bibliothèque scientifique internationale», 1967, 190 p.

BRISSON, Pierre et collab. *L'usage des drogues et la toxicomanie*, Montréal, Gaëtan Morin éditeur, 1988, 501 p.

CAPUL, Maurice. *Les groupes rééducatifs*, Paris, P.U.F., collection «SUP», 1974, 258 p.

CARKHUFF, Robert R. *L'art d'aider*, Montréal, Les Éditions de l'Homme, CIM, 1988, 269 p.

CASTELLAN, Yvonne. *Initiation à la psychologie sociale*, 2e édition, Paris, Librairie Armand Colin, 1972, collection «U_2», 268 p.

CENTRE DE FORMATION ET DE RECHERCHE DE L'ÉDUCATION SURVEILLÉE. *L'éducateur de jeunes délinquants*, présenté par H. MICHARD et l'équipe des professeurs, Vaucresson, 1962, 236 p.

CHAGNON, Mariette. *Le développement de la personne*, Montréal, Guérin éditeur, collection «SARP», 1976, 570 p.

CHAPOUTHIER, Georges, KREUTZER, Michel et MENINI, Christian. *Psychophysiologie. Le système nerveux et le comportement*, Paris-Montréal, Éditions Études vivantes, collection «Academic Press», 1980, 192 p.

CHAUCHARD, Paul. *Le cerveau et la conscience*, Paris, Éditions du Seuil, collection «Microcosme: le rayon de la science», 1966, 189 p.

CHAUCHARD, Paul. *Physiologie des moeurs*, Paris, P.U.F., collection «Que sais-je?» nº 613, 1967, 126 p.

CHAZAL, Jean. *Les droits de l'enfant*, Paris, P.U.F., collection «Que sais-je?» nº 852, 1969, 124 p.

CHIVA, Matty. *Débiles normaux, débiles pathologiques. Actualités pédagogiques et psychologiques*, Suisse, Éditions Delachaux et Niestlé, 1973, 225 p.

COHEN, Albert. *La déviance*, Belgique, Éditions J. Duculot, collection «Sociologie nouvelle», 1971, 239 p.

COMMISSION DE RÉFORME DU DROIT DU CANADA. *La participation communautaire à la réadaptation du délinquant*, Ottawa, Approvisionnement et Services Canada, 1976, 197 p.

CONSEIL CONSULTATIF CANADIEN SUR LA SITUATION DE LA FEMME. *Pour de vraies amours ... Prévenir la violence conjugale*, Ottawa, 1987, 191p.

CONSEIL DES AFFAIRES SOCIALES ET DE LA FAMILLE. *Le virage santélogique. Scénario pour l'an 2000*, Québec, Direction générale des publications gouvernementales, 1985, 116 p.

COOPER, David. *Psychiatrie et anti-psychiatrie*, traduction de Michel BRAUDEAU, Paris, Éditions du Seuil, 1970, 191 p.

CORNATON, Michel. *Analyse critique de la non-directivité. Les malheurs de Narcisse*, Toulouse, Édouard Privat, éditeur, collection «Études de psychiatrie et de psychologie sociales», 1975, 176 p.

CORRAZE, Jacques. *Les maladies mentales*, Paris, P.U.F., collection «Le psychologue», 1977, 134 p.

CÔTÉ, Nicole, ABRAVANEL, Harry, JACQUES, Jocelyn et BÉLANGER, Laurent. *Individu, groupe et organisation*, Chicoutimi, Gaëtan Morin éditeur, 1986, 440 p.

COUSTURE, Arlette. *Aussi vrai qu'il y a du soleil derrière les nuages. Biographie de Claude St-Jean*, Montréal, Éditions Libre expression, 1982, 185 p.

DABROWSKI, Kazimierz. *La croissance mentale par la désintégration positive*, Montréal, Les Éditions Saint-Yves Inc., 1972, 166 p.

DABROWSKI, Kazimierz. *La psychonévrose n'est pas une maladie*, Montréal, Les Éditions Saint-Yves Inc., 1972, 307 p.

DABROWSKI, Kazimierz. *Le dynamisme des concepts. Dictionnaire de la terminologie dabrowskienne*, Montréal, Les Éditions Saint-Yves Inc., 1972, 173 p.

DABROWSKI, GRANGER et collab. *Psychothérapies actuelles*, Montréal, Les Éditions Saint-Yves Inc., 1977, 193 p.

DE GRÂCE, G.-R. et JOSHI, P. *Les crises de la vie adulte*, Montréal, Décarie éditeur, 1986, p. 373.

DEHAIES, Gabriel. *Psychopathologie générale*, Paris, P.U.F., 1967, 292 p.

DELISLE, Isabelle. *Les grands tournants de la vie. L'adaptation au changement*, Boucherville, Éditions de Mortagne, 1985, 187 p.

DÉSILETS, André. *L'écologie humaine. Psychologie de l'agir humain*, Montréal, Éditions Triptyque, 1985, 129 p.

DOBZHANSKY, Théodosius. *L'hérédité et la nature humaine*, Paris, Flammarion, collection «Science de la nature», 1969, 182 p.

DOLTO, Françoise. *Dialogues québécois*, Paris, Éditions du Seuil, 1987, 313 p.

DOLTO, Françoise. *Le cas Dominique*, Paris, Éditions du Seuil, collection «Le champ freudien», 1971, 258 p.

DUBOS, René. *L'homme et l'adaptation au milieu*, Paris, Payot, collection «Science de l'homme», 1973, 472 p.

DUBOS, René. *Les célébrations de la vie*, Paris, Éditions Stock, 1982, 398 p.

DUBOS, René et PINES, Maya. *Les maladies*, Paris, Éditions Robert Laffont, collection «Sciences», 1970, 190 p.

DUBOST, Jean. *L'intervention psycho-sociologique*, Paris, P.U.F., 1987, 350 p.

DUCHAC, René. *Sociologie et psychologie*, Paris, P.U.F., collection «SUP», 1968, 128 p.

DUCHÉ, Didier-Jacques. *Précis de psychiatrie de l'enfant*, Paris, P.U.F., collection «SUP», 1971, 158 p.

DUFRESNE, Jacques, DUMONT, Fernand et MARTIN, Yves. *Traité d'anthropologie médicale. L'institution de la santé et de la maladie*, Québec, Presses de l'Université du Québec, Institut québécois de recherche sur la culture et Presses universitaires de Lyon, 1985, 1245 p.

ERIKSON, Erik H. *Adolescence et crise. La quête de l'identité*, Paris, Flammarion, collection «Nouvelle bibliothèque scientifique», 1972, 328 p.

ESSA, Eva. *À nous de jouer. Guide pratique pour la solution des problèmes comportementaux des enfants d'âge préscolaire*, Québec, Les publications du Québec, collection «Ressources et petite enfance», 1990, 371 p.

FAU, R., ANDREY, B., LEMEN, J. et DEHAUDT, H. *Psychothérapie des débiles mentaux*, Paris, P.U.F., 1970, 272 p.

FAU, René et BOUCHARLAT, Jean. *Les groupes d'enfants et d'adolescents*, Paris, P.U.F., collection «SUP», 1973, 176 p.

FAURE, Edgar, HERRERA, Felipe et collab. *Apprendre à être*, Paris, Fayard-Unesco, collection «Le monde sans frontières», 1972, 368 p.

FENART, R., SAHUC, L. J.-M., MARCOU, L., THERY, R. et GUILLUY, P. *Psychosociologie du couple*, Paris, Éditions Gamma, 1972, 207 p.

FOISY, Dr Roger. *Les maladies psychosomatiques*, Montréal, Les Éditions de l'Homme, 1971, 123 p.

FRANKL, Victor E. *Découvrir un sens à sa vie*, Montréal, Les Éditions de l'Homme, 1988, 165 p.

FRÉCHETTE, Marcel et LEBLANC, Marc. *Délinquances et délinquants*, Chicoutimi, Gaëtan Morin éditeur, 1987, 384 p.

FREUD, Anna. *Le moi et les mécanismes de défense*, 6e édition, Paris, P.U.F., 1972, 166 p.

FREUD, Anna. *Normality and Pathology in Childhood. Assessments of Development*, London, The Hogarth Press and the Institute of Psychoanalysis, 1966, 273 p.

FREUD, Sigmund. *Cinq psychanalyses*, Paris, P.U.F., collection «Bibliothèque de psychanalyse», 1972, 422 p.

FREUD, Sigmund. *Psychopathologie de la vie quotidienne*, Paris, Petite Bibliothèque Payot, 1971, 297 p.

FREUD, Sigmund. *Trois essais sur la théorie de la sexualité*, Paris, Gallimard, collection «Idées nrf», 1962, 190 p.

FROHWIRTH, Charles. *Psychiatrie de l'adulte*, Paris, Maloine S.A. éditeur, collection «Dossiers médico-chirurgicaux», 1985, 159 p.

FUSTIER, Michel. *La résolution de problèmes. Méthodologie de l'action*, Paris, Les Éditions E S F, 1980, 164 p.

GARNEAU, Jean et LARIVEY, Michelle. *L'auto-développement: psychothérapie dans la vie quotidienne*, Outremont, Ressources en développement Inc., 1979, 332 p.

GENDREAU, Gilles. *L'intervention psycho-éducative. Solution ou défi?* Paris, Éditions Fleurus, collection «Pédagogie psychosociale», 1978, 307 p.

GERGEN, Kenneth J. et Mary M. *Psychologie sociale*, Montréal, Éditions Études vivantes, 1984, 528 p.

GILLIÉRON, Edmond. *Les psychothérapies brèves*, Paris, P.U.F., 1983, 105 p.

GIRAUD, H. *L'enfant inadapté à l'école. L'action pédagogique auprès des enfants et des adolescents psychiquement et physiquement handicapés*, Toulouse, Édouard Privat, éditeur, collection «Éducateurs», 1975, 216 p.

GLASSER, Dr William. *États d'esprit. La puissance de la perception*, Montréal, Le Jour éditeur, collection «Actualisation», 1982, 289 p.

GLASSER, Dr William. *La "reality therapy". Nouvelle approche thérapeutique par le réel*, Paris, EPI Éditeurs, 1971, 213 p.

GOUPIL, Georgette. *Élèves en difficulté d'adaptation et d'apprentissage*, Boucherville, Gaëtan Morin éditeur, 1990, 346 p.

GRAND'MAISON, Jacques. *Finalement... qui est compétent?* Conférence de clôture, Congrès du Conseil québécois de l'enfance exceptionnelle.

GRAND'MAISON, Jacques. *Vers un nouveau pouvoir*, Montréal, Éditions HMH, 1970, 125 p.

GUIOT, Jean M. et BEAUFILS, Alain. *Comportement organisationnel*, Chicoutimi, Gaëtan Morin éditeur, 1985, 261 p.

HALEY, Jay. *Nouvelles stratégies en thérapie familiale. Le problem-solving en psychothérapie familiale*, Paris, Éditions Delage, 1979, 268 p.

HALL, Calvin S. *L'A.B.C. de la psychologie freudienne*, Paris, Aubier Montaigne, collection «La chair et l'esprit», 1957, 172 p.

HAMBURGER, Jean. *La puissance et la fragilité. Vingt ans après*, nouvelle édition revue et augmentée, Paris, Flammarion, 1990, 209 p.

HANIGAN, Patricia. *La jeunesse en difficulté. Comprendre pour mieux intervenir,* Québec, Presses de l'Université du Québec, 1990, 323 p.

HARRIS, Thomas A. *D'accord avec soi et les autres. Guide pratique d'analyse fonctionnelle*, Paris, Épi s.a. Éditeurs, 1973, 243 p.

HEUYER, Georges. *Introduction à la psychiatrie infantile*, Paris, P.U.F., collection «SUP», 1969, 406 p.

HOWARD, Alice et Walden. *Explorer le chemin le moins fréquenté*, Montréal, Les éditions internationales Alain Stanké, collection «Partage», 1990, 219 p.

IONESCU, Serban. *L'intervention en déficience mentale. Volume 1: Problèmes généraux, méthodes médicales et psychologiques*, Bruxelles, Pierre Mardaga, éditeur, 1987, 435 p.

JACOBSON, Édith. *Le soi et le monde objectal*, Paris, P.U.F., collection «Le fil rouge», 1975, 245 p.

JACQUARD, Albert. *Au péril de la science*, Paris, Éditions du Seuil, 1982, 215 p.

JOLY, Yvon. *La thérapie de couple dans une perspective systémique. Approche interactionnelle*, Montréal, Éditions Bellarmin, 1986, 202 p.

KIEV, Dr Ari. *Le courage de vivre. Vaincre la dépression nerveuse*, Montréal, Les Éditions de l'Homme, CIM, 1981, 147 p.

KIRSCHNER, Josef. *L'art d'être égoïste. Mettre en valeur ses atouts personnels*, Montréal, Le Jour éditeur, 1983, 191 p.

KOHLER, Claude. *Les déficiences intellectuelles chez l'enfant*, 3e édition, Paris, P.U.F., 1968, 312 p.

KÜBLER-ROSS, Dr Elizabeth. *La mort, dernière étape de croissance*, Montréal, Québec/Amérique, 1981, 220 p.

KÜBLER-ROSS, Dr Elizabeth. *Les derniers instants de la vie*, Genève, Éditions Labor et Fides, 1975, 279 p.

KYES, J. J., HOFLING, C. T. et BERTHELOT, H. *Soins infirmiers en psychiatrie*, Montréal, Éditions du Renouveau pédagogique, 466 p.

LABORIT, Henri. *Dieu ne joue pas aux dés*, Montréal, Les Éditions de l'Homme, 1987, 235 p.

LADSOUS, Jacques. *L'éducateur dans l'éducation spécialisée*, Paris, Les Éditions E S F, 1977, 180 p.

LAFORGUE, René. *Psychopathologie de l'échec*, Paris, Petite Bibliothèque Payot, 1975, 237 p.

LAING, R.D. et AESTERSON, A. *L'équilibre mental. La folie et la famille*, Montréal, Éditions L'Étincelle, 1974, 221 p.

LAJOIE, Gérald. *Réadapter et survivre*, Les éditions de l'Association des centres d'accueil du Québec, 1984, 101 p.

LALONDE, Pierre, GRUNBERG, Frédéric et collab. *Psychiatrie clinique. Approche bio-psycho-sociale*, Montréal, Gaëtan Morin éditeur, 1988, 1348 p.

LAMARCHE, Constance. *L'enfant inattendu. Comment accueillir un enfant handicapé et favoriser son intégration à la vie familiale et communautaire*, Montréal, Les Éditions du Boréal Express, 1987, 200 p.

LAMBERT, J.L. et RONDAL, J.A. *Le mongolisme*, Bruxelles, Pierre Mardaga, éditeur, 1979, 217 p.

LANG, Jean-Louis. *L'enfance inadaptée. Problème médico-social*, Paris, P.U.F., collection «SUP», 1976, 189 p.

LAPLANTINE, François. *Anthropologie de la maladie*, Paris, Payot, 1986, 411 p.

LAUFER, Moses. *Troubles psychiques chez l'adolescent*, Paris, Éditions Le Centurion, 1975, 127 p.

LAVALLÉE, Marcel. *Les conditions d'intégration des enfants en difficulté d'adaptation et d'apprentissage*, 2e édition, Québec, Presses de l'Université du Québec, 1986, 262 p.

LAZURE, Hélène. *Vivre la relation d'aide*, Ville Mont-Royal, Décarie éditeur, 1987, 192 p.

LEBOVICI, Serge et McDOUGALL, Joyce. *Un cas de psychose infantile. Éude psychanalytique*, Paris, P.U.F., collection «L'actualité psychanalytique», 1960, 487 p.

LEBOVICI, Serge et SOULÉ, M. *La connaissance de l'enfant par la psychanalyse*, 5e édition, Paris, P.U.F., collection «Le fil rouge», 1989, 675 p.

LEDUC, Constance et Philippe, DE MASSY, Robert. *Pour mieux vivre ensemble*, Commission des droits et libertés de la personne, Mont-Royal, Modulo éditeur, 1988, 154 p.

LEFEBVRE, Gérald. *Le cœur à l'ouvrage*, Montréal, Les Éditions de l'Homme, CIM, 1982, 121 p.

LEGENDRE, Pierre. *L'amour du censeur. Essai sur l'ordre dogmatique*, Paris, Éditions du Seuil, 1974, 270 p.

LEIF, Joseph. *L'apprentissage de la liberté. Le droit et le devoir de vivre libre*, Paris, Les Éditions E S F, 1983, 141 p.

LEMAY, Michel. *J'ai mal à ma mère. Approche thérapeutique du carencé relationnel*, Paris, Éditions Fleurus, collection «Pédagogie psychosociale», 1979, 368 p.

LEMAY, Michel. *L'éclosion psychique de l'être humain. La naissance du sentiment d'identité chez l'enfant*, Paris, Éditions Fleurus, collection «Pédagogie psychosociale», 1983, 711 p.

LEMAY, Michel. *Le diagnostic en psychiatrie infantile. Pièges, paradoxes et réalités*, Paris, Éditions Fleurus, collection «Pédagogie psychosociale», 1976, 310 p.

LEMAY, Michel. *Les groupes de jeunes inadaptés. Rôle du jeune meneur*, Paris, P.U.F., collection «SUP Paideïa», 1968, 247 p.

LEMAY, Michel. *Psychopathologie juvénile*, tome 1, Paris, Éditions Fleurus, collection «Pédagogie psychosociale», 1973, 662 p.

LEMAY, Michel. *Psychopathologie juvénile*, tome 2, Paris, Éditions Fleurus, collection «Pédagogie psychosociale», 1973, p. 673 à 1280.

LEVIN, Pamela. *Les cycles de l'identité*, Paris, InterÉditions, 1986, 255 p.

LEWIS, David. *Comment devenir des parents doués*, Montréal, Le Jour éditeur, 1983, 240 p.

LEWITH, Dr George T. et KENYON, Dr Julian N. *Les maladies de l'environnement*, Montréal, Québec/Amérique, 1986, 133 p.

LOBROT, Michel. *Pour ou contre l'autorité*, Paris, Gauthier-Villars Éditeur, collection «Hommes et organisations», 1973, 175 p.

LORENZ, Konrad. *L'homme dans le fleuve du vivant*, Paris, Flammarion, 1981, 450 p.

LORENZ, Konrad. *Les huit péchés capitaux de notre civilisation*, Paris, Flammarion, 1973, 168 p.

LORENZ, Konrad. *Trois essais sur le comportement animal et humain*, Paris, Éditions du Seuil, 1970, 249 p.

MALCUIT, Gérard, GRANGER, Luc et LAROCHE, Alain. *Les thérapies behaviorales. Modifications correctives du comportement et behaviorisme*, Québec, Les Presses de l'Université Laval, 1972, 219 p.

MALHER, Margaret. *Psychose infantile*, Paris, Petite Bibliothèque Payot, collection «Science de l'homme», 1977, 243 p.

MALO, Adèle. *Comme l'eau de la rivière*, Boucherville, Éditions de Mortagne, 1988, 160 p.

MANSEAU, Hélène. *L'abus sexuel et l'institutionnalisation de la protection de la jeunesse*, Québec, Presses de l'Université du Québec, 1990, 169 p.

MASLOW, Abraham H. *Vers une psychologie de l'être*, Paris, Fayard, collection «L'expérience psychique», 1972, 270 p.

MAZIADE, Michel. *Guide pour parents inquiets. Aimer sans se culpabiliser*, Québec, Les Éditions La Liberté, 1988, 180 p.

MEURICE, Émile. *Psychiatrie et vie sociale*, Bruxelles, Pierre Mardaga Éditeur, 1977, 349 p.

MINISTÈRE DE LA SANTÉ ET DES SERVICES SOCIAUX. *L'école et la santé mentale. État de la question sur la santé mentale et scolaire*, Québec, 1985, 89 p.

MINISTÈRE DE LA SANTÉ ET DES SERVICES SOCIAUX. *L'intégration sociale des personnes présentant une déficience intellectuelle, un impératif humain et social. Orientation et guide d'action*, Gouvernement du Québec, 1988, 47 p.

MINISTÈRE DE LA SANTÉ ET DES SERVICES SOCIAUX. *La santé mentale. À nous de décider. Pour une réflexion sur la santé mentale*, Québec, 1985, 59 p.

MINISTÈRE DE LA SANTÉ ET DES SERVICES SOCIAUX. *La santé mentale, de la biologie à la culture. Avis sur la notion de santé mentale*, Québec, 1985, 158 p.

MINISTÈRE DE L'ÉDUCATION. *L'école s'adapte à son milieu. Énoncé de politique sur l'école en milieu économiquement faible*, Québec, 1980, 133 p.

MINISTÈRE DE L'ÉDUCATION. *L'éducation de l'enfance en difficulté d'adaptation et d'apprentissage au Québec. Rapport Copex*, deux tomes, Québec, 1976, 693 p.

MINISTÈRE DE L'ÉDUCATION. *Propositions de développement pédagogique face aux problèmes de l'inadaptation scolaire*, Québec, 1982, 74 p.

MINISTÈRE DES AFFAIRES SOCIALES. *Prévenir, traiter et réadapter efficacement, 1. Synthèse et recommandations*, Québec, Direction générale des publications gouvernementales, 1985, 115 p.

MINISTÈRE DES AFFAIRES SOCIALES. *Prévenir, traiter et réadapter efficacement, 2. L'efficacité de la prévention*, Québec, Direction générale des publications gouvernementales, 1985, 101 p.

MINISTÈRE DES AFFAIRES SOCIALES. *Prévenir, traiter et réadapter efficacement, 3. L'efficacité du traitement*, Québec, Direction générale des publications gouvernementales, 1985, 157 p.

MINISTÈRE DES AFFAIRES SOCIALES. *Prévenir, traiter et réadapter efficacement, 4. L'efficacité de la réadaptation*, Québec, Direction générale des publications gouvernementales, 1985, 123 p.

MINISTÈRE DES AFFAIRES SOCIALES. *Rapport du comité sur la réadaptation des enfants et des adolescents placés en centre d'accueil. Rapport Batshaw*, Québec, 1976, 174 p.

MINISTÈRE DES AFFAIRES SOCIALES ET DE LA SOLIDARITÉ. *Classification française des troubles mentaux de l'enfant et de l'adolescent. Présentation générale et mode d'utilisation*, 1re édition, publié par le Centre technique national d'études et de recherches sur les handicaps et les inadaptations, Paris, Diffusion P.U.F., 1990, 93 p.

MINISTÈRE DES APPROVISIONNEMENTS ET SERVICES CANADA. *Activité humaine et l'environnement. Un compendium de statistiques*, Canada, Statistique Canada, Division de l'Analyse structurelle, Études analytiques, 1986, 375 p.

MONBOURQUETTE, Jean. *Aimer, perdre et grandir. L'art de transformer une perte en gain*, Saint-Jean-sur-Richelieu, Les Éditions Richelieu, 1984, 147 p.

MONGEAU, Dr Serge. *Survivre aux soins médicaux*, Montréal, Québec/Amérique, 1982, 235 p.

MORIN, Edgar. *Autocritique*, Paris, Éditions du Seuil, 1975, 256 p.

MORIN, Roland. «Adaptation et inadaptation» dans *Les cahiers de l'enfance inadaptée*, n° 267, décembre 1983, p. 12 à 17.

MORIN, Roland. «Apparition et évolution du problème de l'inadaptation» dans *Les cahiers de l'enfance inadaptée*, n° 268, janvier 1984, p. 24 à 29.

MORIN, Roland. «Inadaptation dans le débat hérédité-milieu» dans *Les cahiers de l'enfance inadaptée*, n° 270, mars 1984, p. 13 à 19.

MORIN, Roland. «Inadaptation et société» dans *Les cahiers de l'enfance inadaptée*, n° 269, février 1984, p. 14 à 21.

MUCHIELLI, Roger. *Les complexes*, Paris, P.U.F., collection «Que sais-je?», 1976, 128 p.

MUCHIELLI-BOURCIER, Arlette. *Éducateur ou thérapeute, une conception nouvelle des rééducations*, Paris, Les Éditions E S F, 1979, 240 p.

MUNN, Normand L. *Traité de psychologie*, Paris, Payot, collection «Bibliothèque scientifique», 1967, 562 p.

NICHOLS, Michael. *Family Therapy. Concept and Methods*, N.Y., Garner Press, 1984,

OFFICE DES PERSONNES HANDICAPÉES DU QUÉBEC. *À part...égale. L'intégration sociale des personnes handicapées: un défi pour tous*, Québec, 1984, 350 p.

OFFICE DES PERSONNES HANDICAPÉES DU QUÉBEC. *Dossiers 1-2-3-4-5-6-7-8.*

OFFICE DES PERSONNES HANDICAPÉES DU QUÉBEC. *Situations. Conférence pour l'intégration sociale des personnes handicapées. À part...égale*, Québec, 1986, 171 p.

ORGANISATION MONDIALE DE LA SANTÉ. *Classification internationale des maladies. Manuel de la classification statistique internationale des maladies, traumatismes et causes de décès*, vol. 1, 9e révision (1975), Genève, 1977, 781 p.

ORNSTEIN, Robert et THOMPSON, Richard. *L'incroyable aventure du cerveau*, Paris, InterÉditions, 1987, 229 p.

PAPALIA, Diane E. et OLDS, Sally W. *Le développement humain*, 3e édition, Montréal, Éditions Études vivantes, 1989, 612 p.

PAQUETTE, Claude. *Intervenir avec cohérence. Vers une pratique articulée de l'intervention*, Montréal, Québec/Amérique, collection «C.I.F. Autodéveloppement», 1985, 307 p.

PARIS, Claude. *Éthique et politique*, 2e édition, Québec, Éditions C.G., 1985, 214 p.

PECK, Scott. *Le chemin le moins fréquenté. Apprendre à vivre avec la vie*, Paris, Éditions Robert Laffont, 1987, 411 p.

PÉLICIER, Y. *Guide psychiatrique pour le praticien*, Paris, Masson et Cie, éditeurs, 1975, 216 p.

PELSSER, Robert. *Manuel de psychopathologie de l'enfant et de l'adolescent*, Boucherville, Gaëtan Morin éditeur, 1989, 518 p.

PORTELANCE, Colette. *Relation d'aide et amour de soi. L'approche non directive en psychothérapie et en pédagogie*, Montréal, Les Éditions de Cram, 1990, 409 p.

RAPPORT RIOUX SUR L'ENSEIGNEMENT DES ARTS AU QUÉBEC, tome 1, Gouvernement du Québec, 1969, 303 p.

RAVINEL, Hubert de. *Vieillir au Québec*, Montréal, Les Éditions La Presse, 1972, 313 p.

REDL, Fritz et WINEMAN, David. *L'enfant agressif*, tome 1: *Le moi désorganisé*, Paris, Éditions Fleurus, collection «Pédagogie psychosociale», 1973, 311 p.

REDL, Fritz et WINEMAN, David. *L'enfant agressif*, tome 2: *Méthodes de rééducation*, Paris, Éditions Fleurus, collection «Pédagogie psychosociale», 1973, 320 p.

REEVES, Hubert. *L'heure de s'enivrer. L'univers a-t-il un sens?*, Paris, Éditions du Seuil, 1986, 280 p.

RENAUD, Dr Jacqueline. *L'enfant à problèmes*, Paris, Éditions Bordas, 1979, 111 p.

RÉSEAU INTERNATIONAL CIDIH. *Consultation, proposition d'une révision du 3e niveau de la CIDIH: le handicap*, numéro spécial, vol. 2, no 1, hiver 1989.

RÉSEAU INTERNATIONAL CIDIH. *Le processus de production des handicaps: analyse de la consultation, nouvelles propositions*, publié par La Société canadienne de la CIDIH et le Comité québécois sur la CIDIH (Classification internationale des déficiences, incapacités et handicaps), vol. 4, no 1-2, juin 1991, 38 p.

RÉSEAU INTERNATIONAL CIDIH. *Le processus de production des handicaps. Comment analyser le modèle conceptuel - Exemples*, publié par La Société canadienne de la CIDIH et le Comité québécois sur la CIDIH (Classification internationale des déficiences, incapacités et handicaps), vol. 4, no 3, août 1991, 62 p.

RIBEILL, Georges. *Tensions et mutations sociales*, Paris, P.U.F., collection «SUP», 1974, 220 p.

ROACH, Marion. *La mémoire blessée. Alzheimer: un autre nom pour la folie*, traduit de l'américain par Gabrielle ROLIN, Lyons, La Manufacture, 1986, 194 p.

ROBIN, Arthur L. et FOSTER, Sharon L. *Negotiating Parent-Adolescent Conflict. A Behavioral-Family Systems Approach*, New York and London, The Guilford Press, 1989, 338 p.

ROCHER, Guy. *Introduction à la sociologie générale,* tome 1: *L'action sociale*, Montréal, Éditions Hurtubise HMH, 1969, 136 p.

ROCHER, Guy. *Le Québec en mutation*, Montréal, Éditions Hurtubise HMH, 1973, 345 p.

ROELENS, Rodolphe. *Introduction à la psycho-pathologie*, Paris, Larousse, collection «Sciences humaines et sociales», 1969, 228 p.

ROGERS, Carl R. *Le développement de la personne*, Paris, Dunod, collection «Organisation et sciences humaines», 1970, 290 p.

ROMAN, Jo. *J'ai choisi l'heure de ma mort*, Paris, Éd. Gérard Watelet, collection «Pygmalion», 1981, 187 p.

ROSEMOND, John K. *L'autorité des parents dans la famille*, Montréal, Les Éditions de l'Homme, 1982, 283 p.

ROSNAY, Joël de. *Le macroscope. Vers une vision globale*, Paris, Éditions du Seuil, collection «Points», 1975, 249 p.

ROSSER, Rosemary A. et NICHOLSON, Glen I. *Educational Psychology, Principles in Practice*, Toronto, Little, Brown and Company, 1984, 669 p.

ROUAULT DE LA VIGNE, A. *Éléments de psychopathologie médico-sociale. L'adulte,* tome 1, Paris, Éditions E S F, 1970, 194 p.

ROY, Sœur Callista. *Introduction aux soins infirmiers: un modèle de l'adaptation*, Chicoutimi, Gaëtan Morin éditeur, 1986, 485 p.

RUFFIÉ, Jacques. *De la biologie à la culture*, Paris, Flammarion, collection «Nouvelle bibliothèque scientifique», 1976, 594 p.

RUFFIÉ, Jacques. *Éléments de génétique générale et humaine*, Paris, Masson & Cie, 1969, 86 p.

RUFFO, Andrée. *Parce que je crois aux enfants*, Montréal, Les Éditions de l'Homme, 1988, 231 p.

SAINT-AMAND, Néré. *Folie et oppression. L'internement en milieu psychiatrique*, Moncton, Éditions d'Acadie, 1983, 199 p.

SAINT-ARNAUD, Yves. Conférence de clôture. Actes du Congrès du Conseil québécois de l'enfance exceptionnelle.

SAINT-ARNAUD, Yves. *Devenir autonome, Créer son propre modèle*, Montréal, Le Jour éditeur, collection «Actualisation», 1983, 328 p.

SAINT-ARNAUD, Yves. *La personne humaine. Introduction à l'étude de la personne et des relations interpersonnelles*, Montréal, Les Éditions de l'Homme, 1974, 200 p.

SAINT-ARNAUD, Yves. *La personne qui s'actualise. Traité de psychologie humaniste*, Chicoutimi, Gaëtan Morin éditeur, 1982, 262 p.

SAINT-ARNAUD, Yves. *La psychologie, modèle systémique*, Les Presses de l'Université de Montréal et les Éditions du CIM, 1979, 146 p.

SARANO, Jacques. *La séparation, les départs et les ruptures dans la vie*, Paris, Éditions Le Centurion, 1972, 211 p.

SARTORIO, Florian. «Équilibre et santé physique» dans *Revue Vie et Santé*, mars 1987, p. 34-35.

SARTORIO, Florian. «Équilibre et santé mentale» dans *Revue Vie et Santé*, mai 1987, p. 24-25.

SARTORIO, Florian. «La vie, une recherche constante d'équilibre», 1re partie dans *Revue Vie et Santé*, janvier 1987, p. 14-15, 2e partie dans *Revue Vie et Santé*, février 1987, p. 11.

SAUCIER, Jean-François, HOUDE, Laurent et collab. *Prévention psychosociale pour l'enfance et l'adolescence*, Montréal, Les Presses de l'Université de Montréal, 1990, 378 p.

SAXTON, D. F. et HARING, P.W. *Soins aux malades souffrant de problèmes émotionnels*, Toronto, The C.V. Mosby Company, 1979, 111 p.

SCHELL, Robert E. et HALL, Elizabeth. *Psychologie génétique. Le développement humain*, Montréal, Les Éditions du Renouveau pédagogique, 1980, 484 p.

SCHOUTEN, Jan, HIRSCH, Siegi et BLANKSTEIN, Han. *Garde ton masque. Traitement résidentiel des adolescents*, Paris, Éditions Fleurus, collection «Pédagogie psychosociale», 1976, 352 p.

SEGUIN, Fernand. *La bombe et l'orchidée*, Montréal, Libre Expression, 1987, 203 p.

SELYE, Hans. *Le stress de la vie. Le problème de l'adaptation*, Montréal, Éditions Gallimard/Lacombe, 1975, 425 p.

SELYE, Hans. *Le stress de ma vie*, Montréal, Éditions Alain Stanké, 1976, 165 p.

SELYE, Hans. *Stress sans détresse*, Montréal, Éditions La Presse, 1983, 175 p.

SÉNÉCHAL, Gilles. *La conscience de soi*, Saint-Hubert, Les éditions Un monde différent, 1985, 205 p.

SÉVIGNY, Robert. «La construction du champ de la santé mentale au Québec» dans *Santé mentale au Québec*, 1986, vol. XI, n° 2, p. 13 à 20.

SHEEHY, Gail. *Les passages de la vie. Les crises prévisibles de l'âge adulte*, Boucherville, Éditions de Mortagne, 1982, 316 p.

SHEPPARD, Dr Martin. *Psychothérapie sans thérapeute*, traduit de l'américain par Jean-Pierre PAILLET, Montréal, Éditions internationales Alain Stanké Ltée, 1978, 223 p.

SIMARD, Clermont, CARON, Fernand et SKROTSKY, Kristina. *Activité physique adaptée*, Chicoutimi, Gaëtan Morin éditeur, 1987, 313 p.

SIMON, Dr Sidney B. et OLDS, Sally Wendkos. *Aider les jeunes à choisir.* Montréal, Le Jour éditeur, collection «Actualisation», 1981, 267 p.

SKINNER, B. F. *Par-delà la liberté et la dignité*, Paris, Éditions Robert Laffont, collection «Libertés 2000», 1972, 270 p.

SOCIÉTÉ INTERNATIONALE DE RECHERCHE INTERDISCIPLINAIRE SUR LA MALADIE. *Alors survient la maladie. La vie quotidienne à la lumière du fonctionnement du cerveau*, Montréal, Empirika/ Boréal Express, 1983, 466 p.

SPITZER, Robert L., GIBBON, Miriam et collab. *DSM-III-R. Cas cliniques*, Paris, Éd. Masson, 1991, 311 p.

SWANY HARRITY, Anne et BREY CHRISTENSEN, Ann. *Les jeunes, les drogues et l'alcool*, traduit de l'américain par Michèle THIFFAULT, Montréal, Les Éditions Québécor, 1990, 199 p.

TEIL, Pierre. *Les enfants inadaptés. Origine et signification de l'inadaptation scolaire*, Toulouse, Édouard Privat, éditeur, 1973, 156 p.

THIBAULT, Odette. *L'homme inachevé. Biologie et promotion humaine*, Belgique, Casterman, collection «Synthèses contemporaines», 1972, 231 p.

VASEY, Christopher. *Comprendre les maladies graves*, Genève, Éditions Soleil, 1988, 218 p.

VATTIER, Guy. *Approches de l'action éducative en milieu ouvert. Éléments de méthodologie d'organisation et d'étude*, Paris, Les Éditions E S F, collection «Travailleurs sociaux», 1971, 123 p.

VATTIER, Guy. *Rééducation des jeunes inadaptés en milieu ouvert*, Paris, Les Éditions E S F, 1968, 118 p.

VAYER, Pierre et DESTROOPER, Jean. *La dynamique de l'action éducative chez les enfants inadaptés*, Paris, Doin éditeurs, 1976, 203 p.

VIAN, Boris. *L'arrache-cœur*, Paris, Société des éditions Jean-Jacques Pauvert, collection «Le livre de poche», 1977, 256 p.

VICTOR, Jean-Louis. *Vivre, un métier qui s'apprend*, Verdun, Louise Courteau, éditrice, 1985, 81 p.

VIGEANT, Yolande. *Espoir pour les mal-aimés*, Montréal, Édimag, 1990, 223 p.

WATZLAWICK, Paul, WEAKLAND, John et FISH, Richard. *Changements, paradoxes et psychothérapie*, Paris, Éditions du Seuil, collection «Points», 1975, 191 p.

WIENER, Paul. *Structure et processus dans la psychose*, Paris, P.U.F., 1983, 232 p.

WINN, Marie. *Enfants sans enfance*, Boucherville, Éditions de Mortagne, 1985, 234 p.

WOLFENSBERGER, Wolf. *La valorisation des rôles sociaux. Introduction à un concept de référence pour l'organisation des services*, Genève, Éditions des Deux Continents, 1991, 107 p.

ZAZZO, Bianka. *Un grand passage de l'école maternelle à l'école élémentaire*, Paris, P.U.F., 1974, 224 p.

ZAZZO, René. *Les débilités mentales*, Paris, Librairie Armand Colin, 1979, 473 p.

INDEX

A

B

C

D

E

F

G

H

I

O

P

R

S

T

V